BIKINI

JANUSZ L. WIŚNIEWSKI

Projekt graficzny okładki według pomysłu Autora
Małgorzata Karkowska

Zdjęcie na okładce
Bikini Atoll Lagoon, Charles Whiting

Zdjęcia
Corbis, Flash Press Media, East News

Redaktor prowadzący
Ewa Niepokólczycka

Redakcja techniczna
Agnieszka Gąsior

Korekta
Maciej Korbasiński
Bożenna Burzyńska

Świat Książki
Warszawa 2009

Świat Książki
ul. Rosoła 10
02-786 Warszawa

Skład i łamanie
Ewa Mikołajczyk, Studio Rhodo

Druk i oprawa
Druk-Intro, Inowrocław

ISBN 978-83-247-1622-7
Nr 6900

Moim Rodzicom

Drezno, Niemcy, wczesny ranek, środa, 14 lutego 1945 roku

Obudziła ją cisza. Nie otwierając oczu, wsunęła powoli dłoń pod sweter. Serce biło. Zagryzła wargi. Potem mocniej. Jeszcze mocniej. Gdy poczuła słony smak krwi, otworzyła oczy. Żyła...

– Opowiesz mi bajkę? Przyniosę ci za to wody. Albo nawet papierosa. Opowiesz?

Odwróciła głowę w kierunku, z którego dochodził głos. Dwoje okrągłych, niebieskich oczu wpatrywało się w nią uważnie. Uśmiechnęła się.

– Może być ta sama, co wczoraj – nalegał.

Podniosła rękę i bez słowa zaczęła delikatnie gładzić potargane włosy na głowie chłopca.

– Bajek nie opowiada się rano – wyszeptała – bajki opowiada się wieczorem.

Chłopiec nachylił się nad nią i pocałował ją w czoło. Strzępy słomy z jego jasnych włosów spadły na jej twarz, zaprószyły oczy, przykleiły się do krwi na wargach.

– Wiem, ale dzisiaj wieczorem muszę się modlić. Poza tym przez te samoloty nic nie słychać. Lepiej mi teraz opowiedz. Zanim umrzemy...

Poczuła nagle znajome ukłucie pod obojczykiem. Tylko Markus mógł powiedzieć coś takiego tak... no tak... no właśnie, do diabła, czyli jak?! Tak na marginesie. Tak absolutnie nieznacząco. Na wydechu, o wiele ciszej niż główne zdanie, prawie szeptem, z nadzieją, że może

jednak nikt tego i tak nie usłyszy. „Zanim umrzemy". Jak gdyby mówił o gazecie wcale nie tej z wczoraj, ale o tej sprzed tygodnia! Dlatego zawsze wsłuchiwała się w Markusa do ostatniego dźwięku. Nauczyła się tego przed rokiem, gdy razem z Heidi i Hinnerkiem kradli czereśnie z ogrodu Zeissów...

Dr Albrecht von Zeiss miał szklane oko, które zasłaniał owalną, skórzaną przepaską zawiązywaną na łysinie z tyłu głowy, krótkie, krzywe nogi, ogromny brzuch i według Markusa był najbrzydszym i jedynym „piratem bez szyi", jakiego znał. Odkąd tylko pamięta, zawsze chodził ubrany w galowy, czarny mundur SS i brunatną koszulę. Zawsze też nosił czarny krawat i czerwoną przepaskę ze swastyką na lewym ramieniu. Nawet gdy wychodził tylko do ogrodu lub na spacer ze swoim wilczurem. Patrząc na Zeissa, można było pomyśleć, że Hitler ma urodziny każdego dnia.

Płot otaczający posiadłość Zeissów graniczył bezpośrednio z podwórzem kamienicy, w której mieszkała. Przy Grunaer Strasse 18, w centrum Drezna. Nikt tak do końca nie wiedział, jak to się stało, że w samym środku miasta za budynkami przy głównej, dwupasmowej ulicy znajdowała się willa z ogromnym ogrodem. Rodzice pytani o to ściszali głos, machali tylko ręką lub żartując, kazali zapytać samego Zeissa. Któregoś popołudnia w czerwcu Markus – miał wtedy siedem lat – podszedł pod płot ogrodu i krzyknął piskliwym głosikiem do Zeissa przycinającego krzaki róż:

– Dlaczego ma pan taki duży dom, a my mamy przez to takie małe podwórko?

Na podwórku zapadła grobowa cisza. Zeiss zrobił się czerwony na twarzy, rzucił ze złością nożyce na trawę, poprawił opaskę na oku, zapiął guziki munduru i zbliżył się do Markusa, wypychając swoim ogromnym brzuchem płot.

– Jak się nazywasz, szczeniaku? Nazwisko! – wycedził w kierunku chłopca.

Mały Markus z twarzą przyciśniętą do płotu tuż pod brzuchem Zeissa stanął na baczność, zadarł głowę do góry i z całych sił wykrzyknął:

– Nazywam się Markus Landgraf, jestem Niemcem i mieszkam w Dreźnie, na drugim piętrze.

Pamięta, że wszyscy – podwórko było tego słonecznego popołudnia pełne dzieci i dorosłych – wybuchnęli gromkim śmiechem. Zeiss wyglądał jak człowiek w ataku furii. Zacisnął dłonie na kolczastym drucie płotu, do twarzy napłynęła mu krew, było widać wyraźnie, jak drżą mu szczęki i na wargach pojawia się biała piana. Po chwili bez słowa odwrócił się i ruszył nerwowym krokiem w stronę domu. W pewnym momencie potknął się o metalowy kosz stojący pod drzewem czereśni i upadł. Podwórko znowu wypełniło się odgłosem śmiechu. Ona śmiała się najgłośniej i z największą nienawiścią...

Dwa dni później Heidi, piętnastoletnia siostra Markusa, Hinnerk, jego starszy siedemnastoletni brat, i ona spotkali się późnym wieczorem, po zapadnięciu zmroku, w piwnicy. Gałęzie rozłożystej czereśni w ogrodzie Zeissów uginały się pod ciężarem dojrzałych owoców. Czasami ustawieni rzędem pod płotem z otwartymi ustami patrzyli w milczeniu, jak lokaj i jednocześnie ogrodnik Zeissów, stojąc na drabinie, zrywa owoce. Czekali z nadzieją do końca. Aż lokaj zejdzie z drabiny. Nigdy do nich nie podszedł. Markus wtedy schylał się i rzucał za nim kamieniem. Czasami nawet trafiał. Lokaj i tak nie reagował. Nie pamięta też, aby kiedykolwiek odezwał się do nich chociaż jednym słowem.

Pamięta, że ostatnie czereśnie jadła podczas urodzin babci, latem 1943 roku. Pamięta także, jak babcia zamknęła drzwi prowadzące do ich kuchni, wsypała kilkanaście sztuk do poszczerbionego kamiennego kubka, owinęła go szarym papierem i nałożyła czarną gumkę do włosów. Dla Lukasa...

– Zaniesiesz mu? – zapytała proszącym głosem. – Zanieś mu teraz. I nie zapomnij przed tym zgasić światła w przedpokoju.

Zaniosła.

Zawsze gdy schodziła do skrytki pod podłogą w przedpokoju, myślała o pierwszym spotkaniu z Lukasem. Wystraszony mały chłopiec o kruczoczarnych włosach, ogromnych, nieomal czarnych jak węgiel oczach, siedzący skulony w najbardziej oddalonym rogu skrytki. Przez cały czas, na przemian po niemiecku i w jidysz, mówił „dziękuję". Pewnego dnia po prostu pojawił się u nich...

Dziadek Lukasa, doktor medycyny Miroslaw Jacob Rootenberg, był lekarzem. Prowadził praktykę na przedmieściach Drezna od wielu lat. Babcia Marta przez długi czas uważała, że lekarze w ogóle nie są światu potrzebni. To było dziwaczne, bo jej własny mąż sam był przecież lekarzem. Zwykła mawiać, że „tajemnica medycyny polega wyłącznie na tym, aby zająć czymś w tym czasie pacjenta, a natura i tak sama sobie ze wszystkim poradzi". Tak uważała do chwili, gdy jej syn zachorował, rok i sześć miesięcy po urodzeniu, na tajemniczą chorobę. Najpierw, tuż po urodzeniu się syna, zmarł na gruźlicę – którą zaraził się od pacjenta – jej mąż. Teraz umierał syn. Żaden z niemieckich lekarzy nie potrafił pomóc. Przez zupełny przypadek, dzięki radzie znajomej polskiej Żydówki, która tak jak ona przybyła do Drezna z Opola, trafiła do gabinetu Rootenberga. To Rootenberg natychmiast rozpoznał zapalenie opon mózgowych. I to on przepisał antybiotyki. Babcia Marta uważała, że nie może istnieć na świecie wdzięczność większa niż ta, jaką poczuła ona, gdy po kilku dniach syn obudził się ze śpiączki i znowu się do niej uśmiechnął.

Gdy pewnego dnia w jej domu pojawił się Lukas ze swoimi rodzicami, którzy przy końcu rozmowy zdobyli się na odwagę, aby zapytać, czy Lukas mógłby „w tych okolicznościach i w tej sytuacji zostać tutaj na jakiś czas", babcia Marta poprosiła do swojego pokoju synową i wnuczkę.

– Mamo, jak możesz w ogóle pytać – odpowiedziała jej matka i wzięła Lukasa na ręce.

Od tego dnia Lukas zamieszkał z nimi. Pod podłogą...

Tego wieczoru mieli „pomóc" ogrodnikowi Zeissów. Ale tak naprawdę to przede wszystkim drzewu czereśni Zeissów. Nie wie nawet, jak to się stało, ale nagle do piwnicy, w piżamie i kaloszach, z małym metalowym wiaderkiem w dłoni, wkroczył Markus. Nie mieli wyboru. Musieli go zabrać ze sobą. Nad bramką do ogrodu nie było drutu kolczastego...

Objadała się w ciemności czereśniami prosto z drzewa. Tylko kilka sztuk zdążyła wrzucić do wiklinowego koszyka. Nagle zapaliło się światło w jednym z okien na pierwszym piętrze willi Zeissów. Po chwili usłyszeli znajome ujadanie wilczura wypuszczonego na balkon. Zaczęli w popłochu uciekać. Była blisko płotu, gdy usłyszała za sobą trzask łamanych gałęzi i zaraz potem głos Markusa. Cofnęła się pod drzewo.

– Markus, co jest?! – wyszeptała.

– Wszystko w porządku, tylko się poślizgnąłem. Dawno nie jadłem takich dobrych czereśni. Te na wyższych gałęziach są największe. Mam pełne wiadro. Szkoda, że nie zabrałem torby taty. A ty? Dużo zerwałeś? – zapytał.

– Markus, co jest, do cholery? – powtórzyła ze zniecierpliwieniem w głosie.

– Wyciągniesz mi ten gwóźdź z ręki? – wyszeptał spokojnie.

– Jaki gwóźdź, Markus? – zapytała, nie rozumiejąc.

– No ten – odpowiedział cicho, podnosząc do góry prawą dłoń.

Brunatny zardzewiały gwóźdź wystający z kawałka mokrej deski przebił na wylot dłoń Markusa i wyszedł po drugiej stronie.

– Boże, tylko nie płacz teraz...

– Wyciągniesz? – powtórzył Markus spokojnym głosem, wypluwając pestkę czereśni.

Ścisnęła mocno jego nadgarstek lewą ręką, a prawą chwyciła za deskę, pociągając w kierunku swojej twarzy. Po chwili byli przy płocie.

Dwa tygodnie później Hans-Jürgen Landgraf, ojciec Heidi, Markusa i Hinnerka, niepozorny, rachityczny, od zawsze chory, ciągle kaszlący, spokojny, wyglądający, jak gdyby miał umrzeć za chwilę, urzędnik pracujący w biurze zabezbieczenia głównego dworca w Dreźnie, specjalnym rozkazem został przeniesiony „w trybie natychmiastowym na bardziej odpowiedzialne stanowisko". Na froncie wschodnim...

– Tylko nie płacz teraz – powiedział chłopiec, ścierając palcem łzy zbierające się wokół jej oczu – wszyscy tutaj teraz płaczą. Nawet Zeiss. A Heidi to wyła i miauczała przez całą noc. Jak kotka Roesnerów z trzeciego piętra w marcu. Nie mogłem w ogóle spać.

– Markus, no co ty! Przecież umówiliśmy się w ogrodzie u Zeissów. Zapomniałeś? Ja nie płaczę. To tylko ta słoma z twoich włosów. Wpadła mi do oczu. Naprawdę nie płaczę – powiedziała, wymuszając radość w głosie.

Chłopiec podniósł się z kolan, otrzepał energicznie spodnie wsunięte w filcowe kamasze i naciągnął na głowę wełnianą czapkę. Stojąc w rozkroku przed nią, próbował zbyt krótkimi rękami dosięgnąć kieszeni monstrualnie za dużej kurtki. Kieszenie były na wysokości jego kolan.

– To ty teraz pomyśl, a ja przyniosę ci wody.

Patrzyła, jak powoli się oddala, przechodząc pomiędzy śpiącymi na podłodze ludźmi. Za chwilę zniknął w krużganku prowadzącym do bramy w południowej nawie kościoła.

Podniosła się i klęcząc, rozglądała się dookoła. Przez wielką wyrwę w dachu powstałą po drugim nocnym nalocie przedostawała się szarość zachmurzonego nieba, oświetlając rozproszoną poświatą kilkanaście metrów eliptycznej przestrzeni wokół ołtarza. Cała reszta pozostawała w mroku przechodzącym stopniowo w ciemność. Tak jak u Dürera, na obrazach, które oglądała, jeszcze przed wojną, podczas szkolnej wycieczki, w muzeum w Berlinie! I tak jak u znienawidzonej przez jej ojca Leni Riefenstahl, którą – ale tylko jako fotografkę – podziwiała stokroć bardziej niż Dürera! Riefenstahl potrafiła zatrzymać moment, Dürer go tylko odtwarzał i dodając zbyt dużo od siebie, przesadzał. Do granicy kiczu. Zupełnie nie można było odróżnić granicy przenikających się nawzajem kolorów. Wszystko było tylko w doskonale nakładających się na siebie odcieniach szarości. Magicznie, bezgranicznie szare. Bez linii granic szare. Patrzyła na to jak oczarowana. Takie światło nie zdarza się często. Może tylko raz w życiu, „zanim umrzemy...". Wstała i pośpiesznie otworzyła walizkę. Wyciągnęła ostrożnie owinięte w grubą, futrzaną kamizelkę zawiniątko. Wydobyła z niego aparat fotograficzny.

Mama kazała jej wczoraj – podczas pierwszego alarmu – zabrać tylko „najpotrzebniejsze rzeczy". Najpierw owinęła pieczołowicie aparat i ułożyła ostrożnie na grubej poduszce ze swetrów. W pierwszej chwili sądziła, że to wszystkie „najpotrzebniejsze rzeczy", jakie ma. Potem, poganiana coraz głośniejszymi pokrzykiwaniami matki stojącej w przedpokoju, biegnąc do drzwi, zmieniła zdanie. Wróciła do swojego pokoju i dodała przewiązany jej podwiązką plik kopert z listami od Hinnerka, fotografię babci, jej obrączkę, którą zdjęła z jej palca, wszystkie podręczniki do nauki angielskiego, jedną ulubioną sukienkę, trzy komplety bielizny na zmianę, oprawiony w skórę atlas świata, który dostała jako nagrodę za najlepsze wyniki w nauce, pisany od siedmiu lat pamiętnik schowany pod materacem i ogromny jak piłka zwitek waty, którą w tajemnicy podkradała mamie. Miała akurat „swoje dni". Miała je regularnie, co miesiąc, od ponad sześciu lat, ale mama nie zdążyła tego zauważyć. Albo tylko udawała.

Jej matka nie chciała, aby córka przed końcem wojny stała się kobietą. Kobietę można zgwałcić. A potem wysłać jej syna na front. A potem czekać na listy od niego. A na końcu odebrać żółtawą, opieczętowaną ze wszystkich stron kopertę, wyjąć z niej drżącymi dłońmi szary arkusz papieru z jakimś ogromnym numerem w nagłówku, dowiedzieć się, że to „osobiście od Führera" – chociaż bez podpisu – i przeczytać, że ten ogromny numer

„poległ ku chwale". Jej matka nienawidziła Führera. Oficjalnie, ale przede wszystkim osobiście. Ta nienawiść do Hitlera była rodzajem namiętności, którą z prawdziwym oddaniem pielęgnowała w duszy i która pozwalała jej radzić sobie z własną bezsilnością, niezasłużoną samotnością i z pragnieniem zemsty. Za to czekanie na listy od męża, za jego odmrożone pod Stalingradem nogi, za nieskończony smutek wierszy, które pisał dla niej, za nieudolnie wyskrobywane żyletką przez cenzora angielskie tłumaczenia tych wierszy i za ich wspólny, od dawna dzielony wstyd, że są Niemcami. Ale przede wszystkim za żółtawą kopertę, którą odebrała na schodach od roztrzęsionego, unikającego jej wzroku młodego listonosza w wyświechtanym mundurze. W środowe, upalne południe 12 maja 1943 roku. I także za to, że każdej nocy śni ten ogromny numer, którego nauczyła się na pamięć, i za to, że nie ma nawet grobu, którego mogłaby dotykać, przy którym mogłaby uklęknąć i przy którym mogłaby należnym jej prawem rozpaczać...

A potem, gdy sądziła, że nie może istnieć jeszcze większa, jeszcze bardziej szczera nienawiść, zaczęła nienawidzić jeszcze bardziej. Za swoją matkę, która w poszczerbiony kubek pakowała czereśnie dla żydowskiego chłopca przechowywanego w klatce pod podłogą ich przedpokoju...

Matka z największą, gorliwą namiętnością nie tylko nienawidziła, ale także gardziła Adolfem H. Tym „niedorozwiniętym, małym, pokracznym, niedouczonym, psychicznie chorym od momentu poczęcia pomiotem, budzącym odrazę, sikającym pod siebie ze strachu, zakompleksionym impotentem z Austrii, który jako przestępca nigdy nie powinien dostać niemieckiej wizy...". Pamięta, że gdy pierwszy raz usłyszała to z ust matki, miała nie więcej niż dziesięć lat. Jeszcze przed wojną. Ojciec zerwał się wtedy z krzesła i natychmiast zamknął okno, a ona zapytała, kto to jest impotent, co to jest poczęcie i co to jest wiza. Mama uśmiechnęła się tylko, wzięła ją na kolana i zaplatając drżącymi rękami jej włosy w warkocze, szeptała coś jeszcze bardziej niezrozumiałego do jej ucha. Pamięta, że ojciec spojrzał wtedy na matkę z podziwem.

– Chrisie, bądź sprawiedliwa, nie wiemy, czy Hitler jest impotentem, a jeśli nawet tak jest, to należy mu się współczucie. To bardzo bolesna sprawa dla każdego mężczyzny. Pewnym jest także, że wtedy, gdy przyjechał do Niemiec, nie był żadnym przestępcą, poza tym Austriacy nie potrzebują wizy, aby wjechać do Niemiec – powiedział cicho – to zostało już dawno ustanowione traktatem z...

– Wiem. Oczywiście, że wiem! Wiem także, którym idiotycznym traktatem – przerwała ojcu, dotykając palcami jego warg, jak gdyby chcąc go uciszyć. – Boże, jak ja wiedziałam, że mi to powiesz. Uwielbiam cię. Także za to – wyszeptała.

Przecisnęła się przez tłum w kierunku schodów prowadzących na ambonę znajdującą się dokładnie naprzeciwko ołtarza. Przystanęła na chwilę i ustawiła naświetlenie i przysłonę. Szybko wbiegła krętymi schodami na górę. Słyszała przekleństwa siedzących na schodach ludzi przebudzonych lub potrącanych przez nią. Zdyszana dotarła do niewielkiego, eliptycznego placu, otoczonego zamknięciem z kamiennych, rzeźbionych kolumn tworzących rodzaj balustrady. Zatrzymała się. Dziewczyna w granatowej, wełnianej sukience zwiniętej do góry, z nagimi, sterczącymi piersiami objętymi męskimi dłońmi i rozłożonymi szeroko nogami unosiła się i opadała, siedząc na udach mężczyzny leżącego pod nią na marmurowej posadzce ambony. Nieoczekiwanie stanęła na wprost niej. Dziewczyna – mogła być w jej wieku lub niewiele starsza – otworzyła oczy. Uśmiechnęła się przyjaźnie. Po chwili je zamknęła. Na chwilę przestała się poruszać. Zwilżyła wargi językiem, podniosła palce do ust, zmoczyła śliną, opuściła je na dół, zasłoniła dłonią plamę z jasnych włosów pomiędzy szeroko rozłożonymi udami, uniosła się i odchyliła do tyłu głowę. Dziewczyna była jak w innym świecie, zupełnie nie zwracała uwagi na nic, co działo się wokół. Znowu zaczęła rytmicznie podnosić się i opadać. Rozpuszczone, długie blond włosy dotykały twarzy leżącego pod nią mężczyzny...

Poczuła zawstydzenie. Ale także ciekawość. I rodzaj podniecenia. A zaraz potem jeszcze większy wstyd. Taki inny, z jednoczesnym poczuciem winy. Za to podniecenie. Że odczuwa je nawet teraz, w tych okolicznościach i w tym miejscu. Wszystko inne było zupełnie normalne i zupełnie pasowało do rzeczywistości. Przypomniała sobie swoje rozmowy na ten temat w domu...

Była wystarczająco „dużą dziewczynką", aby wiedzieć i w pełni zrozumieć całe to wydarzenie. Seks nie był dla niej żadnym tabu. I to już od dawna. Co wcale nie było normalne. Seks w Trzeciej Rzeszy już dawno przestał być najbardziej osobistą, intymną sprawą. Seks był sprawą publiczną i polityczną. Głównie dlatego, że miał pomnażać naród. I tylko to się liczyło. Niemiecka kobieta miała rodzić jak najwięcej dzieci i do tego jak najwcześniej. Wcale nie musiała nic wiedzieć o seksie. Może nawet lepiej, że nie wiedziała. Coś takiego jak wychowanie seksualne nie istniało. To było paranoiczne, ponieważ z jednej strony zachęcano do rozmnażania, do którego nie mogło dojść bez seksu, a z drugiej okrywano seks tajemnicą. Więcej o nim dowiadywała się – jeśli w ogóle można nazwać to wiedzą – z szarych propagandowych ulotek rozkładanych na parapetach okien w szkole niż od nauczycieli w trakcie lekcji. W tych ulotkach nie było nic o bliskości, więzi, rodzinie i miłości. Było za to dużo o obowiązku, o macicy i o przyszłości wielkiego i licznego czysto niemieckiego narodu. Przeczytała taką ulotkę, gdy jeszcze nie wiedziała, co to jest macica. Miała wtedy trzynaście lat. Przeczytała tylko jedną taką. Potem je ignorowała.

Niedługo skończy dwadzieścia dwa lata. Niektóre z jej koleżanek w tym wieku miały już trójkę dzieci. Pierwsze urodziły, gdy były jeszcze w gimnazjum. Dostawały wtedy okolicznościowy urlop, rodziły i po roku, gdy nadal miały na to ochotę, wracały do szkoły. Ważne było jedynie to, że urodziły aryjskie dziecko. Wcale nie musiały wychodzić za mąż. Marianne na przykład, notabene córka ewangelickiego pastora, z którą siedziała przez cały rok w jednej ławce, urodziła dwóch chłopców i dziewczynkę. Chłopcy, urodzeni podczas jej nauki w gimnazjum, to bliźniacy, ich ojcem był Hans Jürgen, dziewczynkę urodziła, gdy Hans-Jürgen od jedenastu miesięcy był na froncie, więc to z pewnością nie on był jej ojcem. Odkąd kraj potrzebował dzieci, nie było z tym większych problemów. Tak naprawdę nie było z tym żadnych problemów. Niemieckie kobiety miały rodzić, a niemieccy mężczyźni jak najczęściej je zapładniać. Żony, kochanki, przyjaciółki, znajome jednego wieczoru lub ostatniej, jednej godziny, prostytutki, jakkolwiek je nazwać. Najlepiej było, gdy niemieckie kobiety zapładniali esesmani. Oni byli rasowo najbardziej pewni. Nakazem prawa, ustanowionym przez Himmlera, ich rasową czystość sprawdzano na wieki wstecz. Esesmanem mógł stać się jedynie ten mężczyzna, w którego drzewie genealogicznym „czystość rasowa" nie budziła wątpliwości od pierwszego stycznia 1750 roku. Taką datę, z nieznanych nikomu powodów, ustalił Himmler. Marianne urodziła nieślubne dziecko esesmana. Dzieci esesmanów były „szlachetnym podarunkiem dla niemieckiego narodu". Nie wie, czy tak było w przypadku Marianne, która po urodzeniu trzeciego dziecka nie wróciła do szkoły.

Rozmawiała o tym często z rodzicami. Jej rodzice nie czynili z seksu żadnego tabu. Gdy skończyła szesnaście lat, na półkach ich domowej biblioteczki w salonie pojawiła się nagle książka holenderskiego autora van de Velde. To był w pewnym sensie akt odwagi ze strony rodziców. Zarówno naziści, jak i niemiecki Kościół zakazali czytania jego książki. Wyjątkowo zgodnym głosem. Kościół, ku radości reżimu, umieścił ją nawet na liście „ksiąg zakazanych". Naziści ją potępiali jako „szkodliwą społecznie", Kościół czytania jej zabraniał. Co tylko zwróciło na nią jeszcze większą uwagę. Nagle mało znany w Niemczech ginekolog z Holandii stał się synonimem zła i występku. I to tylko dlatego, że pozwolił sobie przedstawić, naukowo opisać i pochwalić – to był ten jego największy występek – zmysłowy seks nieprowadzący do prokreacji, a tylko do bliskości i spełnienia pary kochających się ludzi. Czytała tę książkę najpierw z trudem (jej ojciec – celowo – zdobył angielskie tłumaczenie), potem uczyła się na niej angielskiego, a potem, gdy już wszystko rozumiała, zachwycała się nią.

To, co było zwyczajne w jej domu, nie było wcale takie zwyczajne gdzie indziej. Wiedziała o tym od swoich rówieśnic. One o seksie dowiadywały się głównie z okrytych tanią sensacją, szeptanych na ucho „zasłyszanych relacji" starszych, tak zwanych bardziej doświadczonych w tej materii, koleżanek. Ona mogła rozmawiać o tym z rodzicami bez żadnego skrępowania. Ale tylko wtedy, gdy nie było przy tym babci Marty. Babcia uważała, że dzieci powinny być poczęte tylko w ciemności, w małżeńskich łóżkach, i rodzić się tylko prawowitym żonom. I wyłącznie żonom jednego mężczyzny. Tym poślubionym w kościele. Na całe życie. Wszystko inne jest grzechem i wstrętnym bezeceństwem. Odkąd nastał „ten pokraka i rozpustnik Hitler", zrobiło się inaczej. Tak uważała babcia. Hitler, jej zdaniem, „zbrukał i zhańbił Niemcy" jak nikt nigdy dotąd. „Niby taki święty", a uczynił z Niemiec „największy burdel na świecie". To jej własne słowa.

Rozmawiali o tym któregoś wieczoru. Ojciec stanął, co było ogromną rzadkością, w obronie Hitlera. Wcale nie uważał, że Hitler był „rozpustnikiem", jak ujęła to babcia Marta. Wręcz przeciwnie. Hitler zdawał się być wzorcowym przykładem seksualnej czystości i nieomal ascetycznej wstrzemięźliwości. Jako jedyny z całego panteonu grzesznych nazistowskich aparatczyków nie był uwikłany w żadne romanse, zdrady, afery lub miłostki. I to przy swojej nieograniczonej niczym władzy i przy swoim dostępie do uwielbiających go całych tabunów kobiet. Samotnicza osobowość Hitlera wywoływała masową histerię seksualną u niemieckich kobiet. To na Hitlera przenosiły one swoje tłumione pragnienia i otaczały go nieskończoną adoracją. Dotyczyło to i młodych dziewcząt, i dojrzałych mężatek, i robotnic, i dam z towarzystwa, i prostych chłopek, i szalonych artystek czy atrakcyjnych aktorek. Wszystkie one usilnie, za wszelką cenę chciały zbliżyć się, i to w niewątpliwie jednoznacznym celu, do nieżonatego Hitlera podniecającego je jak magicznym afrodyzjakiem z jednej strony – pozycją i władzą, a z drugiej – podtrzymywaną swoim samotnictwem nadzieją, że to one mogą być tymi wybranymi. Kobiety, nie tylko niemieckie, błagały w swoich listach, aby Hitler został ojcem ich dziecka, i kobiety wykrzykiwały imię Hitlera podczas porodu, łagodząc tym sposobem swoje bóle.

O niektórych z tych kobiet dowiadywał się naród. Ale tylko o niektórych, i jedynie wtedy, gdy ustalono, że może to z korzyścią służyć propagandzie. Piękna baronowa Sigrid von Laffert, Winifred Wagner, synowa wielkiego kompozytora z Bayreuth, piosenkarka Margarete Slezak, architektka Gerdy Troost, nieprzyzwoicie bogata Lily von Abegg obdarowująca Hitlera pieniędzmi i dziełami sztuki, fotografka i reżyserka filmowa Leni Riefenstahl, szalona, zadurzona bez pamięci w Hitlerze angielska hrabina Unity Mitford, córka lorda Redesdale, czy towarzysząca partii i zakochana w Hitlerze od początku powstania partii narodowej – gdy miała szesnaście lat – Eugenie Haug. Hitler był lub ciągle jeszcze jest dla nich idolem. O innych, tysiącach innych, naród się nie dowiadywał. I z pewnością się nie dowie. O tych piszących listy, w których składały Hitlerowi jednoznaczne propozycje, wzmacniając je swoimi załączonymi fotografiami.

Najbardziej wstrętną z tych tak zwanych znanych kobiet zdaniem ojca była Leni Riefenstahl. Jej film *Triumf woli* obrazujący zjazd nazistów w Norymberdze w 1934 roku to przykład jej totalnego i totalitarnego uwielbienia dla Hitlera. Spiętrzone wysoko chmury, spoza których zaczyna do widza dochodzić warkot samolotu, samolot ląduje, majestatycznie opadając w kierunku zgromadzonych zastępów hitlerowskich fanatyków. Sam Führer jawi się w tym filmie niczym anioł lub neopogański bóg zstępujący z niebios do swych oczekujących go w amoku wiernych. Żadna z kobiet Hitlera bardziej niż Riefenstahl nie przyczyniła się do wpojenia Niemcom mitu boskości Hitlera. To Riefenstahl stworzyła swoimi fotografiami i filmami, szczególnie *Triumfem woli*, polityczny folder Trzeciej Rzeszy. Wszyscy myśleli, że to tylko przesadnie wyretuszowany folder, a to była sama prawda. Film entuzjastycznie przyjmowano i podziwiano za granicą jako „triumf prawdziwej sztuki", chociaż był to jedynie żałosny triumf prymitywnej i trywialnej treści ubranej w nienaganną technicznie formę. W oczach Goebbelsa „ostra Leni" była „cudotwórczynią", a Hitler przy każdej okazji podkreślał, jak wiele jej zawdzięcza. Wszyscy wiedzieli, że była jego pieszczoszką. Jej ojciec rzadko kogokolwiek nienawidził, ale Leni Riefenstahl nienawidził z całego serca. Za jej koniunkturalizm, za kłamstwa, za hipokryzję. Dla jej ojca Riefenstahl była nikim innym niż „artystyczną prostytutką" otoczoną właściwymi przyjaciółmi i możnymi protektorami. W tym wypadku nie do końca zgadzała się z ojcem. Fotografie Riefenstahl były znakomite.

Mimo to Hitler wydaje się mieć, jak podkreśla to na każdym kroku propaganda, tylko jedną jedyną wybrankę i kochankę: Germanię. Ale, aby przypadkiem nie było podejrzeń, że z Hitlerem jako mężczyzną jest jednak „coś nie tak", pojawiła się u jego boku niespektakularna, nieproblematyczna, na zewnątrz przykładnie skromna, przyjaciółkom znana jako trochę dzika i momentami krnąbrna, *Fräulein* Ewa Braun. Młoda, ładna wyraźnie aryjską urodą, seksualnie atrakcyjna, dyskretnie milcząca dziewczyna z prostej, niemieckiej rodziny. Idealnie pasująca do Hitlera, który nie ukrywał, że nie przepada za inteligentnymi kobietami. Pomocnica w zakładzie fotograficznym, marząca, aby zostać aktorką. Pasjami, podobnie jak Hitler, czyta książki Karola Maya i podobnie jak Hitler zachwyca się niezwyciężonym i szlachetnym Winnetou. To groteskowe, ale Hitler tak mocno zachwyca się Karolem Mayem, że już od początku wojny często rekomenduje go swoim generałom, mówiąc, że znajdą tam doskonałe przykłady strategii wojennych. Hitler wiedzę o taktyce czerpie nie z Clausewitza, ale z książek o Indianach! Ale to tak na marginesie. *Fräulein* Ewa Braun. Tak samo mało albo tak samo bardzo ważna dla Hitlera jak Blondi, jego pies. Wielu ludzi twierdzi, że panienka Braun u boku Hitlera to jedynie świetna przykrywka jego seksualnej abstynencji, męskiej niewydolności lub, nie daj Bóg, homoseksualnych skłonności.

Hitler długo nie był homofobem, a jeśli nawet był lub jest, to zbyt mało dosadnie – zdaniem propagandy – to okazywał. Był jakoś tak niepewny i rozdwojony w sprawie decyzji o zakazie homoseksualizmu. Wprawdzie już w 1935 roku drastycznie zaostrzono kary za łamanie paragrafu 175 niemieckiego kodeksu karnego określającego homoseksualizm jako „bezprawny nierząd", jednakże nie szły za tym żadne spektakularne prześladowania. Wynikało to najpewniej ze spuścizny historycznej Republiki Weimarskiej, która przymykała oko i tolerowała homoseksualizm. Co było absolutnie wyjątkowe w Europie i zupełnie niemożliwe w tak zwanej demokratycznej Ameryce. Jeszcze w 1934 roku, zarówno w Berlinie, jak i w Kolonii, istniały oficjalne, reklamowane w gazetach kluby dla homoseksualistów, wydawali oni swoje własne czasopismo „Der Eigene", w kabaretach Berlina, Kolonii i Düsseldorfu występowali transwestyci, a wszyscy zainteresowani w Niemczech wiedzieli, że w hotelu Pod Orłem, przy Johanisstrasse 36 w Kolonii, dzieje się co noc przysłowiowa sodoma i gomora i że „najpiękniejszych chłopców na jedną noc do hotelu Pod Orłem" można poznać przy publicznym pisuarze na ulicy Trankgasse w Kolonii.

O ile w *Mein Kampf*, biblii nazistów, aż kipi od nienawiści do Żydów i pełno tam pogardy dla Słowian, o tyle homoseksualistom Hitler nie poświęca ani jednego słowa. To przekładało się na jego decyzje. Wśród naszych przywódców nie brakowało homoseksualistów. Taki na przykład Rudolf Hess, prawa ręka Hitlera, znany w światku jako „*Fräulein* Anna" lub „Czarna Emma", albo Baldur Benedikt von Schirach, przywódca Hitlerjugend, nazywany potocznie przez niemiecki lud „Homojugend". Naziści mają obsesję na punkcie czystości krwi. Dlatego uważają, że Żydów można jedynie zabić, gdyż nie da się „uszlachetnić ich rasy". Aryjscy homoseksualiści z kolei mają „czystą krew", są jedynie „biologicznie i umysłowo niedoskonali", więc istnieje dla nich szansa „poprawy". Można ich na przykład wykastrować lub wstrzyknąć im do jąder testosteron. Tych, którzy się na to nie zgadzali, od 1938 roku więziono w obozach koncentracyjnych.

Ewa Braun, demonstracyjnie nocująca w Berghofie, letniej rezydencji Hitlera w Obersalzbergu w Bawarii, lub z nim w Berlinie, jednoznacznie sugerowała, że nasz wódz, nawet jeśli tylko platonicznie kocha boginię Germanię, to jednak nie jest w żadnym wypadku klasztornym mnichem i nocami nie bywa zupełnie sam. I z największą pewnością bywa wtedy z kobietą. Młodą, aryjską i najprawdopodobniej płodną. Była to politycznie i propagandowo bardzo odpowiednia sugestia. Seksualnie źle zdefiniowany lub nawet tylko niezdefiniowany Führer bez potencji zupełnie nie pasował jako naczelnik narodu, który miał się rozmnażać jak króliki. Więc *Fräulein* Braun pasuje tutaj jak ulał, podobnie jak wilczurzyca Blondi.

Ojciec nie zgadzał się z babcią Martą jeszcze w czymś innym. Nie nazywał dzisiejszych Niemiec „burdelem". Twierdził, że już w *Mein Kampf* Hitler zapowiedział zamknięcie wszystkich domów publicznych. A w 1933 roku, po dojściu do władzy, nawet specjalną ustawą to zarządził. Według ojca z jednego, podstawowego powodu. W burdelach prostytutki się nie rozmnażały. Ciężarna prostytutka natychmiast traciła pracę. Dlatego większość z nich robiła skrobanki. Poza tym Hitler w tej samej ustawie zabronił stosowania prezerwatyw i wykonywania aborcji. Burdele, z niemiecką dokładnością kontrolowane niezapowiadanymi nalotami przez nazistów, musiały więc upaść. I tak też się stało. Same z siebie upadły. Ale ponieważ prostytucja jest tak samo stara jak wszystkie cywilizacje, w zwolnione przez nią miejsce, aby wypełnić próżnię, musiało coś powstać. Powstały tak zwane domy radości. To prawie to samo co burdele, tyle że kobiety miały robić to tam „z radości", a jeśli nie, to chociaż dla dobra i ku radości Rzeszy. Robiły. To fakt. Ale potem usuwały, nielegalnie, ale skutecznie, swoje niechciane ciąże. Niemcy nie rozmnażali się tak, jak oczekiwał tego reżim. Liczba pozamałżeńskich dzieci wcale, wbrew oczekiwaniom, nie wzrosła. Jak oficjalnie narzekał i niewybrednie pomstował prominentny nazistowski lekarz Ferdinand Hoffmann, w 1938 roku „Niemcy zużyli 27 milionów prezerwatyw". Wkrótce po tym pomstowaniu Himmler zaostrzył przepisy dotyczące antykoncepcji śmiesznym prawnym passusem: „Każde objaśnianie antykoncepcji dla Aryjczyków jest zabronione". Tylko Niemcom można było zaserwować takie prawo. I tylko Niemiec mógł je wymyślić. I na dodatek poprzeć to autorytetami tzw. profesorów. Jednym z nich jest profesor specjalizujący się w „higienie rasowej", niejaki dr Fritz Lenz, który na łamach gazet odważył się opublikować wynik swoich intensywnych tzw. przemyśleń i studiów: „gdy młodzi ludzie odpowiednio wcześnie zawrą czyste rasowo związki małżeńskie, mogą dostarczyć narodowi nawet dwadzieścioro dzieci". Nic dziwnego, że wkrótce po tej publikacji zaczął kursować po ulicach dowcip o tym, że „na rozkaz Führera ciąża zostaje zredukowana z dziewięciu do siedmiu miesięcy". I nic dziwnego, że Goebbels natychmiast zaskarżył redaktorów gazet, które ten dowcip odważyły się upowszechnić.

Nawet Hitler nie wierzył w prawne sankcje wobec tak bardzo intymnych spraw. I miał rację. Liczba urodzeń aryjskich dzieci wcale nie wzrastała. Ale wzrastało za to w narodzie przyzwolenie na rozpustę, pozamałżeński seks i „na najcięższy grzech", jak nazywała to babcia. Szczególnie od chwili, gdy naród dowiedział się, że z niemieckiego kodeksu karnego usunięto w 1937 roku, na osobisty wniosek Führera, przepis o obligatoryjnej karze za „niewierność małżeńską". Kościół niemiecki – i katolicki, i protestancki – nawet wtedy milczał. Być może wyrażając w ten sposób wdzięczność za „pełne zrozumienie przez Führera" i wynikające z niego skrupulatne tuszowanie przez propagandę licznych przypadków „seksualnej aktywności księży" i wobec kobiet, i homoseksualnej wobec młodych mężczyzn.

W ogóle niemiecki Kościół, odkąd Hitler opanował w całości ten kraj, przykładnie i wiernie milczy „we wszystkich najważniejszych sprawach". Tak skomentował to kiedyś jej ojciec. I w „sprawie niekontrolowanych poczęć, i w sprawie kontrolowanego zabijania". I to przy przywódcy, który tak ostentacyjnie nienawidzi religii, często nazywając ją czystym mistycyzmem i okultyzmem. Ale o tym ojciec nigdy nie powiedział przy babci.

Matka przeważnie nic nie mówiła podczas takich dyskusji. Czasami tylko szeptała jej do ucha. O tym, że miłość jest najważniejsza. I o tym, że tylko na nią warto czekać. A gdy ta miłość nadejdzie, to ona sama – nieomylnie – poczuje to piękne, chwilami zniewalające pragnienie. Poczuje. Na pewno. Najpiękniejsze. I najważniejsze pragnienie. I powinna mu się poddać. Tak jak ona się mu poddała, gdy napotkała w swoim życiu jej ojca...

Odwróciła gwałtownie głowę i podeszła do balustrady ambony. Stanęła w rozkroku i oparta łokciami o balustradę zaczęła fotografować.

Modlący się żołnierz. Prawą dłonią ściskający kikut, który pozostał mu z lewej ręki. Z hełmu leżącego obok jego nóg wydostawał się płomień palącej się świecy. Mała, płacząca dziewczynka z zabandażowaną ręką siedząca na nocniku nieopodal żołnierza. Kilka metrów dalej staruszka w futrze i słomkowym kapeluszu głaszcząca siedzącego na jej kolanach wychudzonego kota z jednym uchem. Obok niej mężczyzna czytający książkę i odmawiający różaniec. Za jego plecami ksiądz w ogromnych okularach, siedzący w fotelu, palący papierosa i przyjmujący spowiedź od klęczącej przed nim zakonnicy. Tuż pod krzyżem trzy przytulone do siebie ciała. Z opuszczonymi na dół głowami. Jak Święta Trójca czekająca wspólnie na egzekucję.

Rozpoznała twarz Lukasa...

Wczoraj, gdy z walizką zbiegła pod drzwi, matka czekała, trzymając nożyczki w ręce. Obok jej nóg, w metalowej wanience, leżał harcerski mundur Hitlerjugend.

– Obetnij mu włosy, ubierz go w ten mundur, załóż mu przepaskę na oczy. Przepaskę załóż, zanim wyjdzie na górę. Zrozumiałaś? Zanim wyjdzie z klatki! Inaczej oślepnie. Powtórz, co masz zrobić! – krzyczała, podając jej zwitek czarnego materiału.

Powtórzyła. Tym samym krzykiem jak jej matka. Podbiegła do serwantki przy drzwiach do salonu. Opierając się plecami, przesunęła ją na bok. Wróciła na chwilę do kuchni. Z szuflady kredensu wyjęła toporek do rozgniatania mięsa. Wepchnęła ostrze toporka w szczelinę w podłodze. Podniosła kwadratowe zamknięcie pokryte parkietem podłogi. Wstała z kolan i zgasiła światło. Położyła się na podłodze i wpełzła powoli do klatki. Lukas siedział skulony, oparty plecami o ścianę zamykającą wąski korytarz. Znalazła jego głowę. W ciemności zaczęła obcinać mu w pośpiechu włosy. Nie rozmawiali ze sobą. Posłusznie podsuwał głowę. Całował jej rękę, gdy była w pobliżu jego ust. Zdjęła mu buty. Rozpięła spodnie, zsunęła je i na kolanach położyła wełniany mundur. Rozumiał wszystko bez słowa. Gdy sprawdziła, że się przebrał, zawiązała mu mocno przepaskę wokół oczu. Wypchnęła go przed siebie. Jej matka stojąca nad zamknięciem kryjówki podała mu rękę i wyciągnęła na zewnątrz. Posadziła go na podłodze i zapięła guziki munduru. Jeszcze mocniej, dla pewności, zacisnęła przepaskę wokół oczu. Uklękła przed nim. Głaskała po głowie i płakała. Po chwili wydostali się na ulicę, mieszając się z tłumem biegnących w popłochu ludzi.

Pierwsze syreny zaczęły wyć za kwadrans dziesiąta wieczorem. Matka spodziewała się nalotów już od bardzo dawna. Z drugiej strony, jakoś naiwnie wierzyła, że przy tej masie przesiedleńców ze wschodu Anglicy i Amerykanie ze względów humanitarnych nie zaatakują miasta pełnego kobiet i dzieci. Wyglądało na to, że nie tylko ona uspokajała się tą wiarą.

Najważniejszy człowiek w Dreźnie, Gauleiter Martin Mutschmann, także. Czasami obchodziła miasto, wyszukując schrony, w których mogliby się ukryć. Prawdziwych schronów przeciwlotniczych było tylko kilka. Nie przeszkadzało to jednak Mutschmannowi, co było powszechnie znaną tajemnicą, kazać sobie wybudować prywatny schron przy Comeniusstrasse 32. Ludność miała się – zdaniem władz – chronić w piwnicach. Ich piwnica od miesięcy była zalana wodą wyciekającą z popękanych rur. W nocy, gdy temperatura na zewnątrz spadała poniżej zera, ta woda zamarzała.

Pobiegli za tłumem. Przy wejściu do pierwszego schronu na rogu Beethoven Strasse kłębiło się mrowie przerażonych ludzi. Nie mieli żadnych szans, aby dostać się do środka. Usłyszeli dźwięk nadlatujących samolotów. Kilka minut po dwudziestej drugiej bezchmurne tego dnia niebo nad Dreznem rozbłysło kaskadami świateł wyglądających jak ogromne, ogniste kule. W jednej chwili zrobiło się jasno niczym w dzień. Wiedzieli, że za chwilę nadlecą bombowce. Zaczęli biec wąską ulicą w kierunku Frauenkirche w centrum miasta. W jednej ręce trzymała walizkę. Drugą ciągnęła za sobą Lukasa. W pewnym momencie natrafili na barykadę z wozów strażackich ustawionych w poprzek ulicy. Zawrócili. Słyszała za sobą odgłosy nadlatujących samolotów i eksplozje bomb. Bała się. Matka zaczęła krzyczeć, że „muszą koniecznie" do schronu na końcu Annenstrasse. To jedyny schron, który był w pobliżu. Na początku ulicy, tuż przy Annenkirche, matka upadła, uderzając twarzą o pokrytą błotem bruzdę ze zlodowaciałego śniegu. Pomogła jej się podnieść. Wszystkie bramy kościoła były otwarte na oścież. Wbiegli do środka. Zatrzymali się przy bocznym ołtarzu, po prawej stronie, tuż przy głównym wejściu. Pamięta, że matka przesunęła stojącą tam drewnianą ławę prostopadle do ściany i walizkami zamknęła dostęp do narożnika. Na rękach przeniosła Lukasa i zrywając mu opaskę z oczu, położyła go na posadzce pokrytej słomą.

– Księża w Annenkirche byli bardziej przewidujący niż Gauleiter Martin Mutschmann i jego cała banda służalczych kacyków – usłyszała głos matki.

Kazała się jej ułożyć obok chłopca i nakryła ich kocem. A ona się bała. Jeszcze nigdy w życiu nie doświadczyła takiego strachu. Pamięta też, że tuliła Lukasa do siebie i powtarzała w kółko z pamięci wiersz Rilkego, prosząc, jego słowami, aby nastała cisza. Przy każdym kolejnym dochodzącym z zewnątrz odgłosie wybuchu coraz głośniej prosiła o ciszę. Po kilku minutach Lukas powtarzał z nią strofy wiersza.

Nie potrafiła zmusić się do modlitwy. Nawet tutaj, w tym miejscu, i nawet w takiej chwili. I w takim ostatecznym strachu. Te okropne jej zdaniem, bałwochwalcze wiersze, które jako modlitwy kazali się jej uczyć w szkole na lekcjach religii, zapominała natychmiast po wyrecytowaniu przed nauczycielem. Podobnie jak prymitywne, rymowane formułki wychwalające Führera powtarzane chórem podczas porannego apelu każdego poranka przed rozpoczęciem lekcji. Nie wierzyła w żadnego Führera, jakiegoś naczelnego Przewodnika, którego kultu nie wolno w żadnym przypadku podważać. Dlatego nie wierzyła także w Boga. Nie miało to nic wspólnego z traumatyczną utratą wiary po tym wszystkim, co przeżyła w ciągu tych kilku lat od początku wojny. Wcale nie przestała wierzyć w Boga w jakimś rozczarowaniu, żalu, proteście czy zemście za to, że do tego wszystkiego dopuszcza, że jest w absolutnie nieusprawiedliwiony sposób nieobecny albo że odwrócił się do świata plecami w momencie, gdy świat najbardziej Go potrzebuje. To byłoby właśnie zaprzeczeniem wiary i – jej zdaniem – jeszcze większą obłudą niż zmuszanie się do modlitw w chwili strachu ostatecznego. Przez ostatnie lata obserwowała, a także sama doświadczyła cierpienia spowodowanego zachowaniem ludzi kierowanych wyłącznie bezgranicznym, ślepym lękiem przed karą za niepodporządkowanie się nakazowi, kultowi, rozkazowi lub przykazaniu. Ojciec nauczył ją mądrze wątpić – szczególnie w to, co bezmyślnie powtarzają wszyscy – i zadawać pytania, a matka z kolei, nauczona przez swoją matkę, pokazywała jej, jak „nie żyć na kolanach".

Nie wierzyła w Boga, chociaż była ochrzczona, w białej sukience połknęła biały opłatek pierwszej komunii i dodali jej drugie imię Marta podczas bierzmowania. Po babci. Czasami, ale tylko ważnym dla niej ludziom, przedstawiała się tym imieniem. Hinnerk je uwielbiał. Dla niego była wyłącznie Martą. Kiedy ją pierwszy raz całował, wtedy, w ciemności, gdy usiedli na trawie nad brzegiem stawu w ogrodzie Zwingerteich, szeptał jej do ucha „moja Martinique".

Babcia Marta, urodzona – w kiedyś polskim – ultrakatolickim Opolu, nie mogła sobie w żaden sposób wyobrazić nieochrzczonej wnuczki. Jej rodzice wyobrażali sobie wszystko i pewnie dlatego wyłącznie dla babci ją ochrzcili. W dostojnej drezdeńskiej Frauenkirche. Nie przewidywali wtedy, jak bardzo świadectwo chrztu przyda się ich jedynaczce. Pamięta, że od pewnego czasu – to zaczęło się, gdy była w gimnazjum – dzieci bez tego szarego kawałka papieru automatycznie były podejrzewane o „niearyjskie pochodzenie". A to zakłócało natychmiast statystykę demograficzną szkoły. Każdy dyrektor niemieckiej szkoły, będący z natury urzędnikiem Trzeciej Rzeszy, o tym wiedział. Ponieważ każdy był zobowiązany brać aktywny i czynny udział w „budowaniu nowego niemieckiego społeczeństwa". Rasowo czystego, aryjskiego, pięknego, zdrowego, pracowitego i oczywiście bezwarunkowo wiernego Führerowi. Rasowo czystego i zdrowego.

To stało się szczególnie ważne. Ojcowie psychicznie chorych dzieci byli nakazem ustawy sterylizowani. Zgodnie z prawem obowiązującym od 1934 roku. Podobnie sterylizowani byli psychicznie chorzy mężczyźni w wieku płodnym, jak również nieuleczalni alkoholicy. W 1939 roku z kolei eutanazja stosowana wobec „przewlekle chorych" stała się, według słów Goebbelsa, „aktem humanitaryzmu".

Ojciec uważał, że to właśnie Hitlerowi, jak nikomu innemu przed nim, udało się przekonać Niemców o tym, że są narodem wybranym. To Hitler, Himmler i Goebbels wynaleźli w tym celu „narodową wieczność". Oczywiście niemiecką wieczność. I tym pojęciem zachwycili maluczkich. Sprytnie i w bardzo prosty sposób. Wznosili nowe narodowe pomniki i strącali poprzednie. Te nowe są o wiele większe, bardziej monumentalne i tak prostackie, jak gdyby faraonowie do budowy piramid zaangażowali Walta Disneya. Zakładali muzea poświęcone narodowej tradycji, zlecali poddanym sobie naukowcom wypracowanie rzekomo naukowych sposobów klasyfikacji kultur i ras, kolekcjonowali rodzimy folklor, tworzyli kanon narodowej literatury, a wszystko, co się w nim nie mieściło, demonstracyjnie spalili. Ustanawiali nowe narodowe święta, reżyserowali monumentalne ceremonie ku czci „słusznie" poległych, projektowali nowe flagi, nakazywali komponować nowe hymny, gromadzili tłumy w kolejnych paradach z okazji zupełnie nowych historycznych jubileuszy. Po krótkim czasie udało się im stworzyć mit. A mit, gdy się przyjmie, zamienia kulturę w naturę. Sprawia, że nowe zachowania, wartości i symbole stają się czymś naturalnym, odwiecznym i zrozumiałym dla każdego. I w taki sposób mit zaczyna wyprzedzać historię. Natura zawsze wyprzedzała kulturę. Kultura zrozumiała jest dla nielicznych, ponieważ jej zrozumienie wymaga wiedzy i wysiłku myślenia. Naturze wystarczy się jedynie poddać. Wcale nie trzeba jej rozumieć. Zresztą nie trzeba prawie nic rozumieć, gdy z kultury uczyni się kulturę masową. Obrazy są proste i zrozumiałe, Goebbels i jego świta doprowadzili do tego, że w radiu grają tylko ojczyźniane pieśni i jeszcze bardziej ojczyźniane, prymitywne operetki, a najbardziej obecnie docenianym niemieckim rzeźbiarzem jest niejaki Arno Breker wystawiający swoje kolosalne figury, mające z prawdziwą rzeźbą tyle samo wspólnego, ile ogrodowe krasnale ze sztuką antyczną. Co nie przeszkadza Hitlerowi uważać, że kolosy Brekera należą do „najpiękniejszych rzeźb, jakie kiedykolwiek powstały w Niemczech". Oprócz Brekera także jeszcze Thorak i Klimsch. Kolejna para artystów od siedmiu boleści. Cała reszta, według słów Hitlera, to dzieła „zwyrodniałych jąkałów, pozbawionych talentu sabotażystów, szaleńców i handlarzy". Dokładnie tak samo zresztą uważa naród fotografujący się zawzięcie przy tych figurach Brekera, Thoraka i Klimscha w Berlinie lub Monachium.

I w ten sposób udało się hitlerowcom jeszcze jedno. Chyba najważniejsze. Nieustannie podgrzewali do temperatury wrzenia narcyzm mas, które w końcu uwierzyły, że wcale nie są dodatkiem do dyktatury. Hitler ich o tym przekonywał przy każdej nadarzającej się okazji. Mawiał i ciągle jeszcze mawia: „Jesteście przede mną jak wezbrana masa pełna najświętszego oburzenia i niezmierzonego gniewu".

Hitlerowi, jak chyba nikomu innemu, może tylko poza Stalinem, udało się przekonać masy, że to one są dyktaturą. Największe zasługi ma w tym sam Hitler. Chciał zostać malarzem, filozofem, architektem, ale tak naprawdę został aktorem. Doskonałym aktorem. To on hipnotyzuje Niemców swoimi przemówieniami. To on je do perfekcji reżyseruje i scenografuje, chociaż mają sprawiać wrażenie improwizowanych. Każde jest jak spektakl. Zaczyna się w ciszy. Hitler stoi w milczeniu i bezruchu, zaczyna mówić spokojnym, niskim tonem, stopniowo go podnosi, aż do histerycznego krzyku, którym na końcu hipnotyzuje zgromadzony tłum, doprowadza do ekstazy. Jeśli do tego dołożyć niebywały estetyczny talent Hitlera, te smugi reflektorów lotniczych, te symbole układane z płonących pochodni, te zbiorowe pokazy gimnastyczne na granicy jednoznacznie erotycznych baletowych pamfletów, tę patetyczną, dudniącą jak z nieba muzykę. Tyrady dziko gestykulującego Führera stojącego w świetle reflektora, na tle czarnej swastyki w białym kole na krwistoczerwonym tle. I jego ulubione słowa: „absolutne", „niezachwiane", „rozstrzygające", „ostateczne", „niezmordowane", „dziejowe", „wieczne". Słowa proste, jednoznaczne, zrozumiałe dla każdego. Wszystkim wykrzykuje do ucha to, co chcą usłyszeć. Chłopom: „To wy jesteście fundamentem narodu", robotnikom: „Robotnicy to arystokracja Trzeciej Rzeszy", finansistom i przemysłowcom: „Udowodniliście, że należycie do najwyższej rasy, macie prawo być wodzami". Hitler w swoim najniższym, instynktownym populizmie jest bliski każdemu. Jak niezawodny przyjaciel, jak dobroczyńca i niezmordowany opiekun. Wszystkich bez wyjątku. Starców i dzieci, kolarzy i kolejarzy, nauczycieli i rzeźników, poetów i piekarzy.

To Hitler jako pierwszy wprowadził elektryczne wzmacniacze. To dzięki nim wydawało się tłumowi, że ich przywódca nigdy nie traci głosu. To takie prozaiczne, ale bez głośników Hitler nigdy nie podbiłby Niemiec! I do tego wszystkiego te makabryczne przedstawienia z dźwiękiem i światłem wokół. Absolutnie prekursorski, propagandowy majstersztyk, z którego bez wątpienia będą kiedyś w przyszłości korzystali inni. Tylko Hitlerowi udaje się, jak to skrzętnie relacjonowała goebbelsowska prasa, doprowadzać do tego, że po niektórych przemówieniach Führera „kobiety z nieprzytomnym wyrazem twarzy osuwały się w spełnieniu na ziemię niczym szmaciane lalki", a okrzyk „Heil" na końcu Jego przemówień jest tak głośny, że „wielu ludziom wydawało się, że za chwilę zawalą się dachy".

Nietrudno więc zrozumieć, że to mogło działać. I naprawdę działało. Także poza Niemcami. W 1938 roku, na rok przed wybuchem wojny, nasz Adolf Hitler został nominowany do Nagrody Nobla! I to do bardzo szczególnej nagrody. Pokojowej! Miał ją odebrać w 1939 roku. Jego nominację zaproponował niejaki E.G.C. Brandt, szwedzki polityk z niemieckim nazwiskiem i z mózgiem wielkości mózgu szczura. To zresztą dość powszechna wielkość mózgu polityków. Niemniej, wybrany w demokratycznych wyborach członek szwedzkiego parlamentu. Adolf Hitler laureatem pokojowej Nagrody Nobla! To byłby chyba największy przekręt w historii ludzkości. Hitler konkurował w tymże roku między innymi z Gandhim. Gdy okazało się, że nie ma szans, na rozkaz Goebbelsa, aby uniknąć spodziewanej kompromitacji, wycofano tę kandydaturę w lutym 1939 roku. Goebbels doskonale wiedział, że we wrześniu 1939 roku wybuchnie wojna. I nikt nie rozda Nagród Nobla w listopadzie i grudniu tego roku. Szczególnie pokojowych.

Powstawanie nowego, idealnego gatunku *Homo Germanicus* na miarę i ambicję tysiącletniej Rzeszy zaczynało się już w przedszkolach, a potem, z największą, gorliwą intensywnością w szkołach. Gatunku czystego rasowo, aryjskiego od pierwszej kropli krwi. Przypominała sobie, jak ojciec zapytał kiedyś, czy pamięta ten wiersz:

Utrzymuj swą krew w czystości,
Nie jest tylko twoja,
Przypływa ona z daleka
I odpływa w dal.
Niesie w sobie ciężar tysięcy przodków
I spoczywa w niej cała przyszłość!
Jest twoim całym życiem.

Pamiętała. Oczywiście, że pamiętała. Sama musiała uczyć się go na pamięć. Dzieci recytowały to już w piątej klasie. A potem na komendę podnosiły prawą rękę do góry. Ona także. Nic nie rozumiejąc.

Nauczyciele w szkole z własnej nieprzymuszonej woli dbali o stan permanentnego patriotycznego uniesienia na najwyższych tonach. Tak zwana czystość rasowa należała do najważniejszych oznak tego patriotyzmu od początku Trzeciej Rzeszy. Pamięta, jak wysłuchiwała na lekcjach historii opowieści o roli zachowania „nieskażonej aryjskości". Według jej nauczycielki stare cywilizacje upadały, bo dopuściły do mieszania krwi, a „utrata czystości rasowej rujnuje na zawsze szczęście narodu".

Teraz swoją aryjską czystość trzeba było jednakże udowodnić. Dokumentem. Jego brak u któregoś dziecka natychmiast rzucał na nie cień dyskryminującego podejrzenia. To było także bardzo niebezpieczne podejrzenie. Przesadzano je do ostatnich ławek. Nie wyczytywano ich nazwisk podczas sprawdzania obecności. Nie mogły zjeść obiadu w szkolnej stołówce. Nie mając godności, nie miały także prawa odczuwać głodu. Ale na apelu wychwalającym Führera musiały być. Zanim nie przyniosły innych szarych kawałków papieru udowadniających, że są „rasowo czyste", to tak naprawdę nie istniały. Liczyły się tylko jako dodatkowe decybele w trakcie apelu. Z chwilą przyniesienia zaświadczeń natychmiast przywracano im godność. Chyba że nie było na nich odpowiednich pieczątek, ktoś zapomniał wpisać datę lub numer ewidencyjny lub zaświadczenie nie było wystawione w odpowiednim języku. Wtedy otrzymywały godność warunkową, na tydzień lub maksimum dwa. Do czasu uzupełnienia dokumentacji. Tak jak na przykład Irene, jej koleżanka z ławki. Urodziła się jako córka Niemców w małej wiosce w pobliżu Wrocławia, ale w rok po wybuchu wojny jej rodzice w poszukiwaniu pracy przenieśli się do Drezna. Ksiądz udzielający jej chrztu był „źle" lub „niedostatecznie" zniemczonym Polakiem. Źle, ponieważ nie potrafił pisać po niemiecku. Niedostatecznie, jej akt chrztu bowiem przysłano po polsku. Było na nim jej nazwisko, była data, były imiona rodziców, była pieczątka z „gapą", ale nie było numeru i była jakaś uwaga wpisana odręcznie po polsku. To wystarczyło, aby biurokraci nie przywrócili Irene godności nigdy.

Tak naprawdę wyłącznie dzięki upartym katolickim wierzeniom babci Marty miała poprawne świadectwo chrztu. Ale to dzięki swoim rodzicom w trakcie apelu zawsze milczała.

Czasami wydawało się jej, że to wcale nie Hitler, ale jego zniewoleni strachem biurokraci ustawiają wszystko w tym kraju. Kiedyś dyskutowała na ten temat z ojcem. Pamięta, że opowiadał jej o jakimś rosyjskim Hitlerze o nazwisku Sthalin lub Stalin. Nie zapamiętała dokładnie. Kiedyś rzekomo Stalin pojechał na Syberię. W propagandowym, nagłośnionym przez wszystkie gazety geście odwiedzał obozy zesłania tak zwanych przeciwników reżimu. Rozmawiał z więźniami, żartował, pił z nimi wódkę. Od jednego z nich, Gruzina – Stalin urodził się w Gruzji – dowiedział się, że został on zesłany, ponieważ nie dostarczył ojczyźnie wymaganych osiemdziesięciu metrów sześciennych drewna. Stalin zapytał go wtedy, dlaczego nie dostarczył. Okazało się, że najbliższy las rósł w odległości ponad dwustu wiorst od chaty Gruzina, który nie miał nawet konia. Wyjeżdżając wieczorem z obozu, pijany Stalin nakazał natychmiast zwolnić Gruzina. I zaraz potem rozstrzelać naczelnika obozu.

Jej ojciec – zupełnie niepotrzebnie, sama to doskonale rozumiała – przekonywał ją tym przykładem, że Stalin to zdegenerowany dyktator, jak egipski, zaślepiony władzą cesarz z *Quo vadis* – ojciec podarował jej tę książkę na piętnaste urodziny – który sam powinien stanąć przed plutonem egzekucyjnym. To ministrowie Stalina kazali urzędnikom w Gruzji dostarczać drewno, to on podpisał to rozporządzenie i to on sam, z pewnością o tym nic wiedząc, wysłał Bogu ducha winnego Gruzina na Syberię.

To Stalin, podobnie jak Hitler, stworzył cały ten makabryczny system. Ojciec nie musiał jej o niczym przekonywać. Chciała tylko wiedzieć, że myśli tak samo jak ona. Myślał. To było dla niej bardzo ważne. Najważniejsze.

Rodzice Hinnerka na przykład w ogóle nie myśleli. Tak uważał Hinnerk, chociaż ona mu nie wierzyła. Uważali, że należy na czas wywieszać flagę w oknie, podnosić wraz ze wszystkimi energicznie prawą rękę do góry i otwierać szeroko okno, gdy w radiu przemawiał Führer. Nawet zimą, gdy zużyli jeszcze przed Bożym Narodzeniem cały kartkowy węgiel i przy stole siedzieli w płaszczach i kufajkach. Hinnerk się za nich wstydził. Ale nigdy nie protestował i nie narzekał, także posłusznie wkładając kufajkę. To może dlatego Hinnerk tak chętnie przychodził do niej zimą? U nich okna, oprócz ciepłej wiosny i lata, były zawsze zamknięte. A gdy przemawiał Führer, to także latem, nawet gdy panowały największe upały, jej matka, słysząc głos Hitlera, szczelnie je zamykała.

Nie! Nie potrafiła zmusić się do modlitwy.

Lukas, wtulony w nią, co kilka minut upewniał się, że jest obok, dotykając dłonią jej uda. Gdy w końcu nastała dłuższa chwila ciszy, zasnął. Czasami krzyczał coś w jidysz przez sen. Zakrywała mu wtedy usta. Bała się, że ona także zaśnie. Nie chciała, aby ktokolwiek wiedział, że Lukas mówi w jidysz. Nawet tylko we śnie. Mocno wtuliła twarz Lukasa w swoje piersi. Chciała zasnąć. Chciała śnić...

Około pierwszej w nocy obudziła ją matka. Lukas ciągle spał. Podniosła się, otuliła go szczelnie kocem i usiadła na drewnianej ławie. Dwoje ludzi stało obok jej matki. Niska, zgarbiona kobieta w szarym, połatanym płaszczu wpatrywała się w śpiącego chłopca. Mężczyzna starał się coś powiedzieć, ale nie mógł wydobyć z siebie słowa. W pewnym momencie upadł na kolana przed nią i objął jej stopy. Nie rozumiała, o co chodzi. Nie znała tych ludzi. Jej matka gwałtownie podniosła mężczyznę z kolan. Ona poderwała się w tym momencie z ławy.

– Pozwól, że ci przedstawię, pani Maria Rootenberg i pan doktor Jacob Rootenberg. Rodzice Lukasa – powiedziała matka spokojnie. Po chwili dodała: – Moja córka, Anna Marta Bleibtreu.

Kobieta zignorowała jej wysuniętą na powitanie rękę. Zakryła drżącą dłonią usta. Po chwili wahania sięgnęła do kieszeni płaszcza i wyciągnęła z niej skórzany, związany rzemykiem woreczek. Wpychając jej go do ręki, spojrzała na mężczyznę. Jak gdyby prosząc o przyzwolenie.

– Bardzo cenię prace pani ojca. Spotykaliśmy się czasami na uniwersytecie. Dawno temu. Jeszcze przed wojną. Nie znam lepszych tłumaczeń Goethego. A jego przekład Lutra też jest jedyny w swoim rodzaju. Będziemy zaszczyceni, gdy przekaże mu pani ten skromny dowód wdzięczności i nasze najszczersze...

Jej matka przerwała mu w pół słowa.

– Mój mąż nie żyje – powiedziała stanowczo, bez najmniejszego śladu emocji w głosie. – Czy moglibyście państwo teraz przejść za mną w inne, bardziej dyskretne miejsce?

Schwyciła rękę mężczyzny i pociągnęła go za sobą. Gdy znaleźli się w ciemności, tuż obok śpiącego Lukasa, wyjęła nóż z torebki, rozpięła jego płaszcz i nie pytając mężczyzny o zgodę, zaczęła obcinać klapę marynarki, do której była przyszyta plakietka z gwiazdą Dawida. Potem obcięła także klapę po drugiej stronie. Wyrwała wszystkie guziki. Marynarka miała wyglądać na starą i zniszczoną.

– Wybaczy pan, ale myślę, że tak będzie lepiej – powiedziała, uśmiechając się. – Czy mógłby pan rozerwać kieszenie? Teraz?

Mężczyzna bez słowa posłusznie włożył obie ręce do kieszeni granatowej marynarki. Usłyszała odgłos pękającego materiału. Po chwili rozpięła płaszcz kobiety i zaczęła powoli obmacywać jej piersi.

– Czy ma pani coś pod tym swetrem? – zapytała.

– Tak, mam – odpowiedziała kobieta – dwa inne swetry i... halkę.

– Czy może go pani, tylko ten jeden, zdjąć?

– Nie wiem – zawahała się kobieta – na tamtych nie przyszyłam... no, wie pani.

– Nam nie wolno bez, no, wie pani, tak rozkazał Gauleiter Mutschmann...

Wiedziała, że jej matka zaczynała się denerwować. Poznała to po mocno zaciśniętych wargach, zamkniętych w pięści dłoniach i zmarszczonym czole.

– Gauleiter Mutschmann, proszę wybaczyć mi teraz niedelikatność, to ostatni chuj, wie pani? Czy rozumie pani dokładnie, co po niemiecku znaczy „chuj"? Nie wiem, jak to jest w jidysz, ale z pewnością się kiedyś dowiem. To o wiele więcej niż ostatni skurwiel. Moja teściowa, która była bardzo delikatną i szlachetną kobietą, nie mówiła inaczej o Mutschmannie jak „chuj". Po polsku. Ona zawsze najważniejsze rzeczy mówiła po polsku. Stąd znam to słowo po polsku i potrafię je nawet przeliterować: c, h, u, j. To drugi największy chuj, jakiego przyszło mi poznać w moim życiu – szeptała nachylona do ucha kobiety. – Ja panią za niego przepraszam. Ja panią w imieniu... ja panią proszę o wybaczenie... za wszystko, co oni wam tutaj zrobili... Ja panią bardzo proszę o wybaczenie. Jeżeli pani może...

Kobieta położyła płaszcz na posadzce, zdjęła bez słowa sweter i podała go matce. Podeszła do śpiącego Lukasa i wzięła go na ręce. Mężczyzna podniósł płaszcz i okrył nim chłopca. Po chwili zniknęli za zaułkiem kościoła.

Wszystko wydarzyło się tak nieoczekiwanie i tak szybko. Chciała pobiec za nimi. Zatrzymać. Powiedzieć im, że Lukas lubi, jak mu się czyta bajki Grimmów, że gdy kaszle, najbardziej pomaga mu gorące mleko z jedną łyżką miodu, że przepięknie rysuje, że nie znosi cebuli, że najszybciej zasypia na prawym boku, że marzy o tym, aby mieć psa. I także o tym, że uwielbia czereśnie i że babcia Marta...

Matka zastawiła jej drogę. Posadziła ją obok na ławce i przytuliła mocno do siebie.

– Uspokój się! Zostaw ich. Czas Lukasa z nami minął! Tak się cieszę, że ich tutaj odnalazłam – powiedziała. – Szczerze mówiąc, to przypuszczałam, że spotkam Rootenbergów tutaj. Gdzie mieliby pójść?! Do schronu? Tam Żydów nigdy by nie wpuścili. Poza tym oni nawet nie odważyliby się tam pójść. Do kościoła ich także nie wpuszczali, ale w tym chaosie tutaj...

Poza tym babcia opowiadała mi, że oni od lat z czterema innymi rodzinami mieszkają w suterenie niedaleko stąd. Od trzech lat pracują jako niewolnicy po dwanaście godzin dziennie dla tych złodziei od Koch & Sterzel w Mickten. Tylko za kartki na żywność. Sama wiesz, jakie kartki i na jaką żywność otrzymują Żydzi...

Gdy spaliście z Lukasem, obeszłam cały kościół. Spotkałam Landgrafów. Mały Markus natychmiast zapytał, gdzie jesteś. Nie powiedziałam mu. Nie chciałam, aby zobaczył Lukasa. Poza tym byłby zazdrosny. On chyba jest w tobie zakochany. Może nawet bardziej niż jego brat. Hinnerk honorowo w ogóle nie zapytał o ciebie, ale gdy mnie zobaczył, aż pojaśniał ze szczęścia. Wiesz, że on ma najbardziej błękitne oczy, jakie widziałam w życiu? Oczywiście, że wiesz...

A potem nadepnęłam niechcący na cuchnącego moczem, wystraszonego, tłustego, obleśnego szczura. Tak mi się wydawało. Ale to był tylko Albrecht von Zeiss. Natychmiast go rozpoznałam. Szczury nie noszą czarnych opasek na oku...

Rootenbergowie stali przy drzwiach prowadzących do plebanii. W najciemniejszym miejscu kościoła. Stali na baczność obok dwóch swoich walizek. Jak postawione tam przez kogoś i zapomniane rzeźby. W milczeniu. Bez ruchu. Myślę, że starali się ze wszystkich sił nie oddychać. Uważasz, że strach może być aż tak ogromny? Jeśli tak, to Mutschmann zasługuje na medal od Goebbelsa. Osiągnął dokładnie to, co Goebbels wymyślał w swoich kokainowych wizjach. „Żydzi mają być ogoleni i nie zwracać na siebie uwagi. Nieogoleni Żydzi zostaną rozstrzelani..." – tak było napisane w jego ostatnim – jak zawsze idiotycznym – rozporządzeniu rozklejanym na każdym słupie w Dreźnie. Jacob Rootenberg był bardzo dokładnie ogolony. I ze wszystkich sił starał się nie zwracać na siebie uwagi.

Wiesz, Aniu, co pomyślałam wtedy? Coś okropnego, coś nieprawdopodobnie wstrętnego. Pomyślałam... pomyślałam, co zdarzyłoby się, gdyby to Jacob Rootenberg był Albrechtem von Zeissem? Gdyby to on, przy swoim strachu i absolutnie bezwarunkowym podporządkowaniu, miał całą jego władzę? Albo jeszcze gorzej, gdyby to Rootenberg nagle stał się Mutschmannem. Wiem. Jestem cholernie niesprawiedliwa. Bo nigdy nie byłam Żydem w Niemczech. Wiem, Aniu...

Rootenbergowie widzieli mnie tylko jeden raz w życiu. Tej jednej nocy, gdy przyprowadzili do nas Lukasa. Poza tym już nigdy więcej. Babcia czasami chodziła do nich i zanosiła im bochenki chleba lub kawałki twarogu owinięte papierem z rysunkami Lukasa. Tymi, które ty wynosiłaś czasami ze skrytki.

Poznali mnie! Najpierw Maria Rootenberg przestała być posągiem i uklękła przede mną. Czułam się taka poniżona. Rozumiesz mnie? Gdyby w jakimś kraju ktoś chciał ciebie, moją ukochaną, jedyną córkę, zagazować tylko za to, że jesteś Niemką, i mogłabym cię uratować, wysyłając pod podłogę jakichś tubylców w tym kraju, to myślisz, że także bym klękała? Myślisz, że tak? Z wdzięczności? Skąd, do diabła, wiesz? Ty nie miałaś córki? Może masz rację...

Potem Rootenberg pokazał mi wezwanie na szesnastego lutego. Mieli się stawić z synem Lukasem J. Rootenbergiem w siedzibie NSDAP w celu „rozpatrzenia okolicznościowej deportacji". Czasami naprawdę podziwiam Goebbelsa i jego – co ja mówię – naszych wiernych urzędników Trzeciej Rzeszy. Tak uroczyście i tak elegancko sformułować wyrok śmierci. Jako „okolicznościową deportację". I tak dostojnie, specjalnym listem, nieomal zaprosić. Najpierw do siedziby partii, potem do wagonu, a następnie do krematorium...

Wiesz, co wtedy pomyślałam, Aniu? Wtedy, gdy Rootenberg pokazał mi to pismo? – zapytała.

I nie czekając na jej reakcję, odpowiedziała sobie sama.

– Pomyślałam, że jeśli te naloty mają w ogóle jakiś sens, to może zdarza się to tylko dlatego, aby Rootenbergowie nie musieli stawić się na to wezwanie? Szesnastego lutego 1945 roku, za dwa dni. W Dreźnie za dwa dni nie będzie istniała żadna siedziba NSDAP! Mam taką nadzieję. Jestem tego pewna! Może już nawet teraz nie istnieje i może właśnie to jest sprawiedliwe? Aby zrównać z ziemią całe miasto, zabić tysiące ludzi, ale uratować życie trójki Żydów. Matkę o imieniu Maria, jej męża i ich syna, małego chłopca.

Jeśli Bóg to wymyślił, to byłby niezbyt oryginalny, a jeśli ktoś inny, to byłby to zwykły plagiat – westchęła.

– A nasz Lukas? On nigdy nie był nasz. On się tylko u nas na chwilę zatrzymał. Tak zdarza się w życiu bardzo często, córeczko – mówiła dalej, ściskając jej dłonie.

– Spotykamy kogoś na swojej drodze, zupełnie przypadkowo, jak przechodnia w parku lub na ulicy, przeważnie darujemy mu tylko spojrzenie, ale nieraz całe życie. Nie wiem, dlaczego tak jest, kto i dlaczego przecina nasze drogi? I dlaczego nagle dwie drogi stają się jedną. Jak to się dzieje, że dwoje dotychczas zupełnie obcych sobie ludzi chce iść nią razem. Twój ojciec uważał, że to miłość i że nie istnieją przypadkowe spojrzenia. On obdarowywał nimi wszystkich, ale sam wierzył w przeznaczenia. Nie w jedno, ale w wiele przeznaczeń. I może dlatego było w nim tyle spokojnego pogodzenia się ze światem. Uważał, że nawet zło jest przeznaczeniem, które zostanie kiedyś wyrównane przez dobro. Gdzieś już poczęte i czekające tylko na swój moment przyjścia. I że życie toczy się na okręgu jednego zamkniętego cyklu. Cyklu zła wyrównywanego dobrem. Że nie ma do końca złych ludzi i że nawet Zeiss nie jest tak do końca zły. Nie dotknęło go – twój ojciec był o tym przekonany – po prostu jeszcze dobro.

Czasami wydawało mi się, że gdyby twój ojciec wydawał wyroki podczas Sądu Ostatecznego, to można by spokojnie zlikwidować piekło.

Nagle wstała. Owijając jej szyję szalikiem i zapinając guziki płaszcza, powiedziała:

– A teraz przestań płakać! Wstawaj! Muszę koniecznie zapalić. Koniecznie. Ale nie tutaj. Na zewnątrz. Nawet nie wiem, czy ty także już palisz? Palisz, Aniu? – zapytała, uśmiechając się.

Wyszły przed kościół. Niewielki plac przed główną bramą był opustoszały. Cała wschodnia i południowa strona centrum miasta płonęła jak monstrualna pochodnia. Niebo po tej stronie horyzontu rozświetlała wielka czerwonożółta łuna.

– Myślisz – odwróciła twarz w stronę matki – że Grunaer, że nasz dom...

Matka nie pozwoliła jej dokończyć.

– Chodźmy stąd. Natychmiast! Nie mogę na to patrzeć – wrzasnęła – co ci skurwiele robią nam z Drezna!

Chwyciła ją mocno za przegub dłoni i przeprowadziła pośpiesznie za ścianę kościoła od strony Annestrasse. Z tej strony niebo nad Dreznem było jasne i rozgwieżdżone. W kilku tylko miejscach zasnute szarymi plamami dymu z dopalających się pożarów, ale oprócz tego takie samo jak zawsze. Małe płomyki ognia wydobywające się z rumowisk zbombardowanych budynków wokół kościoła przypominały cmentarne znicze. Cisza. Przerażająca cisza. Grobowa. Cmentarna.

Stały przez długą chwilę w milczeniu.

– Aniu, damy sobie radę! Zobaczysz! – powiedziała matka. – Jeżeli oni już więcej nie nadlecą i skończy się ta noc, to najpierw wrócimy na Grunaer. Gdy nie będzie Grunaer, wydostaniemy się z miasta i pojedziemy... przedostaniemy się jakoś do Kolonii. Tuż obok Kolonii, w Königsdorfie, mieszka Annelise, siostra taty. Ona zawsze chciała, abyśmy, gdy zaczęło się to wszystko walić, przenieśli się do niej. Na wsi łatwiej przeżyć takie czasy, powtarzała zawsze. Na wsi nie ma schronów, ale jest mleko. Twój tata jednak nie chciał wyjechać z Drezna. Uważał, że tutaj jest jego miejsce. On się tu urodził, tutaj się wszystkiego nauczył, tutaj pocałował mnie pierwszy raz i tutaj ja mu urodziłam ciebie. Tutaj jedynie nie umarł – westchnęła. – Ciocia Annelise jeszcze bardziej zdziwaczała, odkąd zmarła babcia, ale to dobra, szlachetna kobieta. Muszę koniecznie zapisać ci jej adres. Na wypadek, gdyby...

– Na wypadek czego, mamo?! – przerwała jej nerwowo, nieomal histerycznie.

– Na wypadek, gdyby... stało się coś z moją walizką i notatnikiem z adresami – odparła matka, uśmiechając się do niej. – A teraz muszę zapalić, bardzo chcę zapalić – dodała.

Skręciła dwa papierosy i wkładając oba do ust, podpaliła.

– Wiesz, twój ojciec opowiadał mi niezwykłe historie o niebie – zaczęła, zaciągając się głęboko i patrząc w górę. – Nazywał gwiazdozbiory i darował mi gwiazdy. Te, których nie potrafił nazwać albo które swoich nazw jeszcze nie miały, zawsze otrzymywały moje imię, uzupełnione imieniem jakiejś bogini z mitologii. Gdy się urodziłaś, wszystkie przemianował na Anna, Ania, Anuszka, Annschen, Aneczka, Aniula, Aniusia, Anielka, A1, 1A1, 11AN11 i tym podobne. Byłaś dla niego każdą galaktyką, każdą mgławicą, każdą gwiazdą i każdą planetą. Czasami byłam nawet o to bardzo zazdrosna.

Twój ojciec był neurastenicznym, niedopasowanym do świata romantykiem. Urodził się po prostu o wiele za późno i w absolutnie nieodpowiednim miejscu – mówiła, zaciągając się głęboko papierosem. – Często nie wiedziałam, czy tylko recytuje wiersze Goethego lub Byrona, czy mówi mi swoimi własnymi wierszami, że mnie kocha. Nikt nie kochał mnie tak jak on. I nikt mi tak tej miłości nie wyznawał. Nikt. Rozumiesz?! Nikt!

A poza tym to nie powinnaś palić – powiedziała, spoglądając na nią z uśmiechem i ze łzami w oczach – a przynajmniej nie przy mnie. Twój ojciec nigdy by mi nie wybaczył, że to toleruję...

Wróćmy teraz do środka, robi się zimno – dodała po chwili.

Lukas siedział przyciśnięty kolanami rodziców. Dwoje Żydów obejmowało i całowało głowę żydowskiego chłopca w mundurku Hitlerjugend. W kościele, w umierającym Dreźnie. Kilka metrów od doktora Albrechta von Zeissa, który jak zawsze w krawacie i czerwonej opasce ze swastyką na lewym ramieniu siedział pod krzyżem Jezusa i spokojnie obcinał paznokcie u nóg. Zupełnie niedaleko od dwójki umorusanych dzieci o słodkich twarzach, dziewczynek z blond lokami, podpartych łokciami o stopień schodów prowadzących do roztrzaskanych resztek marmurowego stołu ołtarza i patrzących w zagadkowym zamyśleniu na obraz Madonny z niemowlęciem na rękach.

Scena jak żywcem wyjęta z malowidła *Madonna Sykstyńska* Rafaela Santi...

– Hitler, gdy bywa w Dreźnie, to zawsze przychodzi z całą swoją świtą oglądać ten obraz – przypomniała sobie słowa ojca – nawet nie wiem dlaczego...

Którejś soboty ojciec zabrał ją do muzeum. Spędzili tam cały dzień. Uwielbiała oglądać z nim obrazy. On dostrzegał w nich to, czego ona nigdy by nie zauważyła. Pamięta, że przystanęli na długo przy tym obrazie Rafaela.

– Wiesz, że Hitler czasami zdumiewa mnie swoją wrażliwością? – powiedział po chwili zadumy, wpatrzony w ogromne malowidło wiszące na ścianie. – Może to tylko wyreżyserowana propaganda, może jego czkawka po niespełnionych marzeniach, a może tylko zazdrość, zawiść i zemsta? Ale może jednak nie. Może on naprawdę coś odczuwa. Nie wiem. Może nawet wie, co to piękno, i chce, aby i inni je także podziwiali? Inaczej zabrałby ten obraz do Berlina lub do swojego pałacu Berghof w Obersalzbergu. Nie zrobił jednak tego. Chociaż mógł. On wszystko przecież może w tym kraju...

Wiesz, że Hitler marzył, aby zostać malarzem? Przez pewien czas to była jego obsesja. Jedna z wielu zresztą. Chociaż zupełnie nie miał talentu. Dwukrotnie wysyłał swoje kiczowate malunki do wiedeńskiej Akademii Sztuk Pięknych. Gdy w 1907 zostały odrzucone, wysłał je ponownie rok później. Komisja z Wiednia także za drugim razem nie dała się przekonać. Myślę, że Hitler bardzo przeżył to poniżenie. Sądzę też, że wiedeńscy profesorowie sztuki, gdyby wiedzieli to, co my wiemy teraz, mogliby zmienić historię świata. Gdyby tylko wtedy pozwolili mu malować, to może nie miałby czasu na napisanie *Mein Kampf*, może... Wielu twierdzi, że osobisty antysemityzm Hitlera wziął się stąd, że jednym z profesorów w tej komisji, rzekomo mającym decydujący głos, był Żyd. Moim zdaniem to zbyt daleko idące uproszczenie. Równie dobrze można by powiedzieć, że Hitler za największych wrogów ma Słowian, ponieważ jakiś Polak odbił mu narzeczoną. Ale to nieważne, nie o tym przecież chciałem mówić...

Hitlera fascynuje piękno. Ma swój własny jego kanon, czasami bardzo prostacki, ale jednak ma. Nie potrafi sam piękna tworzyć, ale go potrzebuje. Czasami ponad wszystko, obsesyjnie. Aż trudno sobie wyobrazić, że jednocześnie potrafił być przy tym tak odrażający w swoim tworzeniu zła i brzydoty. Gdy 14 czerwca 1940 roku napompowany dumą Goebbels szczekał w każdym głośniku o tym, że upadł Paryż, Hitler wkrótce się tam pojawił. To była jego pierwsza w życiu wizyta w Paryżu. W mieście, które podziwiał, którego nigdy nie odwiedził, a które teraz zdobył. I wiesz co? Hitler wcale nie przyjmuje parady zwycięstwa w Paryżu na Champs-Elysées. Zupełnie go to nie interesuje. Woli zamiast tego zwiedzić paryską operę. I to on jest przewodnikiem wycieczki znudzonych generałów, zna każdy kąt, każdy szczegół. Na tyle dobrze, aby opuścić jeden z salonów, ten niewarty zwiedzania, ponieważ od lat jest w remoncie. To także wiedział Hitler. W dniu swojego największego zwycięstwa nie interesuje go nic poza architekturą.

To powszechnie znany fakt, że najwierniejszy architekt Hitlera Albert Speer jest także jego najwierniejszym przyjacielem. To właśnie ze Speerem tworzy Hitler swoją architektoniczną megalomańską wizję Berlina, planując zamienić go w metropolię, która przewyższy swym rozmachem i Paryż, i Londyn, i Wiedeń, przypominając Rzym z czasów imperium. Tyle że setki razy większy i tym samym setki razy bardziej kiczowaty. To instruowany przez Hitlera Speer wymyślił dla Berlina monumentalną Katedrę Światła, którą ubóstwiająca Hitlera reżyserka Leni Riefenstahl pokazała w swoim filmie, to Hitler ze Speerem planowali postawić w centrum miasta Łuk Triumfalny, który miał być ponad dwa razy większy niż ten w Paryżu, i to Speer zachwycił Hitlera psychodelicznym projektem tak zwanego Pałacu Narodowego, który miał stanąć naprzeciwko berlińskiego Łuku Triumfalnego i mógłby pomieścić pod jednym dachem wszystkich mieszkańców Lipska!

Hitler uwielbia spacerować po takim monumentalnym Berlinie ze swoich wizji. Zna każdy ważniejszy budynek w tym mieście. Często o tym mówi w swoich przemówieniach. Najciekawsze jest to, że nieomal cytuje w nich Maksa Osborna, jednego z najsłynniejszych niemieckich krytyków sztuki i architektury początku XX wieku. To mnie bardzo zaskakuje, ponieważ Osborn jest Żydem, a jego książki zostały spalone po 1933 roku.

Ale to nie wszystko. W Hamburgu ma stanąć most na Łabie większy od Golden Gate w San Francisco, w Norymberdze z kolei powstał Pałac Zjazdów przypominający rzymskie Koloseum. To przy jego projekcie Speer, w pełni wyrażając wolę Hitlera, sformułował i po raz pierwszy zastosował w praktyce słynne „prawo ruin". Według niego monumentalne budowle miały być projektowane w taki sposób, aby nawet w stanie ruin, za tysiące lat, imponowały wielkością i przypominały potomnym świetność „Tysiącletniej Rzeszy".

Na szczęście są to jedynie jak na razie niezrealizowane plany dwóch fanatyków.

Obok malarstwa architektura jest drugim natchnieniem Hitlera. To taki bardzo sympatyczny, propagandowo idealny aspekt jego osobowości. Czy to nie jest poruszające, że pan i władca Trzeciej Rzeszy wykazuje tak głębokie zainteresowanie sztuką? Miłość do szczegółu? Zdumiewającą fachową wiedzę, która pozwala prowadzić mu rozmowy o fasadach, półcieniach lub lekkościach konstrukcji? Dziwne to, ponieważ nikt inny jak Hitler rozkazuje lub pozwala niszczyć tak wiele z tego, co inni zbudowali. Ale o tym bardzo niewielu wie. Naród wie za to o jego tak bardzo sympatycznych, ludzkich słabościach. Nasz Führer, jak wielu z nas, jest łasuchem, nie może oprzeć się słodyczom i uwielbia torty, nasz Führer płacze przy sentymentalnych filmach, „pożera" książki przygodowe i wzruszają go przesadnie łzawe, melodramatyczne operetki. Jest uśmiechnięty na fotografiach z dziećmi o blond włosach, melancholijny, gdy na innych fotografiach ogląda zachody słońca w górach, i na dodatek nosi czarne skarpety do jasnych garniturów. Nasz Führer to taki zupełnie normalny człowiek. Bezradny, momentami rozczulający z tymi swoimi niedopasowanymi skarpetami, narodowy bohater. Taki człowiek w żadnym wypadku nie może być tyranem. I nie ma w sobie nic z monarchy. A gdy czyta się w gazetach wypowiedzi Rosy Mitterer, pracującej w latach trzydziestych jako służąca w jego bawarskiej samotni w Berghofie, że Hitler jest „czarującym mężczyzną, kimś, kto ma dla mnie jedynie miłe słowa, do tego świetnym szefem", to serce się człowiekowi kraje. Taki nasz. Taki dobrotliwy, trochę roztrzepany Führer...

Ale to tak na marginesie, Aniu. Jakoś tak przyszło mi do głowy i chciałem ci to, zanim zapomnę, opowiedzieć – dodał. – A teraz zapomnij Führera i przypatrz się uważnie. Widzisz te dwa małe, słodkie anioły, te u samego dołu obrazu? – zapytał, wskazując palcem. – Dla mnie to dowód geniuszu Rafaela. A także główny wątek opowieści o narodzeniu Chrystusa. Jest tysiące obrazów przedstawiających Maryję z Dzieciątkiem, ale tylko na tym obrazie jest to takie... takie bardzo ludzkie. Może dlatego nawet Hitler tutaj tak chętnie przychodzi.

Jak myślisz, dlaczego te dwa zabawne maluchy ze skrzydłami aniołów patrzą tak komicznie? Dla mnie jest to jasne! Ponieważ się okropnie nudzą. Nie wolno się im bawić. Czują się zapomniane i zbędne. Ten trzeci maluch na rękach Maryi jest w ich oczach takim samym dzieckiem jak one. One chcą się po prostu z Jezusem bawić. Ale im nie wolno. Poza tym pewnie wiedzą, że Jezus też nie miałby na to ochoty. I mimo że jest do nich bardzo podobny, jest także bardzo inny, nieobecny, jak gdyby nosił w sobie jakąś wielką tajemnicę. Dlatego ci uskrzydleni malcy pogodzili się z tym, ale pomimo to są zawiedzeni.

Rafael opowiedział tym drobnym szczegółem swojego obrazu przepiękną historię. To może oddać tylko obraz. Słowa nie mają żadnych szans. Opisać to, co się widzi, tylko pozornie jest łatwo. Ale stworzyć z tego dramat, zamykając w klamrach początku i końca? To udaje się bardzo niewielu.

I wiesz co? Tak się cieszę, że fotografujesz – dodał, obejmując ją i całując w czoło. – Swoją drogą, to niezwykłe, że mamy ten obraz tutaj u nas, w Dreźnie. Sprowadził go z Rzymu w 1754 roku August III, polski król i jednocześnie elektor Saksonii. Twoja babcia twierdzi, że Polacy mieli pecha, jeśli chodzi o swoich królów. Według niej wszyscy to byli albo pijacy, albo rozpustnicy, albo psychicznie chorzy. Ojciec Augusta III miał ponad – ciągle to powtarzała, gdy wypiła zbyt dużo wina – trzysta nieślubnych dzieci, a jego syn, ten od Rafaela, z lubością strzelał do psów i kotów z okna swojego pałacu w Warszawie. Babcia Marta widocznie zapomniała, że August III, jak i jego ojciec tak naprawdę byli z krwi i kości Niemcami, a jedynie ustanowiono ich polskimi królami. Ale nie za darmo. By rządzić Polską, musieli przejść na katolicyzm i na dodatek wybudować w luterańskim Dreźnie katolicką świątynię. Dopiero August III wypełnił to drugie zobowiązanie. I tak powstał Hofkirche, ten przy placu Teatralnym, naprzeciwko głównego wejścia do pałacu Zwinger. Dokonał tego za pieniądze drezdeńczyków, którzy później przez długie lata nie mogli mu tego wybaczyć. Hofkirche był długo nazywany „niemym kościołem". Mieszkańcy nie zgodzili się bowiem na to, aby posiadał dzwony. Mimo to był jak kłujące źdźbło w oku. Nie dość, że katolicki, to na dodatek z polskim godłem nad wejściem.

My, Niemcy, tak mi się wydaje, mamy jakiś ogromny i niepojęty kompleks, jeśli chodzi o Polskę. Z poczuciem wyższości traktujemy Polaków jak trochę barbarzyński, nieokrzesany naród, budzący się rano z kacem i zasypiający wieczorem pod stołami żydowskich wyszynków. Niepunktualny, ciągle czymś odurzony, nieprzewidywalny, nikomu i niczemu niepodporządkowany, niepokorny i bardzo z siebie dumny. Dla Niemców oczywiście dumny zupełnie bez najmniejszego powodu. Bez jakiegokolwiek zrozumiałego dla mnie powodu także obsesyjnie znienawidzony przez nazistów.

Tylko raz byłem w Polsce, Aneczko. Niedokładnie w Polsce. Ale blisko niej. W Gdańsku. Na zaproszenie tamtejszej politechniki. W sierpniu trzydziestego dziewiątego. Tuż przed wybuchem wojny, która rozpoczęła się kilkanaście dni później. Gdańsk, wyszarpany Polsce, był dziwnym tworem. Rzekomo neutralnym, pod protektoratem Ligi Narodów. Politycznie ani nie niemiecki, ani też nie całkiem polski. Ale historycznie polski. Pamiętam, jak wracając pociągiem do Drezna przez Berlin, przeczytałem w berlińskiej gazecie przerażający swoim absurdem nagłówek: „Warszawa grozi zbombardowaniem Gdańska! Niewiarygodny atak odwiecznego polskiego szaleństwa!". Wracając akurat z Gdańska, nie miałem żadnych wątpliwości, że jest dokładnie na odwrót. To żołnierze niemieckiego Wehrmachtu prawie w całości zajmowali hotel, w którym się zatrzymałem. A po ulicach neutralnego rzekomo miasta w dzień i w nocy jeździły demonstracyjnie niemieckie samochody wojskowe.

Polakami gardzi się w Niemczech. A z drugiej strony zazdrości się im romantyzmu, wrażliwości, spontaniczności i umiłowania wolności. To dla nich chyba jest najważniejsze. Ta wolność. I zaraz potem Bóg. Albo najpierw Bóg, a zaraz potem wolność. Twoja babcia jest w połowie Polką. Dlatego jest taka religijna i tak bardzo niepokorna. I taka piękna. I dlatego ty także jesteś taka piękna. Czy wiesz, że babcia potrafi modlić się tylko po polsku? Chociaż doskonale zna *Ojcze nasz* po niemiecku? Mnie oczywiście uczyła po niemiecku, ale sama modli się zawsze po polsku. Często podsłuchiwałem ją w kościele. Babcia uważa, że także Bóg modli się tylko po polsku. Bo Bóg, według niej, mógł być tylko Żydem z Polski. Nikim innym. Zapytałem kiedyś, zupełnie niedawno, do jakiego Boga musi modlić się po polsku Bóg, skoro sam jest Bogiem. I wiesz, co mi wtedy odpowiedziała twoja ortodoksyjnie wierząca w jednego Boga babcia Marta? Do tego lepszego Boga, który temu obecnemu kiedyś wybaczy Hitlera. Tak powiedziała, Aneczko. Bez chwili zastanowienia...

Uwielbiała być z ojcem. Zawsze. Kiedykolwiek. Gdziekolwiek. Wszędzie. W pokoju przy piecu, w swoim pokoju przy łóżku, na spacerach, w jego uniwersyteckim gabinecie przypominającym nieuporządkowane archiwum, w bibliotece, na sali wykładowej, gdy opowiadał studentom anegdoty, a oni nawet tego nie zauważali i wpisywali je do swoich notatników. Ale także w kuchni przy zmywaniu naczyń i obieraniu ziemniaków. Chciała go przede wszystkim słuchać. Gdziekolwiek. Wszędzie. Jej ojciec był bardzo mądry i najzwyczajniej, po prostu, dobry. Żałuje, że mu tego nie zdążyła powiedzieć, gdy żył. Naiwnie wierzyła, że on będzie żył wiecznie i że ciągle ma na to czas. Tak zawsze się myśli o rodzicach. Że będą żyli wiecznie. I gdy nagle odchodzą, pozostaje niewypowiedziane to najważniejsze, odkładane na jakieś odległe później. Mogłaby mu wtedy otrzeć łzy, a on by udawał – nieudacznie – że mu tylko coś wpadło do oka, i przytuliłby ją mocno, a ona głaskałaby go delikatnie po głowie i zakochiwałaby się w nim kolejny raz. Bo ona nie kochała swojego ojca, ona była w nim nieustannie zakochana. „Tato, jesteś dla mnie wzorem. Chcę być taka jak ty". Te takie proste dwa najważniejsze zdania. Czasami mu to mówi teraz, przed zaśnięciem, i czasami, gdy zamknie bardzo mocno oczy i ściśnie bardzo mocno dłonie w pięści, wydaje się jej, że czuje na zaciśniętych palcach wilgoć jego łez...

Pamięta, że to była ostatnia taka sobota z ojcem. Wkrótce potem zaczęły z mamą czekać na listy od niego.

Miała wrażenie, że zawieszona w powietrzu jak na niewidzialnej linie ponad sceną obserwuje próbę generalną makabrycznego, surrealistycznego spektaklu końca świata według chrześcijan. Zapomniała w swoim podnieceniu, że sama w tym uczestniczy. Tutaj, na tej ambonie, w Annenkirche, w centrum umierającego Drezna.

Fotografowała. Żałowała, że nie może uchwycić ruchów, gestów, spojrzeń jednego po drugim, tak jak następują, że bezpowrotnie traci możliwość zarejestrowania obrazów, które już nigdy więcej się nie powtórzą. Magia fotografii to, oprócz światła, przede wszystkim kulminacja momentu. Tak to nazywała. Wydawało się jej, że być może omija ją ta kulminacja, gdy po każdym zwolnieniu migawki musiała odstawiać aparat od twarzy i małą korbką przewijać film. Nerwowo spoglądała na cyfry odliczające liczbę klatek do końca kasety. Gdy

robiła pierwsze zdjęcie, licznik wskazywał dwadzieścia osiem. Postanowiła, że zatrzyma się, gdy ta liczba spadnie do ośmiu. Chciała pozostawić miejsce na kilka obrazów „na potem". Nie wiedziała, co będzie potem i czy „potem" w ogóle nastąpi, ale chciała...

Zastanawiała się, dlaczego Zeiss w ogóle tutaj jest. Nie mogła sobie wyobrazić, że esesmani jego rangi nie mieli dostępu do schronów. Poza tym sądziła, że Zeissowie, oczywiście w tajemnicy, zlecili wybudowanie schronu pod swoją willą. Wyglądało na to, że jednak nie. Pomyślała, że być może Zeiss zbyt późno dowiedział się o nalocie i po prostu nie udało mu się w tym chaosie dostać do żadnego schronu. W dzikim, rozwścieczonym tłumie zdesperowanych do ostateczności ludzi przed schronami jego nieskazitelny mundur esesmana nie dawał mu żadnych przywilejów. Wprost przeciwnie. Prowokował zemstę i wydobywał z ludzi agresywną, skrywaną nienawiść. Od dawna wiedziano w Dreźnie, kto jest winny temu, co się teraz tutaj dzieje. Bardzo szybko zapomniano, że niedawno gremialnie wiwatowano „na cześć", „dla Rzeszy", „dla Führera", „ku wiecznej chwale".

Tłum tak miał najpierw w Grecji, potem w Rzymie, potem na całym świecie i teraz tutaj. To nic nowego. Tłum nie ma mózgu, więc nie myśli i wiwatuje na cześć czegokolwiek, gdy tylko ktoś zacznie wiwatować. Tłum można bardzo łatwo uwieść. Hitler – a tak naprawdę to Goebbels – świetnie rozumieli tłum. NSDAP bez tłumu byłoby egzotyczną małą partią wąsatego psychopaty z Austrii. Zupełnie bez znaczenia. Tak uważał jej ojciec. Rozmawiała z nim o tym bardzo często. Ojciec starał się zrozumieć wszystko. Także tłum. I jej to objaśnić. Twierdził, że zawsze w każdym tłumie znajdą się ludzie, którzy stoją z boku i uważnie się przypatrują. Potem wpadają na swoje pomysły i kreują swój własny tłum. Hitler bez tłumu byłby nikim. Ojciec opowiadał jej o niezwykłej fotografii, która ukazała się w drezdeńskiej gazecie lokalnej w listopadzie 1936 roku. Ponieważ dla niej fotografie były najbardziej ostatecznym argumentem, to poszedł do piwnicy i przyniósł szary, zakurzony skoroszyt. Pokazał jej tę fotografię. Zrobiona z samolotu lub jakiejś wysokiej wieży. Bardzo dobrej jakości. Na zdjęciu na jakimś placu w Dreźnie stoi gęsty tłum z rękami wyciągniętymi w geście „Heil Hitler". Nieprzebrana masa ciał w tym jednoznacznym zjednoczeniu. Jak gdyby była to jedna ręka. Tylko jeden jedyny człowiek nie podniósł prawej ręki. Stoi zamyślony z rękami złożonymi na piersiach. Najbardziej prawdziwy człowiek na tej fotografii. Chociaż w tym tłumie wygląda jak nieprawdziwy. Jak posąg. Jak wstawiona nieudolnie przez amatora od fotomontażu postać. Tak zadziwiająco nierealny. Jej ojciec był dumny z tego anonimowego człowieka. „Chciałbym go poznać i chciałbym mu podziękować", powiedział, zamykając skoroszyt. „Każdy tłum ma symbol swojego absurdu", dodał. Ten mężczyzna jest właśnie takim symbolem. Poza tym, powtarzał, „na tłumie nie można polegać na dłuższą metę. Tłum sam w sobie jest jak odbezpieczony granat, zawsze niebezpieczny, a tłum, któremu grozi śmierć, jest po prostu nieobliczalny".

Albrecht von Zeiss wiedział to doskonale. Esesmanów nieustannie szkolono, jak właściwie zachowywać się w tłumie. Podejrzewała nawet, że to sam Zeiss szkolił. Na bramie prowadzącej do jego willi była pozłacana tabliczka z wygrawerowanym pełnym nazwiskiem Zeissa: „Prof. dr Albrecht von Zeiss". To miało nawet listonosza sprowadzić na kolana. I to każdego dnia, gdy przychodził z listami. W Niemczech, gdy ktoś nie jest „von", to przynajmniej chce mieć „dr" przed nazwiskiem. Zeiss miał te dwa przedrostki ozdobione gustownie przez „Prof.". Absolutna próżność. Ciekawe, co będzie Zeiss miał wygrawerowane na swoim grobie? Ogrodnik i lokaj Zeissów, ten od czereśni, każdego dnia pluł na tę tabliczkę i z największą uwagą ją polerował.

Zastanawiała się, jak doszło do tego, że człowiek z tytułem profesora stał się esesmanem. Uważała, że do SS przyczepiali się jak wszy do brudu we włosach tylko wyjątkowo zdegenerowani „prole", ci, co ledwie nauczyli się pisać i czytać. Jej ojciec zapytał, co to znaczy „prol". Była zdziwiona, że nie wie. W jej szkole „proli" znali wszyscy. Gardzili nimi i jednocześnie się ich bali. Takie kreatury bez mózgu, w krótkich skórzanych bawarskich spodniach na szelkach, z wystruganymi z drewna atrapami pistoletów za pasem, z wyrysowanym atramentem hakenkreuzem na ramieniu i z pianą w kącikach ust. Miniaturowi esesmani *in spe*.

Ojciec powiedział jej, że przeważnie było akurat odwrotnie. To esesmanów robiono z „proli" profesorami. To typowe dla wszystkich dyktatur. Tytuły naukowe w „chorych na raka czasach" nadaje się nie za mądrość, wiedzę i pracowitość, a jedynie „za wierność" reżimom. Ale żeby być wiernym dyktatorom, trzeba być skończonym głupcem. Prolem właśnie...

W każdym razie Zeiss – nawet bez tytułu profesora – nie ryzykowałby wejścia do publicznych schronów. Nienawiść do siebie, w grupie, czują nawet zwierzęta. Nienawiść do jakiegokolwiek esesmana w tłumie przed schronem upadającej Rzeszy, jakkolwiek to zwać, musiała być o stokroć większa niż poczucie obowiązku nienawidzenia Żydów. Nienawiść z obowiązku nie jest prawdziwą nienawiścią. Kochać i nienawidzić można tylko z przekonania. Żadna propaganda nie może wywołać miłości. Nienawiść – może nawet tak. Ale wyłącznie do tych, którzy przekonują do nienawiści.

Przypuszczała, że nie mając wyboru, Zeiss dotarł, tak jak oni, do kościoła. Jednakże nie rozumiała tak do końca, dlaczego ciągle tutaj jest. Mógł przecież wyjść z kościoła już po pierwszym nalocie.

Patrzyła na siedzącego pod ołtarzem Zeissa obcinającego paznokcie u nóg. W pewnym momencie zauważyła, że zbliża się do niego jej matka. Podeszła wolnym krokiem do Zeissa, usiadła obok niego na schodach prowadzących do ołtarza. Ich ciała prawie się stykały. Zaczęła z nim rozmawiać. Zeiss, po krótkiej chwili, nie podnosząc głowy, przesunął się kilka metrów dalej. Jej matka pozostała na swoim miejscu. Było wyraźnie widać, że wykrzykuje coś w kierunku Zeissa. Podnosiła ręce, zaciskała pięści, nerwowo gestykulowała. W pewnej chwili zaczęła uderzać dłońmi o posadzkę schodów prowadzących do ołtarza. Ona z ambony nie mogła dosłyszeć, co matka mówi. Była zbyt daleko. Poza tym z zewnątrz kościoła zaczęły dochodzić dziwne odgłosy. Po chwili je rozpoznała. Mimo braku syren. Gdy dotarł do niej dźwięk wybuchu pierwszej bomby, była pewna. Zaczynał się kolejny nalot...

Spojrzała przed siebie. Plac przed ołtarzem w mgnieniu oka opustoszał. Pozostali tam tylko Zeiss i jej matka. Jak gdyby to, co się dzieje, zupełnie ich nie dotyczyło. Matka ciągle gestykulowała, Zeiss ciągle obcinał paznokcie. Zaczęła krzyczeć w jego kierunku. Jej głos ginął w huku eksplozji. Po chwili cofnęła się gwałtownie w głąb ambony. Dziewczyna w granatowej, wełnianej sukience leżała z głową ułożoną na piersiach mężczyzny w mundurze. Delikatnie i spokojnie gładził jej włosy. Czasami podnosił i nachylał głowę i je całował. Położyła się obok nich. Dziewczyna przytuliła się mocniej do mężczyzny, robiąc jej więcej miejsca. A ona zamknęła oczy. Przez zaciśnięte powieki docierały do niej rozbłyski wybuchów przedostające się przez wyrwę w dachu kościoła. Przytuliła się do dziewczyny. Mężczyzna wsunął rękę pod jej plecami i objął je obie. Czuła dotyk jego dłoni na plecach. Zamknęła oczy. Zaczęła prosić, znowu wierszem Rilkego, aby nastała cisza. Gdy ostatni raz, z Lukasem przytulonym do niej, prosiła, to cisza przecież nastała. Dziewczyna zaczęła drżeć i płakać. W pewnej chwili mocno ścisnęła jej dłoń. „Kocham cię, kocham cię, pamiętaj, że cię kocham..." – powtarzała na głos. Ona także ją pokochała. Na tę krótką chwilę. A może już na zawsze. Do końca życia. W chwilach ostatecznego lęku kocha się chyba każdego, kto wtedy przy nas jest. Wystarczy, że jest blisko nas. Ktokolwiek to jest.

Przypomniała sobie babcię Martę. Gdy umierała...

Siedziały tego popołudnia naprzeciwko siebie za stołem w kuchni. Piły „herbatę". W czasach, gdy w filiżance nie ma ani herbaty, ani cukru i jest tylko gorąca woda, przydaje się mieć wielką wyobraźnię i poczucie humoru. Mimo wojny, albo zwłaszcza wtedy. I właśnie także za to kochała i podziwiała swoją babcię. Kiedy brakowało już nawet jajek, babcia Marta codziennie o trzeciej po południu jak zawsze wołała je nadal do kuchni na *Kaffe und Kuchen*. Rozkładała wyszydełkowane serwetki, stawiała na nich porcelanowe filiżanki, a na talerzyki nakładała po kawałku chleba z konfiturami. Czasami tylko chleb.

Tego dnia były same. Matka wyszła do miasta, aby zdobyć coś do jedzenia. Nagle usłyszała pisk hamujących opon i po chwili łomot spod drzwi wejściowych do kamienicy. Podbiegła szybko do okna. Dostrzegła dwa motocykle i samochód. Potem usłyszała tupot kroków na schodach.

– Otwierać! Natychmiast otwierać!

Babcia Marta powoli wstała od stołu. Podeszła wolnym krokiem do lustra. Spokojnie poprawiła włosy. Tak jak gdyby to, a nic innego, było teraz najważniejsze. Odwróciła głowę w jej kierunku i spojrzała jej w oczy. Nie powiedziała ani słowa i skierowała się ku drzwiom.

– Chowacie w domu Żyda! – wył od progu oficer w czarnym mundurze.

Czwórka żołnierzy z karabinami wbiegła do pokoju.

– Nikogo tutaj nie chowamy. Jesteśmy same. Nie ma w tym mieszkaniu żadnego obywatela pochodzenia żydowskiego – odpowiedziała babcia, nie podnosząc głosu i nie spuszczając wzroku z rozbieganych oczu mężczyzny.

Mężczyzna odwrócił się na chwilę, naciągnął czarną rękawiczkę na dłoń, wygładził ją dokładnie drugą dłonią i z całej siły wymierzył cios. Obserwowała to dokładnie. Krzyknęła. Było już za późno. Siwe włosy babci spięte w kok rozsypały się, zakrywając twarz, końce włosów zabarwiła na czerwono krew. Widziała, jak babcia osuwa się na podłogę.

– Przeszukać dom! Sprawdzić wszędzie! – wrzeszczał oficer. – Gdzie jest Żyd?!

Chciała podbiec do leżącej na podłodze babci. Jeden z żołnierzy zastawił jej drogę i przycisnął kolbą karabinu do ściany. Czuła zimno metalu na szyi i odór jego oddechu na twarzy. Cuchnął piwem.

– Żydzi to nie obywatele, ty stara suko. Żydzi to pluskwy. Pluskwy! Zrozumiałaś?!

– Gdzie jest Żyd?! – powtarzał bez końca oficer, za każdym razem kopiąc leżącą na podłodze kobietę. – Gdzie jest Żyd?!

Młody żołnierz przyciskający ją do ściany uniósł jej spódnicę i zaczął dotykać ud. W pewnym momencie rozerwał jej majtki i wsunął w nią palec. Zamknęła oczy i zacisnęła zęby. Czuła obrzydzenie i ból. Bardziej obrzydzenie. Napięła z całych sił kolano i energicznie podniosła je do góry. Usłyszała przekleństwo i po chwili poczuła potworny ból od ciosu w okolicach brzucha, tuż pod piersiami.

– Szukać Żyda! Ty także, Wolfgang! – wykrzykiwał coraz bardziej rozwścieczony oficer.

Wolfgang zostawił ją i posłusznie się oddalił, aby „szukać Żyda". Podszedł do regału z książkami i go przewrócił. Stojąca na jednej z półek ramka z fotografią ojca upadła i szkło rozbiło się o podłogę. Widziała, jak jego but depcze fotografię. Podbiegła do Wolfganga i zaczęła okładać go pięściami. Z trudem sięgała do jego głowy. Do dzisiaj nie wie, dlaczego zaczęła krzyczeć po angielsku:

– *You fucking son of a bitch, you fucking less than nothing. I recognize you, you fucking minus zero. You could hardly spell your fucking own, fucking name without errors in the school. You are a fucking nobody, and you will always be...* – wrzeszczała, okładając go pięściami.

Wolfgang – z pewnością nie rozumiejąc ani jednego słowa – opędzał się od niej jak od natrętnej muchy. W pewnym momencie popchnął ją energicznie i śmiejąc się, spokojnie się oddalił. Upadła, uderzając głową o ścianę. Poczuła smak krwi w ustach. Po chwili podczołgała się na kolanach do leżącej na podłodze babci. Oficer nie dopuścił do tego, aby zbliżyła się do niej i jej dotknęła. Stanął pomiędzy nimi i brutalnie odepchnął ją butem. Nachylił się, z papierosem pomiędzy wargami, uścisnął dłoń babci i powiedział:

– Pamiętaj, stara suko, Żydzi to nie obywatele. To wszy i pluskwy...

Patrzyła na jej twarz pomiędzy stojącymi w rozkroku nogami oficera w czarnym mundurze. Babcia uśmiechała się spokojnie, patrząc na twarz esesmana. Nie wie, czy dokładnie w tym momencie umierała. Wie tylko, że gdy pokój opustoszał i zapadła cisza, babcia już nie żyła...

W chwilach ostatecznych kocha się chyba każdego, kto wtedy przy nas jest. Ktokolwiek to jest...

Mocno przytuliła się do dziewczyny w granatowej sukience.

– Ja też cię kocham – wyszeptała do jej ucha.

Cały czas docierały do niej odgłosy nadlatujących samolotów i eksplozji. W pewnym momencie poczuła wyjątkowo mocne drżenie podłogi. Jedna z bomb musiała upaść bardzo blisko kościoła. Poruszony siłą wybuchu budynek zatrząsł się w posadach. Chwilę później fragment dachu otaczający wyrwę spowodowaną poprzednim nalotem odłamał się i z trzaskiem runął na ziemię. Zapadła cisza. Słyszała znajomy dźwięk oddalających się samolotów. Poderwała się i podbiegła do balustrady ambony. Zobaczyła Zeissa nachylonego nad kawałkiem stropu przygniatającego jej matkę.

Zbiegła schodami na dół. Stanęła obok Zeissa. Razem zaczęli podnosić kamienną belkę stropu. Po chwili zauważyła obok siebie Rootenbergów i Lukasa. Zaraz potem pojawił się lokaj Zeissów. Ten od czereśni. Zeiss wykrzykiwał, wydając rozkazy. Matka Lukasa klęczała obok głowy jej matki, wpychając pod belkę kawałki kamieni, aby uniesiona o milimetry do góry nie opadała. Ojciec Lukasa stał obok nich. Lokaj zwracał się do Rootenbergów w jidysz. Rozmawiał z nimi w jidysz! W pewnym momencie kamienna belka opadła nieznacznie, zgniatając kolejną kamienną bryłę wsuniętą przez matkę Lukasa. Zeiss zaczął przeklinać. Lokaj podszedł do Zeissa i powiedział:

– Nie krzycz, tato, to nie jej wina. Słyszysz?! Nie krzycz! Chociaż jeden raz nie krzycz, ojcze...

Stanął pomiędzy Zeissem i Rootenbergiem, chwycił obiema dłońmi za belkę i powiedział:

– Teraz! Wszyscy! Z całych sił. Do góry...

Matka Lukasa bez chwili wahania wsunęła głowę pod belkę i pociągnęła z całych sił.

A ona uklękła przy matce. Starła delikatnie żółtawy pył pokrywający jej twarz i włosy. Zeiss usiadł obok i wyciągnął z kieszeni munduru blaszaną butelkę. Najpierw skropił twarz matki, a potem podsunął butelkę do jej ust. Strużka wody zwilżyła zaciśnięte usta. Palcami rozprowadził wodę na jej wargach.

– Proszę pani! Szanowna pani Bleibtreu, niech pani się przebudzi. Wszystko pani wytłumaczę, ja wstawiłem się za pani małżonkiem, zwróciłem się w jego sprawie osobiście do Berlina – powiedział, gładząc delikatnie jej czoło. – Nie może pani tak odejść i mnie nie wysłuchać, nie skończyliśmy przecież naszej rozmowy. Nie wolno pani! Pani Bleibtreu, ja bardzo panią proszę... Rozkazuję pani!

Po chwili pojawił się obok nich młody mężczyzna w czarnej sutannie z małą, czarną książeczką w dłoniach. Rootenbergowie i lokaj znikli w jednej chwili. Zeiss odwrócił się do mężczyzny w sutannie i powiedział stanowczym głosem:

– Proszę natychmiast sprowadzić lekarza. Słyszy pan?! Natychmiast! To rozkaz! Nazywam się Albrecht von Zeiss! Słyszy pan?! Profesor doktor Albrecht von Zeiss...

Mężczyzna w sutannie zupełnie zignorował słowa Zeissa i podniósł zwisającą ze schodka rękę jej matki. Palcami dotknął przegubu dłoni. Spojrzał na zegarek. Potem zdjął okulary i przyłożył jedno ze szkieł do ust matki. Po kilkunastu sekundach obejrzał je uważnie, podnosząc w kierunku światła dochodzącego z wyrwy w dachu kościoła. Następnie, zwracając się do Zeissa, spokojnie, z wyczuwalną ironią w głosie, powiedział:

– Szanowny panie profesorze i doktorze, ja jestem także lekarzem. Niestety, ta osoba nie żyje. Zawiadomię natychmiast sanitariuszy, aby usunęli zwłoki. I sporządzę odpowiedni, dokładny raport z tego przypadku. Mamy wyraźne polecenie. To rozkaz kogoś znacznie ważniejszego niż pan. Musimy konsekwentnie usuwać z naszego terenu zwłoki. Ze względu na oczywistą groźbę zarazy. Nie wiemy, jak długo będą trwały naloty. Pan profesor to przecież rozumie. Takie czasy. Gauleiter Mutschmann polecił to specjalnym obwieszczeniem, które jest, jak zakładam, panu profesorowi dokładnie znane. A przynajmniej, moim zdaniem, zważywszy na pana rangę, powinno być znane. Czy pan, panie profesorze, jest członkiem rodziny zmarłej? Albo czy ta osoba była panu profesorowi w jakiś sposób, prywatnie lub z innych powodów, bliska? – zapytał ksiądz, otwierając czarną książeczkę i wyjmując ołówek z kieszeni sutanny.

Albrecht von Zeiss wstał. Poprawił krawat. Zapiął starannie wszystkie guziki munduru. Otrzepał dokładnie kurz. Zerwał czerwoną przepaskę ze swastyką. Rzucił ją w kierunku księdza. Oddalił się kilka kroków od nich. Podszedł schodami w kierunku ołtarza. Uklęknął. Wyciągnął pistolet z kabury. Wepchnął lufę w usta i strzelił. Z niedowierzaniem wpatrywała się w leżące na posadzce przed ołtarzem ciało Zeissa. Zauważyła ściekającą strugami wzdłuż cokołu marmurowej ławy przed ołtarzem krew. Po chwili przy ciele Zeissa pojawił się lokaj.

– Czy pani może jest członkiem rodziny zmarłej? Albo czy ta osoba była dla pani w jakiś sposób prywatnie, powiedzmy, bliska? – usłyszała po chwili spokojny głos mężczyzny w sutannie. Jak gdyby zupełnie nic się nie stało.

– Była mi ta „osoba", jak ją pan w swoim ogromnym miłosierdziu nazywa, ogromnie i prywatnie, powiedzmy, kurwa, zbliżona. Jestem jej córką – odpowiedziała powoli przez zaciśnięte zęby. – Ani mi się waż jeszcze raz dotknąć mojej matki. A tym bardziej modlić się za nią. Gdybyś jednak w końcu wpadł na ten pomysł. Żaden Bóg nie zechce tej twojej fałszywej modlitwy wysłuchać i w nią uwierzyć. Ty wredny, nazistowski, świątobliwy biurokrato z czarnym notesem. A teraz niech pan stąd spierdala. Jak najszybciej. Brzydzę się tobą. Spierdalaj z tego terenu. Ty czarna, chrześcijańska, wyświęcona, bezduszna kanalio w habicie, z ołówkiem w kieszeni.

Mężczyzna w sutannie stał przed nią i bez żadnej, najmniejszej emocjonalnej reakcji na twarzy notował skrupulatnie wszystko, co mówiła, przewracając co jakiś czas kartki. Im mniej było w nim jakiejkolwiek reakcji, tym ona głośniej krzyczała. Czasami tylko poprawiał okulary i spoglądał na zegarek. Gdy skończyła swoją tyradę i dostała konwulsyjnego ataku histerycznego płaczu, on nagle wyciągnął temperówkę z żyletką z kieszeni spodni pod sutanną i zaczął temperować ołówek. Widziała, jak obrzynki drewna z ołówka opadały powoli na twarz jej matki.

Wstała. Przestała płakać. Czuła nienawiść. Ogromną nienawiść. Tylko nienawiść. I pragnienie zemsty. Pulsujące pragnienie zemsty. Stanęła na baczność. Poprawiła włosy. Tak jak babcia wtedy. Odwróciła się plecami do księdza, schyliła się, sięgając po kawałek kamienia. Wybrała największy, jaki znalazła w pobliżu i który mieścił się w jej dłoni. Odwróciła się i z całych sił rzuciła. Mężczyzny w sutannie nie było. Kamień potoczył się po schodach prowadzących do ołtarza i zatrzymał się przy drewnianej ławie we wschodniej nawie kościoła. Mały umorusany chłopiec wydostał się spod sterty słomy i podbiegł do kamienia. Podniósł go i ruszył w jej kierunku. Po chwili położył kamień u jej stóp, uśmiechnął się i pośpiesznie odszedł. Stanął kilka metrów dalej, czekając, aż ponownie rzuci kamień w jego kierunku. Zrozumiała, że chce się z nią bawić. Jej martwa matka leżała kilka metrów od trupa Zeissa, a ona jak w jakimś transie, oddzielona od świata za jej plecami, odrzucała kamień w kierunku tego chłopca! Jak gdyby to, co przed chwilą się wydarzyło, nie miało żadnego znaczenia. Rzucała, wpatrując się w toczący się po posadzce kamień, potem patrzyła na małe rączki chłopca, który podnosił kamień, podbiegał z nim do niej, a ona znowu rzucała. Toczący się kamień, biegnący chłopiec, toczący się kamień, biegnący chłopiec... Złość, jaką czuła, powoli ustępowała. Przychodził smutek. Wracała rozpacz.

W pewnej chwili chłopiec zrezygnował z zabawy. Przebiegł obok niej. Powoli odwróciła za nim głowę. Czterech sanitariuszy w poplamionych krwią białych fartuchach narzuconych na wojskowe płaszcze przepychało się przez tłum w kierunku ołtarza. Podeszli do księdza. Widziała, jak po krótkiej rozmowie ruszają w stronę ciała Zeissa, rozsuwając noszami gromadzących się tam ludzi. Podbiegła do ołtarza. Usiadła przy matce. Głaskała jej głowę. Płakała. Patrzyła, jak na nadgarstku Zeissa zawieszają na gumce żółtą kartkę. Jeden z sanitariuszy, klęcząc nad ciałem, zapisywał coś na tej kartce. Po chwili oderwał kawałek, podniósł do góry i krzyknął:

– Rodzina jest?!

Szmer tłumu ucichł. Nikt się nie zgłaszał. Sanitariusz powtórzył pytanie. Wypatrywała syna Zeissa. Stał w ciemnym zaułku za ołtarzem obok Rootenbergów. Nie mogła dostrzec jego twarzy. W pierwszej reakcji chciała podejść do niego. Ale szybko się zreflektowała. Syn Zeissa był przecież Żydem! Zbliżyła się do sanitariusza.

– Ten człowiek, o ile mi wiadomo, był tutaj zupełnie sam. Bez rodziny – skłamała.

– A kim pani jest dla niego? – zapytał otyły sanitariusz, przyglądając się jej uważnie.

– Jak to kim?

– No kim? To jest oficer SS. W tym wypadku musimy sporządzić notatkę. W jakiej była pani z nim bliskości?

– Ja?! W bliskości? Żadnej. Nienawidziłam go – odparła i pośpiesznie się wycofała.

Sanitariusze wepchnęli ciało Zeissa na nosze. Zdjęli z niego marynarkę i przykryli nią zmasakrowaną od wystrzału głowę. Dwaj pozostali zbliżyli się do niej. Bez słowa położyli ciało matki na noszach. Przewiesili żółtą kartkę na przegubie jej dłoni. Jeden z nich wcisnął Annie do ręki kawałek żółtego papieru. Podniosła się i ruszyła za nimi. Przed bramą po wschodniej stronie kościoła stała ciężarówka. Jeden z sanitariuszy, przechodząc obok niej, krzyknął w stronę kierowcy:

– Tutaj to już ostatnia!

Ktoś odsłonił plandekę z tyłu ciężarówki. Podniosła głowę. Zobaczyła stertę zwłok. Sanitariusze unieśli nosze. Mężczyzna w białym kitlu wychylił się z naczepy. Energicznym ruchem wciągnął nosze do środka. Plandeka opadła. Sanitariusze ruszyli w kierunku szoferki. Wszystko działo się tak szybko. Chciała krzyczeć i biec za nimi. Nie mogła wydobyć z siebie głosu. Nie mogła ruszyć się z miejsca. Nagle wszystko zawirowało jej w głowie. Zemdlała.

Drezno, Niemcy, około południa, czwartek, 15 lutego 1945 roku

Upewniła się, że aparat leży bezpiecznie owinięty swetrem w walizce, i wyszła z kościoła bocznym wyjściem. Mroźne powietrze lutowego przedpołudnia orzeźwiło ją. Spomiędzy chmur prześwitywało słońce. Wiał mocny wiatr, wzbijając chwilami szare chmury pyłu wciskającego się do oczu i ust. Owinęła szyję szalem, zapięła wszystkie guziki płaszcza, nasunęła wełnianą czapkę na głowę i ruszyła w kierunku Grunaer Strasse. Po chwili, odurzona świeżością powietrza i oślepiona światłem, poczuła nagłe zmęczenie. Oddychając ciężko, przystanęła, postawiła walizkę na kawałku płaskiego muru i odwróciła twarz w kierunku kościoła. Na tle gruzowiska wokół wyglądał jak nie do końca zburzony grobowiec. Jak sterczący kikut na cmentarzu, przez który przed chwilą przejechała kolumna czołgów. Zamknięty ścianami, z wielką wyrwą w dachu, z otworami, które kiedyś zamykały witraże, drzwiami otwartymi na oścież przypominał jej zamek z piasku na plaży, podmyty przez falę, której nijak nie dało się zatrzymać. Jej ojciec budował z nią najpiękniejsze zamki z piasku i o każdym z nich potrafił opowiedzieć niezwykłą historię. Z duchami, widmami, białymi damami błąkającymi się w nocy po komnatach, salami tortur, tajemnymi przejściami, wieżami, odważnymi rycerzami na koniach i pięknymi księżniczkami, które czekają na tych rycerzy. Czasami przysiadała się do nich wtedy – podczas wakacji nad Bałtykiem – mama i wsłuchana wpatrywała się w ojca, jak gdyby spotkała go pierwszy raz w życiu...

Podniosła walizkę i ruszyła dalej. Z trudem rozpoznawała miejsca, gdzie jeszcze wczoraj były ulice, skrzyżowania, stały budynki i rosły drzewa. W pewnej chwili przypomniała sobie słowa babci, która powtarzała do znudzenia, że „kiedyś nadejdzie kara, bo kara za wyrządzone zło zawsze nadchodzi". Z przerażeniem zdała sobie sprawę, że wcale nie żal jej tego miasta. Nie żal jej wypalonych murów rozsypujących się w pył, jak kostki pumeksu, gdy trącić je nogą, nie żal jej żadnego kamienia w tym mieście zniszczonym za karę, jak przepowiedziała babcia. Szła bez celu, nie mogąc wydobyć z siebie łez i nie czując bólu. Wspinała się na sterty gruzu po drodze lub brodziła i zapadała się w mule z kamieni wypełniających głębokie leje po bombach. Czuła swąd spalonych ciał wydobywający się z otworów po kominach schronów i z piwnic. Mijała zwęglone zwłoki, nadpalone dziecięce wózki, otwarte walizki przesłonięte jedwabnymi halkami, protezy nóg przytwierdzone do fragmentów ciała, dziecięce zabawki przysypane piaskiem, oderwane od tułowia głowy z otwartymi oczami lub dziurami oczodołów, splecione w ostatnim uścisku ręce leżące kilka metrów od ciał, do których kiedyś należały.

Zatrzymała się. Usiadła na walizce i głęboko wciągała powietrze, starając się opanować duszący ucisk pod piersiami. Nie mogła iść dalej. Podbiegła do resztek muru, za którym kiedyś była kuchnia jakiegoś mieszkania, uklękła i zaczęła wymiotować. Po chwili odczuła ulgę. Wstała z kolan. Do niewielkiego fragmentu muru, który jako jedyny pozostał z całego budynku, przytwierdzony był kuchenny zlew. Na resztkach drewnianego blatu obok zlewu stał kubek z niedopitą przez kogoś herbatą, nieopodal na białym porcelanowym talerzyku leżał nadgryziony, posmarowany masłem kawałek chleba przykryty stwardniałym żółtym serem. Nad zlewem do ściany przytwierdzone było lustro z brązowymi zaciekami rdzy. Na małej szklanej półce pod lustrem stały cztery aluminiowe kubki ze szczoteczkami do zębów. Dwie z nich mogły należeć tylko do dzieci. Patrzyła na to jak na makabryczne malowidło. Ostatnia najzwyklejsza normalność przed końcem świata tutaj, w tym miejscu, wyglądała jak awangardowa, specjalnie przygotowana, surrealistyczna instalacja jakiegoś neurastenicznego rzeźbiarza. Ale to nie była żadna wyrafinowana kompozycja, która miała wprawić w zdumienie prawdziwych znawców sztuki. To był jak najbardziej realny kawałek miasta Drezna, około południa, w czwartek, 15 lutego 1945 roku.

Wróciła biegiem do walizki. Wydobyła pośpiesznie aparat. Pamiętała, że zostało osiem klatek. Powoli podeszła pod ścianę ze zlewem. Stanęła w rozkroku kilka metrów od fragmentu muru. Zaczekała cierpliwie, aż słońce przedrze się przez postrzępioną, szarą chmurę. Uważnie nastawiła przysłonę i czas naświetlania. Nacisnęła spust migawki. Poczuła krople potu na skroniach. Jednym ruchem zerwała z głowy wełnianą czapkę. Zamknęła pieczołowicie aparat w skórzanym etui i ruszyła w kierunku walizki. Ale po paru krokach, porażona absurdem swojej myśli, zatrzymała się gwałtownie. Wróciła powoli do zlewu. Rozglądając się, czy nikt tego nie obserwuje, odkręciła kurek kranu. Pociekła brunatna maź, po kilku sekundach zaczęła płynąć kryształowo czysta woda. Rozpłakała się, patrząc na wodę. Podsunęła otwarte usta pod strumień i zaczęła łapczywie pić. To miasto jednak ciągle żyło...

LUTHER

Ruszyła dalej z aparatem wiszącym na jej piersiach, sięgając po niego co chwilę. Liczyła klatki filmu. Przygniecione fragmentem betonowego balkonu ciało kobiety z nieżywym niemowlęciem na rękach. Jeszcze sześć...

Zbliżała się powoli do domu. Odwlekała ten moment. Zwalniała, zatrzymywała się, wmawiając sobie, że musi odpocząć. Napotykała ludzi. Siedzieli lub leżeli obok resztek schodów, poprzewracanych bram i furtek lub fragmentów ścian, które pozostały z ich mieszkań. Swoją obecnością znaczyli jak koty swój teren, że to ich dom i że powrócili, i że tylko oni mają prawo do tego miejsca.

Szła dalej. Kamienna lada, jedyne, co przypominało sklep rzeźnika Müllera, u którego babcia kupowała wędliny. Na przysypanym resztkami tynku marmurowym blacie leżała przewrócona waga pokryta brunatnymi plamami skrzepniętej krwi. Jeszcze pięć...

Dotarła do Grunaer Strasse. Na skrzyżowaniu z Zirkusstrasse pojawiły się wojskowe ciężarówki zwożące trupy z okolicy. Stawały tyłem jak najbliżej krawędzi rowu zaznaczonego niskimi kamiennymi płotami i żołnierze rozładowywali przyczepy wypełnione ciałami, kładąc je jedno obok drugiego w poprzek rowu. Gdy pokryli jedną warstwą cały rów, kładli ciała w drugiej. Młody mężczyzna w białym, poplamionym krwią fartuchu siedział z papierosem w ustach na drewnianym krześle ustawionym na kamiennym podwyższeniu mniej więcej w połowie rowu. Po złożeniu zwłok w rowie żołnierze podchodzili do sanitariusza, a on notował coś w zeszycie rozłożonym na kolanach. Jeszcze cztery...

Rów przecinał Grunaer na całej szerokości, w poprzek. Musiała wejść w ulicę Zirkusstrasse, aby potem – idąc cały czas wzdłuż Seidnitzer Strasse – wrócić do Grunaer za rowem. Seidnitzer Strasse jako ulica tak naprawdę nie istniała. Zwały murów ze zbombardowanych domów, upadając, ułożyły się w rodzaj wydmy ze zmielonego gruzu. Wspięła się na górę wydmy i szła dalej. W pewnej chwili usłyszała płacz dziecka. Mała dziewczynka siedząca obok staruszka w kapeluszu patrzyła na swoją rękę owiniętą kawałkiem szarej flaneli i płacząc, powtarzała w kółko to samo zdanie: „Mam tylko siedem palców, dziadku, mam tylko siedem palców...". Staruszek zauważył Annę. Wstał z kamienia, na którym siedział, i zbliżał się w jej kierunku.

– Czy ma pani może morfinę? – zapytał spokojnym głosem. – Dam pani swoją obrączkę. Prawdziwe złoto. Przedwojenne. Ma pani? – dodał, śliniąc palec i ściągając z niego obrączkę.

Zatrzymała się, kładąc dla pewności rękę na aparacie.

– Nie mam morfiny. Ale na początku Grunaer jest sanitariusz. Może on ma. Powinien mieć. Niech pan do niego pójdzie. Zostanę w tym czasie z małą – odpowiedziała.

– Ten grubas od liczenia trupów?! Byłem u niego już sto razy. Ten łapiduch nie ma nic, zupełnie nic, nawet jodyny nie ma. Poza tym przegonił mnie. Skurwiel jeden. Nawet wódki nie ma. Czy ma pani wódkę? Dam pani obrączkę za butelkę wódki. Gdy upiję małą, będzie ją mniej boleć. I mnie także...

– Nie mam wódki. Ale wiem, gdzie mama chowała wódkę u nas w domu. Mieszkam na Grunaer 18. To niedaleko. Gdy znajdę wódkę, to ją panu przyniosę.

Dam pani obrączkę. Prawdziwe złoto. Przedwojenne... – słyszała za sobą coraz mniej wyraźny głos.

Przestała liczyć klatki. Miała dosyć liczenia. Tutaj wszędzie wszyscy coś liczą. Niektórzy trupy, niektórzy palce. Poza tym pewnych rzeczy nie należy pokazywać. W żadnym wypadku nie wolno. Schowała aparat do etui, wepchnęła ostrożnie do walizki i pośpiesznie zaczęła przedzierać się wydmą z gruzu w kierunku swojego domu.

Pierwszym, co upewniło ją, że dom musi być blisko, był fragment balustrady balkonu z willi Zeissów. Leżał na gałęzlach przewróconego drzewa czereśni w ich ogrodzie. Doskonale znała ten balkon. Trzy jak odcięte przez kogoś nożycami sterczące kikuty spiralnych kolumn wyrastające z betonowej prostokątnej płyty. Jak ze skrzynki na kwiaty. Nie przypuszczała, że kiedykolwiek poczuje to, co poczuła w tym momencie. Nigdy nie przypuszczała, że zacznie płakać – ze wzruszenia – oglądając kawałek balkonu Zeissów. A teraz płakała...

Omijając leżący pień drzewa czereśni, przeszła dalej. Rozpoznała dwa czarne koty z sąsiedztwa. Wyjadały wnętrzności martwego wilczura Zeissów. Obok kotów przechadzała się wrona, cierpliwie czekając na swoją kolej. A ona po kilku metrach stanęła przed wysokim, przypominającym tamę wzniesieniem usypanym z potłuczonych cegieł, tynku i ziemi. Wdrapała się szybko na górę. Spojrzała przed siebie.

Z budynku przy Grunaer Strasse 18 pozostała tylko jedna ściana, kończąca się na wysokości drugiego piętra postrzępioną krawędzią! Ta po lewej stronie, patrząc od strony ogrodu Zeissów, ta z brakującą od lat klamką w drzwiach prowadzących od podwórka do klatki schodowej i do piwnicy. Zeszła szybko na dół. Obiegła ścianę i stanęła na chodniku od strony ulicy. W skłębionym usypisku z kamieni, blachy, żelaznych prętów i pokruszonego cementu dostrzegła wystający kawałek brązowej, grubej deski. Podeszła pośpiesznie bliżej. Rozpoznała dębowy blat serwantki z pokoju babci Marty. Postawiła walizkę, zdjęła płaszcz i chwytając za koniec deski, z całych sił pociągnęła. W tym samym momencie usłyszała zachrypnięty głos dochodzący z tyłu:

– Pomogę pani, drewno jest teraz najważniejsze. Ma pani rację. Szczególnie w nocy, gdy robi się zimno...

Gwałtownie odwróciła głowę. Kilka metrów od niej, oparty plecami o wykrzywiony słup ulicznej latarni stał młody mężczyzna. Jego zbyt obszerny płaszcz munduru Wehrmachtu przewiązany w pasie kawałkiem drutu opadał na bruk przy latarni. Mężczyzna miał długie ciemne włosy zakrywające czoło owinięte poplamionym krwią bandażem. Z drutu wokół jego talii zwisał wojskowy hełm. Obok nóg, na szarym, brezentowym plecaku leżały skrzypce i smyczek.

– To czemu tak sterczysz tam jak kołek? Pomóż mi! – wykrzyknęła ze złością.

Podbiegł natychmiast do niej. Bez słowa, całym ciężarem ciała uwiesił się na desce.

– Słuchaj, zróbmy tak – powiedział. – Teraz ty zawiśniesz na desce, a ja będę ją wyciągał. Jesteś cięższa ode mnie. Zawiśniesz i będziesz się poruszać tak jak teraz, jakbyś chciała przełamać tę deskę na dwie części. To powinno ją poluzować.

Spojrzała na niego obrażona. Poczuła się dziwnie dotknięta jego uwagą.

– Wcale nie jestem cięższa od ciebie, człowieku! I nigdy nie będę. Nie wymądrzaj się! Dżentelmen się znalazł! – wykrzyknęła, dyskretnie poprawiając sweter.

– Teraz, razem! Mocno!

Upadli prawie jednocześnie. Uderzyła głową o cienką taflę lodu, pokrywającego kałużę brudnej wody w szerokiej bruździe pomiędzy dwoma płaskimi pagórkami usypanymi z gruzu. Zaraz potem poczuła uderzenie hełmu i przejmujące zimno wody na twarzy. Mężczyzna, nie wypuszczając deski z rąk, upadł na zmarznięte grudy błota obok kałuży. Odrzucił ze złością deskę i podczołgał się do niej. Klęknął przy jej głowie i zapytał:

– Czy wszystko w porządku? Nic się pani, to znaczy tobie, nie stało?

Potem wyciągnął z kieszeni płaszcza zrolowany zwitek bandaża i delikatnie zaczął ścierać błoto z jej twarzy. Uśmiechając się do niej, powiedział:

– Ta deska tak naprawdę niewarta była tego...

Podniosła się gwałtownie, odpychając jego rękę.

– Czego? Czego nie była warta?! – zapytała z agresją w głosie.

– No, tej całej gimnastyki. To nie jest dobre drewno do ogniska. Za twarde...

– Słuchaj, mądralo – wycedziła przez zaciśnięte zęby, starając się za wszelką cenę powstrzymać łzy – ta deska to kawałek mojego domu. Jedyny, który jak na razie tutaj znalazłam. Słyszysz? Mojego domu! Do ogniska, skoro tak bardzo chcesz, możesz wrzucić swoje skrzypce.

Mężczyzna natychmiast przestał się uśmiechać. Jego twarz spoważniała. Widziała, że drżą mu dłonie. Wstał i bez słowa wrócił pod latarnię. Sięgnął po skrzypce, przerzucił plecak przez ramię i zaczął przedzierać się rumowiskiem w kierunku drzew po drugiej stronie ulicy. Patrzyła, jak powoli się oddala. Zaczęła płakać.

– Przepraszam – krzyczała za nim – nie chciałam powiedzieć tego, co powiedziałam. Ja zawsze chciałam grać na skrzypcach. Ale nie potrafię. Nawet nie wiem, jak masz na imię! Wróć. Chociaż na chwilę. Chcę ci tylko podziękować. Podziękuję ci i będziesz mógł sobie zaraz pójść. Proszę! Pozwól mi sobie podziękować. Chociaż ty mi na to pozwól...

Po chwili zniknął za kolejną hałdą gruzu.

Podeszła do deski i nogą przysunęła ją do walizki. Włożyła płaszcz i bandażem, który chłopak zostawił, zaczęła owijać pokaleczoną rękę. Siedziała na walizce, odwrócona plecami do miejsca, gdzie jeszcze dwa dni temu była szeroka, ruchliwa ulica, a teraz tylko okop wypełniony bryłami gruzu zmieszanego z ziemią. Przed nią wznosił się kawałek ściany z drzwiami prowadzącymi na plac pokryty usypiskiem potłuczonych kamieni, cegieł i odłamkami tynku. W pewnej chwili poczuła zupełne odrętwienie. Owinęła się szczelnie płaszczem. Zamknęła oczy. Zasnęła...

Wyciągała rękę, próbując odnaleźć dłoń Lukasa. Rootenberg recytował wiersz Goethego, paląc papierosa z jej ojcem. Dziewczyna w granatowej sukience czesała włosy jej babci i wsuwała do jej ust czereśnie. Hinnerk w sutannie księdza udzielał komunii jej matce i notował coś na kartce papieru. Zeiss trzymał na kolanach nagie niemowlę z czarną opaską na oku. Markus w ogromnym, podziurawionym pociskami hełmie na głowie klęczał przed ołtarzem, przytulony do wilczura Zeissów. Sanitariusz w poplamionym krwią fartuchu budował z nią na plaży zamki z piasku. Matka Lukasa w czerwonej sutannie zakonnicy wlewała z ogromnej konewki brunatną wodę do kropielnicy. Lokaj Zeissów stał na drabinie pod dachem kościoła i golił swoją długą brodę, przeglądając się w lusterku. Ona w białej komunijnej sukience spacerowała po pachnącej lawendą łące i fotografowała motyle. Jeden z motyli w pewnym momencie podniósł się z płatka białej róży. Słyszała wyraźnie odgłos trzepotu jego skrzydeł. Stawał się coraz większy i większy. Nadlatywał w jej kierunku. Słyszała głos syren. Zaczęła uciekać. Sięgnęła po dłoń Lukasa...

Poczuła szarpnięcie za ramię.

– Nie musisz mi za nic dziękować – usłyszała głos – a teraz zbieraj rzeczy. Znowu przylecieli. Niedaleko stąd jest pusta piwnica. Tutaj na tej pustyni nie ma już nic do zbombardowania, ale mimo to lepiej być wtedy pod ziemią...

Przez ułamek sekundy pozostawała ciągle w swoim śnie. Po chwili otworzyła szeroko oczy. Rozpoznała go.

– Wróciłeś – wyszeptała, tuląc się do niego – wróciłeś! Zagrasz mi coś potem?

Uśmiechnął się. Delikatnie pogłaskał jej włosy.

– Biegnij za mną. To nie jest daleko...

Słyszała nadlatujące samoloty. Nie nadążała za nim. Co chwilę przystawała. Wrócił do niej.

– Słuchaj, zostań tutaj na chwilę. Wrzucę do piwnicy plecak i skrzypce i wrócę. Zostań. Nie ruszaj się stąd. Słyszysz?! To naprawdę niedaleko. Musisz ciągnąć tę walizkę? – zapytał niepewnie.

– Muszę...

Zostawił ją samą i oddalił się. Samoloty były coraz bliżej. Bała się. Po chwili wrócił zdyszany. Sięgnął po jej walizkę i podał jej rękę. Pobiegli. Zatrzymał się przy stercie kamieni i gałęzi leżącej obok otworu u podnóża kawałka szarego muru. Najpierw wrzucił do otworu walizkę, potem odepchnął stopą kilka kamieni. Długim, stromym kanałem zsunęła się jak na zjeżdżalni do podziemnej jaskini. Upadła twarzą na wilgotny piasek. Pośpiesznie wstała. Poczuła zapach stęchlizny i wilgoci. Rozejrzała się wokół. Z trudem, w mroku, rozpoznawała kształty. Jak gdyby odgadując jej myśli, zapalił zapałkę. Podszedł do czegoś w rodzaju żyrandola skręconego z drutu i wypełnionego ziemią, z której wyrastały świece. Przytknął płomień zapałki do świecy. Potem do kolejnych. Po chwili zrobiło się jasno. Pod sklepieniem naprzeciwko siebie zauważyła piramidę ułożoną z ludzkich czaszek. Stożkowaty stos dotykał z lewej strony rzędu trumien, ustawionych w dwóch warstwach jedna na drugiej. Jedna z trumien była wysunięta i miała otwarte wieko. Ponad jej krawędzie wystawały kłosy słomy.

– Witaj w domu – powiedział z ironią w głosie, podając jej rękę. – Wybacz, ale nie spodziewałem się dzisiaj gości, więc jest mały bałagan – dodał, podchodząc do odemkniętej trumny i zatrzasnął ją z hukiem.

Zaraz potem usłyszała wybuchy bomb na zewnątrz. Zamknęła oczy, wyciągnęła przed siebie ręce, jak gdyby szukając czegoś po omacku. Podbiegł do drucianego żyrandola, zdmuchnął świece i przyciągnął ją do siebie. Po chwili zdjął płaszcz i rozłożył go na ziemi.

– Połóż się – szepnął do jej ucha. – Zasłonię szybko właz. Zaraz wrócę...

Nalot nie trwał długo. Zresztą miała wrażenie, że wszystko dzieje się bardzo daleko od niej. Jak niewyraźne, przytłumione odgłosy kłótni sąsiadów dochodzące spoza grubej ściany. Po chwili kłótnia ustała.

– Kto to jest Lukas? Twój chłopak? – zapytał.

Leżeli w ciemności. Gdy tylko na zewnątrz zrobiło się cicho, przestał ją przytulać i odsunął się na drugi koniec płaszcza.

– Co masz na myśli?

– No, wiesz, czy to on jest najważniejszy, czy to jego... dotykasz? Przez sen krzyczałaś to imię.

– Tak, jego dotykam, ostatnio tylko jego...

– Kochasz go?

– Kocham? – zastanawiała się przez chwilę zaskoczona tym pytaniem. – Nie wiem. Ale tęsknię za nim.

– Żyje?

– Wczoraj jeszcze żył...

Zamilkł na chwilę. Wstał i zapalił świecę stojącą na jednej z czaszek. Podszedł do trumny, otworzył ją, wyciągnął brunatną butelkę i przytknął ją do ust.

– Myślisz, że oni nas nienawidzą? – zapytał, kładąc się ponownie obok niej.

– Kto?

– No ci Amerykanie i Anglicy?

– Ci w samolotach?

– Tak, ci w samolotach.

– Myślę, że ciebie i mnie tak osobno to chyba nie. Ale nienawidzą Niemców...

– My przecież także jesteśmy Niemcami.

– Tak, to prawda, ale oni, tak im się przynajmniej wydaje, bombardują Niemcy, a nie Niemców. Oni nie myślą o tym, że zabijają przy tym konkretnych ludzi. Oni chcą tylko zbombardować w drobny pył Niemcy. Mój ojciec opowiadał mi, jak to w czasie pierwszej wojny okopy często były tak blisko siebie, że żołnierze mogli spojrzeć sobie w oczy. Bardzo często rozmawiali ze sobą i czasami dzielili się nawet prowiantem. Ale gdy tylko nadszedł rozkaz, strzelali do siebie i się nawzajem zabijali. I to wcale nie z nienawiści. W obronie własnej. Bo ci w okopach naprzeciwko także dostali podobny rozkaz...

– Myślisz, że istnieje naród inny niż Niemcy, którego świat bardziej dzisiaj nienawidzi?

– Dzisiaj?! Z pewnością nie. Jesteśmy na samiutkim szczycie listy narodów do odstrzału. Potem długo, długo nic i, tak myślę, następni są Japończycy. Skutecznie zniechęciliśmy do siebie świat. I sądzę, że gdy wreszcie przegramy tę wojnę, tak będzie przez następne sto lat. Dlatego bardzo żałuję, że mam tak cholernie niemiecko brzmiące nazwisko. Ale mimo to nigdy go nie zmienię. Ze względu na babcię i ojca.

Po chwili odważyła się spytać:

– A dlaczego ty nie strzelasz i nie zabijasz? Powinieneś przecież...

– To wyjątkowo prosta historia – odparł, ocierając rękawem usta – napij się.

– Opowiedz... – powiedziała, sięgając po butelkę.

– W czterdziestym pierwszym ukończyłem konserwatorium muzyczne we Wrocławiu. To było kiedyś takie duże, piękne miasto na wschodzie, tam się urodziłem, tam są groby moich rodziców i siostry – zaczął opowiadać, kładąc się na płaszczu blisko niej. – Wiesz, gdzie to jest? – zapytał.

– Oczywiście, że wiem! Moja babcia urodziła się niedaleko stamtąd, w Opolu, a dziadek studiował we Wrocławiu medycynę – odparła. – W albumie babci jest mnóstwo przepięknych fotografii z Wrocławia. To znaczy było mnóstwo fotografii – dodała po chwili. – Przepraszam, że ci przerwałam. I co było dalej? – zapytała zduszonym głosem.

Zauważył, że płacze. Zamilkł. Nachylił się nad nią i odgarniał delikatnie włosy z jej czoła. Miał ciepłe ręce. Klęczał przy jej głowie i palcami podnosił ponad czoło kosmyki włosów. Chwilami jego palce zostawiały włosy i przesuwały się na policzki. Opuszkami palców delikatnie gładził jej skórę wokół oczu i ust. Gdy przestała płakać, wyszeptał:

– Słuchaj, proszę cię, nie przepraszaj mnie. Już za nic więcej mnie nie przepraszaj. Ja zrozumiałem to tam. To z tą deską. Naprawdę to rozumiem. Też chciałbym mieć chociaż kawałek swojego domu. Nawet najmniejszy. Ale nie mam. Ale może kiedyś zbuduję własny. Nowy. I ty także zbudujesz. Zobaczysz... Już lepiej? – zapytał po chwili.

Skinęła głową.

– A teraz powiesz mi w końcu, jak masz na imię? – dodał, odsuwając dłonie od jej twarzy.

– Mam na imię Anna – odparła. – Ale chciałabym, abyś nazywał mnie Marta – dodała natychmiast. – Może kiedyś ci to wytłumaczę. Ale teraz opowiadaj. I nie przestawaj mnie dotykać. Jeśli możesz. I jeśli chcesz...

Przysunęła się do niego i położyła głowę na jego udzie. Delikatnie gładził opuszkami palców jej twarz. Słuchała.

– W czasie studiów, aby dorobić, dawałem lekcje muzyki. Między innymi córce zastępcy Gauleitera Wrocławia. Mało kto był pozbawiony słuchu i talentu tak jak ona. Ale była bardzo pracowita i miała grać na pianinie. Tak chciał jej ojciec, bardziej matka, a najbardziej babcia, matka Gauleitera. Dziewczynki nikt nigdy nie zapytał, czy chce, a ona bała się powiedzieć, że nie chce. Ja także nie powiedziałem, ponieważ bardzo potrzebowałem tych pieniędzy. W końcu czterdziestego drugiego do armii powoływali już także ślepców, psychicznie chorych, a nawet artystów. Mnie także powołali. Któregoś dnia, po ostatniej lekcji, pożegnałem najpierw moją uczennicę, a potem jej ojca. Miałem szczęście. W salonie siedziała matka zastępcy Gauleitera. „Max, nie sądzisz chyba, że moja wnuczka, twoja pierworodna i jedyna córka przestanie grać i się rozwijać, bo jakiś biurokratyczny ciemniak i idiota wysyła naszego pana od muzyki na front". Tak powiedziała, zwracając się do Gauleitera. I dodała: „Proszę nie zaprzątać sobie tym więcej głowy, mój syn to załatwi, i proszę być w piątek u nas, o tej samej godzinie". Byłem w piątek o tej samej godzinie. Moje akta jak za dotknięciem czarodziejskiej różdżki zaginęły. Dostałem nowy numer i nowe papiery z adnotacją o przeniesieniu do „niemilitarnych służb zastępczych z powodów formalnych". Z osobistym podpisem zastępcy Gauleitera widniejącym nad czterema innymi podpisami. Cały czas nosiłem te papiery przy sobie. Dzisiaj także je mam. Przez dwa lata byłem w domu Gauleitera w każdą środę i w każdy piątek, okazując w każdy możliwy sposób wdzięczność babci. W czterdziestym trzecim, w Wigilię, córka zastępcy Gauleitera zagrała swój pierwszy oficjalny koncert fortepianowy przed całą rodziną. Nigdy nie słyszałem podobnie okropnego rzępolenia. Ale gdy tylko skończyła, cała rodzina unosiła się nad podłogę w podziwie i dumie, a babcia nawet płakała ze wzruszenia. Tylko ich polska służąca spojrzała na mnie tak jakoś dziwnie, kręcąc głową. Zastępca Gauleitera zaprosił mnie tego wieczoru pierwszy raz do swojego gabinetu, nalał do szklanki francuskiego koniaku i podał kopertę z pieniędzmi. Potem po każdej lekcji szedłem z nim do gabinetu i upijaliśmy się koniakiem lub jego ulubioną śliwowicą. To był bardzo nieszczęśliwy mężczyzna. Bardzo samotny. Chyba nawet bardziej niż ja. Potem Rosjanie zbliżyli się do Wrocławia. Gdy zaczęło robić się niebezpiecznie, ze wszystkimi, którym wolno było uciec, uciekłem na zachód. I tak trafiłem do Drezna. To, po pierwsze, niedaleko od Wrocławia, a po drugie, zawsze chciałem tutaj kiedyś zamieszkać. Ze względu na muzea, ze względu na orkiestrę i ze względu na bliskość do Wrocławia. I spełniłem, jak widzisz, swoje marzenie. Zamieszkałem. W tym przytulnym grobowcu. Szkoda tylko, że muzeów już nie ma, a i orkiestra także się gdzieś rozpierzchła lub wymarła. Tylko do cmentarzy we Wrocławiu ciągle tak samo blisko...

Zamilkł na chwilę.

– Zanudziłem cię tą opowieścią? Śpisz? – zapytał, delikatnie potrząsając jej ramię. – Podasz mi butelkę, proszę? Zaschło mi w gardle od tego gadania.

Usiadła twarzą do niego. W milczeniu wsunęła palce w jego włosy.

– Cieszę się, że cię spotkałam – wyszeptała i musnęła wargami jego policzek.

Podniosła butelkę do ust i zaczęła łapczywie pić. Zakrztusiła się. Zaczęła kaszleć, rozpryskując krople płynu na jego twarz i włosy. Z trudem chwytała powietrze.

– Boże, co ty mi dałeś, człowieku?! – wrzasnęła.

– Najprawdziwszą jugosłowiańską śliwowicę. Trzymałem tę butelkę na specjalną okazję. Pomyślałem, że dzisiaj jest bardzo specjalna, i dlatego chciałem...

– Mogłeś mnie ostrzec. Myślałam, że to... woda – przerwała mu w pół zdania – ja jeszcze nigdy nie piłam wódki...

– Jak mogłaś przetrwać to piekło tutaj bez wódki? – zaśmiał się niewesoło.

Szybko wydychała powietrze szeroko otwartymi ustami. Pieczenie w ustach mijało. Uspokoiła się. On zniknął za ścianą ułożoną z trumien. Po chwili wrócił i podał jej metalowy kubek z wodą. Śmierdziała benzyną.

– Trzymam wodę w kanistrach po benzynie. Ale nie obawiaj się, ta woda jest naprawdę czysta. Przepłucz usta...

– Wszystko tutaj masz – uśmiechnęła się do niego. – Jak długo tu mieszkasz?

– Osiem miesięcy. Znam już prawie każdą czaszkę. Te moje ulubione mają imiona...

– Masz może więcej tej wódki? I jakieś butelki? – zapytała nagle.

– Dlaczego pytasz?

– Przy Seidnitzer Strasse spotkałam małą dziewczynkę. Ma siedem palców. Jej dziadek prosił mnie o...

– Ten dziadek od obrączki z przedwojennego złota? – zapytał, nie dając jej dokończyć.

– Tak. Skąd wiesz?! – wykrzyknęła zdumiona.

– Zaniosłem mu wczoraj i bandaże, i wódkę. Dał mi za to obrączkę. Faktycznie przedwojenną. Z przedwojennej, pordzewiałej blachy. Po godzinie wróciłem do niego z sucharami. Cała porcja najprzedniejszych, twardych jak stal sucharów. Moja kolacja. Dziadek był już pijany w sztok. A mała siedziała obok niego i trzęsła się z zimna. Ona ma mniej palców od urodzenia. To jakaś wrodzona wada. I mówi wszystko, co jej każe dziadek. To z kolei nie jest wrodzone. To jej wyuczona reakcja. Na strach. Ten dziadek ją po prostu bije, gdy nie opowiada każdemu, kto pojawi się w pobliżu, o swoich siedmiu palcach. Powiedziała mi to. Poza tym ma osiem palców. To dziadek kazał jej mówić, że ma tylko siedem. Dziadek to wyjątkowy skurwiel, morfinista i alkoholik...

Słuchała go ze zdumieniem. Potrafił być niezwykle wrażliwy i zaraz potem okrutnie rozsądny. Ona była tylko naiwnie i niepoprawnie wrażliwa. Gdy do Drezna ze wschodu przybyli i w ciągu kilku tygodni zalali miasto uchodźcy, chodziła po ulicach ze wszystkim, co tylko znalazła w swojej piwnicy. Potem, gdy piwnica była pusta, wychodziła do miasta tylko wówczas, gdy naprawdę musiała. Każdy niczym nieobdarowany po drodze żebrak był dla niej jak kolejny wyrzut sumienia. Nigdy nie przyszła jej do głowy myśl, że można żebrać według jakiegoś planu.

Uświadomiła sobie, że powoli zaczyna dziać się z nią coś dziwacznego. Poczuła się rozluźniona, ogarnął ją spokój i nieznana błogość. Wypita wódka zaczynała dziwnie na nią działać. Położyła się na płaszczu odwrócona plecami do niego, podkurczyła nogi, zamknęła oczy. Usiadł za nią i delikatnie gładził jej włosy. Od dawna nie czuła się tak bezpiecznie. Właśnie tak. Jeszcze kilka dni temu nie potrafiłaby nazwać tego stanu w ten sposób: „bezpiecznie". Bez lęku, bez myśli o tym, co stanie się za kilkanaście minut, bez wspomnień z przeszłości i przede wszystkim bez lęku przed przyszłością.

Dotykał delikatnie jej głowy i opowiadał.

O tym, jak bardzo brakuje mu książek, o tym, że wojna się kiedyś skończy, o tym, że jego siostra była tak samo piękna i podobna do niej, o tym, że chciałby kiedyś pojechać nad morze, o tym, że dawno nie widział takich oczu jak jej, i o tym, że gdyby nie muzyka, to już dawno wszystko straciłoby sens. O tym, że gdy wielokrotnie umierał ze strachu przez ostatnie dwa dni w tym grobie, to brał skrzypce, gasił świece i grał w ciemności. I że wtedy nic się nie liczyło. I że wtedy te wybuchy bomb na zewnątrz były jak akompaniament jakichś ogromnych, niesamowicie brzmiących magicznych bębnów i że do wybuchów bomb najbardziej pasuje Chopin, Schumann, Beethoven lub Mahler, a w żadnym wypadku Vivaldi czy Mozart. I że gdy bomby ucichły, a on ciągle dalej grał, to brakowało mu tego akompaniamentu świata z zewnątrz. I że on to wszystko, każdy pojedynczy dźwięk, dokładnie zapamiętał, i kiedyś, gdy ta przeklęta wojna się wreszcie skończy, to on to wszystko wydobędzie na powrót ze swojej pamięci, rozpisze na nuty, zrobi z tego symfonię i będzie tak, że z sali koncertowej ludzie będą chcieli w panice uciekać do schronów, chociaż nie będą wcale musieli. I że ta symfonia będzie grana co tydzień, w każdym możliwym miejscu, żeby ludzie nigdy więcej już nie zapomnieli...

Masował opuszkami palców każdy skrawek jej szyi i opowiadał.

O tym, że obrabowano ich z młodości, że odebrano im beztroskę, prawo do błędów, przywilej naiwnego, młodzieńczego entuzjazmu i zachwytu nad światem, kazano nienawidzić jednych i bałwochwalczo uwielbiać innych, na rozkaz mieli natychmiast wydorośleć i na rozkaz także zabijać, i gdy tak się zdarzy, to samemu z honorem i godnością umierać. Bo przecież, jak im wmawiano, „największym szczęściem człowieka jest być złożonym w ofierze narodowi i państwu". Opowiadano im wymyślone na poczekaniu legendy o „wspólnocie okopów, w których koleżeńskość i braterstwo przekraczają wszelkie różnice społeczne". Wielu jego kolegów w to naprawdę wierzyło i może do dzisiaj nawet wierzy.

Tej młodości im już nikt nigdy nie zwróci, bo nawet gdyby za pięć minut w jakiś nieodgadniony i mistyczny sposób skończyła się wojna, to będzie miał wprawdzie tylko dwadzieścia osiem lat, będzie zdrowym, młodym, ale zupełnie psychicznie zniedołężniałym, zmurszałym starcem, który widział, usłyszał i powąchał już wszystko. A to, co przez ostatnie lata widział, powąchał i usłyszał, odbiera wszelką nadzieję. I tak naprawdę najbardziej boli go to, że okradziono ich z tej nadziei. Ale i tak – patrząc na to sprawiedliwie – mają lepiej niż inni. Innym odebrano już nawet dzieciństwo.

Tulił się do niej i opowiadał.

O tym, że chciałby nie móc zmrużyć oka z podniecenia i zdenerwowania w noc przed pierwszą randką, przynieść jej bukiet fiołków, pójść z nią na spacer do parku, dotknąć – tak zupełnie przypadkowo – jej dłoni w ciemnym kinie, chcieć ją pocałować, gdy odprowadzi ją pod dom wieczorem, pogodzić się z tym, a nawet cieszyć, że mu na to jeszcze tym razem nie pozwoliła, i odejść rozmarzony, tęskniąc za nią już minutę po tym, jak zniknie za drzwiami swojego domu. I wyczekiwać niecierpliwie jutra, i chcieć pisać do niej miłosne listy, najpiękniejsze kiczowate wiersze. I że prawo do zakochania także im odebrano. Pomijając to, że „jutra" od bardzo długiego czasu także nie można przewidzieć. Dlatego trzeba żyć dzisiaj i teraz, w tej chwili, tutaj.

Całował jej oczy, policzki, usta i opowiadał.

O tym, że chciałby ją teraz, w tej chwili rozebrać, że bardzo tego pragnie. Tak zupełnie, do naga. I że chociaż trudno w to uwierzyć, on jeszcze nigdy nie widział, poza wyobraźnią i kilkoma idiotycznymi fotografiami, nagiej kobiety. I zaraz potem chciałby jej dotykać. I zapamiętać wszystko, co się przy tym zdarzy. I jeśli ona mu na to pozwoli, to gdy tylko skończy się wojna, on wszystko zapomni, odwróci i cofnie czas, będzie o nią zabiegał, nie będzie mógł zasnąć przed ich pierwszą randką, przyniesie jej kwiaty i zamiast napisać wiersz, skomponuje dla niej sonatę. I ona mu nie pozwoli wieczorem, pod drzwiami jej domu, na żaden pocałunek, a on mimo wszystko, albo właśnie dlatego, będzie cieszył się na każde następne jutro. I zrobi wszystko, aby ją uwieść. Ponieważ bardzo chciałby ją uwieść. Najbardziej, szczerze mówiąc, już teraz. Opowiadał także o tym, że chciałby całować jej piersi, plecy, uda, podbrzusze i pośladki i że ośmiela się ją – jak najbardziej wyjątkowo w tej sytuacji – prosić o przyzwolenie na absolutnie bezprecedensowe w jego życiu odwrócenie biegu historii.

Rozebrał ją i nic więcej nie opowiadał.

To ona opowiadała. W swoich myślach, w milczeniu. Sobie samej tłumaczyła to, co się teraz dzieje. O tym, że – chociaż najpewniej powinna – zupełnie, ani trochę, nie czuje wstydu, że to może tylko ta wódka, ale znacznie bardziej jednak on i jego słowa oraz to dominujące, nieodparte uczucie „tu, teraz, zanim cokolwiek inne, przed jutrem, zanim umrzemy", że to nie miało być tak, że ten pierwszy raz, nawet jeśli należałby się kiedyś jemu, to nie w tym miejscu, obok trumien, czaszek i w obecności śmierci. O tym, że póki co nie ma blisko niej innych miejsc, bo wszędzie jest tylko śmierć. Bo oprócz wszystkiego innego odebrano im także prawo wyboru miejsca i chwili. I że teraz, w tym momencie, jest jej cudownie dobrze, gdy on ustami dotyka i oddycha ciepłym powietrzem nad wgłębieniem na granicy pomiędzy jej plecami i pośladkami, że chciałaby, aby jeszcze mocniej gryzł jej wargi, tak prawie albo najlepiej zupełnie do krwi. O tym, że nie rozumie, dlaczego wyróżnia w swoich pocałunkach jej prawą pierś, podczas gdy ona wolałaby lewą. O tym, że gdy jego usta i jego język są pomiędzy jej udami, to jego włosy łaskoczą jej podbrzusze i chce jej się śmiać. O tym także, jak to niezwykłe coś, co ledwie mieści się teraz w jej ustach, mogłoby się w jakikolwiek sposób zmieścić w niej. W pewnym momencie przestała opowiadać i zastygła w napięciu i strachu. Zamknęła oczy, rozłożyła szeroko uda i mocno zacisnęła zęby. Poczuła dotyk jego palców na twarzy. Otulił ją swetrem i szeptał jej imię.

Całował jej dłonie i opowiadał.

O tym, że ma śliczny pieprzyk na lewym pośladku i że ten pomysł z odwróceniem czasu jest arogancki, szczeniacki i idiotyczny. Tylko w bajkach coś takiego jest możliwe. I że chociaż on bardzo lubi bajki, to i tak nigdy w nie nie wierzył. I że chciałby ją spotkać – kiedyś po wojnie – gdy świat stanie się normalny i otoczą ją inni mężczyźni. I dostać wtedy, pomimo ich obecności i w ich obecności, swoją szansę. Albo dowiedzieć się, że nie ma żadnych szans.

Drżała. Nie pamięta dokładnie, czy ze strachu, czy z zimna, czy z podniecenia. Ubrał ją. Oparta na łokciach, z rozczuleniem patrzyła, jak pieczołowicie zawiązuje sznurowadła jej butów. Ostatni raz robił to ojciec, gdy pojechali na jej pierwsze narty do Ischgl w Austrii. On także wiązał sznurowadła na podwójną wstążkę.

– Co stało się z twoimi rodzicami? – zapytała szeptem.

Podniósł głowę znad jej butów i patrząc w jej oczy, powiedział:

– Mama zwariowała po wypadku siostry, a tata tego wszystkiego nie wytrzymał i podciął sobie żyły. Mama umarła normalnie. Z głodu. Pewnego dnia przestała po prostu jeść...

Podszedł do jednej z trumien, zdjął z niej czaszkę ze świecami wystającymi z oczodołów, odchylił wieko i wyciągnął z trumny długi, postrzępiony kożuch. Otulił ją, przysunął jej walizkę do płaszcza, na którym leżała, postawił na walizce czaszkę ze świecami i uśmiechając się do niej, powiedział:

– Wieczorami zaczyna robić się tutaj tak zimno jak pod Stalingradem. Ty sobie tutaj poleżakuj na słońcu, co ja mówię, na dwóch słońcach, a ja przygotuję dla nas kolację. Mamy suchary na *entré*, suchary jako danie główne oraz suchary na pyszny deser. Do picia jest przednia jugosłowiańska śliwowica z butelki po lemoniadzie i źródlana woda z kanistra po benzynie. Nie mamy kieliszków, porcelany i obrusów też nie mamy, ale za to będzie bardzo romantycznie, przy świecach.

Śmiała się. Tak serdecznie i prawdziwie. Zniknął gdzieś w zakamarkach grobowca, a ona wpatrywała się w płomienie świec. Takie same jak tego wieczoru, gdy była z rodzicami nad morzem...

Na któreś wakacje pojechali wszyscy troje na Sylt. Krótko przed wojną. Ojciec twierdził, że Sylt, ta mała wyspa o dziwacznym kształcie, to niemieckie targowisko próżności i że takie miejsca należy zobaczyć. Ale tylko raz w życiu, aby nigdy więcej nie chcieć tam już wracać. Nie stać ich było na żaden hotel. Nocowali w namiocie, kupowali na śniadanie bułki u piekarza, a przed zmrokiem na ogniu ze spirytusowej kuchenki gotowali zupę z mięsem lub kiełbasą. Czasem wieczorami spacerowali po alejach, wzdłuż których rozmieściły się luksusowe hotele. Rozświetlone hole pełne były czarnych mundurów i błyskotliwych sukien półnagich kobiet. Dziwny, sztuczny jak biżuteria tych kobiet świat, który dla nich był niedostępny. Ojciec gardził tym światem. I to nie z powodu zawiści albo z zazdrości, że do niego nie należy z racji swojego ubóstwa, ale głównie dlatego, że przynależność do tego świata stawała się ostatnio w Niemczech celem i wartością. I to go bolało. Hotelowy, pełen blichtru wieczorny Sylt wyznaczał dokładnie granice niemieckiej elity. Brunatnej, hitlerowskiej, arystokratycznie poddanej, kupiecko nowobogackiej i z definicji poddańczo wiernej Hitlerowi. Z hrabinami, z luksusowymi prostytutkami, które chciałyby zostać hrabinami, z brunatnymi oficerami, którym wydawało się, że swoimi insygniami podniecają, nie odróżniając hrabin od prostytutek, z kupcami z Berlina, Monachium, Drezna, Kolonii lub Norymbergi, którym wydawało się, że drink w doborowym towarzystwie w holu hotelu na wyspie Sylt to przepustka do lepszego świata i nowych kontraktów. Sylt dosięgnął bruku, a wydarzenia z holów i sypialni hoteli na wyspie stały się ulubionym tematem brukowych, kontrolowanych przez Goebbelsa gazet. Dlatego na Sylt powinno się przyjechać tylko jeden jedyny raz. Aby to wszystko na własne oczy zobaczyć. I raz na zawsze znienawidzić.

Pewnego dnia po spacerze wrócili na plażę. Usiedli przy brzegu morza i ojciec zbudował ogromny tort z piasku. Położył na jego powierzchni piętnaście muszli, na każdej postawił świecę i każdą zapalił. Potem objął ją i wyszeptał jej do ucha, że ją bardzo kocha, że jest dla niego największym skarbem i że dzięki niej i mamie, która mu ją podarowała, przeżył najważniejsze i najlepsze piętnaście lat swojego życia. I że prosi ją, aby wybaczyła mu, że ten tort to tylko z piasku. Po chwili dał znak mamie, która postawiła przed nią duże zawiniątko przewiązane wstążką. Rodzice patrzyli, jak niecierpliwie rozrywa papier. Wykrzyknęła z radości. Ojciec powiedział.

– Mam nadzieję, że ten aparat potrafi patrzeć na świat twoimi oczami...

Potem, na tej plaży, siedziała wtulona pomiędzy matkę i ojca, wpatrywała się w płomienie świec i bardzo starała się nie płakać.

– Dlaczego płaczesz? I to na dodatek beze mnie?! – usłyszała nagle jego głos. – Ja także chciałbym płakać...

W pośpiechu otarła łzy.

– Nie płaczę. Mam tylko załzawione oczy. Tak mnie jakoś te dwa słońca, no... oślepiły. Dlaczego nie było cię tak długo? – zapytała, starając się ukryć zmieszanie. – Łzawię ostatnio tylko wtedy, gdy ciebie zbyt długo nie ma.

– Gotowałem dla nas – odpowiedział, stawiając przed nią wytarty od ciągłego mycia aluminiowy, wypełniony pokruszonymi sucharami talerz. Obok niego, po obu stronach, położył dwie białe serwetki nieudolnie wycięte z bandaża.

– Możesz podać mi tę butelkę z wódką? – poprosiła. – Bardzo chcę przestać płakać. Bardzo chcę. Ale ty mi nie pozwalasz. Moja babcia Marta, gdy skończyły się najpierw normalne serwetki, a potem biały papier toaletowy, to wycinała je ze swoich listów od dziadka. Ale na to, że można także z bandaża, nigdy nie wpadła. Skąd ty się wziąłeś w ogóle, człowieku, no skąd? Dlaczego jesteś taki dobry? – zapytała, wysupłując się z kożucha. Podeszła na kolanach do niego i zaczęła powoli odwiązywać bandaż przykrywający jego czoło.

Klęcząc przed nim, powoli odwijała szary, miejscami stwardniały od zakrzepniętej krwi bandaż. Patrzył w jej oczy i uśmiechał się. Chwilami, gdy delikatnie odklejała gazę od jego skóry, zagryzał wargi. Prawa strona jego czoła od brwi do nasady włosów była poprzecinana dwiema krzyżującymi się liniami szerokich ran wypełnionych świeżą krwią. Podniosła obie serwetki leżące obok talerza, zamoczyła je w kubku z wodą i zaczęła ostrożnie obmywać jego czoło. Na końcu pocałowała skórę wokół ran i przytuliła się do niego.

– Podasz mi teraz wódkę, proszę cię... – wyszeptała mu do ucha.

Przymrużyła oczy, wypiła kilka łyków. Potem oddała mu butelkę i usiadła przed talerzem z sucharami. Podszedł do drucianego żyrandola i zapalił wszystkie świece. Siedzieli naprzeciwko siebie i, gryząc suchary, udawali, że jedzą „najprzedniejszą" kolację. Stawał przed nią i niczym kelner kłaniał się szarmancko i dolewał wody do metalowego kubka, a ona wybrzydzała, „że to wino w żadnym wypadku nie odpowiada jej upodobaniom". Wtedy on wyciągał z kieszeni spodni brunatną butelkę i dolewał kilka kropel śliwowicy do wody, a ona przysuwała kubek do nosa, podziwiała „wyjątkowy bukiet zapachów" i natychmiast zmieniała „upodobania". Potem „delektowali" się „wykwintnym deserem", oglądając w świetle świec „subtelne piękno niemieckiego suchara".

Następnie ona oblizywała lubieżnie wargi językiem, puszczając do niego oko, odrzucała zalotnie włosy z czoła, udawała, że poprawia demonstracyjnie czerwień szminki na wargach, i przypominała mu, że to już czas najwyższy, aby tak zupełnie przez przypadek schylił się po serwetkę, która przypadkowo opadła na dywan i, podnosząc ją, jeszcze bardziej przypadkiem dotknął dłonią jej kolana pod stołem. Potem, gdy on już dotknie, to ona, przełykając truskawkę lub malinę, zaczerwieni się na krótką chwilę i zsunie but ze stopy. Włoży ją pod stołem, przykrytym bezpiecznie długim obrusem, dokładnie pomiędzy jego uda. On w tym czasie będzie rozglądał się dookoła niewidzącym wzrokiem i zupełnie zamilknie, poprawiając, jak w jakimś chorobliwym natręctwie, swoją muszkę lub krawat i rozpinając marynarkę lub smoking. Potem taki oniemiały i znarkotyzowany tym, co się dzieje, przesunie się na krześle tak nisko, jak się tylko da, zacznie dłońmi bardzo delikatnie masować jej nogę. Przed tym rozerwie paznokciami pończochę i uwolni z niej stopę. Ona w tym czasie, dla odwrócenia uwagi, sięgnie – ze znudzoną miną i rumieńcem na twarzy – po następną truskawkę lub szarlotkę, położy ją ostrożnie na talerzyku, przykryje bitą śmietaną, uśmiechnie się najgrzeczniej i najskromniej, jak potrafi, do starszej damy w ohydnej peruce i z toną złota w naszyjnikach na szyi i następnie, opierając się wygodnie o plusz oparcia krzesła, z całym udawanym zawstydzeniem i niewinnością przynależną jej młodości celowo pozostawi resztki białej śmietany na swoich wargach i ponownie uniesie nogę pod stołem, i będzie starała się znowu wsunąć nagą stopę pomiędzy jego uda.

– Marto, jakie książki czytałaś? – zapytał z uśmiechem, delikatnie masując jej stopę.

– Głównie klasykę, najbardziej lubię rosyjską, ale z pewnością czytałam to o wiele dokładniej niż ty. Kobiety czytają głównie pomiędzy wierszami – odpowiedziała. – Mężczyźni tego nie potrafią.

A potem nagle poprosiła, żeby coś dla niej zagrał.

– Tuż przed końcem deseru, ale jeszcze zanim podadzą nam półmisek z serami i winogronami – dodała z uśmiechem.

Podniósł się bez słowa. Powoli podszedł do czegoś, co przypominało ołtarzyk. Na kawałku nagrobnej, marmurowej płyty podpartej dwoma pieńkami leżały skrzypce i smyczek. Wziął je do rąk i zaczął grać. Widziała tylko jego sylwetkę. Nie mogła dojrzeć w ciemności twarzy, jedynie zarysy ruchów jego ręki i tylko wtedy, gdy mocniej wychylał się ze skrzypcami do przodu i na krótką chwilę pojawiał się w poświacie płomieni świec. Podeszła do żyrandola. Usiadła na ziemi. Chciała, aby ją widział. Miał ją widzieć! Miał dokładnie widzieć, co się teraz z nią dzieje! Gryząc palce, wpatrywała się w miejsce, w którym stał, i słuchała. I to było najważniejsze. Jak w jakimś surrealistycznym śnie odbywającym się na jawie, tutaj, w grobowcu, pod powierzchnią ziemi nieistniejącego Drezna, ktoś grał dla niej koncert. To było teraz najważniejsze. Tylko to. Ta muzyka, to uroczyste uniesienie i to wzruszenie, które przeżywała. Można im odebrać młodość, można okraść ich z wolności, można nakazać im doroślec przed czasem i na rozkaz umierać, ale najważniejszego – przeżyć – odebrać im nie sposób. Bo nikt nie wie – na szczęście – kiedy i dlaczego wydarzy się to najważniejsze. A teraz się to wydarzało.

Nie przerywając grania, powoli zbliżył się do niej. Rozpoznała jeden z wiedeńskich walców Straussa. Wstała. Objęła go i zaczęli tańczyć. Wosk ze świec kapał na ich włosy, a on szaleńczo grał. Tańczyli wtuleni w siebie i czuła się jak podczas swojego pierwszego balu. Cała sala wirowała wokół niej. I czaszki, i trumny, i płomienie świec, i jego twarz, i jego skrzypce. Gdy nagle zapadła cisza i krople potu spływające z jego twarzy zmieszały się na wargach z jej łzami, skłoniła przed nim głowę i rozglądała się wokół, wypatrując twarzy rodziców i babci...

– Wszystko będzie dobrze – wyszeptał – wszystko będzie dobrze, zobaczysz...

Podał jej rękę i podprowadził do płaszcza. Skłaniając się, pocałował jej dłoń.

Położyła się. Okrył ją kożuchem, wrócił na chwilę do żyrandola i zdmuchnął świece. Zanim położył się obok, dokładnie otulił kożuchem jej stopy. Rozpięła stanik, sięgnęła po jego dłonie i wsunęła je pod swój sweter. Po chwili zasnęli...

Drezno, Niemcy, poranek, piątek, 16 lutego 1945 roku

Poczuła dotyk na swoim policzku. Otworzyła oczy.

– Masz ślady ostatniej nocy na twarzy – powiedział, uśmiechając się do niej. – Próbuję teraz zdrapać resztki wosku z twojej skóry. Obudziłem cię? Przepraszam.

– Tak. Obudziłeś. I to nie były, niestety, pocałunki – odparła. – Podasz mi wody, proszę? Chyba mam kaca. – Leniwie się przeciągnęła. – A tak na marginesie, to po naszej ostatniej nocy mam wiele innych śladów. Gdybyś dał mi teraz papierosa, byłoby mi cudownie...

– Nie mam papierosów. Nie palę, odkąd wybuchła wojna. Nie chciałem popaść w zbyt dużo uzależnień. Wystarczy mi, że piję. Poza tym nie mamy także bułek na śniadanie. Dzisiaj piekarnia na rogu wyjątkowo nie była otwarta. To głównie przez to, że nie ma rogu...

Uśmiechnęła się. Bardzo polubiła jego ironię i sarkazm. Ona także pielęgnowała w sobie od pewnego czasu ironię. Nie taką, która jest tylko dowcipem lub szyderstwem. Inną. Tę pokazującą, że nie jest tak, jak być powinno. On swoją doprowadził do perfekcji. Jednym zdaniem lub czasami jednym tylko słowem potrafił opowiedzieć historię, która na przykład Hinnerkowi zajęłaby minimum piętnaście minut. Tym, co najbardziej pociągało ją w mężczyznach, była inteligencja, mądrość, odwaga, to, że potrafią słuchać, piękne dłonie i – to było dla niej samej trochę dziwaczne – także zgrabne pośladki. Ironia i sarkazm przez długi czas nie należały do tego zestawienia. Ale od kilku lat, gdy świat wokół niej skrajnie zokrutniał, skretyniał, sparszywiał, zeszmacił się, gdy podłość wraz z pogardą dla innych płyną przez niego wartkim rynsztokiem, i w ostatnim, najgorszym, agonalnym stadium totalnie pokrył się brunatnym, śmierdzącym nazistowskim gównem i „zhitleryzował" – jak ona to nazywała – szczególnie sarkazm stał się doskonałym i skutecznym, przynajmniej dla niej, sposobem, aby obrazowo i dosadnie wyrazić sprzeciw wobec absurdu, obłudy, beznadziejności i zupełnego braku sensu. On potrafił być przepięknie sarkastyczny. I miał równie piękne dłonie.

– To się naprawdę nie postarałeś. Mogłeś przecież przejść na róg innej ulicy – odpowiedziała, udając rozczarowanie.

– Wierz mi, że przeszedłem, ale dzisiaj w Dreźnie nie ma ulic, Marto. I rogów także nie ma...

– A co w ogóle jest? – zapytała, podnosząc głowę i wpatrując się z niepokojem w jego oczy.

– Co jest? – Zamilkł na krótką chwilę i zaczął się zastanawiać, ściskając i drapiąc palcami nos, tak jak jej ojciec, gdy nad czymś intensywnie myślał. – Nie wiem, jak to właściwie nazwać. Wybierałaś kiedyś szufelką do wiadra popiół z pieca?

– Bardzo często. Na Grunaer mieliśmy tylko kaflowe piece.

– Pamiętasz, jak wyglądało wtedy wnętrze paleniska w piecu i to, co wsypywałaś do wiadra? Pamiętasz popiół, czasami zmieszany z pomarańczowoczerwonymi kawałkami tlącego się ciągle, nie całkiem jeszcze wypalonego węgla?

– Pamiętam. A dlaczego?

– To bardzo dobrze. Bo prawie dokładnie tak samo wygląda dzisiaj Drezno. Tyle że jest o wiele, wiele zimniej i na popiół w wiadrze spadł śnieg.

– Hmm, i na dodatek nie było bułek w piekarni? – odparła, wyciągając rękę w jego kierunku. – To naprawdę mamy pecha...

Pomógł jej się podnieść. Sięgnęła po okruchy sucharów na talerzu obok jego skrzypiec. Wypchała nimi usta. Babcia Marta zawsze powtarzała, że nie powinno się wychodzić z domu na czczo. Włożyła płaszcz i stanęła obok niego.

– Masz jakiś plan na dzisiaj? – zapytał, gdy była gotowa do wyjścia.

– Chciałabym odnaleźć swoją matkę – odpowiedziała.

– A gdzie moglibyśmy zacząć jej szukać? – zapytał zaskoczony, odwracając się do niej plecami i podchodząc do otworu prowadzącego do grobowca.

– W kostnicy. Jakiejś najbliżej Annenkirche... – odparła, z trudem siląc się na spokój.

Biegiem wrócił do niej, schwycił ją za oba ramiona i potrząsał. Czuła jego oddech i krople rozpryskiwanej śliny na policzkach.

– Słuchaj, nie mów tak do mnie! – krzyczał. – Słyszysz?! Nigdy więcej nie mów tak do mnie! Możesz przy mnie rozpaczać. Słyszysz?! Możesz przy mnie płakać i cierpieć. Dlaczego uważasz, że tego nie zrozumiem?!

Patrzyła w jego oczy, nie wiedząc, co powiedzieć.

– Ty masz swój ból, a ja swój – wyszeptała, przerażona jego reakcją. – Nie chciałam, wydawało mi się, że nie mam prawa, powiedziałam tak... bez sensu. Wiem, od wczorajszej nocy dokładnie wiem, że zrozumiałbyś wszystko, wiem, ale nie chciałam, aby to zabrzmiało tak jak wtedy z tą deską, nie chciałam znowu...

Przytulił ją i całował jej włosy.

– Nie wiem, jak długo będziesz obok mnie, ale gdy tylko następnym razem cokolwiek będzie ci się wydawało, to załóż na początku, że się mylisz. I zapytaj mnie, co o tym myślę. Mężczyźni, chociaż są to wyjątki, także czasami myślą. Dobrze?

– Trudno w to uwierzyć – odpowiedziała, oblizując językiem jego ucho – ale dla ciebie, wyjątkowy mężczyzno, zrobię wyjątkowy wyjątek. Wybaczysz mi wtedy? A gdy już wybaczysz, to zrobisz coś dla mnie?

– Zrobię...

– Weźmiesz swoje skrzypce i staniesz pod żyrandolem? Tak jak wczoraj w nocy? I zagrasz ten przedostatni kawałek? Ten przed Straussem? Ten, przy którym przeszywały mnie dreszcze?

– Nie rozpoznałaś go?! – zapytał podniecony. – To przecież Mendelssohn-Bartholdy, jego koncert skrzypcowy e-moll, opus 64. Zrobiłem z niego dyplom we Wrocławiu. Wtedy wolno było jeszcze się nim zajmować, ale nie wolno było grywać jego muzyki. Przynajmniej nie publicznie. Brunatni, jako Żyda, całkowicie zdemontowali go jako niemieckiego kompozytora i zdyskredytowali jako człowieka. Gdy w trzydziestym czwartym podczas koncertu dla młodzieży dyrygent w jakimś miasteczku niedaleko Berlina dyrygował *Sen nocy letniej*, to następnego dnia został natychmiast zwolniony. Obwiniono go o przestępstwo „zatruwania czystego źródła niemieckiej młodzieży". Gdy angielska orkiestra odwiedzająca Lipsk w 1936 roku wyraziła chęć złożenia kwiatów pod pomnikiem Mendelssohna to jakimś dziwnym trafem w nocy ten pomnik zniknął. A Mendelssohn nie był nawet Żydem. Urodził się jedynie jako syn Żyda.

– Słuchaj teraz uważnie – szeptała mu do ucha, głaszcząc delikatnie po głowie – nie mądruj się, ja nie wiem dokładnie, co to jest emol, i nie chcę na razie wiedzieć nic o jakimkolwiek opusie. Mendelssohna, jeśli to ten sam, kojarzę jedynie ze ślubami. I to wszystko. To znaczy, prawie wszystko. Wczoraj, gdy to grałeś, odpłynęłam w nirwanę do nieba i oglądałam tam przepiękne obrazy. Na jednym z nich byłeś ty. Tutaj u nas w domu, to znaczy w twoim grobowcu. Ty byłeś w tym niebie i grałeś tam tego emola z opusem, a z oczodołów czaszek płynęły łzy. Takie obrazy zdarzają się człowiekowi tylko raz w życiu. Ale ja chciałabym spróbować to odtworzyć...

– Co odtworzyć?

– Jak to co?! Ten obraz, tę chwilę...

– O czym ty mówisz?

– Zagrasz to teraz, jeszcze raz, do śniadania? Staniesz tam, gdzie stałeś wczoraj?

– Marto, o co ci chodzi? – zapytał, nie rozumiejąc.

– Zagrasz czy nie?! – wykrzyknęła.

– Już dobrze. Zagram. Ja mogę to grać nieustannie. Ale dlaczego akurat teraz?

– Nie pytaj więcej, stań tam, dokładnie tam, gdzie wczoraj w nocy, i graj. Jest tam teraz doskonałe światło. Taki przepiękny, wysycony półcień, gdybym miała papierosa, wydymiłabym go delikatną mgiełką. Boże, jak mi się chce teraz palić...

Nie rozumiał, o co jej chodzi, ale także o nic więcej nie pytał. Posłusznie wziął skrzypce i zaczął grać. Błyskawicznie podbiegła do walizki, wyciągnęła aparat. Stanęła za jedną z trumien, postawiła aparat na wieku i nastawiła przysłonę. Nie chciała trzymać aparatu w rękach, ustawiając bardzo długi czas naświetlania. Słuchała. Nie czuła dzisiaj tego uroczystego uniesienia. Teraz była to tylko muzyka. Piękna, niezwykła, ale nie było w niej tej niesamowitości i magii, jakie odczuwała kilka godzin temu. Wczoraj w nocy brzmiało to zupełnie inaczej. Przypomniała sobie jego słowa. Trzeba żyć tutaj, teraz, w tej chwili. Każda jest inna. Niepowtarzalna. Ona także zatrzymuje chwile. Nacisnęła spust migawki. Jeszcze trzy klatki...

Skończył grać. Odłożył skrzypce na ołtarzyk i pieczołowicie przykrył je kawałkiem kartonu. Ona ułożyła aparat w walizce.

– Wysycone półcienie, no tak. Teraz rozumiem. Pokażesz mi kiedyś te fotografie? – zapytał. – Bardzo chciałbym spojrzeć na świat twoimi oczami.

– Spojrzysz. Obiecuję ci. Ale teraz już chodźmy...

Podeszli pod ścianę z otworem prowadzącym do wyjścia. On wpełznął do wąskiego kanału i wspinał się do góry. Uważnie przyglądała się, jak to robi. Gdy był już na zewnątrz, opuścił do niej grubą linę z szerokim węzłem na końcu. Trzymała się kurczowo liny i opierając się stopami o ściany kanału, metr po metrze wdrapywała się powoli do góry. Wysunęła głowę z otworu. Nagle oślepiło ją światło. Puściła linę i zaczęła bezwładnie zsuwać się w dół. W ostatnim momencie schwycił jej rękę i energicznie wyciągnął na zewnątrz. Upadła. Poczuła chłód śniegu na twarzy. Z zamkniętymi oczami próbowała się podnieść. Przypomniała sobie słowa matki: „Przepaskę załóż mu, zanim wyjdzie na górę. Zrozumiałaś? Zanim wyjdzie z klatki! Inaczej oślepnie. Powtórz, co masz zrobić!".

Pomógł jej wstać. Powoli otwierała oczy. Zasłonił gałęziami i kawałkami gruzu wejście do grobowca. Zamknięcie dokładnie zamaskował grudami zmarzniętej ziemi. Podał jej rękę. Ruszyli przed siebie. Nie potrafiła rozpoznać miejsc, które mijali. Miał rację. Wszędzie był tylko popiół przysypany śniegiem.

Dotarli do Starego Rynku. Kreuzkirche był całkowicie wypalony. Z kilku ciężarówek sanitariusze w białych fartuchach z czerwonym krzyżem na plecach i z opaskami na ustach zdejmowali zwłoki i układali je w długich rzędach. Do rąk, do nóg, wokół szyj, a gdy nie było ani rąk, ani nóg, ani głów, to do pozostałych resztek przymocowywali żółte, tekturowe kartki z numerami. Cały plac pokryty był ciałami. Z ulic dochodzących do placu przybywali ludzie pchający taczki ze zwłokami. Kładli je obok tych leżących na placu i podchodzili do młodego oficera w czarnym mundurze z binoklem w oku, przechadzającego się wąskimi ścieżkami pomiędzy ogromnymi prostokątami ułożonymi z ciał. Dostawali od niego żółte tekturowe kartki, które miał przewieszone na lewej ręce, i wracali do ciał, które dopiero co ułożyli na placu. Wszystko odbywało się bez słowa, panowała cisza, ludzie nie rozmawiali ze sobą. Było słychać jedynie skrzypienie taczek i warkot ciężarówek. Nikt nie rozpaczał. Po chwili zrozumieli dlaczego. Plac ze wszystkich stron obstawiony był kordonem żołnierzy. Identyfikację zwłok, o czym informowali żołnierze, przewidziano dopiero na niedzielę. Dzisiaj był piątek. Ludzie zatrzymani w swoim strachu i niepewności przystawali przy karabinach żołnierzy i od tej chwili posłusznie zaczynali czekać na niedzielę. W niedzielę od jedenastej trzydzieści będzie można rozpoznać brata, matkę, ojca, męża lub dzieci. Punktualnie od jedenastej trzydzieści, w niedzielę, 18 lutego 1945 roku, będzie można zacząć żałobę. Prędzej nie.

Zastanawiała się, co takiego i kiedy, i dlaczego, i z jakiego powodu się wydarzyło, że ten naród, jej naród, Niemcy, dał się aż tak podporządkować. Przepisom, ustawom, zarządzeniom, ustaleniom, zakazom, postanowieniom, regułom, nakazom, poleceniom i rozkazom. Co takiego niezwykłego wydarzyło się w przeciągu historii tysiącletniej, konającej właśnie Germanii, że aż tak poddała sobie, zniewoliła ludzkie dusze, umysły i ludzkie zachowania. Strach? Bezgraniczna lojalność wobec jednego przywódcy, bez którego Niemcy w żaden sposób nie potrafią – jako zjednoczony naród – dłużej funkcjonować?

To ostatnie z pewnością. W szkole powtarzano im do znudzenia, że Germanie swoją narodową tożsamość jako wspólnota zawdzięczają jednej zwycięskiej bitwie, jaką stoczyli przeciwko rzymskim legionom w lesie pod Teutoburgiem, niedaleko dzisiejszego Osnabrück. Wtedy, przed ponad tysiąc dziewięciuset laty, dziewięć lat po narodzeniu Chrystusa, wybiła godzina narodzin Pierwszej Rzeszy.

Germanów zjednoczył i poprowadził ku świetności i chwale pierwszy „niezwyciężony Führer", niejaki Hermann der Cherusker. Germanie pod jego przywództwem okazali swoje męstwo, zwyciężyli i nie poddali się „wyniszczającej zarazie rzymskiej dekadencji". Obecnie, prawie dwa tysiąclecia później, przy Hitlerze historia miała się powtórzyć, tyle że się nie powtarza, i to pomimo tego, że Rzymianie z Mussolinim na czele stoją teraz ramię w ramię z Germanami. Hitler często przywoływał spektakularny i znany wszystkim mit Hermanna, nazywając go „wybawicielem Germanów" lub „pierwszym wyzwolicielem Niemców". Ostatnio, ze względu na Mussoliniego, czyni to w bardziej zawoalowany sposób. Ale czyni. A jeżeli on z przyczyn politycznych milczy, to wykrzykuje to za niego Goebbels.

A może to wina obsesyjnego umiłowania przez Niemców porządku ponad wszystko? A może to żaden z tych powodów. Może to po prostu wrodzona przez matkę Germanię w prawie cały naród wada? Jak osiem palców u rąk zamiast dziesięciu?

Niski, otyły szeregowiec w mundurze Wehrmachtu wysunął karabin i zastąpił jej drogę.

– Jeśli pan, oficerze, myśli, że ja będę czekała do niedzieli, aby pożegnać moją matkę, to się pan grubo myli. Ma pan trzy wyjścia. Albo mnie pan teraz rozstrzela i ułoży na tym placu z żółtym kartonikiem przy ręce, albo opuści pan swoją myśliwską strzelbę i mnie przepuści, albo... – zakończyła, ściszając głos.

– Albo co?! – wydobył z siebie zaciekawiony żołnierz, opuszczając karabin.

– Powiem to panu, ale tylko na ucho. Podniesie pan teraz, oficerze, swój piękny hełm? – zapytała, kokieteryjnie siląc się na uśmiech.

Żołnierz odwrócił głowę. Oficer z binoklem był wystarczająco daleko od nich. Zdjął pośpiesznie hełm i przysunął ucho do jej ust. Zaczęła szeptać, pocierając powoli ręką jego udo.

– Wieczorem, tutaj? – zapytał. – I na pewno przyjdziesz?

– Tak, wieczorem, tutaj – odpowiedziała.

– Masz dziesięć minut. Gdyby ten czarnuch z okularem cię o coś pytał, powiedz, że jesteś od higieny i że wysłali cię z krematorium w Tolkewitz.

Odwróciła twarz w jego kierunku. Patrzył na nią przerażony. Zbliżyła się do niego.

– Wybaczysz mi? Musiałam to zrobić. Musiałam tak skłamać. Umarłabym do niedzieli. Wybaczysz mi? – wyszeptała i nie czekając na jego odpowiedź, szybko przebiegła obok żołnierza na plac.

Szła wolnym krokiem wzdłuż rzędów zwłok. Cztery prostokąty zajmowały ciała dzieci. Mijała je, starając się nie patrzyć. Przy jednym z nich natknęła się na oficera w binoklu. Stał i palił papierosa.

– Skąd?! – wykrzyknął tubalnym głosem.

– Z Tolkewitz – odparła spokojnie.

– Oj, będziecie mieli robotę od niedzieli, na cztery zmiany – odpowiedział, wydmuchując dym w jej twarz.

– Da mi pan papierosa? – poprosiła.

Spojrzał na nią zaskoczony.

– Nie dają wam tam przydziałów – zapytał – czy już wszystkie wypaliłaś?

Sięgnął do kieszeni w spodniach i wydobył zmiętą paczkę. Próbując opanować drżenie rąk, wyciągnęła papierosa. Przeszła pośpiesznie dalej. Przy ostatnim prostokącie, tuż pod osmoloną ścianą Kreuzkirche, była już pewna, że na tym placu nie ma zwłok jej matki. Szybkim krokiem wróciła do miejsca, gdzie stał szeregowiec.

– Pamiętaj, dzisiaj wieczorem! – wykrzyknął do niej, gdy go mijała.

Czekał na nią. Podała mu rękę i zaczęli biec. Gdy na horyzoncie pojawił się kształt resztek dachu Annenkirche, zatrzymała się gwałtownie. Usiadła na kawałku przewróconej ściany. Sięgnęła po papierosa. Łapczywie wciągała dym do płuc.

– Umarła, prawda? – zapytał po chwili milczenia.

– Umarła...

– I tak nie będziesz miała jej grobu. W Dreźnie nie ma już miejsca na cmentarzach. To o co ci chodzi? – zapytał.

– O godność mi chodzi! O godność, człowieku. O godność! Nie chcę, aby wydobyli ją z ósmego kwadratu w czternastym rzędzie i spalili w krematorium 5A lub 19B w Tolkewitz.

– Myślisz, że jak ją zakopiesz, to będzie ci lepiej?!

– Właśnie tak. Będzie mi lepiej. Tak jak tobie jest lepiej, gdy myślisz o Wrocławiu.

– To nieprawda! Gdybym nie wiedział, gdzie są ich groby, mógłbym ich sam pochować. Na swoim cmentarzu. Tam, gdzie chcę. Gdzieś blisko mnie...

Zgasiła papierosa i niedopałek schowała do kieszeni płaszcza. Wstała. Ruszyli w kierunku kościoła. Był opustoszały, wiatr unosił kawałki słomy i papieru. Podeszła do ołtarza. Obok kamiennego stropu, który odłamał się z dachu i zabił jej matkę, dostrzegła na podłodze hełm z wypaloną świecą w środku. Przeszła w kierunku ambony. Schody prowadzące na górę pokryte były zmiętymi gazetami i niedopałkami papierosów. Na górze, przy balustradzie ambony, rozpoznała but dziewczyny w granatowej sukience. Spojrzała na ołtarz. Z całego krzyża pozostał tylko mały fragment ze skrzyżowanymi stopami Chrystusa. Na popękanej marmurowej płycie podwyższenia, tuż pod ołtarzem, leżał unurzany w kale, przewrócony do góry dnem dziecięcy nocnik. W kilku miejscach cokół podwyższenia poplamiony był nieregularnymi, brunatnoczerwonymi strugami zakrzepłej krwi. Przypomniała sobie Zeissa wyciągającego pistolet z kabury...

Zbiegła szybko na dół.

– Chodźmy stąd! – wykrzyknęła, chwytając go za rękę i pędząc w kierunku bramy wejściowej kościoła.

Placów, gdzie gromadzono zwłoki, było w Dreźnie o wiele więcej. Praktycznie każda niezasypana gruzami większa połać ziemi lub bruku stała się rodzajem publicznej kostnicy. Tuż obok tych kostnic, w zupełnym pogodzeniu się z tym, że tak musi być, powoli zaczynało organizować się na powrót życie. Mało kto obawiał się kolejnych nalotów. Ludzie z kamieni lub kawałków ścian ustawiali płoty wokół miejsc, które kiedyś prowadziły lub były w pobliżu ich domów. Odgradzali się od innych. Chcieli znowu mieć tylko „swój teren". Niektórzy, ci szczęśliwcy, którym udało się gdzieś zdobyć namioty, rozstawiali je, wpychali do nich piecyki na węgiel, gotowali na nich jedzenie lub po prostu siedzieli wokół nich, czekając na przyszłość. Ci, którzy mieli mniej szczęścia, rozpalali ogniska i ogrzewali się przy nich. Na nielicznych ulicach, które ciągle jeszcze były przejezdne, pojawiały się od czasu do czasu wojskowe samochody, motocykle lub wozy konne, które ściągnięto do Drezna z pobliskich wsi. Czasami z wojskowych samochodów przez megafony ostrzegano przed rozpalaniem otwartego ognia w piwnicach z ujęciami gazu, grożono najsurowszymi karami za kradzieże i ostrzegano, pod groźbą „kary śmierci bez sądu", przed udzielaniem jakiejkolwiek pomocy „osobom niearyjskim". Najczęściej jednak wykrzykiwano propagandowe hasła o tym, że „nikt nie złamie niepokonanej, niemieckiej dumy i że zemsta będzie triumfem Rzeszy, Führera i narodu".

Trzymała go za rękę i chodzili razem z innymi od placu do placu. Za każdym razem wyciągała kartkę, którą dał jej sanitariusz, gdy zabierali jej matkę z kościoła, i pokazywała komuś, kto zarządzał lub tylko wydawał się pilnować porządku na takich placach. Większość z nich nawet nie popatrzyła na kartkę. Przyglądała się niezliczonej liczbie trupów. Za każdym razem wracała do niego i szli dalej. Do kolejnego placu.

Gdy zaczęło się ściemniać, przedostali się do ich grobowca.

Drezno, Niemcy, poranek, niedziela, 25 lutego 1945 roku

Nagle wydało się jej, że słyszy bicie kościelnych dzwonów. Podniosła się natychmiast z ich legowiska i mocno nim potrząsając, usiłowała go obudzić.

– Słyszysz?! – zaczęła krzyczeć podniecona. – Słyszysz to?!

– Słyszę – odburknął, nie otwierając oczu. – Wołają na mszę. Co w tym takiego dziwnego? Dzisiaj jest przecież niedziela. Czy mogłabyś się do mnie przytulić? Pośpijmy jeszcze chwilę.

– Pytasz, co jest w tym dziwnego? Jak to co? Znowu biją dzwony, tak jak kiedyś, przed trzynastym. Wstawaj natychmiast, pójdźmy tam...

Podbiegła szybko do wyjścia z grobowca i nasłuchiwała. Dzwony! Najprawdziwsze kościelne dzwony. W Dreźnie! Nareszcie. Tak jak kiedyś...

Przez ostatnie dziesięć dni nie było żadnych nalotów. Po czterech dniach od ostatnich bombardowań udało się wreszcie ugasić wszystkie pożary. Miasto jak odurzone tym spokojem wracało pośpiesznie do życia. Wychodzili na zewnątrz każdego dnia. Czasami razem, czasami oddzielnie. Wieczorami wracali do grobowca. Przestała szukać matki. Pewnego wieczoru, gdy on grał dla niej kolejny koncert, pogodziła się z tym, że pochowa ją kiedyś sama. Gdzieś blisko siebie. Obojętnie, jak daleko będzie to od Drezna. Miał zupełną rację. Miejsca grobów swoich bliskich można ustanawiać tam, gdzie za nimi, w danej chwili, zatęsknimy.

Jeśli już kogokolwiek szukała między gruzami Drezna, to Lukasa. Wpatrywała się w twarze wszystkich mijanych małych chłopców z kruczoczarnymi włosami. Wypatrywała także Markusa i Hinnerka. Niekiedy przychodziła pod sterczącą ścianę przy Grunaer Strasse 18 i siadając na progu drzwi, czekała. To było jedyne, poza Annenkirche, najważniejsze miejsce, które ich łączyło. Podświadomie liczyła na to, że oni, jeśli żyją, także zechcą kiedyś tam powrócić. Czasami zostawiała na progu kartki. Pisała na nich datę i godzinę spotkania i przyciskała kamieniem. Za każdym razem znajdowała je nazajutrz w tym samym miejscu.

Mieszkali w grobowcu, próbując przetrwać każdy dzień. To był najważniejszy plan. Przetrwać. Dzień i noc. Bez głodu, bez strachu i w cieple. Nie byli głodni. Było im ciepło, odkąd „zorganizował" żeliwny węglowy piecyk z długim kominem wyprowadzonym do tunelu prowadzącego na zewnątrz grobowca. Czasami tylko myślała o przyszłości odleglejszej niż następna doba. Ostatnio myślała o tym trzy dni temu, późnym wieczorem. Wyjątkowy wieczór wyjątkowego dnia. Wypili trochę wina domowej roboty, na które ciężko zapracował, pomagając przy wynoszeniu na plecach gruzu z jakiejś piwnicy. Tym, czym płacono w dzisiejszych dniach za pracę w Dreźnie, było głównie jedzenie oraz alkohol i papierosy. Niekiedy węgiel lub drewno. On wyjątkowo przyjmował także książki. Jedna z trumien w ich grobowcu – ta z połową wieka – była pełna książek. „Nasza domowa biblioteczka", jak ją nazywał. Tydzień temu przez całe popołudnie pracował u kogoś przy wylewaniu fundamentu „pod nowy dom". Zapytał, czy mogą mu zapłacić za pracę materacem, pościelą i kołdrą. Wrócił tego wieczoru do grobowca dumny jak jaskiniowiec, który sam własnoręcznie upolował mamuta. Zanim opuścił się do grobowca, kazał jej zamknąć oczy. Położył kołdrę i pościel na ołtarzyku. Potem podszedł do niej, pocałował jej powieki i zaprowadził pod ołtarzyk. Przytuliła go i dziękowała. Od tego dnia będzie sypiała jak królewna. W normalnej pościeli! Na prawdziwym materacu przykrytym prawdziwym prześcieradłem, otulona prawdziwą, puchową kołdrą! Taką jak ta od babci Marty.

Tydzień temu przy porzeczkowym winie domowej roboty celebrowali to wydarzenie.

– Zagraj teraz dla mnie – poprosiła – coś specjalnego, odświętnego, jakąś symfonię, taką na cześć kołdry i prześcieradła...

Wziął skrzypce do ręki. Zawsze robił to z jakimś namaszczeniem, uroczyście. Najpierw na nie chwilę patrzył, jak gdyby widział je pierwszy raz w życiu. To spojrzenie było niezwykłe. Czasami właśnie w taki sposób patrzył także na nią. Potem gładził i muskał palcami po drewnie, jakby witając się z nimi. I jakby to miał być jego wielki, najważniejszy koncert w życiu. Najpierw usłyszała jego oddech, potem zaraz szum smyczka prowadzonego po strunie.

Grał...

Zapatrzona w niego, słuchała. Zapadała cisza, ale on stał tam ciągle, z pochyloną głową, jak gdyby sam zadziwiony, że to już się skończyło. Potem był milczący, zamyślony, przez pewien czas niedostępny i nieobecny.

– Potrafiłabyś opowiedzieć tę muzykę? – zapytał, podchodząc do niej.

– Myślisz, że można opowiedzieć muzykę?

– Ja sobie ją nieustannie opowiadam. Nawet w snach...

– Mam ci naprawdę opowiedzieć? – zapytała. – Mam ci opowiedzieć to, co przed chwilą usłyszałam?

Zapaliła papierosa. Podkurczyła nogi pod brodę.

Opowiadała...

– Niesamowity monolog uczuć, a może dialog, wysokie dźwięki przenikają serce, wślizgują się i oplatają jak ciepły szal, jak czułość, spadają jak łzy, a może jak krople deszczu, jest deszczowo, może to mgła, jest trochę samotnie, trochę razem, trochę osobno, jest trochę szaro, ale jeszcze nie ciemno, taka jesienna szaruga, taka szara godzina, gdy nie zapala się jeszcze światła, pije gorącą herbatę, wieczór osnuwa letargiem wszystko dookoła. Potem nagle, z sekundy na sekundę, wszystko się zmienia. Jest inne. Namiętne, pełne poplątanych uczuć, słychać szum miasta, stukot kół pociągów. Jestem w tym świecie, aż dreszcz przechodzi. Jest tęsknota i namiętność, jest radość, spontaniczność, są pragnienia, mokre pocałunki, czułość, szybkie oddechy, bicie serca, dwóch serc, jest ona i on, ciemno, późna noc, biegną razem, śmiejąc się, deszcz moczy im ubrania i włosy, przystają gdzieś, słychać pociągi, mają mokre twarze, spojrzenia, nagle przeskakuje iskra, dotyk, namiętność, pocałunki, chwila, moment, mokre twarze, mokre włosy, mokre usta, splątane istnienia, poplątane myśli

i jeszcze bardziej poplątane uczucia. I świat, który tętni życiem, obudzony wiosną, odurzony majem, wszystko żyje, biegnie, goni dalej, a oni są tu i teraz. Zatracić siebie, nic przy tym nie uronić, tylko zupełnie i ostatecznie zatracić się w tej chwili...

Sięgnęła po następnego papierosa. Zatrzymał jej rękę.

– To był Paganini – powiedział ze zdumieniem w głosie. – Jeszcze nikt mi nie opowiedział go w taki sposób. Wydawało mi się, że muzyka, szczególnie jego, zaczyna się tam, gdzie słowo jest bezsilne. Chyba się myliłem. Dlatego nie pal teraz, proszę!

– Dlaczego?

– Bo chciałbym, abyś zrobiła coś dla mnie. Teraz, w tej chwili. Bo właśnie przeskoczyła mi iskra. Zrobisz?

– Nie wiem...

– Ubierzesz się dla mnie w sukienkę? – zapytał. – Chciałbym zobaczyć, już teraz w lutym, jak mogłabyś wyglądać w maju, chciałbym się na chwilę jeszcze bardziej odurzyć – wyszeptał.

– Jesteś słodkim wariatem... – odpowiedziała, stukając go smyczkiem po głowie.

Przerzucając zawartość walizki, natknęła się na kartkę wyrwaną z notesu matki. Z adresem cioci Annelise. Przypomniała sobie słowa matki: „Na wsi zawsze łatwiej przeżyć takie czasy, na wsi nie ma schronów, ale jest mleko...".

– Jak daleko od Drezna jest Kolonia? – zapytała, wkładając białą jedwabną sukienkę w zielone kwiaty. – A tak poza tym, mógłbyś się odwrócić, gdy się przebieram. Umówiliśmy się przecież...

Tym razem się nie odwrócił. Nie znalazła w walizce odpowiednich majtek, jej stanik także nie pasował. Nie miała też halki. Pod tę sukienkę zawsze wkładała halkę. Materiał był tak cienki, niemal przezroczysty. Odwróciła się plecami do niego i rozebrała się do naga. Potem przez głowę szybko wsunęła sukienkę. Gdyby nie jej duże piersi, sukienka zawisłaby na niej jak na wieszaku. Pomyślała z radością, że bardzo schudła. Stanęła na palcach. Do tej sukienki przecież zawsze wkładała buty na koturnach. I odsłaniała czoło, spinając włosy w kitkę, a mama pożyczała jej swoją białą torebkę.

– Czy mogłabyś teraz stanąć pod żyrandolem? Będzie taki, jak ty to nazywasz, wysycony półcień. Mam nadzieję, że jego jasna część pojawi się dokładnie na twoich piersiach.

Nie podeszła. Zupełnie nie znał się na półcieniach. Poza tym doskonale zrozumiała, o co mu chodzi. Mężczyźni są wzrokowcami. Nawet tacy wyjątkowi słuchowcy jak on. Na palcach, niczym baletnica, podeszła do trumny, na której stały cztery zapalone świece. Światło świec przebijało od tyłu przez materiał sukienki.

– Skąd wiedziałaś? – zapytał, wpatrując się w nią i pocierając nerwowo wargi.

– Znam się trochę na... powiedzmy, że na fotografii – odpowiedziała kokieteryjnie.

– Jesteś piękną kobietą. Wywołujesz pragnienia – powiedział szybko, sięgając po butelkę z winem.

Wróciła i usiadła po turecku blisko niego. Zakrywała sukienką kolana. Podał jej butelkę.

– To jak daleko jest ta Kolonia? – zapytała, przykładając butelkę do ust.

– Powoli zakochuję się w tobie – szepnął, patrząc w jej oczy.

– To przez ten maj przed chwilą, ludzie w maju się zakochują, a już w listopadzie przeważnie o tym zapominają.

– Wiesz, że jak dotychczas nie zapytałaś, jak mam na imię? Nazywasz mnie przeważnie „człowieku" albo „ty".

– Wiem, człowieku. Zapytam cię, gdy... gdy staniesz się dla mnie najważniejszy. Na razie nie chcę znać więcej żadnych imion.

Wstał bez słowa i podszedł do żeliwnego piecyka. Upewnił się, że blaszany komin sterczy dokładnie w środku tunelu prowadzącego do grobowca, dorzucił węgla i na płycie paleniska postawił kociołek z wodą.

– Wykąpiesz mnie dzisiaj? – zapytała cichym głosem.

„Kąpiele", tak je nazywali, stały się częścią ich wieczorów w grobowcu. Tak jak jego koncerty skrzypcowe lub jej czytanie książek na głos. Gotował wodę w kociołku, drugi wypełniał zimną wodą. Kładła się wtedy na pościeli. Najpierw przemywał jej twarz, potem rozbierał ją i flanelową szmatką mył całe ciało. Piersi, brzuch, ręce, dłonie. Szmatka nigdy nie była zbyt gorąca i nigdy zbyt zimna. Potem kładła się na brzuchu i przemywał jej szyję, plecy, pośladki, uda, łydki i stopy. Na końcu delikatnie i powoli całował to jej magiczne miejsce na spotkaniu pleców i pośladków. Czasami, po „kąpieli", niektóre miejsca, te z siniakami, delikatnie masował i potem smarował smalcem. Nigdy więcej nie wydarzyło się to, co wydarzyło się podczas ich pierwszej wspólnej nocy. Nigdy też nie wracali do tego w rozmowach.

Stał przy piecyku, czekając, aż woda się wystarczająco zagrzeje.

– Kolonia jest tak około sześciuset kilometrów od nas. Może trochę mniej. W każdym razie bardzo daleko. Dlaczego pytasz?

– Bo chciałabym cię przedstawić mojej rodzinie. Pojechałbyś tam ze mną?

– Tam nie można na razie pojechać. Tam można się tylko jakoś przedostać. Może być, że zanim się przedostaniemy, będą już tam Amerykanie i Anglicy.

– A tutaj w Dreźnie będą Rosjanie. Kogo wolisz?

– Nie wiem tak dokładnie. Wiem tylko, że to nie Rosjanie zbombardowali Drezno. Tę rzeźnię urządzili głównie Anglicy. Amerykanie tylko im pomagali. W Dreźnie mieszka, przepraszam, mieszkało do trzynastego, około trzystu tysięcy ludzi. Drugie trzysta tysięcy przybyło tutaj w ostatnich miesiącach ze wschodu, najwięcej z Wrocławia. Głównie starcy, kobiety i dzieci, bo mężczyźni są przecież na froncie. Drezno przypominało mi, do trzynastego lutego, pękający w szwach tramwaj w godzinach, gdy ludzie jadą lub wracają z pracy. A Churchill postanowił w tym tramwaju rozpalić ognisko! W dwie noce upiekł na żywym ogniu tysiące ludzi. Nie wiem dokładnie ile. Pięćdziesiąt tysięcy?! Osiemdziesiąt tysięcy?! A może nawet sto tysięcy?! Wiesz, że trzynastego i czternastego w nocy w moim zimnym jak igloo grobowcu ziemia na podłodze była tak gorąca, że nie mogłem po niej stąpać bosą stopą? Że w pewnym momencie musiałem wydostać się tunelem na górę, ponieważ wolałem zginąć od odłamka bomby niż się ugotować? I wiesz, co zobaczyłem na zewnętrz? Najpierw wydawało mi się, że to strach odebrał mi zmysły i mam halucynacje. Ale to nie były żadne omamy. Na zewnątrz zobaczyłem lecące w powietrzu stada krów! Różnica temperatury pomiędzy Dreznem a wsiami wokół Drezna była tak wielka, że tornado, cyklon, huragan, obojętnie, jak to zwał, który w jej wyniku powstał, wyssał te krowy z pól i przywiał do miasta*. Ale nawet tego było Churchillowi za mało. W środę rano, czternastego, zabrakło mi wody. Wędrowałem po tym, co zostało z Drezna, i w końcu przedostałem się na brzeg Elby, gdzie koczowały tabuny kobiet i dzieci. Widziałem na własne oczy, jak nisko lecące samoloty kulami

---

* Fakt historyczny potwierdzony przez wielu świadków, którzy przeżyli bombardowanie Drezna (wszystkie przypisy od autora).

z broni pokładowej kosiły ich jak kaczki. To nie Rosjanie zbombardowali Drezno! – dodał z wściekłością.

– To fakt. Rosjanie nie bombardują niczego, może nie mają samolotów, a może po prostu umówili się tak z Churchillem i Rooseveltem. Pewnie to drugie. Ale słyszałeś od uchodźców, szczególnie od kobiet, co się dzieje, gdy zdziczali rosyjscy żołnierze wkroczą do zbombardowanych miast? Na przykład do twojego Wrocławia?

– Myślisz, że Amerykanie i Anglicy są inni?

– Myślę, że Amerykanie tak. Oni nie mieli Stalina, tego zniewolenia i tego głodu wszystkiego. I nie mają tej nienawiści w sobie. Amerykanie tylko przyłączyli się do tej wojny. Ich nikt nigdy nie zbombardował, nikt nie rozstrzeliwał wszystkich mężczyzn we wsi, nikt nie zapędzał ludzi, staruszek i niemowląt, wszystkich razem, do synagogi lub cerkwi, a potem barykadował drzwi i ją podpalał. Nikt nie kazał amerykańskim mężczyznom najpierw wykopać sobie groby, a potem zmusił do tego, aby uklękli na ich krawędzi, i zastrzelił wszystkich. Po kolei. Niemcy nie zrobili tego Amerykanom. Ale zrobili to Żydom, Polakom, a potem Rosjanom. Niemcy im to zrobili. Dlatego Rosjanie mają prawo nas nienawidzić tak, jak nas nienawidzą. Gdybym była rosyjską kobietą albo rosyjskim żołnierzem i napotkała ciebie na swojej drodze, a ty przypominałbyś mi w jakikolwiek sposób Niemca, tobym cię zabiła. Bez skrupułów. Już tylko za to, że przypominasz Niemca.

Zamilkł i patrzył na nią przerażony. Potem zdjął kociołek z paleniska i postawił go na ziemi obok piecyka. Zdmuchnął wszystkie świece i położył się obok niej.

Oboje nie mogli zasnąć. Wtuliła się w niego i położyła jego rękę na swoich piersiach.

– Opowiedz coś... – szepnęła.

– Może być smutne? – zapytał.

– Ale tylko, jeśli będzie o miłości. Opowiadaj – odparła, całując jego dłoń.

– Około dwóch lat temu zakochałem się, platonicznie, w pewnej brunetce – zaczął.

– Ładna? Ile ma lat? Jak ma na imię?

– Ładna? Nie, zupełnie nie. Fascynują mnie przeważnie blondynki. Ale to już wiesz – wyszeptał jej do ucha. – Miała na imię Sophie, była w twoim wieku. Sophie Scholl. Pewnie słyszałaś o niej?

– Nie. Nigdy nie słyszałam. Dlaczego miała, dlaczego była? – zapytała.

– Bo umarła. Odcięli jej głowę gilotyną. Dwa lata temu...

– Jak to?! – wykrzyknęła, siadając przed nim. – Jak to gilotyną? Dlaczego?! Podasz mi papierosa, proszę?

Zapalił dwa papierosy. Wysunął rękę w jej kierunku i zaczął opowiadać.

– Dokładnie, co do dnia, dwa lata temu, osiemnastego lutego 1943 roku, Sophie ze swoim bratem Hansem rozdawała studentom ulotki na schodach Uniwersytetu Ludwika Maksymiliana w Monachium. Nawoływali w nich do obalenia nazistów. Protestowali przeciwko wojnie. Tam, na schodach uniwersytetu, w lutym czterdziestego trzeciego! Wyobrażasz to sobie?! Cała powoli kończąca się Rzesza srała w spodnie ze strachu przed gestapo, a oni tak na schodach, w biały dzień rozdawali ulotki. Zatrzymał ich woźny i siłą zaprowadził do rektora uniwersytetu, profesora Waltera Wüsta, specjalizującego się, nomen omen, w kulturze aryjskiej, i jednocześnie wysokiego rangą oficera SS. Gestapo było w biurze rektora kwadrans później. Przyjechali czterema samochodami. Po dwóch dniach przesłuchań i tortur w centrali gestapo w pałacu Wittelsbacher w Monachium sformułowano oskarżenie. Dwa dni później, w południe dwudziestego drugiego lutego 1943 przed sądem ludowym Sophie i jej brat Hans zostali skazani prawomocnym wyrokiem na karę śmierci. Prawomocnym?! Akurat. Bez prawa do odwołania, bez adwokatów. Podobnie jak Christoph Probst, który razem z rodzeństwem Schollów przygotowywał ulotki i którego gestapo wytropiło i doprowadziło na proces. Pięć godzin później, punktualnie o siedemnastej, wykonano wyrok. Gilotyną...

Zamilkł. Ponownie zapalił dwa papierosy.

– Zostało jeszcze trochę wina? Przyniesiesz? – poprosiła nerwowym głosem.

Wstał, przyniósł zapaloną świecę i resztkę wina w butelce.

– Niewiele zostało – powiedział – zostaw mi tylko łyka.

– Skąd to wszystko wiesz? No to o Sophie? Skąd, u diabła? Dlaczego ja o tym nic nie wiem?

– To nie były informacje, które dopuszczano do radia lub gazet. Mogłoby to pomieszać w głowach młodzieży. Szczególnie po tym, co wydarzyło się pod Stalingradem. A ja wiem to od Ralpha. To mój przyjaciel. Ostatnio mieszkał w Monachium. Tak jak ja urodził się we Wrocławiu, ale w połowie gimnazjum jego rodzice przenieśli się najpierw do Norymbergi, a potem do Monachium. Studiował medycynę na jednym roku z Hansem, bratem Sophie. Wszystko wiedział z pierwszych ust. Czasami pisaliśmy do siebie listy. Ralph, chociaż to rozważał, nigdy nie zapisał się do Weisse Rose. Na całe szczęście dla niego. I być może dla mnie także. Listy od rozpracowanych przez gestapo członków Weisse Rose były pewnie cenzurowane.

– Co to jest Weisse Rose? – przerwała mu.

– Była. Biała Róża. Po egzekucji Schollów i Probsta przestała istnieć. Opozycyjna wobec reżimu organizacja założona w Monachium przez Sophie. Ralph podziwiał Sophie. Pamiętam, że któregoś razu przysłał mi nawet w liście jej fotografię. Ja zakochałem się bardziej w odwadze Sophie niż w niej samej. Fascynowała mnie...

– Masz tę fotografię?! – przerwała mu.

– Nie. Gdy dotarł do mnie list z informacją o procesie i egzekucji Schollów, wszystkie listy od Ralpha spaliłem. Bałem się na tyle, że poprosiłem Ralpha, aby do mnie przez jakiś czas nie pisał. Czasami myślę, że jestem zwykłym tchórzem... – westchnął.

Po chwili zdmuchnął świecę i dodał:

– A teraz już śpijmy. Wcześnie rano mam nowe zlecenie na gruz. Brakuje nam wina, węgla i świec. Nie chciałbym, abyśmy palili książkami w piecyku...

– Nawet o tym nie myśl. Nigdy ci na to nie pozwolę! Prędzej już porąbiemy i spalimy te spróchniałe trumny – odparła, przytulając się do niego.

– Myślisz, że Bóg często płacze? – zapytał po chwili milczenia.

– Jeśli w ogóle Bóg istnieje, to powinien płakać przez cały czas. Wyć powinien, kurwa! Wyć i prosić Sophie na kolanach o przebaczenie...

Pamięta, że nie mogła tamtej nocy zmrużyć oka. Czuła niepokój i smutek. Ale przede wszystkim czuła swoją bezsilność. Opowieść o Sophie uświadomiła jej, że jej własny, jej matki, jej babci, a także ojca opór wobec potworności, bestialstwa, obłudy, szaleństwa i wynaturzeń ostatnich lat nie miał absolutnie żadnego znaczenia. Zamykał się w bezpiecznych granicach bezczynności i cichego pogodzenia się z losem. Nic z niego dla innych nie wynikało. Bo przecież – jak wszyscy podobni w myśleniu do nich powtarzali – nic nie można zrobić. Bo to bez sensu, bo to jednostkowe, bo to niezauważalne. Jak ugryzienie tylko jednej piranii.

Małej, niegroźnej rybki. Niegroźnej, gdy jest tylko jedna, ale niebezpiecznej i zabójczej, gdy gryzie w wijącym się kotłowisku tysięcy innych piranii. Ale któraś z piranii musi kiedyś zaryzykować i ugryźć pierwsza. Aby popłynęła krew, która swym zapachem natychmiast zwabi inne. Sophie Scholl, w odróżnieniu od niej, nie pogodziła się z bezsilnością. Zrozumiała ten, powiedzmy, efekt piranii i... umarła. Ale nie bała się podjąć ryzyka.

Nawet z ofiary jej życia nic nie wynikło. Nie, to nieprawda, że nic! Fakt, że ona teraz o tym myśli, tak jak myśli, jest być może zupełnie nieistotny, ale jest już czymś. Przyjdzie taki czas – wierzyła w to – że wszyscy Niemcy najpierw dowiedzą się o Sophie, a potem pamięć o Sophie Scholl wstrząśnie i potarga ich sumienia na tyle, że nazwą jej imieniem szkoły, uwiecznią pomnikami. Tak kiedyś będzie. Wierzyła w to...

Jakże innego wymiaru – myślała – wobec bohaterskiego oporu Schollów nabrał teraz nagle dla niej nagłaśniany przez szczekaczki Goebbelsa latem ubiegłego roku nieudany zamach na Führera w jego najbardziej tajnej kwaterze Wilczy Szaniec. Pamięta, że w końcu lipca czterdziestego czwartego upajała się i żyła tylko tym wydarzeniem. Im bardziej jadowicie i z im większą pogardą nazywano Stauffenberga, przywódcę zamachu, „podstępnym zdrajcą narodu i Führera, sprzeniewierzoną gnidą w mundurze oficera Wehrmachtu", tym bardziej go podziwiała. Jej matka zupełnie nie podzielała tego zachwytu, a tym bardziej podziwu. Uważała, że arystokratyczny pułkownik Claus Schenk hrabia von Stauffenberg to zwykły, jak to ujęła, „puczysta". Na dodatek egocentryk i narcyz. Twierdziła, że Stauffenberg nigdy nie ukrywał swojego skrajnego szowinizmu i upojenia sukcesami militarnymi Rzeszy. Musiał być wzorowo wierny i nieprzeciętnie oddany nazizmowi, jeśli w tak młodym wieku stał się pułkownikiem i mógł zasiąść przy jednym stole w bunkrze ochranianej największą tajemnicą kwatery Hitlera. To, na co odważył się hrabia Stauffenberg i skupieni wokół niego oficerowie, to żadne bohaterstwo. To zwykła, „żenująco spartolona" – jak to nazwała dosadnie jej matka – próba pałacowego przewrotu, mająca na celu odsunięcie od sterów coraz mniej wiarygodnego Hitlera i zastąpienie go innym. Wcale nie lepszym, a może nawet gorszym. Bo nowym, „na głodzie", pragnącym osiągnąć jak najprędzej spektakularne sukcesy na drodze do „ostatecznego zwycięstwa tysiącletniej Rzeszy". Stauffenberg to nie bohater – uważała jej matka – to taki sam nazistowski zbrodniarz jak Hitler. Pamięta, jak na końcu ich burzliwej kłótni na ten temat dodała: „Gdyby tata żył, powiedziałby ci to samo, tyle że spokojniej i mądrzej".

Zdała sobie sprawę, że była i jest nie mniejszym tchórzem niż on. Radość z podarunku, niezwykłe odurzenie jego muzyką, uczucie przyjemności i błogości podczas „kąpieli", podekscytowanie rozmową z nim znikły bezpowrotnie. Teraz czuła pustkę i rozczarowanie sobą. To zawsze wiązało się u niej z niepokojem i lękiem. I z bezsennością.

Wysunęła się jak najostrożniej spod kołdry. Nie chciała go obudzić. Boso przeszła pod ujście tunelu prowadzące do grobowca. Usiadła na ziemi i oparła się plecami o ciągle ciepłą ścianę żeliwnego piecyka. Tęskniła za matką. Tak bardzo chciała być blisko niej. I wtulona pytać, rozmawiać, odpowiadać i płakać. Dopiero tamtej bezsennej nocy, pierwszy raz od śmierci matki w Annenkirche, czuła się jak małe osierocone dziecko. Bezradne, zapomniane, opuszczone. Zamknęła na moment oczy, zapalając papierosa. Nie znosiła spojrzeń z oczodołów tych okropnych czaszek. W poświacie płomienia zapałki wyglądały jak surrealistyczne, oskalpowane i dokładnie oskrobane ze skóry twarze ze szkiców Dürera. Przerażały jeszcze bardziej niż w świetle świec lub szarości dnia w grobowcu. Wracając po kilku minutach na materac, otuliła go kożuchem. Nie spał. Przyciągnął ją na chwilę do siebie i pocałował w czoło.

– Pojedziemy do Kolonii. Kiedykolwiek zechcesz – wyszeptał jej do ucha.

Nareszcie. Kościelne dzwony. Tak jak kiedyś...

Obmyła twarz lodowato zimną wodą z miednicy. Spięła gumką włosy. Rozmazała językiem smalec na wargach. Podeszła do walizki. Wyciągnęła aparat. Miała jeszcze trzy wolne klatki. Dzisiejszy dzień zasługiwał na to...

Dzwony nie przestawały bić. Przez moment pomyślała, że to bicie nie było jednak jak przypominanie i przywoływanie wiernych do kościoła. To brzmiało chyba bardziej jak alarm. Spojrzała na zegarek. Była za kwadrans jedenasta. Dzwony biły już od ponad pół godziny. Podeszła do niego.

– Wstawaj. Natychmiast wstawaj! Coś dzieje się w mieście. Myślę, że coś niedobrego...

Zerwał się na równe nogi. Wypił wodę z kubka stojącego obok miednicy. Włożył płaszcz. Wydostali się na zewnątrz. Zaczęli iść w kierunku

Starego Rynku. Dotarli do hotelu przy Prager Strasse. Jedyny budynek, który dziwnym trafem prawie nienaruszony przetrwał bombardowania. Minęli całkowicie wypalony dworzec główny. Słyszeli stukot przejeżdżających pociągów. To było dla niej bardziej niż niezwykłe. Te pociągi. Już w niespełna kilka dni po ostatnim nalocie przez Drezno przejeżdżały, jeden po drugim, transporty wojskowe na zachód. Jakimś dziwacznym trafem Amerykanie i Anglicy celnie trafiali bombami w żłobki, przedszkola i szpitale, ale nie potrafili skutecznie trafić w tory kolejowe...

Dotarli do ruin Rennera, przed trzynastym największego domu towarowego w Dreźnie. Stary Rynek otoczony był ze wszystkich stron kordonem gestapo. Dzwony ciągle biły. Poczuła smród benzyny. Z megafonu umieszczonego na wojskowej ciężarówce dotarł do nich chrapliwy, szczekający głos. „Zarządzeniem Gauleitera Drezna Martina Mutschmanna, aby zapobiec zarazie w mieście, nakazano kremację wszystkich zwłok zgromadzonych na placu. Informuje się niniejszym wszystkich obywateli, aby...".

Przestała słuchać. Spojrzała na plac. Na wysoką do poziomu drugiego piętra piramidę ułożoną z ciał wdrapywali się żołnierze. Z kanistrów rozlewali benzynę. Po chwili zeszli na dół i szybko oddalili się w kierun ku osmolonej sadzą ściany Kreuzkirche. W grupie mężczyzn stojących w szeregu pod murem rozpoznała oficera w binoklach. W pewnym momencie nachylił się i od papierosa podpalił lont. Iskry przesuwały się wzdłuż sznura. Po chwili usłyszeli odgłos eksplozji i natychmiast żółtopomarańczowa ściana z płomienia zasłoniła piramidę.

Stali przytuleni do siebie. Momentami tylko podnosiła głowę znad jego ramienia i spoglądała na plac. Gdy nad piramidą zaczął unosić się najpierw szary, a potem czarny dym, puściła go i zaczęła uciekać.

Późnym popołudniem, przed zapadnięciem zmroku, wrócili do grobowca. Spakowali wszystkie rzeczy, które zmieściły się do jej walizki i jego brezentowego worka. Zebrali wszystkie świece, do dwóch kretonowych toreb spakowali całą żywność trzymaną w przykrytym słomą i kamieniami dole, u góry tuż przed wejściem do tunelu. Ich lodówce. Kawałkami kartonów owinęli butelki z wódką i winem. Zbliżała się północ, gdy postanowili wyjść z grobowca.

Niekiedy, leżąc obok niego, nie mogła zasnąć i pomiędzy myślami wsłuchiwała się w dźwięki na zewnątrz. Pamiętała, że najwięcej kolejowych transportów wojskowych przejeżdża torami właśnie około północy.

– Nigdy nie zapomnę tego miejsca – powiedział, rozglądając się wokół grobowca. – Trudno w to uwierzyć, ale tutaj byłem szczęśliwy...

Wydostał się tunelem na zewnątrz. Wyciągnął blaszany komin piecyka i zsunął go na dół. Potem na linie wyciągnął ich bagaże. Na końcu rzucił linę w jej kierunku. Przysłonili wejście do tunelu. Jak zawsze, gdy wychodzili stąd przez ostatnie dni.

Ruszyli powoli w kierunku ruin dworca.

Drezno, Niemcy, krótko po północy, poniedziałek, 26 lutego 1945 roku

Dotarli do dworca, idąc torami kolejowymi. Od strony Bayrische Strasse dworzec otoczony był przez żołnierzy Wehrmachtu i umundurowanych kolejarzy, dlatego nie chcieli wchodzić żadną z bram przy Wiener Platz. O ile młody mężczyzna ze wszystkimi czterema kończynami, w wieku poborowym, bez munduru, w mieście, budził tylko ciekawość, to w przypadku jakiejkolwiek oficjalnej kontroli był narażony na duże niebezpieczeństwo.

Zatrzymali się na końcu rampy, tuż przy niewielkiej murowanej budce z zakratowanymi oknami. Obok budki, która przypominała strażnicę, znajdowała się wybetonowana studnia. Z pokrywy studni wystawała długa ocynkowana rura. W środku budki płonęły świece. Dostrzegła sylwetkę żołnierza. Z walizki wyjęła dwie butelki wódki i wepchnęła je do kieszeni płaszcza. Zbliżyła się do otwartych na oścież drzwi. Młody chłopak w mundurze wystraszył się, gdy nagle stanęła w progu. Sięgnął po karabin. Zauważyła, że ma dłoń obwiązaną bandażem. Nie ruszyła się z miejsca.

– Słuchaj – zaczęła – musimy być jutro z bratem w Kolonii. Matka nam umiera. Rozumiesz? Matka!

Żołnierz podbiegł do niej.

– Co tutaj robisz? – wykrzyknął.

– Proszę cię właśnie o pomoc. Chcę zamknąć oczy mojej matce. Pomożesz?

Chłopak patrzył na nią przez chwilę, a następnie wciągnął ją do środka i zatrzasnął drzwi.

– Dam ci za to wódki – powiedziała, stawiając dwie butelki na parapecie zakratowanego okna.

– Będzie ciężko – odparł, spoglądając na butelki. – Przyjdź jutro. Zorientuję się w rozkładzie, bo dzisiaj...

– Jutro? Jutro może być za późno – przerwała mu. – Bardzo boli? – podeszła do niego i delikatnie ujęła jego zabandażowaną dłoń. – Mam ci zmienić opatrunek? – dodała, patrząc mu w oczy.

Żołnierz uśmiechnął się i sięgnął do skórzanej torby przewieszonej przez ramię. Wyciągnął pomiętą kartkę i podszedł z nią do świecy stojącej na małym drewnianym stoliku.

– O drugiej ma tu być transport do Dortmundu. Powinni tankować wodę. Na końcu składu jest kilka wagonów osobowych. Masz więcej tej wódki? – zapytał, podnosząc głowę znad kartki.

– Mam.

– Masz jeszcze dwie butelki?

– Dlaczego dwie?

– Jedna dla ciecia z kolei i jedna dla sierżanta w wagonie. Sierżant jest ważniejszy.

– Gdzie zatrzymują się te wagony?

– Bliżej Budapester Strasse.

– Mam ci opatrzyć rękę? – zapytała z ulgą.

– Nie. Wolałbym, abyś mi opatrzyła zupełnie co innego – odpowiedział chłopak i zarechotał.

– Dziękuję – odparła i pocałowała go w policzek.

– Zaczekaj – zatrzymał ją, podając jej skrawek papieru. – Daj ten kwit razem z wódką cieciowi z kolei. To jak bilet...

Transport do Dortmundu pojawił się około trzeciej nad ranem. Cieć był łysym kolejarzem z ogromnym brzuchem. Obejrzał najpierw dokładnie kartkę od żołnierza, a potem butelkę z wódką. Wyciągnął korek i ostrożnie pociągnął małego łyka. Po chwili większego. Zaraz potem odebrał od niej walizkę, podał jej rękę.

Z wagonu kolejowego, do którego weszli, usunięto przedziały. Przechodzili pomiędzy leżącymi na podłodze żołnierzami. Kolejarz wskazał im miejsce na kawałku wolnej podłogi pod ścianą na końcu

wagonu. Usiedli. Chłopak przytulił się do niej. Czuła jego napięcie. Odkąd opuścili grobowiec, milczał. Bardzo chciała, aby ten pociąg w końcu ruszył. Bała się tak samo jak on.

Do wagonu wkroczył esesman. Widziała, jak depcze po nogach śpiących żołnierzy. Spostrzegł ich. Zatrzymał się. Podszedł i wziął do rąk futerał ze skrzypcami. Otworzył. Przez chwilę z namaszczeniem dotykał palcami instrumentu.

– Piękna sztuka, bardzo piękna – powiedział.

Kolejarz podążający za esesmanem szeptał mu coś do ucha. Esesman zdjął płaszcz i usiadł na podłodze. Sięgnął po smyczek. W tym momencie pociąg ruszył. Esesman zaczął grać. Słyszała stukot kół pociągu i muzykę.

– Bruch nigdy by tak tego nie zagrał. Nigdy! – odezwał się chłopak.

– A jak, panie cywilu? – odparł spokojnie esesman.

On wstał. Wyrwał skrzypce z rąk esesmana.

– Tak! – wykrzyknął.

Grał. Esesman siedział na podłodze. Wokół gromadzili się przebudzeni żołnierze. On dalej grał. Obchodził esesmana dokoła i grał. Skończył. Usłyszała oklaski.

– Tak się gra Brucha, panie esesmanie. Tak! Nie inaczej – powiedział, opuszczając skrzypce.

Żołnierze zaczęli się śmiać. Esesman wstał z podłogi. Widziała wściekłość na jego twarzy. Kolejarz usłużnie podał mu płaszcz.

Obudziło ją zimno. Leżała na podłodze wagonu przytulona do niego. Podniosła głowę, rozglądając się wokół. Wagon był pusty. Wstała. Podeszła do okna. Na skarpie przed pociągiem stali żołnierze. Wróciła do walizki i wyciągnęła aparat. Zatrzymała się. Jego głowa przewiązana poplamionym krwią bandażem opierała się na futerale skrzypiec. Nacisnęła spust migawki. Otuliła go płaszczem i wyszła z wagonu.

Oślepił ją blask słońca odbity od bieli zmrożonych zasp śniegu. Szła wolno wzdłuż pociągu stojącego przed wjazdem na wiadukt kolejowy. W oddali, za wiaduktem, dostrzegła zarysy budynków jakiegoś miasta. Nagle usłyszała głośne pokrzykiwania. Dostrzegła rząd uśmiechniętych żołnierzy stojących na krawędzi wagonu towarowego. Z penisami w dłoniach oddawali mocz na zaspę śniegu przed wagonem. Zatrzymała się. Sięgnęła po aparat. Żołnierze zauważyli ją.

– Bliżej, *Fräulein*, bliżej! To tylko chuje! – usłyszała głośny śmiech jednego z nich.

Odwróciła się i ruszyła z powrotem. Kolejarz z brzuchem pokrzykiwał, że za chwilę ruszają dalej. Gdy zbliżała się do wagonu, zauważyła, że on zeskakuje na zaspę śniegu. Bez płaszcza, ubrany tylko w podziurawiony sweter.

– Dzień dobry, Marto – powiedział, uśmiechając się do niej – zaraz wracam. W tym pociągu nie ma żadnych toalet...

Poszedł w kierunku rozłożystego drzewa rosnącego przy drodze prowadzącej do wiaduktu. Poczuła, że bardzo zmarzła. Wspięła się schodkami do wagonu. Siedzący na podłodze żołnierze wpatrywali się w nią z zaciekawieniem. Usiadła pod ścianą. Zapaliła papierosa. Usłyszała gwizd lokomotywy i poczuła silne szarpnięcie. Pociąg ruszył. Zerwała się na równe nogi. Głośno krzycząc, podbiegła do okna wagonu. Z trudem opuściła szybę. Wychyliła się. Na drodze przy wiadukcie stał wojskowy gazik. Obok gazika esesman tłumaczył coś dwójce żołnierzy. On z opuszczoną głową stał pomiędzy żołnierzami. Podbiegła do drzwi wagonu. Zaczęła je szarpać. Drzwi były zablokowane. Pociąg rozpędzał się coraz bardziej. Wróciła do okna. Przeraźliwie krzyczała.

– Boże, dlaczego?! Boże... Jak masz na imię?! – wrzasnęła, gdy okno, z którego się wychylała, zrównało się z gazikiem stojącym przed wiaduktem.

Dostrzegł ją. Próbował podbiec. Żołnierze zastąpili mu drogę.

– Uważaj na moje skrzypce. Kocham cię, Marto! Mam na imię...

Stukot kół pociągu zagłuszył jego głos. Widziała, jak esesman wpycha go do gazika. Po chwili wiadukt zniknął za zakrętem. Stała z głową wysuniętą przez okno. Była jak sparaliżowana. Ściskała metalową krawędź opuszczonego okna. Nie mogła się poruszyć. W pewnej chwili jeden z żołnierzy w wagonie podszedł do niej i powiedział stanowczo:

– Zamknij wreszcie to okno. Chcesz, żeby jaja nam zamarzły?

Nie reagowała. Żołnierz siłą oderwał jej dłonie od metalowej krawędzi i zatrzasnął okno. Odprowadził ją na miejsce pod ścianą wagonu. Na podłodze leżał jego płaszcz przykrywający futerał ze skrzypcami. Usiadła w rogu wagonu. Sięgnęła po skrzypce. Objęła je i przycisnęła do piersi. Płakała...

Nowy Jork, Stany Zjednoczone, wczesny ranek, środa, 14 lutego 1945 roku

Obudził go dźwięk dzwonka. Automatycznie wyciągnął rękę w kierunku budzika. Usłyszał odgłos szkła rozbijającego się o podłogę. Nacisnął przycisk. Podniósł się natychmiast, siadając na skraju łóżka. Jak zawsze, gdy dzwonił budzik. Zawsze nastawiał budzik o pięć minut później. Aby nie mieć żadnego usprawiedliwienia na pozostawanie w łóżku. Tak nauczył ich, jego i brata, ojciec. Po omacku dotarł dłonią do włącznika lampki nocnej. Przetarł oczy i spojrzał na podłogę. Odłamki szkła zanurzone w czerwonym płynie rozlanym w wielką, nieregularną plamę kończącą się pod dywanem. Obok odłamków jego – kiedyś białe i suche, a teraz różowo-białe i mokre – bokserki. Mefisto, jego kot, z największą ostrożnością, aby nie zmoczyć pazurów w rozlanym winie, obwąchiwał czarną pończochę leżącą obok stanika. Gruzowisko...

Spojrzał na budzik. Była trzecia w nocy. Nastawił go przecież na siódmą trzydzieści. Miał być w redakcji dopiero około dziewiątej. Dokładnie to pamięta. Odda ten budzik, gdy zdarzy się to jeszcze raz. Co za wstrętne czasy. Nie można ufać nawet budzikom. Nagle usłyszał cichy szept dochodzący z drugiej strony łóżka.

– Stanley, jest mi bardzo zimno, ogrzej mnie...

Odwrócił głowę. Naga dziewczyna leżała odwrócona plecami do niego, wypinając pośladki. Jej czarne, długie włosy rozsypały się na poduszce. Skupił się na chwilę. Doris? Tak, to z pewnością Doris. To było ważne, aby nigdy nie mylić ich imion. Doris? Dla pewności uporządkował dziennikarsko wspomnienia z ostatniej doby.

Najpierw ona zadzwoniła do niego i zostawiła wiadomość u Lizy, jego sekretarki. Potem on oddzwonił i zasłuchał się w jej głosie. Nigdy nie rozmawiał z kobietą o tak niskim i do tego tak zmysłowym głosie. Koniecznie chciał ją zobaczyć. Chociaż mógł to na dobrą sprawę załatwić przez telefon. Po dwóch godzinach spotkali się, po południu, w redakcji. Gdy weszła, Liza zmierzyła ją bacznie od stóp do głowy i natychmiast posadziła na kanapie „w poczekalni". To nie była tak naprawdę żadna poczekalnia, a jedynie tak zwane miejsce widowiskowe. Z każdego z biur wszystkich szefów można było dokładnie i dyskretnie obejrzeć delikwenta, zanim dopuszczono go do jakiejkolwiek rozmowy. Poza tym delikwent miał się przez chwilę poczuć bardzo opuszczony, zagubiony i zupełnie zignorowany w tym szemrzącym ulu redaktorów, sekretarek i dziennikarzy wokół. To go zazwyczaj odrobinę zmiękczało i uczyło pokory. Jeden z niepisanych, ale skrupulatnie przestrzeganych przepisów w redakcji. Taka tradycja. „New York Times" słynie z tego, że jest do bólu tradycyjny. Także z tego powodu chętnie przychodzi tutaj rano, a czasami nawet w nocy.

Potem Liza zadzwoniła do niego i poinformowała go, że „niejaka Doris P. od kilku minut stacjonuje w bazie i ma sprawę". Z tonu jej głosu wyczuł, że Liza z jakiegoś powodu nie darzy sympatią Doris P. To był dobry znak. Bardzo dobry! Liza nie darzyła sympatią żadnej kobiety, która w jakikolwiek sposób przypominała „flamę" jej byłego męża. On dość dobrze znał byłego męża Lizy i znacznie lepiej i bardziej szczegółowo „poznał" także jego „flamę". I w dużym stopniu rozumiał decyzję męża Lizy. Dlatego, ciągle rozmawiając przez telefon z Lizą, spojrzał dyskretnie przez szybę swojego biura w kierunku „bazy". Czarny płaszcz Doris P. leżał na podłodze u jej stóp. Jej wełniana, oliwkowozielona sukienka z długim rzędem guziczków przy i pod dekoltem opinała się na udach, odsłaniając czarne pończochy. Doris P. siedziała „w bazie" z nogami założonymi jedna na drugą, paliła papierosa i czytała kartki z notatkami. Odłożył telefon i sięgnął do najniższej szuflady w biurku. Skropił dłoń wodą kolońską i rozprowadził ją na twarzy i włosach. Po chwili znowu zadzwonił telefon. Usłyszał głos Mathew z redakcji sportowej.

– Słuchaj, Stanley, gdybyś nie zmieścił tej małej w swoim planie na dzisiaj, to ja ją z pewnością zmieszczę. Zrobię to dla ciebie. Trzeba sobie przecież pomagać. Podaj mi tylko jakieś hasło. Też się interesuję wojną, więc wyssę z niej wszystko, co zechcesz. I czego nie chcesz także. I potem oddam ci jej materiał i ją. Prawie nienaruszoną. Poza tym, stary, nie wiedziałem, że masz kontakty z dziewczynami z okładek „Vogue'a"...

Wstał i podszedł z telefonem do szyby. Mathew stał przy oknie swojego biura z nosem rozpłaszczonym na szybie. Natychmiast go zauważył. Odsunął twarz od szyby i wyciągając język, demonstracyjnie zwilżał nim wargi.

– Słuchaj, Mathew – powiedział z uśmiechem w głosie do słuchawki – zawsze wiedziałem, że na tobie można w takich sprawach polegać. Ale wyobraź sobie, że się z przyjemnością w niej zmieszczę. To znaczy zmieszczę panią Doris P. w swoim planie. Robię to wcale nie dla ciebie. Robię to głównie dla Mary. Może zrobisz jej dzisiaj niespodziankę i wrócisz prędzej do domu? Żony zawsze bardzo to doceniają. Sam zauważysz jej wdzięczność. Może już dzisiejszej nocy...

Usłyszał długi sygnał w słuchawce. Postanowił, że „zrobią materiał" z panią Doris P., jednak poza redakcją. Tutaj przecież taki ul. Zupełnie nie można się skupić na pracy. Spojrzał w lustro, wciągnął brzuch, obiecał sobie kolejny raz, że musi schudnąć, i wyszedł. Stanął za kanapą i nachylił się, delikatnie dotykając wargami i nosem włosów Doris P.

– Mam na imię Stanley, dziękuję za to, że zechciała pani podarować mi swój cenny czas. Od teraz jestem całkowicie i w całości do pani dyspozycji. Myślę, że lepiej będzie się nam pracowało poza tym tumultem w redakcji. Co pani o tym myśli? – zapytał, zbliżając usta do jej ucha.

Doris P. spokojnie, nie odwracając głowy, podała mu swojego papierosa poplamionego resztkami czerwonej szminki na ustniku. Wsunął go natychmiast do ust. Wstała i powoli podniosła płaszcz z podłogi. Rzuciła go niedbale na kanapę i stawiając na niej but, zsunęła materiał sukienki do góry, odsłaniając udo. Następnie zaczęła prostować szew pończochy. Potem powtórzyła to z drugą nogą. Kątem oka spostrzegł przyklejoną do szyby twarz Mathew. Po chwili odwróciła się twarzą do niego i wysunęła rękę w jego kierunku. Wyciągnął papierosa z ust, nachylił się szarmancko i pocałował jej dłoń. Ich ojciec przez długie lata zatrudniał na stacji benzynowej, którą prowadzili, pewnego Polaka. Miał na imię Marek. On także całował w rękę wszystkie kobiety przy powitaniu. Niektóre przyjeżdżały do nich tankować tylko ze względu na „pana Marka". Zawsze o nim myśli, gdy nachyla się nad dłonią kobiety przy powitaniu.

Potem pojechali jego samochodem do Greenwich Village. Zaparkował tuż przy budynku, w którego piwnicach mieścił się Village Vanguard, jazzowy klub, o którym ostatnio mówiło się „na mieście". Bardzo szybko zrobili „materiał", wypili kilka drinków, potem, gdy na małej scenie pojawił się saksofonista, znowu kilka, a potem ona bardzo zawzięcie pomagała mu znaleźć – w taksówce – klucz do jego mieszkania. Szukała go wszędzie. Bardziej ona niż on. W międzyczasie rozpięła rozporek jego spodni. Taksówkarz bardzo starał się udawać, że niczego nie zauważa. On bardzo starał się nie wydawać z siebie żadnych odgłosów. Gdy dotarli do jego bloku przy Park Avenue, Doris miała ślady jego spermy na policzku, a on ściskał klucz do mieszkania w dłoni. Jak zawsze był w lewej kieszeni marynarki. Zawsze go tam przechowuje. Taksówkarz ucieszył się z napiwku, mrugnął do niego porozumiewawczo i bez słowa odjechał. Gdy tylko dotarli do windy i jej drzwi się zasunęły, Doris natychmiast uklękła i rozpięła jego rozporek. Pomiędzy drugim i trzecim piętrem był tylko penisem w ustach Doris. Ciągle klęcząc, nacisnęła czerwony przycisk i winda gwałtownie się zatrzymała. Wtedy Doris wstała z kolan, zdjęła płaszcz, zsunęła oliwkową sukienkę, rozerwała stanik i bez słowa wsunęła jego prawą dłoń pomiędzy swoje uda. Po chwili on rozerwał jej majtki, przysunął ją twarzą do lustra w windzie i zapatrzył się w jej pośladki. Doris, oparta jedną dłonią o lustro, nachyliła się i wsunęła drugą dłoń pomiędzy swoje uda. Znalazła go i delikatnie wsunęła w siebie. Potem nacisnęła przycisk i pojechali do góry. Gdy winda się zatrzymała, on wcale nie miał uczucia, że dotarł na górę. Doris zebrała wszystko z podłogi windy, wyszarpnęła klucz z jego dłoni i poprowadziła go do jego mieszkania. Biegł za nią ciemnym korytarzem, trzymając ją za rękę. Otworzyła drzwi, zatrzasnęła je i znaleźli się w jego sypialni. Pamięta, że naga usiadła na nim i że dotykał jej piersi. Potem ukląknął na kolanach za nią i się prawie zupełnie zapomniał. Potem ona, tuż przed jego zapomnieniem, położyła go na plecach na łóżku, stanikiem związała mu ręce i po chwili włosami przykryła jego brzuch. Potem on drżał i było mu cudownie, i szeptał jej imię. Potem na chwilę otworzył oczy i zobaczył, że Mefisto, siedząc jak zwykle na drewnianej skrzyni jego radia, skrobie po niej pazurami i wpatruje się w niego. Wydawało mu się także, że kręci głową i ma ten swój ironiczny uśmieszek na pysku. Pomyślał, że to jednak wspaniale, że koty nie potrafią mówić...

A teraz całkowicie zwariował jego głupawy budzik, jest środek nocy i kobiecie w jego łóżku jest zimno. Chociaż jemu jest bardzo gorąco. Tak! To jest na pewno Doris, pomyślał i przysunął twarz do jej głowy.

– Ogrzeję... – zawahał się na chwilę. – Doris – wyszeptał, całując delikatnie jej czoło.

– Wiesz, że mówisz przez sen? Prawie tak samo pięknie jak na jawie? – zapytała, zdejmując jego dłoń ze swojej twarzy i przyciskając do piersi.

– Nie. Nie wiem. Co mówiłem? – zapytał zaniepokojony.

Podniosła jego dłoń do ust i zaczęła całować palce. Wsunęła swoje pośladki między jego uda. Czuł, że znowu przestaje myśleć.

– Stanley, teraz się na kilka minut wycisz. Spokojnie. Mam naprawdę na imię Doris. Doskonale trafiłeś. Zerżniesz mnie za kilka minut. Albo to ja cię zerżnę. Powiedzmy, że to znowu ja cię zerżnę. Masz to pewne. Mężczyźni stają się zupełnie inni, gdy mają to pewne. Więc powiedzmy, że ty to masz.

Stanley, jesteś bardzo wrażliwym mężczyzną. Gdy zacząłeś przez sen mówić o Pearl Harbor, wyszłam z łóżka i usiadłam na kanapie, tuż przy twoim kocie. Patrzyliśmy tak razem na ciebie i słuchaliśmy. Potem obeszłam całe twoje mieszkanie i stawałam przy każdej z fotografii wiszącej na ścianie. Mefisto stawał przy mnie i ocierał się o moje łydki. Dowiedziałam się z tych zdjęć więcej, niż mi o sobie opowiedziałeś w Village. Ta fotografia... Ta w schowku... Wiesz jaka, prawda? Dobiła mnie. Wydobyłeś na światło dzienne najczystszą kwintesencję rozpaczy i bólu. Nigdy nic podobnego nie widziałam.

Dlaczego trzymasz ten obraz w schowku na walizki?! I to w schowku, który jest zupełnie pusty, bo twoje walizki leżą przecież pod łóżkiem? Dlaczego?! Bo nie chcesz tego oglądać? Bo nie potrafisz? Bo nie chcesz tego widzieć, gdy wracasz z biura i wchodzisz do kuchni, do sypialni lub do łazienki? Zakładam, że właśnie dlatego tak jest. Bo płakałbyś każdego dnia, tak jak ja płakałam dzisiaj? Wróciłam z tego schowka i zaczęłam delikatnie całować twoje powieki. Chciałam dotrzeć do twoich oczu, które to najpierw dostrzegły, a potem utrwaliły na fotografii.

Stanley, jesteś niezwykłym mężczyzną. Chociaż chrapiesz, mówisz przez sen, ejakulujesz za szybko i mylą ci się imiona kobiet, które były w tym łóżku przede mną. O Pearl Harbor opowiadałeś jakiejś Jacqlin. Ale mnie to jest, póki co, naprawdę obojętne. Jesteś, jak na teraz, moim znajomym z ostatniego wieczoru. I to ja cię uwiodłam, a nie ty mnie. Wydmuchałam cię w taksówce, bo miałam na to ochotę. Powtórzyłam to w windzie, bo tam także miałam na to ochotę. Za chwilę zrobię to samo, bo zaczynam czuć, że znowu mam na to ogromną ochotę. I wcale nie musisz do mnie z tego powodu dzwonić. Ani dzisiaj, ani jutro. Warto było cię spotkać, aby się dowiedzieć, że istnieją takie oczy jak twoje.

A teraz mnie jeszcze mocniej przytul – powiedziała, odwracając się twarzą do niego.

Zamknął oczy. Wstydził się. Zawsze zamykał oczy, gdy się wstydził. Albo uciekał. Tak jak wtedy, gdy ojciec przyłapał go na tym, że kradnie pieniądze z kasy. Wstydził się przed sobą swoich myśli sprzed kilku minut. Wstydził się tego, że mógł mieć wątpliwości co do jej imienia, wstydził się także tego, że ona miała pewność co do jego wątpliwości. Dotknął delikatnie palcami jej czoła.

– Doris, przepraszam... – wyszeptał do jej ucha.

– Kochaj mnie teraz... – odpowiedziała szeptem i zaczęła całować jego oczy.

W tym momencie zadzwonił telefon. Przy kolejnym dzwonku Doris wydostała się spod niego i sięgnęła po słuchawkę, przykładając mu ją do ucha.

– Stanley, dlaczego nie odbierasz, gdy dzwonię? – usłyszał podniesiony głos. – Jeśli nie chcesz pracować w nocy, to zostań listonoszem. Ty pracujesz dla „Timesa". Dla „Timesa" pracuje się cały czas. Całą dobę, chłopie. Nawet w kiblu.

– Myślałem, że to budzik – zaczął się tłumaczyć, rozpoznając głos Arthura, ich naczelnego.

– To, kurwa, wyrzuć ten budzik, Stanley. Albo zmień na inny. Ostatnio dostałeś podwyżkę. Pamiętasz? Stać cię na to. Słuchaj, Stanley. Siedzisz? To jest poufne, więc usiądź i nie pozwól słuchać tego żadnej, powiedzmy to tak, damie... Siedzisz?

– Siedzę.

– Gdzie siedzisz?

– Na łóżku, Arthur! A gdzie mam siedzieć o trzeciej trzydzieści nad ranem...

– Jesteś sam?

– Nie.

– Jest ładna?

– Tak.

– To tym bardziej wstań i się oddal.

– Tak.

– Oddaliłeś się, Stanley?

– Tak – odparł, powoli podchodząc z telefonem w ręku do okna.

– Nie słyszy?

– Tak. To znaczy nie.

– Słuchaj, Stanley, Churchilla pogięło. Albo tego jego szefa sztabu Harrisa. Zmasakrował wczoraj Drezno. Zupełnie niepotrzebnie. I wciągnął w to naszych chłopców. Potwierdził mi to także nasz informator z Pentagonu. To jest kurewstwo, Stanley. Drezno to jest na dzisiaj, kurwa, jeden dworzec, jakaś fabryka aparatów fotograficznych, muzea, kilkanaście kościołów, paru szewców i tłumy uchodźców ze wschodu, którzy przygnali tam, uciekając przed Ruskimi. Mam przed sobą teleks z BBC. Zabili tam około stu tysięcy ludzi w kilkanaście godzin. Tam jest masakra i ogień widać ponoć pięćset mil od miasta. Harris to, kurwa, jakaś wyjątkowa angielska bestia. Co jutro stawiasz na ogniu, Stanley? – zapytał nagle zdenerwowanym głosem.

– Mam Azję i Pacyfik, najpierw w redakcji, a potem w Waszyngtonie...

– Od teraz nie masz żadnej Azji. Słyszysz?

– Nie mam żadnej Azji, jasne.

– A teraz przeproś tę damę i się ubierz. Na dole czeka auto. Spakuj aparaty, weź coś ciepłego i zejdź do auta.

– Po co? – zapytał, zerkając przez okno na ulicę. Zauważył zaparkowany wojskowy samochód.

– Polecisz do... Belgii. Kierowca zawiezie cię na lotnisko. Sam jeszcze nie wiem, na które. Tam cię przejmą żołnierze i polecisz...

– Tak mnie po prostu przejmą?

– Stanley, ty mnie, kurwa, nie pytaj. Przejmą cię i już. Wylądujesz w Belgii i natychmiast przedostaniesz się do Niemiec. To mnie kosztowało bardzo dużo wysiłku i rozmów z tymi półgłówkami w Pentagonie, abyś miał tę wycieczkę. Sfotografujesz, co się da. Tak jak tylko ty to potrafisz. I coś napiszesz. A jak nie znajdziesz czasu na pisanie, to my napiszemy. Może być, że po Dreźnie będzie jakaś kolejna sieczka. Zarejestrowałeś, Stanley?

– Arthur, słuchaj...

Głos w słuchawce nie dał mu dokończyć.

– Masz kwiaty w domu?

– Kwiaty?! Jakie, kurwa, kwiaty, Arthur?...

– Gdybyś miał, to trzeba byłoby o nie zadbać, bo z pewnością nie wrócisz do końca miesiąca. Każ żołnierzowi podjechać pod „Timesa" i wrzuć klucz od swojego mieszkania do skrzynki. Zadzwonię zaraz do Lizy, aby podlewała twoje kwiaty. Dam jej za to kilka dni urlopu. Płatnego!

– Arthur, ja nie mam kwiatów – roześmiał się, myśląc, że czasami Arthur potrafił być rozbrajający – i proszę, nie dzwoń teraz do Lizy. Jest środek nocy, Arthur. Nie mam kwiatów, ale mam kota.

– O kurwa. Kota? Hmmm... To mamy znacznie większy problem, Stanley. Jeśli nie będziesz miał nic przeciwko temu, to będę przyjeżdżał do ciebie i go karmił. Tylko nie zapomnij zostawić kluczy w skrzynce.

Zaczął się na głos śmiać. Wyobrażenie, że wydawca i redaktor naczelny największej amerykańskiej gazety każdego dnia przyjeżdża do jego mieszkania, aby nakarmić Mefista, było bardzo komiczne. Cały Arthur. Był pewny, że gdyby się zgodził, Arthur byłby w jego mieszkaniu każdego dnia.

– Słuchaj, Arthur, może zejdźmy z mojego kota na chwilę i podaj mi parę szczegółów o Dreźnie i o całej tej wycieczce, bo...

– Nic ci nie podam. Kierowca ma dużą kopertę dla ciebie. Sam przeczytasz w drodze na lotnisko. To jak z tym kotem, Stanley?

– Możesz przez chwilę poczekać przy telefonie? – odparł, zasłaniając słuchawkę szczelnie dłonią.

Odwrócił się w kierunku łóżka. Doris, leżąc na kołdrze, oparta plecami o zagłówek, paliła papierosa. Mefisto wylegiwał się na jej brzuchu i pyskiem podnosił jej rękę, gdy tylko przestawała go głaskać. Snop światła lampki nocnej, rozproszony dymem, padał na jej piersi. Pomyślał, że byłaby to przepiękna fotografia.

– Doris – powiedział cicho – będę musiał wyjechać na jakiś czas. Zajmiesz się Mefistem, gdy mnie nie będzie? Nie będę miał teraz czasu, aby odwieźć go do mojego brata. Zostawiłbym ci klucze...

Uśmiechnęła się do niego i zapytała:

– Będę mogła za to czasami zasnąć w twoim łóżku?

Podszedł do niej i pocałował jej rękę.

– A zaśniesz ze mną, gdy wrócę? – zapytał.

Wstała i włożyła jego koszulę.

– Zrobię ci jakieś kanapki na drogę – powiedziała, przechodząc do kuchni.

Mefisto zerwał się i natychmiast pobiegł za nią.

Wrócił do okna. Obok samochodu na dole pojawił się mężczyzna w mundurze.

– Słuchaj, Arthur, nie martw się o kota. Właśnie ustaliłem, że kot przeżyje. Zaraz zejdę do auta na dole...

Przez chwilę nie słyszał żadnej reakcji po drugiej stronie.

– Arthur, jesteś tam?!

– Jestem, jestem... Słuchaj, Stanley, chciałem ci powiedzieć, że... no że, no wiesz... no, że ci, no, że ci dziękuję. I pamiętaj! Masz wrócić! Proszę cię, nie wariuj tak jak Harold i Otto*. Proszę! W kopercie jest kasa dla ciebie. Gdyby ci zabrakło, to doślą z Londynu. Otworzyłem tam dla ciebie rachunek. I przeproś tę damę. W moim imieniu. Przeprosisz, Stanley?

– Jasne, że tak, oczywiście, że przeproszę, Arthur...

– Słuchaj, Stanley, masz jeszcze trochę czasu. Ten kierowca nie odjedzie bez ciebie, więc przeproś ją tak... no tak jakoś specjalnie...

Usłyszał długi sygnał w słuchawce. Uśmiechnął się do siebie i pokiwał głową.

Podszedł do łóżka, nachylił się i wyciągnął walizkę. Przesunął ją do szafy i otworzył. Zaczął wrzucać ubrania. Po chwili podszedł do kredensu przy oknie. Wyciągnął dwa aparaty fotograficzne, owinął je szczelnie swetrami i położył ostrożnie w walizce. Potem przeszedł do kuchni. Z lodówki wyjął cztery foliowe worki wypełnione rolkami filmów. Mefisto siedział na blacie kuchni i obżerał się plastrami salami. Doris pergaminem owijała kanapki. Stanął za nią i objął jej talię. Przesunęła jego dłonie na podbrzusze. Po chwili wysupłała się z jego rąk i bez słowa wyszła z kuchni. Usłyszał odgłos wody spadającej z prysznica. Z workami filmów w dłoniach wrócił do pokoju i wrzucił je do walizki. Potem przeszedł do łazienki. Stała pod strumieniem

---

* Dwóch reporterów gazety „The New York Times", Harold Denny w Afryce Północnej i Otto D. Tolischus w Japonii, dostało się w 1941 roku do niewoli. Tolischus był torturowany i oskarżony o szpiegostwo. Obu po interwencji rządu Stanów Zjednoczonych uwolniono.

wody, odwrócona plecami do niego, gładząc obu rękami swoje włosy. Wszedł pod prysznic. Uklęknął. Zaczął całować jej pośladki...

Narzuciła na siebie płaszcz i zjechała z nim windą. Uśmiechała się do siebie, ścierając czerwony ślad szminki z lustra w windzie. Postawił walizkę na skraju chodnika. Usiedli na kamiennych schodach prowadzących do korytarza jego bloku. Przypomniał sobie swoją matkę. Gdy wyjeżdżał do Princeton na studia, także tak usiedli obok siebie. I matka wcisnęła mu wtedy do ręki medalik. I także wtedy milczeli. Cały czas nosi go przy sobie...

Doris owijała mu szyję szalikiem i zapinała guziki kurtki. Gdy zapięła wszystkie, na nowo je rozpinała i odwijała szalik.

– Wróć, Stanley – powiedziała w pewnym momencie – będę czekać. I przywieź dużo zdjęć. Kanapki są bez masła. Nie miałeś masła w lodówce. – Wcisnęła mu do ręki papierową torbę. Wrócisz, prawda? Zrobię dla ciebie zakupy. Kupię dla nas masło...

Delikatnie dotknął jej twarzy i wstał. Szybko przeszedł do parkującego samochodu. Żołnierz, oparty plecami o maskę samochodu, poderwał się natychmiast i zdeptał butem niedopałek papierosa. Po chwili stanął przed nim na baczność.

– Nazywam się Stanley Bredford, jestem pracownikiem „New York Timesa" – powiedział, wyciągając rękę w kierunku żołnierza.

Żołnierz skinął głową i bez słowa sięgnął po jego walizkę. Ostrożnie umieścił ją w bagażniku auta. Po chwili ruszyli. Doris ciągle siedziała na schodach. Nie patrzyła na niego. Odwrócił głowę i spoglądał przez tylną szybę samochodu. Na pierwszym skrzyżowaniu samochód skręcił w prawo. Przytulił do ust papierową torebkę z kanapkami...

Namur, Belgia, około południa, czwartek, 15 lutego 1945 roku

Obudził go silny wstrząs. Poczuł intensywny zapach dymu papierosów i dotkliwy ból na policzku. Energicznie odepchnął od swojej twarzy lufę karabinu. Siedzący obok niego na metalowej podłodze kabiny samolotu żołnierz obudził się, najpierw przeklął, potem się przeżegnał i położył karabin na kolanach, sięgając po manierkę z wodą.

Wylądowali. Z małego lotniska na Long Island polecieli zatankować do bazy wojskowej w Gender na kanadyjskiej Nowej Fundlandii, a potem nad Atlantykiem non stop do Namur w Belgii. Odwrócił się plecami do kotłującej się grupy żołnierzy w samolocie, uklęknął obok swojej walizki i wyjrzał na zewnątrz przez zaparowaną szybę. Podziurawiony dach wielkiego hangaru pokrywały szare, zmarznięte zaspy śniegu, z których gdzieniegdzie wystawały gałęzie choinek. Odczytał wyblakły napis na pordzewiałej, eliptycznej płycie u sklepienia pod dachem hangaru: „Aéroport Namur". Usłyszał za sobą pisk otwieranego luku samolotu. Po chwili odgłos ciężkich kroków żołnierzy schodzących po metalowym trapie. Zapiął guziki płaszcza, schylił się po walizkę i powoli przeszedł do luku. Stanął przy wejściu na trap, przymrużył oczy, oślepiony światłem dochodzącym z zewnątrz, poczuł chłód mroźnego powietrza. Europa. Dotarł do Europy...

Odkąd tylko pamięta, Europa kojarzyła mu się z pałacem lub dworem. I z kulturą. To tam na ścianach wisiały najpiękniejsze obrazy, to tam komponowano jedynie ważną muzykę i to tam zmieniano historię świata. Ameryka wydawała mu się jedynie targowiskiem, daleko od pałacu, gdzie handlowano ziemniakami, kukurydzą lub ostatnio także stalą, naftą, samochodami, bronią i próżnością. Europa nie miała – jego zdaniem – na to czasu i jedynie z ciekawością podpatrywała, jak to targowisko się zorganizuje. Czasami podsyłała tam tylko pewne pomysły, obserwując dokładnie, co z nich wyniknie. Niektóre bardzo przestarzałe. Jak na przykład ten idiotyczny z rewolucją francuską. Amerykanie chętnie je przyjmowali, wpisywali w konstytucję i nazywali to dumnie Demokracją. Przez duże „D". Każdy ma równe szanse, każdy jest wolny, wszyscy są równi. Ale tylko przy narodzeniu. Potem już tak nie bardzo. „Równiejszy", i to o wiele, jest ktoś, kto urodził się w rodzinie posiadaczy. I lepiej, żeby nie miał zbyt dużo pigmentu w skórze. Tych było w Ameryce bardzo niewielu. Niecały jeden procent takich rodzin posiada ponad pięćdziesiąt procent całości tego targowiska. Drugi procent prawie połowę pozostałej reszty. Trzeba było mieć dużo szczęścia – już przed urodzeniem – aby się załapać chociaż do tego drugiego procenta. Ani jego młodszy brat Andrew, ani on sam się nie załapali. Ich rodzice nie posiadali ani kawałka najmniejszego procenta. Dzierżawili tylko stację benzynową od kogoś, kto ją posiadał, ale nie miał ochoty lub czasu, aby się nią zająć. Do końca życia nie spłacili kredytu za tę dzierżawę i nigdy nie należała do nich. Ale można było z tego wyżyć.

Ale i tak miał szczęście. Pewnego razu dziadek Stanley – to po nim odziedziczył swoje imię – kupił mu na urodziny aparat fotograficzny. Uważał, że jeśli jego wnuk tak pięknie rysuje i lubi oglądać albumy ze starymi zdjęciami, to będzie także pięknie fotografował. Rok później w okolicach stacji benzynowej pięciu pijanych farmerów zgwałciło Murzynkę. I zamordowało. Miał wtedy osiemnaście lat. To dla ich obleśnego szeryfa, który prowadził śledztwo, było bardzo ważne. W Pensylwanii dorosłość zaczyna się w dniu osiemnastych urodzin. W Nowym Jorku na przykład dopiero trzy lata później. On wcale nie był dorosły – tak myśli dzisiaj – ale byli w Pensylwanii, a on miał aparat fotograficzny. Poszli z szeryfem na pole przy drodze. Obok zmasakrowanej Murzynki, tuż przy jej głowie, klęczał młody mężczyzna. Szeryf, całkowicie ignorując jego obecność, kazał mu fotografować. Przy ciele kobiety wpychał w trawę małe tabliczki z numerami. Fotografował. Ale tylko rozpacz tego mężczyzny. Gdy szeryf kazał mu sfotografować krew pomiędzy i na udach kobiety, zasłonił ręką obiektyw. Podobnie gdy kazał mu zrobić zbliżenie jej poderżniętego gardła i noża w oczodole. Niektórych rzeczy nie wolno pokazać. Nigdy. Za żadną cenę...

Wieczorem wywołał zdjęcia. Ojciec, po długich błaganiach matki, pewnego dnia zgodził się, aby w schowku za ubikacją stacji benzynowej zrobił sobie ciemnię. Następnego dnia rano szeryf pokwitował odbiór negatywu. Nigdy nie wezwali go na żadną rozprawę w sądzie. Bo nigdy nie odbyła się żadna rozprawa. Rok później, gdy już mało kto pamiętał o tym morderstwie, w maju, ubiegając się o przyjęcie na Uniwersytet Princeton, napisał, że „interesuje się fotografią". I dołączył do podania dwie fotografie tego mężczyzny z pola. Miesiąc później listonosz zostawił u jego matki dużą, pomarańczową kopertę. Z Princeton. „W ocenie komisji kwalifikacyjnej naszego uniwersytetu... przyznajemy Panu bezzwrotne stypendium, począwszy od roku akademickiego...". Czytał to kilkanaście razy od początku. Aby się upewnić. Przy kolacji, zaraz po modlitwie, opowiedział przy stole o liście z Princeton. Ojciec wstał i bez słowa wyszedł. Matka zaczęła płakać. Jego brat najpierw opuścił łyżkę do zupy, a potem podniósł do góry dłoń i zacisnął ją w pięść. „Na znak naszego pierwszego zwycięstwa", jak mu kiedyś powiedział. Tego samego dnia, późnym wieczorem, gdy wszyscy już spali, wsiadł do samochodu ojca i pojechał na cmentarz. Usiadł na piasku otaczającym grób i opowiedział wszystko dziadkowi.

Doris się myli! Czasami jednak wchodzi do tego schowka na walizki. Gdy zawala się w gruzy jego życie lub gdy zaczyna wątpić w celowość wszystkiego, co robi, lub gdy ktoś go bardzo skrzywdzi, lub gdy stoi przed ważną decyzją albo nowym wyzwaniem, to wchodzi tam. Z tą samą nadzieją jak wtedy, gdy zamykał się w śmierdzącej ciemni na stacji benzynowej ojca. I opuszkami palców, powoli, dotyka tej fotografii. Wcale nie musi jej oglądać. Czuje każdy pojedynczy milimetr i każdą chropowatość papieru. Dlatego ta fotografia – najważniejsza w jego życiu jak dotychczas – nie jest zakryta taflą szkła. Zanim wczoraj nad ranem zjechali windą na dół i ona zapinała i rozpinała jego płaszcz na schodach, także tam poszedł...

W oddali zaczynała się Europa...
Powitała go rozpadającym się hangarem jakiegoś opustoszałego, małomiasteczkowego lotniska i przejmującym chłodem.

Może jednak rację ma Andrew, który uważa, że Europa to jedynie ruiny po pałacu? Wpuszczono na dwory szczury, takie jak Hitler i Mussolini – jak mówi Andrew – i po krótkim czasie one rozsiadły się na tronach. To jedynie Europa potrafiła w ciągu niecałych dwudziestu lat zakończyć jedną krwawą światową wojnę i rozpocząć drugą. Jeszcze bardziej krwawą. I na nic się zdała tak zwana kultura. Artystów, poetów i filozofów eliminuje się w pierwszej kolejności. Chyba że malują, piszą i filozofują tak jak szczury. Dlatego prawie wszyscy – jeśli ich jeszcze nie zagazowano – najważniejsi przypłynęli już dawno statkami do Ameryki.

Gdyby na targowisku panowały wyraźne reguły: kto więcej posiada, kto wstaje wcześniej rano i jest bardziej pracowity, kto jest zdolniejszy, kto jest sprytniejszy, kto urodził się bogatszy lub kto na przykład tylko lepiej niż inni gra w koszykówkę, ten powinien mieć lepiej. I więcej posiadać. Na europejskie dwory pewnego dnia wraz ze szczurami przedostał się z rynsztoków smród socjalizmu. I odurzył maluczkich. Pomylili go z zapachem perfum. Tutaj, w Ameryce, nikt się nie da na to nabrać. Tutaj pot pachnie potem, perfumy luksusem, na który trzeba ciężko zapracować, a szczury po prostu cuchną. Jego brat Andrew miał bardzo prostą filozofię świata i życia. Lepsi mają mieć lepiej. Lepsi z urodzenia, lepsi z pochodzenia, lepsi z własnej pracy. Także ci lepsi jedynie przez konstelację szczęścia lub przez przeznaczenie. Tak jak on i tak jak jego brat. Gdyby dziadek Stanley nie podarował mu aparatu, gdyby nie zarżnęli obok ich stacji benzynowej tej nieszczęsnej Murzynki, gdyby on godzinami obsesyjnie nie celował szmacianą piłką do wiadra z wyrżniętym dnem, to dalej spłacaliby kredyt ojca za stację benzynową w Pensylwanii obok jakiegoś miasteczka na zadupiu, którego nazwy nie ma na żadnej mapie oprócz map wojskowych. Ale dziadek Stanley kupił mu tę leicę, a on jak w jakimś amoku rzucał tą piłką do wiadra. I czasami trafiał sto na sto. A jego brat sfotografował tego Murzyna w taki sposób, że gdy się na to patrzy, to łzy same z siebie wypływają jak z kranu. I dlatego przyjęli go do Harvardu, a jego brata do Princeton. I to jest sprawiedliwe. I nie interesuje go zupełnie, że jakiś murzyński chłopiec z nowojorskiego Harlemu pisze lepsze wiersze niż Edgar Poe, ale nie ma pieniędzy na znaczek, aby je wysłać wraz z podaniem na uniwersytet. Niech wpadnie w końcu na pomysł, aby pójść pieszo pod budynek tego uniwersytetu. „Niech więc podniesie swoją dupę, pomoże, kurwa, trochę swojemu przeznaczeniu i ruszy w drogę. Niech wyruszy na Manhattan, nawet gdyby miał tylko jedną nogę". Bycie biednym – dodawał – jest przykre, ale ma jedną przepiękną zaletę, której rzadko kiedy doświadczają bogaci. Biedni ludzie są przeważnie obdarowani czasem. Gdyby czas można sprzedawać, to bardzo szybko biedni byliby bogaci. Ale nie można. I biedni go marnotrawią. Ten biedny poeta ma także mnóstwo czasu. Niech ruszy na Manhattan.

Tak mówił jego młodszy brat Andrew, gdy pewnego wieczoru w pubie w Bostonie wypił za dużo piwa. I dodawał: „W tej twojej dworsko-socjalistycznej Europie gazety zrobiłyby z tego chłopca męczennika. Ale tylko takiego na jeden dzień i na jeden nagłówek w gazecie, następnego dnia nikt by już nie pamiętał jego imienia, zresztą co ja mam ci mówić, ty sam wiesz najlepiej, jak robi się jednodniową zadymę w gazetach".

Jego brat miał, jak sam to nazywał, „kwantową teorię świata, najprostszą ze wszystkich". Studiował fizykę, więc wiedział, co mówi. Albo się jest nieustannie elektronem na jednej orbicie i krąży wokół jądra aż do końca świata, albo pochłonie się kwant energii i przeskoczy na inną, wyższą. Aby pochłonąć, trzeba w odpowiednim momencie być w odpowiednim miejscu. Po pochłonięciu jest się wzbudzonym i jest się bliżej jądra. „Tak jest na orbitach Bohra i tak jest tutaj, w moim Bostonie, i u ciebie na orbitach «Timesa» w Nowym Jorku. Potem tylko trzeba na jakiś czas zostać na tej orbicie. I nie tracić energii na głupoty. Promieniować tak, aby cię zauważyli i odróżnili od innych. I potem pochłaniać kolejne kwanty i przeskakiwać na kolejne orbity", mówił. „To mało zgadza się z równaniami fizyki, ale z życiem zgadza się jak najbardziej", dodawał na końcu.

On tego nie potrafił, ale jego brat żył dokładnie według tej teorii. Najpierw przez trzy lata opłacał swoje studia, grając w koszykówkę w zespole Uniwersytetu Harvarda. Grał tak, że fani drużynę z Harvardu nazywali „Andrewood". Mieli ku temu powód. Większość studentek przychodziła do hali jedynie po to, aby go zobaczyć. Albo dotknąć. Albo po meczu kupić jego mokrą od potu koszulkę. Ale to nie wszystko. Prawdziwy fenomen Andrew Bredforda polegał na tym, że sąsiadująca przez rzekę i od zawsze zaciekle konkurująca z Harvardem politechnika MIT „kochała" go tak samo mocno. Może nie cała politechnika, ale przynajmniej wiele tamtejszych studentek. Pewnego razu w uczelnianej gazetce MIT jakiś oburzony i najwidoczniej zazdrosny redaktor napisał: „Gdyby zapadał się nagle most na Charles River, to i tak wiele naszych studentek przepłynęłoby rzekę wpław, aby tylko być na meczu Bredforda. Większość z nich płynęłaby od razu bez majtek".

Potem, na trzecim roku, tuż po wakacjach pojechał ze swoim profesorem do Waszyngtonu. W sali wykładowej w Pentagonie siedzieli sami wojskowi. Wykład wygłaszał jego profesor, ale po wykładzie i tak wszyscy tylko jemu gratulowali. Tam, w Waszyngtonie, zrozumiał, że niektórzy wiedzą o nim o wiele więcej, niż mu się wydawało. Szczególnie mężczyźni w mundurach. Po tym wykładzie w Waszyngtonie na jego konto w banku zaczęły wpływać pieniądze z jakiegoś banku na Bahamach. Jego profesor poinformował go, że to „takie dodatkowe stypendium, a na Bahamach są po prostu mniejsze podatki". To „takie dodatkowe stypendium" było dokładnie osiemnaście razy wyższe niż jego stypendium za grę w koszykówkę! Nie osiem! Osiemnaście! Przestał grać w koszykówkę. W następnym miesiącu na jego konto wpłynęła podwójna suma tych osiemnastu razy. Także z banku na Bahamach. Zajął się wtedy wyłącznie fizyką. Przeprowadził się do innego mieszkania. Poza Cambridge, aby nawet przypadkowo nie spotykać innych studentów. Po dwóch tygodniach znalazł w skrzynce na listy kopertę bez znaczka, ale za to z kluczem do wszystkich laboratoriów na wydziale fizyki Uniwersytetu Harvarda. I do bramy głównego budynku wydziału. Gdy wracał do swojego mieszkania, przeważnie późną nocą, widywał regularnie czarny samochód zaparkowany niedaleko jego domu, przy bramie wjazdowej do parku. Najpierw niepokoiła go jego obecność. Potem niepokoiła go jego nieobecność.

Przez pewien czas tęsknił za koszykówką. Nie miał czasu wydawać swoich pieniędzy. Potem zapomniał i o koszykówce, i o pieniądzach. Myślał tylko o reakcjach jądrowych i o swoich równaniach. Po studiach przeprowadził się do Waszyngtonu. Po roku uzyskał doktorat. Nawet nie miał czasu, aby pojechać do Harvardu i odebrać dyplom. I ochoty także nie miał. Tam gdzie pracował, nie liczyły się żadne „kwity na mądrość". Tam liczyła się wyłącznie mądrość.

Spotykali się prawie zawsze w Bostonie. Dwa, może trzy razy do roku. W listopadzie czterdziestego drugiego Andrew przeprowadził się do Chicago. Nikogo o tym nie informując. Zupełnym przypadkiem spotkał go w nocnym klubie w murzyńskiej dzielnicy Chicago. Robił akurat „materiał" o historii jazzu. Tego wieczoru w zasadzie nic nie robił. Siedział z aparatem na kolanach, popijał piwo i przysłuchiwał się rozmarzony saksofonowi, z którego wzruszenia wydmuchiwała młoda Murzynka stojąca na małej drewnianej scenie. Muzyka była równie niezwykła jak widok dziewczyny grającej na saksofonie. W pewnym momencie do zadymionej sali weszło trzech mężczyzn. W swoich garniturach wyglądali tutaj jak przybysze z innej planety. Jednym z nich był jego brat. Wychudzony. Z rozchełstaną koszulą i krawatem wciśniętym niedbale w butonierkę marynarki. Z papierosem w zębach i załzawionymi od dymu oczami. Cały Andrew. Mężczyźni usiedli przy stoliku tuż obok kuchni, daleko od muzyki i daleko od ludzi. Musieli bywać tutaj częściej, ponieważ kelner natychmiast ich tam zaprowadził i po chwili wrócił z trzema filiżankami. A on natychmiast wstał od baru i ruszył w ich kierunku. Andrew nie mógł go widzieć, bo siedział odwrócony plecami do niego. Zbliżył się do nich. W jednej chwili przestali rozmawiać. Andrew odwrócił głowę. Rozpoznał go. Zerwał się z krzesła. Widać było, że jest bardzo zmieszany.

– Stanley! – wykrzyknął, obejmując go i klepiąc po ramionach. – Pozwól, że ci przedstawię. Profesor Enrico Fermi – powiedział, wskazując dłonią na uśmiechniętego, łysawego mężczyznę o brunatnych oczach i odstających uszach. Mężczyzna podniósł się z krzesła i wysunął rękę w jego kierunku.

– Fermi – powiedział cichym głosem.

Mężczyzna siedzący obok również powstał. Otarł serwetką usta i powiedział:

– Leó Szilárd.

– Mój brat, Stanley Bredford. Pozwolą panowie, że ich na chwilę przeproszę.

Andrew nie zaprosił go do stołu. Objął go ramieniem i podeszli do baru.

– Zapomnisz to? – zapytał, rozglądając się z niepokojem wokół siebie. – Zapomnisz? I proszę cię, nie mów nic rodzicom. Nie będę tutaj długo. Tylko na czas projektu.

Nie zapomniał. Ale pamiętał, że ma zapomnieć.

Tylko na Wigilię Andrew przyjeżdżał do Pensylwanii. To znaczy go przywozili. Samochód dyskretnie parkował daleko od stacji benzynowej. Oficjalnie jego brat Andrew był pracownikiem naukowym Uniwersytetu Harvarda. Nieoficjalnie pracował dla Pentagonu. Arthur miał bardzo dobre „kontakty" z Waszyngtonem i któregoś późnego popołudnia zaprosił go do swojego biura, zamknął drzwi na klucz i pokazał mu pewien dokument z listą nazwisk najbardziej „newralgicznych głów dla Pentagonu". Dr Andrew B. Bredford, jego młodszy brat, był na tej liście. Nazwisko, imię, data i miejsce urodzenia. Wszystko się zgadzało. To był Andrew. Jego mały brat. Z pewnością. Tylko on mógł mieć na drugie imię Bronislaw. Tak jak ojciec jego babci. Ona przyjechała do Irlandii z Polski. Bronislaw to typowe polskie imię w tamtych czasach.

Potem usiedli w fotelach, Arthur wyciągnął z szafy butelkę kanadyjskiej whisky, nalał do szklanek po samą krawędź i podpalił zapalniczką kartkę z dokumentem. Kładąc palący się papier w kryształowej popielniczce, powiedział:

– Stanley, twój mały braciszek kręci kurkami przy końcu świata. Ta grupa mózgowców z tej listy miesza bardzo niebezpieczny koktajl. Obecnie w Chicago. I nie pytaj mnie, skąd to wiem. Wiem i już. My, Żydzi, zawsze wiemy wszystko trochę prędzej. A jeżeli chodzi o twojego braciszka, to lepiej sobie zrób przerwę i nie wydzwaniaj za często do niego. A jak już dzwonisz, to uważaj, co mówisz...

Nie wydzwaniał. Nawet gdyby chciał. Andrew nie miał numeru telefonu w Chicago. Pewnego dnia chciał mu przypomnieć o urodzinach ojca. Przypominał mu o tym każdego roku. To był tylko pretekst. Andrew doskonale pamiętał o urodzinach swojego ojca. To była tylko taka ukryta prośba, aby zadzwonił. Ich ojciec w swoje urodziny nie pracował. I następnego dnia także nie. To były jedyne dwa dni w roku, kiedy ojciec nie wkładał niebieskiego, śmierdzącego benzyną fartucha i nie szedł za ladę. Na dzień przed urodzinami jechał do fryzjera w miasteczku, golił się, wkładał białą koszulę i siedział w domu. Pił od rana whisky i czekał na telefon od swoich synów. Powiedziała kiedyś o tym ich matka. To znaczy czekał na telefon od Andrew. Telefon dzwonił, Andrew rozmawiał krótko z matką. Potem ona kłamała, że Andrew składa ojcu najlepsze życzenia. Ojciec kłamał, że się bardzo cieszy, szedł do sypialni, otwierał kolejną butelkę, szedł z nią na werandę i płakał. Następnego dnia leczył się najpierw z kaca, a potem ze smutku. Dzień później wszystko było już dobrze. Do następnych urodzin.

Telefonistka w centrali uniwersytetu w Chicago nie znała nazwiska jego brata. Nie znała także nazwiska „Fermi". Tego trzeciego nazwiska nie potrafił powtórzyć, a tym bardziej przeliterować, więc zrezygnował. Według telefonistki ani doktor Bredford, ani profesor Fermi nigdy nie pracowali na uniwersytecie w Chicago. Nie dał za wygraną. Liza połączyła go z dziekanatem fizyki. Tytuł „New York Times" otwierał wiele drzwi. Rozmawiał z samym dziekanem. Tam także nikt nie słyszał o Fermim i Bredfordzie. On fizykę znał tylko „z widzenia", jak nazywał to Andrew, ale nawet on wiedział, kto to jest Enrico Fermi! W dziekanacie fizyki uniwersytetu w Chicago nikt, łącznie z utytułowanym dziekanem – dziwnym trafem – nie potrafił z niczym skojarzyć tego nazwiska. Gdy tajemnica staje się zbyt tajemnicza, to przestaje być tajemnicą i staje się oczywistym faktem. Miał nadzieję, że niemiecki lub japoński wywiad nie dzwoni po dziekanatach fizyki amerykańskich uniwersytetów. Arthur miał rację. Jego braciszek Andrew „kręcił przy jakichś ważnych kurkach"...

Zszedł powoli po trapie na betonową płytę lotniska. Nikt na niego nie czekał. Był zupełnie sam. Usiadł na walizce i zapalił papierosa. Wokół panowała cisza. Aż trudno było uwierzyć, że bardzo niedaleko stąd trwała wojna. I to światowa. W oddali za linią drzew majaczyły

zarysy budynków. Zerwał się wiatr, przynosząc ze sobą drobne płatki śniegu. Głębiej nacisnął kapelusz na głowę. W pewnym momencie dostrzegł ciemny kształt powoli zbliżający się w jego kierunku. Po chwili rozpoznał wojskową ciężarówkę z czarną gwiazdą wymalowaną na brunatnozielonej plandece.

– Witaj, kolego! – wykrzyknął ze śmiechem kierowca, wyskakując na płytę lotniska z kabiny ciężarówki, która zatrzymała się tuż przy samolocie. – Na wojnę się zachciało, co? A nie lepiej było to, Stanley, siedzieć w domu i pisać o Broadwayu? Gdybym ja miał pieniądze na szkoły, to moja noga nigdy by nie postała w tym piekle.

Zbliżył się do niego, zasalutował i wyciągając rękę w jego kierunku, powiedział z uśmiechem:

– Mam na imię Bill. Szeregowiec Bill McCormick. Przywiozłeś może jakieś fajki ze sobą? Tego tutejszego francuskiego śmierdzącego świństwa nie da się palić. Masz może też jakieś gazety z domu? Dosyć mam tych ulotek, które nam dają do czytania.

Nie czekając na odpowiedź, sięgnął po jego walizkę i powiedział:

– Wsiadaj do karocy, Stanley. Mamy długą drogę przed sobą. Ten porucznik od propagandy z Antwerpii powiedział mi, że ty koniecznie na front chcesz, że niby masz fotografować nasze zwycięstwa dla „Timesa". Mam cię podwieźć pod pierwsze napotkane okopy, przysłał mi wszystkie możliwe przepustki. Jesteś dla nas ważny, redaktorze Stanleyu Bredfordzie – zaśmiał się, poklepując go po ramieniu.

Gdy wsiedli do ciężarówki, natychmiast ruszył i po chwili rzucił mu plik map na kolana.

– Pomyślałem, że podrzucę cię pod Trewir. Tam ciągle jeszcze siedzą szkopy. Przynajmniej byli tam jeszcze dwa dni temu. To tylko sto pięćdziesiąt mil stąd, ale tutaj czasami na jedną milę schodzi dziesięć godzin. Zobaczymy, co się da zrobić. Jeśli się nie uda z Trewirem, to zostawię cię u naszych chłopców w Luksemburgu. Najwyżej trochę tam przeczekasz. Patton przegnał stamtąd tydzień temu Niemców i zatrzymał się nad Sure. Od tej rzeczki jest już bardzo blisko do Trewiru. Zerknij teraz spokojnie w mapy.

– Co o tym myślisz, Stanley? – zapytał kierowca, gdy minęli ostatnie zabudowania Namur i wjechali na polną, błotnistą drogę podziurawioną lejami po bombach i pociskach artyleryjskich.

Nic nie myślał. Było mu zimno, był głodny, chciało mu się pić, tęsknił za swoim łóżkiem i na dodatek nie rozumiał niczego z tych map. Poza tym smród ropy dochodzący z komory silnika ciężarówki go odurzał. Czuł, że momentami zasypia. Kierowca musiał to zauważyć. Na chwilę zwolnił, sięgnął prawą ręką pod swoje siedzenie, wyciągnął zielony pled, położył go na jego kolanach i powiedział:

– Musisz mieć niezły *time-lag*, Stanley. Najpierw przelecieli z tobą przez Atlantyk, a teraz w Nowym Jorku jest dopiero szósta rano. Prześpij się, Stanley. A ja w tym czasie zawiozę cię na wojnę...

Luksemburg, wieczór, niedziela, 25 lutego 1945 roku

Bill nie dowiózł go do Trewiru. Chociaż bardzo chciał. Generał Patton, zanim dojechali „na wojnę", nie przekroczył jeszcze ze swoją armią granicy Niemiec. Dlatego Bill – dziesięć dni temu – wysadził go z przytulnej, ciepłej ciężarówki późną nocą przy zamarzniętej fontannie na rynku, w samym środku jakiegoś małego miasteczka, którego brzmiącej z francuska nazwy nie potrafił nawet poprawnie wymówić.

Był w Luksemburgu. W południe byli ciągle w Belgii, posuwali się jak żółwie po zniszczonych działaniami wojennymi drogach, a pomimo to dotarli, jeszcze tego samego dnia, do innego kraju. Europa była bardzo mała. Jego braciszek Andrew zawsze twierdził, że Europa jest jak niewielkie terytorium, mniejsze od Teksasu, podzielone pomiędzy „wiele, od stuleci skłóconych ze sobą, indiańskich szczepów mówiących różnymi śmiesznymi językami". Wyglądało, że przynajmniej jeśli chodzi o wielkość, miał zupełną rację.

On nie miał z tym krajem żadnych skojarzeń. Wiedział jedynie, że taki istnieje. Nie potrafiłby jednak wymienić ani nazwy jego stolicy, ani nazwy jakiejkolwiek rzeki, która tu przepływa. Nie wiedział także, czy mieszkają tutaj tylko setki tysięcy, czy dziesiątki milionów ludzi. Najbardziej jednak niepokoił go brak zupełnie innej wiedzy: czy ludzie mieszkający w tym kraju cieszą się z tego, że zostali wyzwoleni przez Amerykanów, czy wprost przeciwnie, czują się przez Amerykanów okupowani. To była obecnie dla niego wiedza podstawowa.

Wokół fontanny zgromadzili się amerykańscy żołnierze. Większość z nich była zupełnie pijana. Z hełmami opuszczonymi na plecy i w rozchełstanych koszulach wystających spod rozpiętych mundurów wykrzykiwali do siebie zdania pełne przekleństw. Wiedział od Billa, że ktoś „się nim tutaj zajmie". Póki co nikt nie zwracał na niego najmniejszej uwagi.

Cała ta misja wymyślona przez Arthura zaczynała mu się wydawać bezsensowna. Te kilka fotografii, które zrobił po drodze z Namur, nie było niczym szczególnym. Obrazy zbombardowanych miast, leje po bombach czy nawet gnijące na polach zwłoki koni nie robiły już w Ameryce na nikim żadnego wrażenia. Takie fotografie przysyłali nieustannie do „Timesa" wojskowi fotoamatorzy posuwający się jak prostytutki za armią.

Stanął przy okratowanych drzwiach prowadzących do małego sklepiku, zapalił papierosa. Po chwili pojawił się obok niego młody, wysoki mężczyzna w brytyjskim mundurze.

– Czy mam przyjemność z redaktorem Stanleyem Bredfordem? – zapytał z wyraźnym angielskim akcentem.

Prawie go nie dosłyszał. Wrzask dochodzący od fontanny zagłuszał wszystko.

– Nie jestem redaktorem. Robię tylko fotografie dla „Timesa". Ale to bez znaczenia. Czy ci żołnierze zawsze tak hałasują? – wykrzyknął.

Mężczyzna uśmiechnął się i podał mu rękę na powitanie, przedstawił się i natychmiast odpowiedział:

– Generalnie zawsze, gdy im na to pozwolić. Dzisiaj im pozwolono i dzisiaj mają szczególny powód. Siedemnastego lutego, osiem dni temu, generał Patton zadeklarował, że Luksemburg został ostatecznie wyzwolony. Zresztą drugi raz. Od wczoraj więc, nazwijmy to tak, cieszą się powtórnie ze swojego zwycięstwa.

– Dlaczego drugi raz? – zapytał zaciekawiony.

– Bo pierwszy raz wyzwolony został we wrześniu ubiegłego roku, ale Niemcy w grudniu czterdziestego czwartego przypuścili nową ofensywę i zajęli kraj ponownie. Ale teraz znowu tutaj jesteśmy. Myślę, że to, co stało się w grudniu, już nigdy się nie powtórzy. Niektórzy z tych żołnierzy zdobyli to miasteczko po ciężkich walkach ponownie. I ciągle żyją. Mają więc podwójny powód, żeby się cieszyć. Na dodatek Luksemburg nabrał nowego znaczenia. Patton ulokował się ze swoim sztabem w stolicy tego kraju. I stąd będzie dowodził operacją przekroczenia Renu i wejścia do Niemiec. To dla nich także powód do radości. Mają wrażenie, że to oni byli przy wyzwalaniu ważnego kawałka Europy...

– Czy to przyjazny nam kraj? – zapytał z niepokojem w głosie.

– Oczywiście, że tak. Wałęsają się tutaj jeszcze niedobitki grup kolaborantów, ale w tym mieście ich z pewnością już nie ma. Proszę się niczego nie obawiać – dodał z uśmiechem i pewnym pobłażaniem w głosie – miejscowi nienawidzą Niemców. Dużo wycierpieli. W Belgii, zresztą nie tylko w Belgii, w całej zachodniej Europie obowiązywały rozporządzenia Hitlera. Za jednego zabitego Niemca zabijano stu cywilów, za jednego zranionego pięćdziesięciu. Czy, jeśli można spytać, mówi pan po francusku lub niemiecku? – zapytał.

– Niestety, nie. Jestem Amerykaninem. My nie uczymy się języków, zakładając, że każdy powinien znać angielski. To jest, ja wiem, ogromna arogancja. Powszechna i narodowa. Wy chyba w imperium także tak uważacie, prawda?

– Obawiam się, że, niestety, tak, chociaż ja mówię także po francusku, włosku, hiszpańsku i niemiecku. Mam doktorat z germanistyki. Rozumiem także po holendersku. Mój ojciec był Żydem i mieszkaliśmy we wszystkich tych krajach. Pytałem, ponieważ mam dylemat. Nie wiem, gdzie pana ulokować na dzisiejszą noc. Gdyby mówił pan w jednym z tych dwóch języków, mógłbym zawieźć pana do pensjonatu na skraju miasteczka. To skromne, ale wyjątkowo przytulne miejsce prowadzone przez miejscowych. Obawiam się jednak, że właściciele tego pensjonatu zupełnie nie znają angielskiego. W tej sytuacji zabiorę pana do naszych kwater wojskowych w pałacu, który zajęliśmy.

– Wie pan co, ja nie mam w ogóle ochoty rozmawiać. Poza tym chciałbym zasnąć – odpowiedział, wskazując wymownie ręką na żołnierzy przy fontannie. – Jestem bardzo zmęczony. Niech pan, jeśli to nie jest dla pana uciążliwe, zawiezie mnie do tego pensjonatu. Gdybym nie mógł zasnąć, to zacznę uczyć się języków. Szczerze zazdroszczę panu...

– Nie ma czego zazdrościć. Wolałbym ich nie znać i mieszkać w jednym kraju – odparł mężczyzna. – Proszę tutaj zaczekać. Za chwilę mój adiutant przeniesie pana walizkę do auta. Zatrzymaliśmy się autem tuż za rynkiem – dodał i natychmiast się oddalił.

Żałował trochę, że nie potrafił rozróżniać tych wszystkich insygniów na wojskowych mundurach. Mimo to fakt, że ten młody oficer miał adiutanta, był zdumiewający. Z wyglądu nie był starszy od niego. Doktorat i własny adiutant. Coś takiego! Być może Europejczycy nie są – wbrew temu, co twierdzi jego braciszek Andrew – jednak jak Indianie, i to nie tylko wiek decyduje o ważności w szczepie – pomyślał.

Po chwili Anglik pojawił się z młodym adiutantem. Przeszli szybko boczną uliczką do furgonetki oznakowanej brytyjskimi flagami i emblematami.

– Sądziłem, że tutaj są jedynie Amerykanie – rozpoczął rozmowę, gdy znaleźli się w samochodzie.

– W przeważającej większości, niestety, tak. Ale głównodowodzącym w tym rejonie jest brytyjski generał Bernard Montgomery. Od czasu tej strasznej katastrofy pod Arnhem Montgomery niespecjalnie lubi Amerykanów. A szczególnie Pattona. Ale Pattona mało który europejski dowódca lubi. Po pierwsze, ze względu na jego nieukrywany antysemityzm, a po drugie, z powodu niewyparzonego języka i niesłychanej arogancji. A tak w ogóle, to od czasów, gdy pielgrzymi zepsuli plemieniu Wampanoaga dziękczynny obiad, Amerykanie budują sobie reputację gburowatych podróżników. Mimo wdzięczności, jaką na każdym kroku okazuje się wyzwolicielom, wielu miejscowych uważa, że Amerykanie są narodem aroganckich cyników. I, niestety, generał Patton się do tego niezwykle przyczynia. Ostatnio rozniosło się wśród żołnierzy, że kolejny raz Francuzów podle i grubiańsko obraził, mówiąc, że „wolałby mieć niemiecką dywizję przed sobą niż całą francuską armię za sobą" – odparł Anglik. – Francuzi mu tego nigdy nie wybaczą – dodał – i oskarżają Pattona o nieskrywany podziw dla Hitlera, jego generałów i jego armii. Co jest, niestety, prawdą. Patton wielokrotnie nie szczędził pochwał niemieckim żołnierzom w trakcie oficjalnych narad i wystąpień. Wypowiedź Pattona o francuskich żołnierzach pokrywa się z opinią Hitlera o Francuzach, których nazywa „wyjątkowymi tchórzami". W reakcji urażeni Francuzi rozpowszechniają pełną pogardy opinię Hitlera o Amerykanach, że „jedna symfonia Beethovena zawiera więcej kultury niż Ameryka w całej swej historii". Sam pan rozumie, że te kłótnie nie najlepiej wpływają na morale żołnierzy – powiedział i natychmiast dodał: – Nie tylko więc Amerykanie tutaj są. My także tutaj jesteśmy. I Francuzi również. I Kanadyjczycy.

– My? To znaczy Brytyjczycy, prawda? Pan jest Brytyjczykiem? – zapytał, myśląc intensywnie o tym, co, u diabła, mogłoby znaczyć to jego „niestety" z początku monologu. Poza tym nigdy nie słyszał o żadnym plemieniu Wampanoaga.

– Nie! Jestem Żydem z brytyjskim paszportem. Ale mam także niemiecki, holenderski. Oraz polski.

– Dlaczego polski?

– Bo tam się urodził mój ojciec. W Krakowie.

– Niech pan mi powie. Czy wszyscy Żydzi pochodzą z Polski? Mieszkając w Nowym Jorku, zawsze odnoszę takie wrażenie – zapytał z uśmiechem w głosie.

– Nie sądzę. Ale ci, co mają teraz coś w pana kraju do powiedzenia, są przeważnie z Polski.

– Dlaczego nie mówi pan więc po polsku?

– Bo Polacy to największe po Niemcach antysemickie świnie. Zanim wyjechaliśmy do Holandii, mój ojciec był profesorem matematyki na uniwersytecie w Krakowie. W trzydziestym siódmym tak zwani nieznani sprawcy skopali go w sali po wykładzie! Cztery miesiące leżał w szpitalu z pękniętą śledzioną i złamaną szczęką – mówił z wyraźnym zdenerwowaniem w głosie. Wie pan, że Hitler, Himmler i Heydrich chcieli najpierw przesiedlić wszystkich Żydów w okolice polskiego miasta Lublin, na wschodzie Polski? – zapytał. – Obawiam się, że to nie był przypadek. Potem dopiero wpadli jednak na pomysł, aby wywieźć ich na Madagaskar. To jest jednak dalej i Europa nie mogłaby się temu wszystkiemu z bliska przypatrywać i ewentualnie protestować.

– Kto to jest ten Heydrich?

– Reinhard Heydrich?! Nie zna go pan? – zapytał z prowokacyjnym lekceważeniem w głosie.

– Niestety, jestem „cynicznym i aroganckim" Amerykaninem i, niestety, nie znam – odparł, czując wzbierającą w nim agresję. – I wcale nie chcę go poznać – odburknął. – Wie pan, co wydarzyło się ostatnio w Queens, to taka dzielnica Nowego Jorku. Zna ją pan? – zapytał.

– Oczywiście, że znam!

– Gratuluję panu. No więc w Queens, w Kew Gardens, poddzielnicy Queens, my nazywamy to wioską, ktoś skopał, tak szpitalnie, jak określamy to w „Timesie", czarnoskórego obywatela Stanów Zjednoczonych. Robiłem tam zdjęcia, więc wiem. Ten człowiek nie miał twarzy i z całego jego ciała wypływała krew. We wszystkich gazetach, oprócz naszego „Timesa", następnego dnia natychmiast, nie czekając na wyniki jakiegokolwiek policyjnego śledztwa, znaleziono winnych. I wie pan, kogo znaleziono? Żydów! Bo to oni zamieszkują w przeważającej większości Kew Gardens. I to oni, Żydzi, co nie jest w Nowym Jorku żadną tajemnicą, za wszelką cenę nie chcą dopuścić do tego, aby zaczęli wprowadzać się tam Murzyni. Żydzi z Kew Gardens traktowali i pewnie ciągle traktują, byłem tam jeszcze przedwczoraj, więc jestem na bieżąco, Murzynów jak, w najlepszym przypadku, nosicieli dżumy lub trądu. I najbardziej by chcieli, proszę mi wierzyć, aby wszyscy amerykańscy Murzyni wrócili, najlepiej płynąc wpław przez Atlantyk, do Afryki, także na Madagaskar. Wiem, że Madagaskar to część Afryki. Proszę się nie obawiać. To akurat wiem. Mimo to nigdy nie odważyłbym się powiedzieć, że Żydzi to największe po Ku-Klux--Klanie rasistowskie świnie – dodał podniesionym głosem.

– Pomimo to obawiam się, że nie wiem, co chce mi pan przez to powiedzieć – przerwał mu Anglik. – Zdaję sobie sprawę, że nie wszyscy Amerykanie kochają Ku-Klux-Klan, ale przyzna pan, że wasz amerykański rasizm jest, powiem to delikatnie, oficjalny. Przecież Murzyni walczą u was w odrębnych oddziałach!

– Naprawdę?! Tego nie wiedziałem – odparł z niedowierzaniem w głosie.

– Tak. Obawiam się, że naprawdę. W Wielkiej Brytanii był ogromny konflikt z armią amerykańską z tego powodu. Nasze brytyjskie dowództwo nie pozwala na odrębne traktowanie białych i czarnych żołnierzy amerykańskich przez ich oficerów, ale obawiam się, że armia amerykańska w tej sprawie nie chce iść na żadne kompromisy.

Nie mógł powoli znieść tego jego idiotycznego „obawiam się". Anglicy chyba nawet w trakcie pogrzebu powiedzą, że leżący w trumnie trup, „obawiam się", jest trupem.

– Pozwoli mi pan dokończyć? Inaczej, obawiam się, pan tego nie zrozumie. No więc Murzyna skopali inni Murzyni. Bo nie oddał im jakichś pieniędzy. Uciekał z Jackson Heights. To jest z kolei bardzo murzyńska wioska w Queens. Dotarł tylko do Kew Gardens. Więc skopali go na trawniku przed domem na rogu Osiemdziesiątej Czwartej Ulicy i Atlantic Avenue. W zamieszkanym w większości przez Żydów Kew Gardens. Wie pan, gdzie to jest? – zapytał podniesionym głosem.

– Niestety, nie...

– Tego się, kurwa, obawiałem, ale to nieważne. Murzyna nie skopali Żydzi. Skopali go swoi. Arthur, szef „Timesa" i także mój szef, może pochlebię sobie teraz, ale dodam, że także przyjaciel, który jest w stu procentach Żydem, nie pozwolił nikomu w redakcji odnieść się do tej sprawy, zanim nie poznamy faktów. I wcale nie dlatego, że chciał bronić w pewnym sensie siebie, ale dlatego, że chciał być pewny. Gdy prawda, po wyjątkowo skrupulatnym w tym wypadku policyjnym śledztwie, wyszła na jaw, był ogromnie zdziwiony, że tego Murzyna nie skopali Żydzi. Jako stuprocentowy Żyd był w dwustu procentach przekonany, że tego Murzyna do poskładania w szpitalu w jedną część wysłali Żydzi. Chciałbym napić się teraz whisky. Czy daleko jest do tego pensjonatu? – zapytał, przerywając swój monolog.

– Obawiam się, że w pensjonacie nie będzie whisky. Właściciele nie mają dostępu do whisky. Ale sądzę, że będzie wódka. Wprawdzie nielicencjonowana. Rozumie pan, takie czasy. Raczej taka własnej roboty. Z pewnością będzie także wino. O tym mogę pana zapewnić.

– To doskonale. I wie pan co, panie brytyjski generale? Obok mnie, przez ścianę, na Manhattanie mieszka polska rodzina. Bardzo bogata polska rodzina. Mąż ma krzywe zęby, buty z dziewiętnastego wieku, zawsze brudne, jak gdyby właśnie wrócił z pola, i długie, rudawe, nieprzystrzyżone wąsy, a jego żona jest klasycznie piękna. Naprawdę piękna. To dość typowe dla Polaków. Mężczyźni wyglądają przeważnie jak służący, nawet gdy są hrabiami, a ich kobiety jak hrabiny. Nawet gdy pracują jako służące u hrabin. Ta pani kiedyś przyszła do mnie. I przyniosła mi list od swojego krewnego. List przeszmuglowany z Polski do Szwajcarii i wysłany z Zurychu. Ten jej krewny mieszka niedaleko Oświęcimia. To takie miasteczko w Polsce, przy którym Niemcy rozlokowali obóz Auschwitz. Ona bardzo chciała, abym w „Timesie" opublikował ten list. Koniecznie. O kominach, o krematoriach, o mężczyznach w pasiakach maszerujących szeregami do kamieniołomów. O kolejowych rampach, na których rozdzielają matki od dzieci, i przede wszystkim o tym, że tam masowo, jak w jakiejś fabryce pracującej na trzy zmiany, zabijają Żydów. Nie udało mi się tego opublikować. Chociaż bardzo się starałem. Tym razem nie dla kobiety. Dla sprawy się starałem. Arthur chciał mieć więcej danych. I jakieś zdjęcia. Chociaż jedno. Arthur, mój redaktor naczelny, ma fioła na punkcie obrazu, uważa, że tylko fotografia uzasadnia obecność informacji w gazecie. Bez fotografii można co najwyżej opublikować tabele kursów z Wall Street. Chociaż i wtedy czasami dodajemy fotografię jakiegoś spoconego dealera. Arthur nie chciał przestrzelić. Ja go rozumiem. Bał się, że bez twardych, niepodważalnych dowodów nazwą go w mieście syjonistą. Do tego, że uważają go, Żyda z krwi, z kości i z religii, za antysemitę, zdążył się już przyzwyczaić. Ale ta moja piękna sąsiadka jest Polką. Stuprocentową Polką. Bez żadnej kropli żydowskiej krwi. Wypytałem ją o to w pierwszej kolejności. Jej ojciec, stuprocentowy Polak, także uczył, chociaż nie wiem czego, na uniwersytecie w Krakowie. Pamiętam to dokładnie. Kraków. Co za niezwykły przypadek, prawda? A może to nie przypadek? Myśli pan, że w Polsce mają, kurwa, tylko ten jeden uniwersytet?

Angielski oficer nie zdążył mu odpowiedzieć. Samochód nagle gwałtownie zahamował. Zatrzymali się przed aleją prowadzącą do dużego drewnianego dwupiętrowego domu otoczonego gałęziami rozłożystych lip. Adiutant pośpiesznie rozsunął drzwi furgonetki.

Weszli do ciemnego przedpokoju prowadzącego do ogromnego rozświetlonego pokoju, rodzaju salonu, wypełnionego drewnianymi stołami i stojącymi przy nich ławami. Przy kominku wbudowanym w zamykającą pokój ścianę na podłodze z jasnych sosnowych desek stała blaszana balia. Staruszka w brązowej bluzce i spódnicy przewiązanej kwiecistym fartuchem myła nogi nagiego mężczyzny leżącego w wannie. Widzieli tylko jego stopy i głowę wystającą ponad krawędź wanny.

– Dobry wieczór, madame Calmes, dobry wieczór, Herr Reuter – powiedział oficer, wchodząc do salonu.

Pierwszą część zdania powiedział po francusku, drugą po niemiecku. Madame Calmes spojrzała w ich kierunku i uśmiechnęła się. Odpowiedziała coś, nie przerywając swojego zajęcia. Nagi Herr Reuter w wannie zupełnie nie zwracał na nich uwagi. Usiedli przy jednym ze stołów. Oficer podszedł do serwantki stojącej przy drzwiach prowadzących do toalet. Przyniósł karafkę wypełnioną czerwonym winem i cztery kieliszki.

On w tym czasie patrzył zafascynowany na madame Calmes pochyloną nad nagim ciałem Herr Reutera. Zastanawiał się, czy takie wydarzenie mogłoby w ogóle mieć miejsce w jakimś amerykańskim domu. Nagi mężczyzna kąpany przy zupełnie obcym, to znaczy przy nim – zakładał, że Anglik z adiutantem bywali tutaj już częściej w przeszłości – przez kobietę. I na dodatek oboje, tak na pierwszy rzut oka, grubo powyżej siedemdziesiątki. Na to nie wpadliby nawet ci wyuzdani artyści w Hollywood! A jeśli już, to kobieta miałaby nie więcej niż dwadzieścia pięć lat, mężczyzna podobnie, a na końcu cenzura i tak wycięłaby tę scenę. Ameryka jest tak ekstremalnie pruderyjna. I przy tym jeszcze bardziej obłudna. Na Times Square w Nowym Jorku nie można przejść spokojnie wieczorem, nie będąc nagabywanym przez tabuny prostytutek, szpitale, szczególnie te w Harlemie, przepełnione są chorymi na kiłę i syfilis, w Central Parku prawie każdego dnia kogoś gwałcą, ale na pokazach mody sukienka musi przykrywać minimum trzy czwarte piersi, a spódnica nie może odkrywać „obszaru nogi znajdującego się ponad cztery cale nad granicą kolana". Inaczej nie wolno opublikować zdjęcia z takiego pokazu. Za to można spokojnie pokazać przestrzelony jak sito kulami brzuch ofiary napadu – ale tylko do poziomu linii pępka – zmasakrowaną twarz lub przybliżenie pleców ofiary z nożem wepchniętym pod łopatkę. Im nóż głębiej, tym lepiej.

– Napije się pan? To nieprzeciętne wino. Madame Calmes prowadziła przed wojną winnicę – wyrwał go z zamyślenia głos Anglika. – To wino pochodzi z wyjątkowo dobrego rocznika, trzydziesty dziewiąty.

– Dobry rocznik, mówi pan? Trzydziesty dziewiąty, mówi pan? Jeśli pan to mówi o tym roczniku, to z przyjemnością się napiję.

Wypili pięć pełnych karafek wina; madame Calmes, która dołączyła do nich po pierwszej, rozrzedzała wino wodą. Faktycznie – pomyślał w pewnej chwili – Angol ma rację, rok trzydziesty dziewiąty był bardzo dobrym rokiem. Przynajmniej dla winogron.

Od połowy trzeciej karafki Herr Reuter chrapał, a pod koniec czwartej, pewnie z powodu ich coraz głośniejszych krzyków, nagle się obudził.

Stanął w wannie i jak mały chłopiec przebudzony ze snu przecierał oczy. Madame Calmes spokojnie dopiła swój kieliszek i nie odchodząc od stołu, powiedziała coś do niego ze śmiechem w głosie.

Zauważył, że nie był to ani francuski, ani niemiecki. Mimo to wszyscy wszystko zrozumieli. Z wyjątkiem niego. Pomyślał, że w Europie ludzie porozumiewają się ze sobą w każdym języku. Czuł się trochę jak wyobcowany analfabeta. Wobec madame Calmes, wobec tego angielskiego oficera i wobec jego adiutanta. Czuł się jak niedouczony służący. Wszyscy przy stole rozumieją, tylko on nie. Zastanawiał się, z czego to wynika. Skończył Princeton. Zupełnie niezła szkoła jak na Amerykę. Jedna z najlepszych w kraju. Ma niezły mózg. Był pracowity. Uczył się wszystkiego, co mu przykazano, i o wiele więcej, gdy jego zdaniem przykazano mu zbyt mało. To musi być Ameryka. Nikt nie motywował go do poznawania innych języków. Ani rodzice, ani szkoły, ani uniwersytet, ani potrzeba lub bodziec wynikające z zewnętrznego świata. Jeśli coś nie było przetłumaczone na angielski, to znaczyło, że nie było i nie jest ważne. Skupiona na sobie, zarozumiała w swojej wielkości i sile, traktująca świat wokół jako zapóźniony i nienadążający za postępem. Ameryka jest chorobliwie amerykocentryczna. Tak by to nazwał. Amerykańska elita udławiła się wielkością i aktualną potęgą Ameryki jak ością, która utknęła w jej gardle, i nie mogąc dobrze oddychać, trwa w tym stanie niedotlenienia mózgu. A naród? Naród paradoksalnie wywodzący się poprzez pradziadków, dziadków i ojców w większości z Europy traktuje tę Europę dokładnie tak, jak traktuje wyblakłe, sepiowe zdjęcia z rodzinnych albumów albo jak fotografie z wycieczki do historycznego parku narodowego. Ilez można oglądać fotografii ze skansenu? Po dziesiątej, maksymalnie po dwudziestej, jest się nimi szczerze znudzonym. Narodowi jest to, mówiąc po europejsku, *egal* – tego słowa zdążył się już przy końcu drugiej karafki wina rocznik trzydzieści dziewięć nauczyć – dopóki tylko na koncie z końcem miesiąca jest to, co ma być. A jest. Bo wojna szczodrze napędza koniunkturę, chociaż większość Amerykanów zapytana, co to jest „koniunktura", odpowiedziałaby, że to coś z architektury lub jakieś przekleństwo po francusku. Ameryce wystarczy, że elita wie, co to koniunktura. Jeśli elita orzeknie, że to po francusku przekleństwo, to naród w to uwierzy. Jeśli z kolei uzna, że to błogosławieństwo, to naród także w to uwierzy. Pomyślał właśnie, że powinien na kolanach podziękować Bogu, że Hitler urodził się w Austrii, a nie w Teksasie.

W Europie jest zupełnie inaczej. Mało kto wierzy elitom. Europejczycy nie znoszą elit tak samo mocno, jak nie cierpią plagi komarów latem nad jeziorem. To takie, jego zdaniem, historyczne obciążenie po rewolucji francuskiej. Bardzo lubił rewolucję francuską. Bardziej w sensie artystycznym niż historycznym. Miał z nią bardzo osobisty związek. Pisał z tego pracę dyplomową. *Obraz rewolucji francuskiej w obiektywie aparatu: prawdopodobne odtworzenie zapisu historii*. Niezwykle teatralny i przy tym nadzwyczaj fotogeniczny akt historii. Trzy kolory, trzy pięknie brzmiące nieprawdy na sztandarach, szubienice, gilotyny i półnaga kobieta o pięknych piersiach ze sterczącymi sutkami prowadząca ze sztandarem w dłoni rewolucjonistów ku ostatecznemu zwycięstwu równości, wolności i braterstwa. Dużo soczystej czerwieni i jeszcze więcej krwi. I do tego sąd ostateczny, jak to przy każdej rewolucji, pracujący na trzy zmiany. Każdego dnia. Tego nie można było przeoczyć. Namówił swojego kolegę, aby włożył perukę wypożyczoną w jednym z teatrów na Broadwayu. Miał wyglądać jak Danton, usiąść na tronie i jak Bóg rozstrzygać o winie i karze, kierując ludzi do nieba, czyśćca lub piekła. Kolega się zgodził, włożył perukę, usiadł na tronie z dębowego drewna i przed obiektywem kierował sądem ostatecznym na potrzeby jego pracy dyplomowej i fotografii. Zdjęcia były doskonałe. I technicznie, i artystycznie, ale, niestety, nie politycznie. Kolega, którego poprosił o pozowanie jako Danton, był trochę inny niż większość. Miał zespół Downa. Poza tym był taki sam jak każdy. Może oprócz tego, że żył na tyle długo, aby stać się jego przyjacielem w wieku dwudziestu czterech lat.

Promotor odmówił przyjęcia jego pracy. Danton z zespołem Downa mu nie przeszkadzał, wprost przeciwnie. Uważał, że wszyscy przywódcy rewolucji francuskiej to chorzy psychicznie maniacy, a zespół Downa przy ich chorobie to jak niegroźne przeziębienie. To było dla niego największym rozczarowaniem w całym tym wydarzeniu. Nie mógł pojąć, że profesor uniwersytetu – przedstawiciel amerykańskiej elity intelektualnej – nie potrafi zrozumieć, że to właśnie rewolucja francuska jako pierwsza zaproponowała model liberalnej demokracji, którą kopiowała nie tylko Europa, ale również skopiowała Ameryka. Natomiast skojarzenie Boga z zespołem Downa było dla pana profesora nie do zaakceptowania. A jemu przecież właśnie chodziło o Boga z zespołem Downa w trakcie Sądu Ostatecznego. To miała być „ta" wiadomość, którą chciał przekazać. Jego promotor zawsze powtarzał, że mają skupić się w swoich pracach na „tej" wiadomości opowiedzianej obrazem. Wyglądało na to, że jego „ta" wiadomość była o jedną wiadomość za daleko. Niedorozwinięty Bóg z zespołem Downa – jako symbol rechotu historii i zaprzeczenia istnienia niepodważalnych aksjomatów – rozstrzygający o winie i karze w trakcie sądu ostatecznego jakiejś jeśli nie całkiem „czerwonej", to przynajmniej mocno „różowej" rewolucji nie mieścił się w politycznej poprawności Ameryki szczycącej się na każdym kroku wolnością i prawem do wyrażania w nieskrępowany sposób „wszelkich" poglądów.

Wycofał tę pracę. W naiwnie młodzieńczym buncie nie zgodził się na żaden proponowany przez promotora kompromis. Napisał inną. Zrobił zupełnie inne fotografie. Zajął się, z przekory i dla zupełnego kontrastu – a trochę także, aby zdenerwować promotora – czymś zupełnie innym. Trywialnym i nieporównywalnie mniej ważnym. Zajął się zdumiewającą i nieprawdopodobnie wąską, w jego opinii, talią kultowej modelki Dorian Leigh, która zachwycała i do dzisiaj zachwyca swoją urodą ludzi w Ameryce i także poza nią. W przytulnej ciężarówce Billa, kierowcy, który go przywiózł do Luksemburga, wisiały wycinki z kolorowych magazynów z fotografiami Leigh. Postanowił zdemaskować w swojej pracy kunsztowne manipulacje fotografów z „Life'u" lub „Vogue'a", którzy specjalnymi metodami, naświetleniem, grą światła, metodą wywoływania w ciemni i podobnymi sztuczkami czynili z talii Leigh marzenie większości nastolatek i młodych kobiet w Ameryce. Ta praca była także w pewnym sensie niepoprawna politycznie. A nawet nielegalna. Fotografował panienkę Leigh bez jej pozwolenia. Śledził ją, podpatrywał w prywatnym życiu, robił zdjęcia z ukrycia. Ale to zupełnie nie przeszkadzało jego promotorowi.

W Europie, tak mu się nagle wydało, każdy jest elitarny. I madame Calmes, i Anglik, i jego adiutant, a nawet chrapiący jak niedźwiedź Herr Reuter. Pomyślał, że w Europie, w odróżnieniu od Ameryki, naród składa się z jednostek. I nie zmienia tego fakt, że w amerykańskiej konstytucji i wszelkich do niej dodatkach oraz poprawkach mówi się nieustannie o wyjątkowości jednostki i jej prawie do samostanowienia i szczęścia. Ameryka jest chyba jedynym krajem na świecie, gdzie prawo do szczęścia zapisane jest w konstytucji. W Ameryce są także jednostki. To prawda. Ale, jego zdaniem, tylko dwie. Za to bardzo duże. Elita i naród. Historia demokracji analizowana przez pijanego amerykańskiego fotografa w trakcie czwartej karafki wina wydała mu się nagle niezwykle prosta. Zastanawiał się tylko, czy on należy już do elity, czy ciągle jeszcze do narodu...

Tuż po jego myśli o skutkach wpływu rewolucji francuskiej na życie w Europie Herr Reuter wyszedł z wanny, wypiął na nich i na historię swoje nagie, ogromne, porośnięte włosami, blade pośladki, zdjął z półki nad kominkiem ręcznik i po chwili bez jednego słowa zniknął za drzwiami. Herr Reuter był z pewnością także elitarny – na swój sposób oczywiście – mając wszystko i wszystkich po prostu w dupie. Pomyślał w tym momencie, że to także jeden ze sposobów wyrażania swoich poglądów...

Gdy całe wino z piątej karafki znikło, madame Calmes także znikła. Po kwadransie wróciła i położyła na stole dwa klucze. Jasne było, że zupełnie pijany adiutant, który ledwo co kieruje swoimi nogami w drodze do toalety, nie będzie w stanie pokierować furgonetką. Tak też musiał pomyśleć adiutant, bo bez słowa zgarnął jeden z kluczy, próbował uśmiechnąć się do wszystkich na dobranoc, chociaż był już wczesny ranek, i natychmiast mocno chwiejącym się krokiem, potrącając wszystkie stoły po drodze, skierował się ku drzwiom prowadzącym do części hotelowej pensjonatu.

Madame Calmes w tym czasie – korzystając z imponującej językowej erudycji angielskiego oficera – wyjaśniła mu ustami Anglika, że będzie spał w ich najlepszym apartamencie na drugim piętrze. Łóżko poscielone jest satynową pościelą, w miednicy jest już nalana gorąca woda, dzban z zimną stoi na parapecie, mają, niestety, jedynie szare mydło, za co go przeprasza, piec jest już rozgrzany, o co zadbał Herr Reuter, w szafie jest dodatkowa pierzyna, gdyby pomimo to było mu zimno, śniadanie będzie dopiero od jedenastej, ponieważ, ze względu na wojnę, jedyną piekarnię w miasteczku otwierają dopiero około dziesiątej. Jeśli nie mógłby zasnąć, to na stoliku nocnym położyła mu kilka książek. Wszystkie, jakie po angielsku znalazła w komórce. Poza tym czasami, ale bardzo rzadko, w nocy po dachu wędruje ich kotka Collette. Gdyby obudziło go miauczenie i drapanie pazurami w jego okno, to może ją spokojnie wpuścić do środka i wypuścić drzwiami na korytarz. Gdyby zachciało mu się pić, to może zejść do salonu. Ona za chwilę przyniesie tutaj butelkę z wodą, albo nawet dwie, i napełni karafkę winem. Podłoży także drewna do kominka, aby nie zrobiło się zimno. W jego pokoju jest stary zegar z wahadłem. Niektórym gościom przeszkadza jego tykanie. Wystarczy tylko na chwilę zatrzymać wahadło, a tykanie natychmiast ustanie i czas się zatrzyma...

„Czas się zatrzyma...".

Zastanawiał się, czy naprawdę tak powiedziała, czy to tylko tłumaczenie Anglika. Musiała chyba tak powiedzieć. W tłumaczeniu przeważnie się traci, prawie nigdy cokolwiek dodaje. Zafrapowało go to zdanie. Większość książek, które przeczytał, pamięta tylko z jednego zdania. Czasami wydawało mu się, że to nie jest żaden przypadek i że autorzy piszą książki tylko po to, aby napisać to jedno jedyne zdanie. Ukryć je gdzieś w gąszczu tysiąca linii, zbudować wokół niego fabułę książki, podzielić ją na rozdziały i akapity, ale tak naprawdę napisać tylko to jedno zdanie. I je mozolnie objaśniać treścią rozpostartą na kilkuset stronach. I tylko przez to jedno zdanie te książki są ważne. On także zapełnia kilkanaście rolek filmu tylko dla jednego obrazu.

Ludzie z księgi jego życia także trwają w jego pamięci z powodu tylko jednego zdania, które kiedyś, może przypadkiem, może nieostrożnie i nieopatrznie, może w uniesieniu, może w chwilowej nienawiści lub złości, a może całkiem celowo, wypowiedzieli.

Słuchał, wpatrując się w usta madame Calmes. Jego matka także miała takie usta. Pogryzione bardziej zębami niż czasem. I takie same zmarszczki wokół oczu. Pomimo życia, które przeżyła, więcej było tych od uśmiechu niż tych od płaczu. Miała też tak samo błękitne, zawsze delikatnie zawilgocone, błyszczące w świetle oczy. I tak samo spracowane dłonie. I tak samo wypukłe linie żył prowadzące od nadgarstka w kierunku łokcia. I tak samo gęste siwe włosy zaczesywane gładko od czoła do tyłu. I to samo spojrzenie. I to zdanie: „W miednicy jest już nalana gorąca woda...". Prawie takie samo jak: „Stan, masz ciepłą wodę w wannie, wykąp się, pamiętaj, aby dokładnie wyszorować nogi, i nie wylewaj wody, Andrew wykąpie się po tobie, dlatego proszę cię, nie nasikaj do wanny. Przyjdę cię pocałować na dobranoc".

– Czy madame Calmes czymś pana uraziła? – zapytał Anglik, przerywając jego zamyślenie.

– Dlaczego sądzi pan, że uraziła?

– Płacze pan...

– Płaczę? – zapytał zmieszany, sięgając odruchowo po pusty kieliszek. – Może być, że płaczę. Ja czasami płaczę. Pan nigdy nie płacze?

Anglik także sięgnął w tym momencie po kieliszek. Także po pusty. Patrzyli na dno swoich kieliszków, aby nie widzieć siebie.

Wstał. Sięgnął po klucz. Podszedł do madame Calmes, skłonił się przed nią i wyszedł z salonu. Nauczy się kiedyś francuskiego i sam jej powie – pomyślał, wchodząc schodami na górę – wszystko to, co chciałby jej teraz powiedzieć. Sam jej to powie, bez pomocy tego przemądrzałego Angola...

Odnalazł swój pokój na drugim piętrze. Cicho przekręcił klucz i wszedł. Na parapecie okna wbudowanego w poddasze w szklanej obudowie po lampie naftowej migotała świeca. Poczuł zapach lawendy. Woda w miednicy ciągle była ciepła. Zanurzył głowę. Nie rozbierając się, rzucił się na łóżko. Liczył tyknięcia zegara. Nie zatrzymam czasu – pomyślał – jeszcze nie teraz, może innym razem. Uśmiechnął się do siebie, przypominając sobie wilgotne oczy madame Calmes. Po krótkiej chwili zasnął.

Obudził go dziwny dźwięk. Odruchowo wysunął rękę w kierunku budzika. W tym momencie coś dużego upadło na podłogę.

– Śpij, Doris, to tylko ten głupi budzik, zapomniałem go wyrzucić, śpij, kochanie – wyszeptał.

Podniósł się i usiadł na skraju łóżka. Przetarł oczy i spojrzał na podłogę przy łóżku. Wycięty prostokątem okna snop światła padał na leżącą w nieładzie stertę książek. „Wszystkie, jakie po angielsku znalazłam w komórce"... – przypomniał sobie słowa staruszki. Dźwięk nie ustawał. Odwrócił głowę i spojrzał w kierunku okna. Rudawy, wyliniały kot bez jednego ucha drapał pazurami po szybie. To musi być Collette! – pomyślał. Odemknął okno. Usłyszał miauknięcie i natychmiast poczuł na twarzy smagnięcie mokrej od śniegu sierści. Wrócił pośpiesznie do łóżka. Chciał dalej śnić...

Czuł pragnienie. Zanurzył głowę w miednicy. Z zamarzniętej fontanny tryskały cienkie płatki lodu. Wprost do jego ust. Cudownie zimne. Pachniały lawendą, cynamonem i różanymi perfumami. Collette razem z Mefistem siedzieli na radiu i kiwali głowami. Po chwili Doris wiozła go taksówką na wojnę. Przejeżdżali przez zupełnie pusty Brooklyn Bridge. W radiu przez kilka minut przemawiał Hitler. Spoglądał przez szybę samochodu. Obok nich przez cały czas biegł koń. Patrzył na niego oczami angielskiego oficera. Doris zatrzymała samochód tuż przy drzwiach windy. Na marmurowej podłodze windy stał zegar z wahadłem i tykał jak bomba zegarowa. W odbiciu lustra dotykał nagich pleców i pośladków Doris. Stał za nią i wychylał się, próbując zbliżyć usta do jej szyi. Za każdym razem uderzał czołem w szkło. Ślad szminki na lustrze poruszał się i mówił: „Kupię dla nas masło...". Nagle zegar przestał tykać. Zrobiło się zupełnie cicho. Po chwili usłyszał pukanie do drzwi windy…

Luksemburg, wczesny ranek, poniedziałek, 26 lutego 1945 roku

Obudził się. Pukanie nie ustawało. Collette drapała drzwi i podskakiwała do klamki. Wstał z łóżka i podszedł do drzwi. Przekręcił klucz. Gdy tylko odemknął drzwi, Collette natychmiast czmychnęła na korytarz.

– Czy zechciałby pan zejść na śniadanie? Minęło południe. Chcielibyśmy około czternastej wyruszyć do miasta – powiedział angielski oficer, uśmiechając się do niego przyjaźnie. – Madame Calmes przygotowuje jajecznicę na pomidorach i boczku, to prawdziwy rarytas i specjalność tego domu, zapewniam pana.

– Do jakiego miasta? – zapytał nerwowo.

– Do Luksemburga. Chciał pan przecież wywołać zdjęcia. Obawiam się, że jedyna możliwość w dzisiejszych okolicznościach to Luksemburg.

– Jesteśmy przecież w Luksemburgu, prawda? Albo mi się coś pokręciło? Ostatnio codziennie jestem w innym kraju…

– Jesteśmy – zaśmiał się Anglik – miałem na myśli stolicę tego kraju. Nazywa się także Luksemburg. Zechce pan zejść do salonu czy mamy nie czekać? Nie chcielibyśmy zasiąść do posiłku bez pana…

– Jasne, że zejdę. Ale najpierw chyba wypiję całą wodę z miednicy. Trochę dużo wina było dzisiejszej nocy – odparł z uśmiechem. – Będę za minutę na dole.

Nie mógł sobie przypomnieć, kiedy ostatni raz ktoś w jego obecności nazwał śniadanie „posiłkiem". Zabrzmiało to tak jakoś dostojnie i elegancko. Śniadania to on zjada czasami, w niedzielę rano i tylko wtedy, gdy zostaje u niego kobieta. Poza tym przełyka tylko przeważnie przypalonego tosta z dżemem i popija kawą. I to w trakcie golenia. Ale okay. To także w gruncie rzeczy można nazwać posiłkiem. Albo angielski tak bardzo różni się od amerykańskiego, albo ten Anglik jest z natury krasomówcą. To byłoby wyjątkowe. Większość żołnierzy, z którymi się zetknął w życiu, była raczej tego zupełnym przeciwieństwem.

W każdym razie fakt, że nie chcą rozpocząć „posiłku" bez niego, był bardzo miły. Miał tylko nadzieję, że nie będą modlić się przed posiłkiem. Nie znał żadnej modlitwy. W żadnym języku. Nawet po angielsku. Nie uważał, że Bóg jest światu do czegokolwiek potrzebny. Jeśli nawet go stworzył – jego przemądrzały braciszek Andrew tłumaczył mu kiedyś, że to mało prawdopodobna opcja z punktu widzenia nauki – i istnieje, to Ziemia i ludzie na niej i tak Go nie obchodzą. Wszystko i tak toczy się tutaj bez Niego...

Opłukał wodą twarz. Wyszorował zęby, narzucił marynarkę, rozprowadził na szyi kilka kropel wody kolońskiej i szybko zbiegł schodami na dół. Salon pachniał dokładnie tak jak jego ulubiona francuska piekarnia na rogu Madison Avenue i Czterdziestej Ósmej Ulicy. To nie była zwyczajna piekarnia...

Gdy przechodziło się obok niej, to zawsze miało się ochotę na śniadanie. Nawet o północy. Właściciel piekarni musiał o tym wiedzieć, ponieważ serwował śniadania przez całą dobę. Nowy Jork jest pełen nienormalnych ludzi, którzy zmuszeni okolicznościami odwrócili do góry nogami schemat swojej doby, żyją i pracują nocą, sypiają w dzień, a śniadania jadają na kolacje. Nie było więc w tym nic dziwnego. On sam czasami, gdy z powodu pracy zostawał na noc w redakcji i dopadał go nieodparty głód, dzwonił do tej piekarni i zamawiał swoje ulubione croissanty z pikantnym serem topionym i dżemem malinowym. Zazwyczaj już po kilkunastu minutach brzęczał dzwonek przy recepcji, on zjeżdżał windą na dół i odbierał zamówienie.

Którejś nocy, niecały rok temu, papierową torebkę z ciepłymi croissantami przyniosła Jacqlin, córka właściciela piekarni. Czasami, ale tylko w soboty lub niedziele, widywał ją za ladą sklepu jej ojca. Trudno było jej nie zapamiętać. Szczególnie gdy było się mężczyzną. Stojąc za stolikiem w rogu piekarni, popijał kawę, przełykał swoje śniadanie i wpatrując się w nią, zastanawiał się, jaki to skończony dureń pozwolił jej wyjść o tej porze ze swojego łóżka.

Pamięta, że tamtej nocy w kilka minut po jego telefonie do piekarni zaczął padać rzęsisty, pierwszy tego roku wiosenny deszcz. Dziewczyna była przemoczona do suchej nitki. Zaprosił ją na górę do swojego biura, przyniósł kubek gorącej herbaty z cytryną, znalazł jakiś świeży ręcznik w toalecie, posadził ją na krześle i stojąc za nią, wycierał jej mokre, błyszczące, długie do wysokości talii, czarne włosy. Potem uklęknął przed nią i próbował zdjąć ze stóp przemoczone buty. Pamięta, że gdy tylko dotknął jej stopy, gwałtownie wyrwała mu z rąk swoją nogę.

Jacqlin mówiła biegle po angielsku z francuskim akcentem. Nie ma – jego zdaniem – piękniejszej wersji angielskiego niż ta mówiona z nienaganną poprawnością i jednocześnie z francuskim akcentem. A szczególnie gdy mówi takim angielskim kobieta, i jeszcze bardziej szczególnie, gdy słowa wydostają się spomiędzy takich warg, jakie miała Jacqlin.

Studiowała literaturę w nowojorskim Queens College, miała dwadzieścia trzy lata, interesowała się malarstwem, grała na fortepianie i fascynowała ją astronomia. Miała subtelną orientalną urodę misternie ozdobioną słowiańskimi dodatkami. Wypukłe policzki, granatowe oczy, wysokie czoło, delikatnie zadarty mały nos, duże piersi. Jej ojciec z Algierii przez Maroko dotarł do Gibraltaru, stamtąd do Hiszpanii, a potem przedostał się do Lyonu we Francji. Tam poznał jej matkę, rozwiedzioną emigrantkę z Rosji. Potem urodziła się ona i gdy miała cztery lata, rodzice wyemigrowali z Lyonu do Stanów. Była muzułmanką. Tak jak jej ojciec i także matka, która będąc rosyjską Żydówką, stała się muzułmanką „wyłącznie z miłości do ojca".

Pokazał jej kilka fotografii swoich obrazów. Chyba to właśnie Jacqlin, poza Andrew, odważył się zdradzić swoją największą tajemnicę i powiedzieć, że maluje. To dość typowe. Bardzo często przygodnym ludziom, w pociągu lub autobusie, opowiadamy rzeczy, które nigdy nie przeszłyby nam przez gardło, gdyby ci ludzie nie byli właśnie przygodni. Anonimowi, nieznani, tacy na bezpiecznie krótką chwilę – tylko do następnego przystanku lub do następnej stacji – obecni w naszym życiu.

Potem razem jedli croissanty. On opowiadał jej o swojej pracy, a ona o swoich marzeniach. Gdy wyschły jej włosy, odwiózł ją samochodem do domu.

Kilka dni później znowu został do późnej nocy w biurze. I znowu poczuł głód. Na dole przed budynkiem z torebką w ręku stała Jacqlin. Weszli na górę. Poszedł po świeżą kawę do kuchni. Gdy wrócił, Jacqlin siedziała na krześle za jego biurkiem i miała mokre włosy.

– Osuszysz mi je? Tak jak ostatnio? – zapytała, rozpinając guziki bluzki.

Postawił kubki z kawą na parapecie okna. Sięgnął po wyłącznik lampy na biurku. Zatrzymała po drodze jego rękę.

– Zostaw światło, chcę wszystko widzieć... – szepnęła.

Następnego dnia Liza, jego sekretarka, zadzwoniła do niego, gdy tylko pojawił się w redakcji. Niestety, jak się okazało, pojawił się o wiele za późno.

– Stanley, jak się masz? To chyba była jedna z tych twoich szaleńczo pracowitych nocy, prawda? Twoje biurko jest czyste i gładkie jak lodowisko przed Rockefeller Center. Pracowałeś chyba tej nocy na kolanach i na podłodze? Żarówka twojej lampy wypaliła krater w podłodze, ale na całe szczęście nie zapaliła papierów. Straciłbyś kilka naprawdę dobrych fotografii. Tak powiedział Arthur. Dwa zdjęcia zabrał ze sobą. To tak dla ostrzeżenia, gdybyś ich szukał. Arthur był, niestety, dzisiaj w bazie przede mną. Nie zdążyłam więc zebrać niczego z podłogi i odtworzyć twojego normalnego bałaganu na biurku. I, niestety, nasz lizus, Casanova sportowiec, Mathew, był jak zwykle przed Arthurem. Przywołał tę rozpustną praktykantkę z księgowości, tę blondynę, co przychodzi do pracy bez pończoch, i razem szukali na powierzchni twojego biurka... płynów ustrojowych. Tak to nazwał ten zboczony popapraniec. Musieli chyba coś znaleźć, bo ta idiotka zachowywała się tak, jak gdyby chciała wziąć Mathew na twoim biurku.

– Liza, jakie moje kłamstwo chciałabyś teraz usłyszeć? – zapytał zmieszany, zagryzając nerwowo wargi.

– Żadnego, Stanley, żadnego. Chciałabym cię tutaj mieć na zawsze. Jeśli ty stąd odejdziesz, to ja także sprzątnę swoje biurko. Dlatego proszę cię, gdy, powiedzmy, pracujesz w nocy, no to, powiedzmy, nie sprzątaj tak dokładnie biurka albo, powiedzmy, pracuj raczej na podłodze.

– Dziękuję ci, Liza. Będę pamiętał – odpowiedział, odkładając słuchawkę.

Pomyślał, że gdyby był niewidomy i poznał Lizę na jakiejś randce w ciemno, takiej randce w zupełne ciemno, dla zupełnie niewidomych, to oświadczyłby się jej jeszcze tego samego wieczoru.

Po chwili, czego się spodziewał, zadzwonił Arthur. Odruchowo sięgnął po papierosa tlącego się w popielniczce.

– Stanley, przechodziłem dzisiaj obok twojego biura i na podłodze, zupełnym przypadkiem, znalazłem dwa fotograficzne arcydzieła. Walały się obok twojego portfela i grzebienia. Nigdy nie sądziłem, że ty używasz grzebienia, zawsze wyglądasz, jak gdybyś dopiero co wstał z łóżka. Ale poza tym masz talent, chłopcze. Dajmy je na pierwszą stronę. Oba. Niech Liza wycofa wszystko inne. Tylko te dwa twoje. Nic więcej.

– Zaraz dam jej znać, Arthurze – odpowiedział z ulgą w głosie.

– Stanley, a teraz tak zupełnie na marginesie, proszę cię, nie spal mi stodoły. To wszystko, co mam. Możesz oczywiście to robić także na biurku „Timesa", ale następnym razem rób to tak jak większość Amerykanów, przy zgaszonym świetle.

– Arthur, pozwól, że ci wytłumaczę, ta lampa zsunęła...

Usłyszał długi sygnał w słuchawce. Sięgnął po następnego papierosa.

Ta nieszczęsna lampa – przypominał sobie – naprawdę zsunęła się przez nieuwagę. Zrzucił na podłogę wszystko ze swojego biurka. To fakt. Wszystko z wyjątkiem lampy. Mieli przecież „wszystko widzieć". Gdy już naga Jacqlin leżała pod nim na biurku, musieli jakoś potrącić tę lampę. On tego zupełnie nie zauważył. Potem, gdy zaczynał się zapominać, Jacqlin go nagle zatrzymała. Nie rozumiał przez chwilę. Szepnęła mu do ucha, że „nie tam, tam nie, gdzie indziej, tam także będzie ci dobrze, jestem muzułmanką...", a potem, gdy już przestał drżeć i leżał przytulony do niej, zadziwiony tym, co – pierwszy raz w jego życiu – się wydarzyło, ona spojrzała w pewnym momencie na zegarek, ubrała się w największym pośpiechu i z paniką w głosie poprosiła go, aby natychmiast odwiózł ją do domu.

Odwoził ją tak do połowy grudnia. Ale najpierw stał się jeszcze bardziej nienormalny niż ci nienormalni mieszkańcy tego zwariowanego miasta. Musiał pracować w dzień i nie chciał sypiać w nocy. Zaczął jadać dwa śniadania, jedno podczas golenia w łazience, drugie po północy. W międzyczasie nie jadał nic innego. Czekał, aż ostatnia osoba opuści redakcję, zaraz potem dzwonił do piekarni i zamawiał „to co zawsze". Następnie wcale nie głodny, ale wygłodniały jej obecności nie słuchał, ale wsłuchiwał się w nią, patrząc łapczywie na nią, gdy rozmawiali o malarstwie, o astronomii, o fotografowaniu, o książkach, o jej religii, o jej przekonaniach, o jej poczuciu zniewolenia religijnym i honorowym kodeksem tradycji, w której wprawdzie wyrastała, ale z którą – żyjąc od urodzenia w innych kulturach – nie potrafiła się utożsamić. Nigdy nie mógł tak do końca nasycić się rozmową z nią. Ona chyba także nie, ale była bardziej zorganizowana i nieustannie spoglądała na zegarek. W pewnym momencie – cały czas kontynuując rozpoczęty wątek ich rozmowy – zaczynała się rozbierać. Tym, co działo się potem, także nie mógł się nasycić.

Jako muzułmance nie wolno jej było być sam na sam z mężczyzną, który nie był jej ojcem, bratem lub kimś innym z wąskiego kręgu najbliższej rodziny. Dla jej ojca i brata on nie był – póki co – mężczyzną. Był tylko stałym klientem płacącym bardzo wysokie napiwki, a ona te napiwki odbierała i wracała z nimi do domu. Ale przed tym biegła jak oszalała do niego z papierową torebką w dłoni, odbierał ją zdyszaną na dole, natychmiast za drzwiami zaczynali swój krótki czas i kończyli go w jego samochodzie, gdy gnając jak szalony, docierał na róg Madison Avenue i Czterdziestej Ósmej Ulicy. Ale to wszystko, co działo się w tym podarowanym mu przez Jacqlin pensum czasu, było magiczne i warte każdego szaleństwa.

Nigdy nie zgodziła się przyjść do jego mieszkania, nigdy nie był z nią na żadnym spacerze, nigdy w kinie i nigdy w restauracji. Podobnie jak nigdy nie odważyli się pokazać razem światu. Nigdy też nie przyjęła od niego kwiatów. Dotykała z czułością tych, które jej darował, wąchała i przytulała do siebie, ale nigdy tak naprawdę ich nie przyjęła. On doskonale wiedział, jak kobiety przyjmują kwiaty od niego. I tak naprawdę nigdy nie była jego kobietą. Przynosiła tylko w papierowych torebkach zamówione przez niego croissanty i tak – przy okazji – zatrzymywała się w jego życiu. Na chwilę. Jak pomiędzy stacjami.

Szesnastego grudnia, w jej urodziny, na dole przed budynkiem odebrał swoją ostatnią papierową torebkę. Od jej brata. Był bardzo podobny do Jacqlin. Miał także bardzo podobny do niej głos. I to samo przenikliwe, pełne ciekawości świata spojrzenie. Na pachnącej różanymi perfumami serwetce, którą znalazł na dnie torebki, napisała do niego: „Za dwa tygodnie wychodzę za mąż, to dobry człowiek. Kiedyś go polubię. Jacqlin. PS Wczoraj najpierw zmoczyłam, a potem obcięłam włosy. Nigdy, przenigdy ich nie dotknie...".

– *Bonjour, madame Calmes, guten Morgen, Herr Reuter, good morning, gentlemen!* – wykrzyknął pogodnie, podchodząc do stołu.

Madame Calmes wykładała do wiklinowego koszyka parujące croissanty, Herr Reuter drapał za uszami siedzącą na jego kolanach Collette, angielski oficer siedział wyprostowany na krześle jak przestraszony tłumacz podczas konferencji w Jałcie – gdyby można siedzieć na baczność, to Anglik właśnie tak siedział – młody adiutant wyglądał tak, jak gdyby w jego miednicy było za mało wody.

Zasiadł do posiłku. Nikt nie złożył rąk do modlitwy. Wszyscy natomiast natychmiast wyciągnęli ręce w kierunku porcelanowej miski z jajecznicą. Spoglądał kątem oka na madame Calmes. Jego matka miała dokładnie ten sam błysk radości w oczach, gdy z Andrew wyciągali na wyścigi ręce do parującej miski na stole. Gdy zdarzało się, że w misce było za mało, to ich matka nie jadła. Zawsze tak pięknie kłamała, że „nie ma dzisiaj apetytu". Ojciec zawsze miał apetyt. I miał najdłuższe ręce...

Nie wyruszyli przed czternastą, tak jak to planował Anglik. Ku jego zadowoleniu, ponieważ nie znalazł żadnego powodu, aby się gdziekolwiek śpieszyć. Pomyślał, że swoje zdjęcia może przecież wywołać także jutro. Ten jeden dzień opóźnienia nie grał w kontekście jego misji tutaj żadnej roli. On nie był jednym z tych licznych korespondentów wojennych, którzy wędrowali jak historycy za armią i mieli relacjonować Ameryce zwycięstwa „swoich chłopców". Arthur chciał i oczekiwał od niego – jak wynikało z listu, który przekazał mu wraz z pieniędzmi w kopercie – czegoś innego. Chciał pokazać codzienność wojny w Europie oczami mieszkających tutaj ludzi. Dość miał oficjalnego, mocno wyidealizowanego, amerykańskiego spojrzenia na wojnę. Tego z pierwszych stron gazet, także z pierwszej strony „Timesa". Druga wojna światowa, gdyby tylko ograniczyć się do tych zdjęć, nie była wojną, która mogła budzić kontrowersje. Przez cały czas jej trwania utrzymywał się u Amerykanów bardzo wysoki poziom uczuć patriotycznych. Cenzura wraz z patriotyzmem spowodowały, że w amerykańskich gazetach drukowano zdjęcia i reportaże o wyłącznie pozytywnym wydźwięku. Arthur się z tym stanowczo nie zgadzał. Uważał, że jest to oszukańcza i w efekcie szkodliwa praktyka. Podobnie jak na przykład redaktor naczelny magazynu „Life" lub „National Geographic" walczył o możliwość wysłania swoich własnych, niezależnych fotoreporterów w sam środek walk, zamiast korzystać z fotografii udostępnianych przez wojsko i tym samym automatycznie akceptowanych przez rządowe agencje fotograficzne. Arthur miał dosyć tej cenzury i aprobowanych przez te agencje zdjęć. Doskonale wiedział, że docierają do nich także inne. Jak na przykład te opublikowane przez czysty przypadek „wpadki" – politycznie oczywiście niewłaściwe – ukazujące dostatni przedwojenny Berlin pod rządami nazistów. Dostatniejszy niż przedwojenny Nowy Jork. W końcu udało mu się przekonać lub, co jest bardziej prawdopodobne, skorumpować kogoś ważnego w Departamencie Stanu w Waszyngtonie i takim oto sposobem Arthur miał wszelkie podstawy i wszelkie uprawnienia, aby zadzwonić do niego tej specjalnej nocy, gdy pierwszy raz spał z Doris. Zadzwonił, przekonał i wysłał go „na wojnę".

Arthur nie chciał niczego więcej o armiach, batalionach, korpusach, dywizjach, frontach, uderzeniach, odpartych atakach, przegrupowaniach, zgrupowaniach, przekroczonych rzekach, operacjach, bitwach, punktach oporu, kwaterach głównych i mniej głównych, przyczółkach i innych tego rodzaju faktach. Tych miał wystarczająco dużo. Arthur chciał pokazać prawdziwą codzienność wojny, która dla Amerykanów obserwujących ją z bardzo wygodnego oddalenia była trudna do wyobrażenia i dlatego mogła być – znał Arthura i przyjaźniąc się z nim, doskonale wiedział, że jest on dziennikarzem z nieomylną intuicją – interesująca. Arthur chciał pokazać codzienność wojny, jej okrucieństwo, jej bezsens, ogrom cierpienia, które zsyła na ludzi, ale nie chciał przy tym pouczać tanią, chwytliwą martyrologią. Arthur bowiem, chociażby z racji swojego wieku i żydowskiego pochodzenia, wiedział, że wojna to nie tylko życie w jednym ogromnym okopie, że nawet w czasie wojny kwitną kwiaty, zbiera się poziomki w lesie, pięknie zachodzi słońce, ludzie się kochają i snują plany na przyszłość. Przeżywają to oczywiście wszystko inaczej niż w trakcie pokoju. Głównie z powodu wszechobecnej śmierci. Dotyczy ona wszystkich, niezależnie od wieku. Śmierć przestaje w trakcie wojny dotyczyć tylko starców, ceremonii pogrzebów, wypadków drogowych i morderstw. Śmierć to już nie tylko nekrologi w gazetach i przyklejone biało-czarne kartki z nazwiskami na ścianach kościołów i murach domów. Śmierć w czasach wojny przestaje być uparcie przemilczanym tabu. O śmierci się śni, myśli i o śmierci się rozmawia. Wkalkulowuje się jej prawdopodobieństwo we wszystkie swoje plany. Rzadko świadomie, ale z największą pewnością podświadomie. W czasie wojny nie chodzi się do banku, aby zostawić tam pieniądze na procent i – paradoksalnie – nie spisuje testamentów. Nikt po prostu nie wierzy, że jakiekolwiek papiery, nawet te z dostojnymi czerwonymi pieczątkami i wyćwiczonymi, wykwintnymi podpisami, mogą mieć w przyszłości jakieś znaczenie. Głównie ze względu na brak pewności co do tego, jak długa będzie ta przyszłość. W czasie wojny młode kobiety nie czynią sobie obietnic dochowania czystości do ślubu – chyba że ten ślub ma się odbyć już następnego dnia – ponieważ podświadomie zdają sobie sprawę z tego, że młodzi mężczyźni mogą postanowić, iż nie mają czasu na czekanie do ślubu. Mężczyźni z kolei, co wynika z ich natury, nigdy – ani w czasie wojny, ani w czasie pokoju, nawet gdy mają dużo czasu przed sobą – zupełnie nie mają ochoty czekać, tym bardziej aż do ślubu. Kobiety zresztą – przynajmniej te, które spotkał dotychczas – także nie...

Myślał o tym wszystkim podczas późnego śniadania, w poniedziałek, 26 lutego 1945 roku, po południu, w salonie pensjonatu madame Calmes, gdzieś w wyzwolonym dziesięć dni temu Luksemburgu. Trudno było mu uwierzyć, że to była ta „codzienność" wojny. Dlatego chciał jak najwięcej dowiedzieć się o innych śniadaniach w tym salonie. W pewnym momencie zauważył, że Anglik zaczął wykazywać zmęczenie. To było zrozumiałe. Nieustannie tłumaczył jego pytania, a następnie odpowiedzi madame Calmes. On chciał dowiedzieć się wszystkiego o wojnie widzianej oczami madame Calmes, a ona chciała mu o niej opowiedzieć. To całe tłumaczenie w dwie strony trwało bardzo długo. Biedny, wyraźnie znudzony adiutant zjadł w tym czasie wszystko, co znalazł na półmiskach, ale za to, gdy żegnał się z madame Calmes, zdawał się być wypoczęty i rześki.

Gdy wsiadali do furgonetki, zapadał zmrok. Sypał śnieg. Herr Reuter wyglądał przez okno, Collette siedziała na parapecie obok niego i gryzła liście fikusa, madame Calmes stała na progu i nerwowo poprawiała chustkę na głowie. Jego matka także nosiła taką chustkę, zawsze gdy w domu pojawiali się obcy lub gdy wydarzało się coś szczególnego.

W pewnej chwili madame Calmes odwróciła się i zniknęła za drzwiami domu. Adiutant zatrzymał gwałtownie auto. Anglik zdawał się niczego nie rozumieć. Za minutę wróciła i podbiegła do samochodu. Adiutant wyskoczył z szoferki i rozsunął drzwi furgonetki. Staruszka wsunęła głowę do środka auta i bez słowa wepchnęła mu do ręki płócienną torbę. Po chwili odjechali.

– Dziękuję panu – powiedział, wychylając się z tylnego siedzenia do adiutanta i dotykając jego ramienia – bardzo panu dziękuję.

Jechali krętymi, wąskimi leśnymi drogami. Czasami tak wąskimi, że gałęzie drzew rosnących po obu stronach omiatały przednią szybę zasypywaną płatkami mokrego śniegu. Często się zdarzało, że droga nagle się kończyła. Najczęściej przecinającym ją w poprzek rowem lub zaporą z połamanych drzew. Wtedy adiutant wjeżdżał po prostu do lasu, przedzierał się pomiędzy krzakami i drzewami, wracając na drogę za przeszkodą.

Anglik siedział milczący z głową przyklejoną do okna furgonetki, odseparowany od niego dużą, skórzaną, prostokątną torbą.

– Poczęstuje mnie pan papierosem? – zapytał w pewnej chwili.

– Ależ oczywiście, bardzo pana przepraszam, myślałem, że pan nie pali. – Sięgnął pośpiesznie do kieszeni marynarki i wysunął rękę w jego kierunku.

– Czy pan ma jakieś słowiańskie korzenie w swojej biografii? – zapytał Anglik, wkładając papierosa do ust.

– Dlaczego pan pyta?

– Tak jakoś mi się skojarzyło. Tylko Słowianie zazwyczaj podają całą paczkę papierosów, tak jak pan to przed chwilą zrobił, Amerykanie wyciągają z paczki jednego papierosa i podają go, trzymając palcami za ustnik, Holendrzy zazwyczaj kłamią, że mają ostatniego papierosa, a Anglicy udają, że nie dosłyszeli pytania. Francuzi są uczciwi, przeważnie, zgodnie z prawdą, przyznają, że nie mają już papierosów i chętnie by także zapalili, Włosi i Hiszpanie wyciągną papierosa spomiędzy warg i pozwolą się zaciągnąć. Rosjanie, spotkałem ich wielu w pana mieście, w Nowym Jorku, podadzą całą paczkę tak jak Słowianie, a gdy nie będą mieli papierosów, to pójdą dla pana szukać, ale tylko wśród swoich...

– A Niemcy?

– Niemcy?! Obawiam się, że nie mam pewności, ale sądzę, że poczęstują papierosem. To bardzo poprawny naród. Jeśli jest to umieszczone w jakimś przepisie lub prawie, to przed egzekucją z pewnością poczęstują. Potem zaksięgują tego papierosa w rubryce „egzekucje" po stronie „winien" albo po stronie „ma", zawsze mi się to myli, bo nie jestem Niemcem. Im się nigdy nie myli.

– Chciałby pan ich, to znaczy Niemców, wszystkich zabić? Gdyby pan, załóżmy, mógł?

– Czy da mi pan jeszcze jednego papierosa? – zapytał nerwowo. – Pan cholernie teraz wszystko tym pytaniem, obawiam się, prymitywnie upraszcza. Doskonale wiem, że to celowe. Pan nie jest taki. Pan jest inny. Inaczej stara Calmes nie podałaby panu ryżu z cynamonem i cukrem. Nawet pan tego nie zauważył, prawda? Ale ja tak i Herr Reuter również. Zauważył pan, że Reuter natychmiast wstał i wyszedł z salonu? Mógł pan to zobaczyć, ale nie mógł pan tego z niczym skojarzyć. To oczywiste – dodał. – Stara Calmes zawsze gotowała ryż z cynamonem i cukrem tylko dla swojego syna, kiedy przyjeżdżał do niej z wizytą z Brukseli. Swojego jedynego syna. Był dziennikarzem, podobnie jak pan, jednej z belgijskich gazet. W rok po wybuchu wojny wysłali go jako korespondenta do Anglii. Czternastego listopada 1940 roku zginął w Coventry podczas bombardowania. Niemcy tamtego dnia zrównali Coventry z ziemią. Ale to pan wie. Pana „Times" także o tym pisał. Ale wracając do pana pytania – powiedział, odwracając głowę w jego kierunku – ma pan teraz siebie na myśli? Pan chce to wiedzieć dla siebie, prawda? Nie dla jakiejś gazety, prawda?

– Dla jakiejś gazety z pewnością nie. Jeśli już, to tylko dla jednej. Mojej. To nie jest „jakaś" gazeta. Inaczej nie pracowałbym tam i nigdy nie ruszyłbym swojej dupy z Nowego Jorku, aby być tutaj z panem. Chcę to wiedzieć tym razem głównie dla siebie. Ma pan rację. Chcę wiedzieć, czy zabiłby pan, mając taką możliwość, wszystkich Niemców, pan, jako brytyjski oficer żydowskiego pochodzenia. To wszystko...

– Wie pan co – odparł Anglik, zaciągając się papierosem – proszę mi wybaczyć, ale zadał mi pan pytanie jak dziennikarz z brukowca. Mam tylko dwie możliwości, tak jak w tych gazetach, czerń albo biel. Żadnych odcieni szarości pośrodku. Na tym chyba polega fenomen popularności tych gazet. Tak albo nie, w jednym zdaniu przeczytanym pod obrazkiem w toalecie. Nie dość, że się człowiek, proszę wybaczyć wulgaryzm, wysrał, to nabył przy tym na dodatek, bez żadnego wysiłku, konkretnej wiedzy o świecie. Najczęściej tej, którą i tak już miał i która dokładnie odpowiada jego przekonaniom. A przekonanie jest jedno: Żyd musi chcieć w obecnej sytuacji udusić gołymi rękami wszystkich Niemców. To jest, kurwa, oczywiste. Gdyby było się Żydem, to także by się chciało. Spuszcza się wodę, wyrzuca szmatławca do kosza, zapomina umyć ręce i wychodzi się z kibla z ulgą w podbrzuszu i ze zrozumiałym oraz jedynie słusznym, chociaż tylko tymczasowym, poparciem dla Żydów. Może nawet nie dla Żydów, ale z pewnością dla ich prawa do odwetu. Ale to nie tak! Ja nie mogę dać krótkiej odpowiedzi pod zdjęcie. Moja żona jest z Hamburga. Czysta, Niemcy nazwaliby to rasowo czysta, nieskażona żadną obcą krwią Niemka. Najbardziej dobry człowiek, jakiego znam. Nie – najlepszy. To byłoby za mało. Najbardziej dobry. Właśnie tak. Krótko mówiąc, nie zabiłbym żadnego Niemca tylko z zemsty. Nie noszę w sobie uczucia zemsty. I nienawiści także. To prawda, że większość ludzi lubi nienawidzić. Ludzie, którzy nienawidzą, uważają się za osoby o niezłomnych i wyraźnych poglądach. Ale ja nie należę do nich. Chyba to chciał pan wiedzieć, prawda? – zapytał, odwracając głowę w jego kierunku.

Słuchał go w milczeniu, rozgryzając nerwowo okruchy tytoniu między zębami. Anglik miał rację. Dokładnie o to chciał go zapytać. O nienawiść i o uczucie pragnienia zemsty. Ale wcale nie oczekiwał krótkiej, prostej odpowiedzi. Może to tak zabrzmiało, ale nie spodziewał się od niego odpowiedzi „tak" lub „nie". Bardziej interesowało go, dlaczego „tak" albo dlaczego „nie".

– Tak, właśnie o to, ale nie chciałem pana urazić tym pytaniem – odparł spokojnie.

Anglik się uśmiechnął.

– Nie uraził mnie pan. Szczerze mówiąc, jestem panu za nie wdzięczny. Nigdy wcześniej nie zastanawiałem się nad tym. Nie zostałem żołnierzem, aby zabijać, bardziej interesuje mnie, dlaczego żołnierze zabijają... A teraz, jeśli pan pozwoli, zupełnie zmieniając temat. Za godzinę, gdy nic nieprzewidzianego się nie wydarzy, powinniśmy dotrzeć do miasta. Ustaliłem, że przekażę pana jakiemuś oficerowi od propagandy, Amerykaninowi, w Bonnevoie. To dzielnica Luksemburga w południowo-wschodniej części miasta. Rozlokowali się tam na kwaterach oficerowie ze sztabu Pattona. Będzie tam pan wśród swoich. To spokojny i prawie zupełnie niezniszczony fragment miasta.

Zwracając się do adiutanta, powiedział:

– Martin, pojedziemy do północnego Bonnevoie. Powiem ci dokładnie, gdzie się zatrzymasz, gdy już tam dotrzemy.

Przez kilkanaście minut jechali w milczeniu. Czuł rodzaj rozczarowania i zniecierpliwienia. Odkąd wsiadł do samolotu w Newark, nie ma praktycznie żadnej kontroli nad swoim życiem. Nie znosił tego. Póki co przemieszcza się po ścieżkach, które ktoś za niego wybiera. Z jednej strony było to uzasadnione całą sytuacją, z drugiej jednak czuł rodzaj dyskomfortu wynikającego z tego, że on sam nie ma nic alternatywnego do zaproponowania. To było dla niego zupełnie nowe i frustrujące. Chciałby zbliżyć się do wojny, ale nie wie nawet, gdzie obecnie ta wojna się rozgrywa. I nie chodzi mu wcale o to, aby być w jakimś okopie nazajutrz po bitwie i czuć ciągle zapach „prochu i krwi". To po pierwsze, nie ta wojna, a po drugie, to nie jego priorytety. On chciałby być „nazajutrz", ale nie w okopach i nie z żołnierzami. Chciałby być „nazajutrz", po tak zwanym wyzwoleniu – nie sądził, że Niemcy tak to nazywają – w jakimś normalnym przeciętnym niemieckim domu. Niemieckim! To był jego priorytet. Szlachetna madame Calmes w Luksemburgu mogła czuć, że jest „wyzwolona", ale nie mógł sobie wyobrazić, że tak samo czuje się jakaś Frau Schmidt mieszkająca za Renem, kilkadziesiąt kilometrów na wschód od pensjonatu madame Calmes. Świadczyłoby to o tym, że Frau Schmidt dopadł niewiarygodnie ostry atak amnezji. To nie byłoby dobrze. Przy amnezji zapomina się o wszystkim. W pierwszej kolejności o swoich winach. A on chciałby, między innymi, sfotografować pokornych Niemców, takich w fazie oczekiwania na pokutę, której jeszcze nie znają. Arthur ze swoimi wspomnieniami z pierwszej wojny i z tym, co się zaczęło we wrześniu trzydziestego dziewiątego, nie wierzył w pokorę Niemców. Dlatego też nie wierzył, że „obietnica poprawy" i pokuta mogą coś zmienić. Ale pomimo to oczekiwał od niego obrazu Niemców na kolanach, pokonanych i poniżonych. Aby mieć coś naprawdę „dobrego" na pierwszą stronę. Takiego czegoś na pożarcie zgłodniałemu zemsty tłumowi. Bez tłumu nie ma przecież gazet. Wprawdzie wokół „Timesa" skupiał się specyficzny, bardziej wymagający, intelektualny lub aspirujący do intelektualizmu tłum, ale ciągle jednak tłum. Z drugiej strony, gdy taki tłum już zaspokoi swój pierwszy głód, to Arthur chciałby pokazać – podobnie jak on – także takich Niemców jedynie tymczasowo pogodzonych, ale tak naprawdę ukrywających swoją butną wiarę w to, że strzałka biegu historii za chwilę się odwróci. On osobiście chciałby dodać do tego trzecią kategorię Niemców, tych naprawdę szczerze cieszących się z „wyzwolenia". Wierzył, że i tacy istnieją.

Jedyne, czego za wszelką cenę chciałby uniknąć, to pozwolić Niemcom się publicznie pokajać. Na przykład na łamach ich gazety. Do tego w żadnym wypadku nie chciałby się przyczynić. To było tak bardzo naiwne w mentalności Amerykanów. Wystarczy, że jakiś skończony łajdak publicznie się upokorzy, posypie głowę popiołem, będzie płakał, przeprosi, przyzna się do błędu, powie przy tym jakąś formułkę o niedoskonałości człowieka, o opętaniu przez diabła, o pragnieniu naprawienia krzywd i takie tam bajki, a zaraz stanie się jednym z nich. Amerykanie uwielbiają, gdy ktoś ważny, najlepiej ktoś z pierwszych stron gazet, jest dokładnie tak samo niedoskonały jak oni sami. Przez tę niedoskonałość staje się natychmiast godny przebaczenia.

Dlatego wiedział, że Amerykanie nigdy nie uwierzą w amnezję, ale szybko zaakceptują amnestię. On osobiście był tej mentalnej, a tym bardziej rzeczywistej amnestii bardzo przeciwny, Arthur z kolei, póki co, wydawał się stać, wyjątkowo w tej sprawie, wyraźnie po stronie tłumu. To musiała być jedna z jego przemyślanych strategii, ponieważ Arthur brzydził się tłumem bardziej niż karaluchami. Poza tym nie mógł nie wiedzieć, jaki los Niemcy zgotowali Żydom. To go niepokoiło. Redaktor naczelny najbardziej wpływowej i najbardziej opiniotwórczej gazety w Ameryce zmiata problem bezprecedensowej – w swoich rozmiarach i w swoim okrucieństwie – historii rzezi na Żydach pod dywan. Sam będąc Żydem. Musiał w tym mieć jakiś swój cel. Arthur nic nie robił bez celu...

Tylko raz go o to zagadnął. W grudniu czterdziestego trzeciego podczas dorocznej bożonarodzeniowej „choinki" w redakcji. Jedynego dnia w roku, gdy biura szacownej gazety zamieniały się w rodzaj placu zabaw dla rodzin pracowników „Timesa". Zawsze robili taki festyn, zanim pojawiała się choinka na placu przy Rockefeller Center. Arthur uważał, że najpierw musi być choinka w „Timesie", a dopiero potem Rockefeller może robić, co zechce. Arthur nie znosił klanu Rockefellerów. To było powszechnie znane w redakcji. I poza nią także. Ignorował wszystkie zaproszenia od tej rodziny. Uważał, że Rockefeller to niebezpieczny, bezwzględny rekin połykający wszystko i wszystkich w zasięgu swojego wzroku. Pamięta, że pewnego poniedziałku przy drzwiach prowadzących do redakcji pojawiło się ogromne akwarium. W wodzie pływał rekin. Prawdziwy, mały, bo mały, ale rekin. Na etykiecie przyklejonej do szklanej ściany akwarium był napis „Rockefeller".

To było w drugim tygodniu grudnia. Arthur akurat wrócił z Teheranu. Poleciał tam jako przedstawiciel amerykańskiej prasy. Jako jedyny tym samym samolotem co Roosevelt. Chwalili się tym wytłuszczoną czcionką na pierwszej stronie. Pisali także, że „konferencja w Teheranie dowiodła jedności Wielkiej Trójki i przybliżyła upadek Trzeciej Rzeszy". Nie pisali natomiast zupełnie nic o tym, że w Teheranie, w ramach tej „jedności" Roosevelt bez mrugnięcia okiem oddał Polskę Stalinowi. To nie byłoby zbyt wygodne i politycznie poprawne. Przynajmniej w obecnej sytuacji. W czterdziestym czwartym miały się odbyć kolejne wybory prezydenckie. Na wyraźną prośbę Roosevelta, liczącego na głosy Polonii amerykańskiej, utajniono postanowienia Wielkiej Trójki w kwestii polskiej. Arthur jako jeden z pierwszych cywilów, poza tłumaczami, wiedział o tym utajnieniu. I mimo tak zwanej wolności prasy także utajnił. „Times", odkąd tylko istnieje, drukuje na pierwszej stronie swój słynny, chwytliwy slogan *All the News That Fits to Print*. Znają go na pamięć nawet ci adepci dziennikarstwa, którzy nie znają angielskiego. „Wszystkie wiadomości, które nadają się do druku". Wszystkie? Akurat! Co za *bullshit*? – pomyślał. – To słowo, *bullshit*, także rozumieją ci, którzy nie znają angielskiego.

Często się zastanawiał, czym naprawdę jest obiektywizm prasy. Pamiętał oczywiście poważną formułkę definiującą to jako: „przekazywanie wiadomości niezależnie od własnych uprzedzeń, odczuć i poglądów". Ale im dłużej zajmował się przekazywaniem informacji, tym częściej zauważał, że paradoksalnie jest to jednak głównie kwestia subiektywnego gustu. Zagadnięty o to kiedyś Arthur bez namysłu odparł:

– Stanley, my w całym grajdole i tak jesteśmy pedantycznie obiektywni! Popatrz, albo raczej posłuchaj, co robi z obiektywizmem CBC albo NBC. My przy nich jesteśmy kryształowo obiektywni. Ale nawet kryształy czasami mają rysy i pęknięcia. Dziennikarze piszą nieskrępowaną prawdę, ale potem trochę ją modyfikują przed wydrukowaniem. Stanley, przecież sam to wiesz...

Pamięta, że oddalili się od tumultu rozkrzyczanych dzieci rozpakowujących prezenty, stanęli dyskretnie za choinką i rozmawiali. Arthur był dziwnie zamyślony. Trzymał kieliszek z winem w dłoni, ale nie pił z niego. Był smutny. Arthur rzadko okazywał smutek. Nigdy wobec obcych. Mało kto wiedział, kiedy jest smutny. W redakcji chyba tylko on. Ale on miał ten przywilej, że Arthur nie traktował go jak obcego. Był dla niego kimś w rodzaju zaadoptowanego syna. Okazywać smutek w Ameryce to można psychoanalitykowi, któremu się za to słono płaci. Nikt w Ameryce nie daje pieniędzy smutnemu żebrakowi. Powiedział mu to kiedyś właśnie Arthur. Miał tylko częściowo rację. To nieprawda, że nikt. On dawał pieniądze także żebrakom, którzy nie zdążyli się uśmiechnąć. Tym dawał o wiele więcej.

Arthur upewnił się, że nie ma nikogo w pobliżu, i zaczął mówić:

– Stanley, komu jak komu, ale tobie nie muszę tłumaczyć, że wolna prasa to nie wolnoamerykanka i wcale nie oznacza, że wszystko wolno. Powiem ci tylko tyle, zupełnie między nami, Hitler to obłąkany, chory psychopata i morderca, ale prawdziwym rzeźnikiem jest Stalin. Udało mi się wywieźć poza Teheran i upić protokolanta rosyjskiego tłumacza. To znaczy, nie udało mi się go upić. Rosjan nie można chyba upić. Udało mi się go jedynie doprowadzić alkoholem do stanu, gdy przestał się bać i zaczął mówić. Ale i tak sprawdzał, czy okna w hotelowym pokoju są szczelnie zamknięte. To, co on opowiadał o katowniach na Syberii, przekracza granice wyobraźni. Moja żona nie mogła tego słuchać i wyszła z pokoju. Dachau przy tym nabiera innego wymiaru. O Syberii nie możemy napisać, bo zdenerwujemy Stalina, a Roosevelt nie chce, aby on się denerwował. Przynajmniej jeszcze nie teraz. Słyszysz? Jeszcze nie teraz! Gdy Stalin ziewa, to całe brygady Armii Czerwonej zatrzymują się na chwilę. Gdy Stalin pierdzi, to całe dywizje. Gdy Stalin się zdenerwuje, to może się całkiem i na długo zatrzymać cała Armia Czerwona. A tego, oprócz Niemców, nikt aktualnie nie chce.

– I dlatego Roosevelt wysyła mu za darmo nasze samoloty, dżipy i czołgi?

– Brawo, chłopcze, brawo! Nareszcie zaczynasz kapować. Ano wysyła. I to na gębę! Bez żadnego kwitu i bez żadnej kontroli. Sowieci łykają to wszystko, nie obiecując nic w zamian. Przyklepanie przyszłej wschodniej granicy Polski w Teheranie to tego najlepszy dowód. Stalin tak naprawdę w dupie ma nasze dżipy i samoloty. Jemu bardziej potrzebne są nasze ciężarówki, benzyna i przede wszystkim żywność. Mając ciężarówki i benzynę, może rozwieźć po kraju żywność. To dla niego najważniejsze. Czy ty wiesz, że na Ukrainie ludzie posuwają się z głodu do kanibalizmu?! To wszystko także wysyła mu Roosevelt. Frankie D. nie chce ryzykować awantury ze Stalinem. Już woli kłócić się z Churchillem. Dla Roosevelta Churchill to wygadany, niepoprawny imperialista z cygarem, a Stalin to sympatyczny demokrata na swój sowiecki sposób. I na dodatek Stalin pozwala mu zapomnieć o froncie wschodnim. Roosevelt jest szczęśliwy, że Sowieci walczą tam i zwyciężają. Za taką krwawą robotę coś im się przecież należy, prawda?! Roosevelt nie kapuje, że pomaga diabłu. Wyobrażasz to sobie, Stanley? Ja nie muszę sobie tego wyobrażać. Ja to wiem. Gdy będzie po wyborach i, daj Boże, twój braciszek coś z kolegami zmajstruje w Chicago, to pojawi się zupełnie inna konstelacja i być może nowy prezydent. Taki z jajami – powiedział, rozwiązując krawat i ocierając pot z czoła.

Arthur, czy ty naprawdę sądzisz, że wybory coś zmienią? zapytał zdziwiony.

Arthur spojrzał na niego jeszcze bardziej zdziwiony i z uśmiechem na twarzy odparł tym swoim cynicznym tonem:

– Chłopcze, zapamiętaj jedno. Raz na zawsze. Na całe życie. Gdyby wybory zmieniały cokolwiek, to politycy już dawno by je zdelegalizowali. A poza tym tak naprawdę przed wyborami rękę na pulsie trzymają korporacje. Jedną rękę. Drugą mocno ściskają jaja Roosevelta.

Po chwili spoważniał i dodał:

– À propos wyborów. Stanley, wierz mi, polityka to wybór mniejszego zła. Teraz w czasie wojny ten wybór to alternatywa pomiędzy gruźlicą a rakiem płuc. À propos płuc. Gdy będziesz tyle palił co teraz, to umrzesz przede mną na raka płuc i nie dowiesz się, co napiszemy później. A później napiszemy i o Dachau, i tym bardziej o Auschwitz. Ale jeszcze nie teraz.

Przyjdzie na to czas. Obiecuję ci. Więc proszę cię, nie pal tyle. A teraz już wróćmy do wszystkich. Dzisiaj nie jest odpowiedni wieczór, aby zajmować się polityką i złem – powiedział, chwytając go za ramię i prowadząc do holu redakcji wypełnionego coraz bardziej hałaśliwym tłumem.

– Arthur, jeszcze tylko sekunda, skąd wiesz, że Andrew jest w Chicago? – zapytał, zatrzymując go.

– A nie jest?! – szepnął Arthur, uśmiechając się do niego. – Przed Teheranem ciągle jeszcze tam był...

Ta rozmowa z Arthurem nic mu nie wyjaśniła. Wręcz przeciwnie. Wszystko jeszcze bardziej zagmatwała. Milczenie wokół kaźni Żydów w Europie jego zdaniem nie miało nic wspólnego z milczeniem wobec zbrodni Stalina. Ale może on nie wie wszystkiego? Może Arthur właśnie to chciał mu przekazać? Że on wie o wiele więcej. Szczególnie tą informacją o pobycie Andrew w Chicago? Może...

– Pomoże mi pan? – zapytał Anglika, sięgając do kieszeni marynarki, wyciągając zmiętą mapę i rozkładając ją na kolanach. – Chciałbym jak najszybciej znaleźć się w Niemczech. Ale, broń Boże, nie przed Pattonem. Bill, który mnie do pana dostarczył, uważał, że najprędzej padnie Trewir. Co pan o tym myśli?

Anglik sięgnął do przycisku lampy na suficie furgonetki i pochylił głowę nad mapą. Dokładnie w tym momencie wjechali po raz kolejny do lasu. Głowa Anglika gwałtownie opadła, uderzając o jego kolana. Strużka krwi z jego rozbitego nosa poplamiła mapę.

– Martin – powiedział spokojnie Anglik – czy mógłbyś się na krótką chwilę zatrzymać, proszę?

Zaraz po tym, jak adiutant posłusznie zatrzymał auto, Anglik sięgnął do kieszeni spodni po chusteczkę, najpierw dokładnie starł plamy krwi z powierzchni mapy, a zaraz potem przysunął chusteczkę do swojego nosa.

– Trewir zdobędziemy wkrótce – powiedział, tamując krew wypływającą na chusteczkę. – Dzisiaj mamy poniedziałek, dwudziesty szósty lutego, oceniam, że to kwestia nie więcej niż tygodnia. Trewir nie ma dla nas zbyt dużego znaczenia. Ważniejsze jest Zagłębie Ruhry, przekroczenie Renu i zajęcie Kolonii oraz Dortmundu. Myślę, że Niemcy skierują wszystkie siły w okolicę mostu w Remagen na

Renie i oddadzą Trewir bez większych walk. Zresztą tam nie ma co oddawać. Pod koniec grudnia na Trewir spadło ponad dwa tysiące ton naszych bomb. Łącznie z napalmem. Myślę, że w najbliższy poniedziałek może pan tam zacząć robić swoje zdjęcia i pisać komentarze. Z Luksemburga do Trewiru jest najwyżej sześćdziesiąt kilometrów, czyli około trzydziestu siedmiu mil.

– Czyli Trewir jest podobny do Drezna, prawda? Najbardziej chciałbym dotrzeć do Drezna...

Anglik odsunął w tym momencie dłoń od nosa. Krew wypłynęła dwiema strużkami na jego wargi i za chwilę dużymi kroplami opadła na mapę. Nie zwracał na to zupełnie uwagi.

– Obawiam się, że pan teraz żartuje, prawda?! – zapytał ze zdumieniem w głosie i nie czekając na odpowiedź, natychmiast dodał: – Nie ma na dzień dzisiejszy na świecie drugiego takiego miejsca jak Drezno. Jeśli specjalizuje się pan w fotografowaniu cmentarzy, to mógłby pan tam teraz zrobić swoje najlepsze zdjęcia. Podejrzewam, że aktualnie nie ma na świecie bardziej monstrualnego cmentarza. Nawet w tej pana ogromnej Ameryce. Ale nie radzę panu tam jechać. Nawet gdyby, zupełnie teoretycznie, panu się to udało. Po pierwsze, jako Amerykanin nie byłby pan z oczywistych względów mile widziany w Dreźnie. Ci, którzy tam przeżyli, doskonale wiedzą, kto zamienił ich miasto w cmentarz. A po drugie, tam wkrótce będą Rosjanie. To będzie ich strefa. Tak ustalono w Teheranie i potem potwierdzono w Jałcie.

– Wie pan co? Ja chciałbym spotkać Rosjan. Na przykład w Dreźnie.

Anglik się roześmiał. Przysłuchujący się ich rozmowie adiutant także.

– Martin, możemy jechać dalej. Robi się późno – powiedział Anglik stanowczym głosem, zwracając się do adiutanta.

Gdy tylko ruszyli i warkot silnika zagłuszył ich rozmowę, Anglik przysunął się do niego i powiedział:

– Pan mnie zdumiewa. Proszę wybaczyć, ale mam wrażenie, że chciałby pan mieć fotografie jak z akcji nowojorskiej policji w Bronksie w czasach prohibicji. Taka cosa nostra przeciwko policjantom? Taką wojnę na żywo? Tego się nie da tutaj. Na czołgach nikt nie przyczepia błyskających lamp i nie włącza syren. Wojna jest czasami bardzo mało interesująca. Sam pamiętam, gdy pewnego razu towarzyszyłem jednemu porucznikowi w jego podróży na tak zwany front nad Renem.

Zauważyłem, że w jego bagażu były kryminały Agathy Christie. Było tam aż tak nudno! Anglicy nazywali to „nudną wojną", Francuzi *drôle de guerre*.

Poza tym nie radziłbym panu, a nawet przestrzegał przed zbliżaniem się obecnie do Rosjan. To jest bardzo kulturalny naród. Stalin wybił ich elitę, ale ona się odrodzi. Jednak pomijając elitę, prości żołnierze, których by pan spotkał, mają prawo być zdziczali i głodni odwetu. To, co Niemcy tam wyprawiali i co propagandowo nagłaśniał Stalin, jest trudne do wyobrażenia. Ale, pomijając propagandę Stalina, prawdziwe.

Słyszał pan, pytam teraz pana jako dziennikarza, o tym, co wydarzyło się w miejscowości Babi Jar niedaleko Kijowa? Może pan słyszał? Nasz wywiad współpracuje z waszym. Mam te informacje od naszego wywiadu. A oni mają je od Niemca. Przypuszczam, że ktoś w pana gazecie ma kontakty z amerykańskim wywiadem, prawda? Jeśli więc będę powtarzał to, co pan już i tak wie, to proszę mi natychmiast przerwać.

W lesie w pobliżu Babiego Jaru znajduje się duży wąwóz. Pięćdziesiąt metrów szeroki i trzydzieści metrów głęboki. I ciągnie się na długości kilku kilometrów. Wzdłuż tego wąwozu, na jego dnie, płynie mały strumień. Pod koniec września czterdziestego pierwszego, dokładnie dwudziestego dziewiątego września, także płynął. Przez dwa i pół dnia zbliżała się do tego wąwozu kolumna ludzi. W długich szeregach. Gdy docierała do wąwozu, ukraińscy pomocnicy esesmanów odłączali od kolumny niewielkie grupy i zmuszali je do wejścia do wąwozu. W rzędach po pięćdziesiąt. Wtedy występowała kolumna esesmanów i strzałem z pistoletu w kark układała w wąwozie kolejną warstwę trupów. W ciągu trzydziestu sześciu godzin zabito w ten sposób w Babim Jarze 33 771 ludzi. Czyli około, proszę wybaczyć mi tę statystykę, piętnastu osób w ciągu minuty. Warstwy zwłok zatrzymały strumień już po kilkunastu minutach. O tym także doniósł niemiecki agent naszemu wywiadowi. Stalin nie był tak dokładny jak nasz szpieg. Poinformował jedynie swój naród, że w lesie koło miejscowości Babi Jar „faszyści w ciągu dwóch dni, strzałem w głowę, zamordowali bestialsko blisko czterdzieści tysięcy bezbronnych obywateli Związku Radzieckiego". Pomijając te celowe nieścisłości, żaden z komunikatów w radzieckich gazetach nie wspomniał ani słowem, że wszyscy zabici to Żydzi. Babi Jar to był pierwszy tak bestialski akt nagłośniony przez Stalina.

Proszę pamiętać, że to był czterdziesty pierwszy rok, czyli zanim Niemcy postanowili zastąpić masowe rozstrzeliwania na froncie wschodnim obozami zagłady w Polsce. Rozstrzeliwanie, nazwijmy to tak, było dla Niemców niewydajne. Co to jest piętnaście trupów na minutę, gdy trzeba wybić miliony ludzi? I na dodatek coś trzeba robić z tymi trupami. Pierwszy pomysł Niemców był dość prymitywny, chociaż skuteczny. Najpierw powstały tak zwane ciężarówki gazowe. Nie komory gazowe, ale właśnie ciężarówki gazowe. Zamykano w takich samochodach maksymalną liczbę ludzi i gazem ich wytruwano. Według raportów, które dotarły do brytyjskiego wywiadu w grudniu 1941 roku, za pomocą tylko trzech takich samochodów „przerobiono", cytuję za tekstem z raportu, około „dziewięćdziesięciu siedmiu tysięcy jednostek bez zauważalnych zmian technicznych w stanie ciężarówek". Jak zauważył jeden z niemieckich techników, „wydajność jest największa w przypadku chorych, starców, kalek, kobiet i dzieci". Ale to także było zbyt mało. Stąd pomysł tak zwanych obozów zagłady. Najpierw powstał obóz w Bełżcu, potem w Sobiborze, potem w Treblince i Majdanku, a na końcu w Auschwitz niedaleko polskiego miasta o tej samej nazwie, gdy tłumaczyć ją na niemiecki. Po polsku to miasto nazywa się Oświęcim. Obozy te pozwalały zlikwidować najwięcej ludzi w jak najkrótszym czasie. I najszybciej pozbyć się trupów. Stąd krematoria. Na przykład w Auschwitz przygotowanie projektu krematoriów zlecono między innymi niemieckiemu piekarzowi z Lipska. On, kto jak kto, doskonale znał się na piecach. Rosjanie do tej pory wyzwolili lub dotarli do kilku z tych obozów. Ponad miesiąc temu, dwudziestego czwartego stycznia, do Auschwitz. Więc doskonale wiedzą, co się tam działo. Posiadając tę wiedzę, można tylko nienawidzić. Nawet wbrew swoim poglądom...

Dlatego nie radziłbym panu zbliżać się w najbliższej przyszłości do Rosjan. Gdziekolwiek mogłoby do tego dojść. Zanim im pan wytłumaczy, że nie jest pan Niemcem, może już pan dawno nie żyć.

Na pana miejscu poczekałbym na Trewir, a potem bym narysował na mapie prostą linię przez Trewir, z zachodu na wschód, i trzymałbym się kierunku na południe od tej linii. Tam, moim zdaniem, będzie spokojniej i bezpieczniej. Ile czasu chce albo raczej ile czasu musi pan tutaj zostać? – zapytał Anglik, spoglądając mu w oczy.

Pomyślał, że jak dotąd sam sobie nie zadał tego pytania. Jak długo chciał tutaj być? Albo inaczej. Jak długo powinien tutaj być? Jakie obrazy stąd chciałby przesłać lub zabrać ze sobą? Jakie dla Arthura, a jakie wyłącznie dla siebie? Co powinno się wydarzyć, aby wolno mu było ze spokojnym sumieniem zdecydować, że ma te obrazy i że nadszedł czas, aby wracać do domu? Wracać?! Przecież dopiero co tutaj dotarł. Przez chwilę milczał, myśląc o tym. Podniósł paczkę z papierosami leżącą na siedzeniu i poczęstował Anglika. Sięgnął do kieszeni po zapałki. Pudełko upadło na stalową podłogę furgonetki tuż obok płóciennej torby od madame Calmes. Palcami dotknął wypukłości w torbie. Podniósł ją i położył na mapie przykrywającej jego kolana. Po chwili wyciągnął z niej karafkę z winem zamkniętą szklanym korkiem uszczelnionym plastrem, jakiego używa się do opatrywania ran. Obok karafki zawinięta w lnianą wzorzystą chustę i przewinięta czarną gumką znajdowała się biała, porcelanowa miseczka. Zdjął gumkę i odsłonił chustę. W misce była porcja ryżu. W samochodzie natychmiast zapachniało cynamonem. Poczuł ucisk w gardle. Zaraz potem wzruszenie.

– Jak ma na imię madame Calmes? – zapytał Anglika.

– Nie wiem, nigdy jej o to nie pytałem. Ale następnym razem zapytam. Ma to dla pana jakieś znaczenie?

– Tak, ma. Zawsze znałem imiona ważnych kobiet w moim życiu...

Oderwał plaster wokół korka w karafce. Podał karafkę Anglikowi:

– Wypije pan ze mną za jej zdrowie? Obawiam się, że, niestety, nie mamy kieliszków – dodał z uśmiechem w głosie.

– Wypiję...

Siedzieli obok siebie w milczeniu. Podawali sobie karafkę z rąk do rąk. W pewnym momencie Anglik zapytał:

– A jaka kobieta jest dla pana teraz najważniejsza? Za jaką pan tęskni?

Poczuł się w tym momencie trochę dziwnie. W Ameryce nikt tak odległy, w sensie emocjonalnym, jak Anglik od niego – oczywiście oprócz wścibskich dziennikarzy – nie odważyłby się komukolwiek zadać takiego pytania. Szczególnie tej jego części „za jaką pan tęskni?". To było jak drażliwe pytanie zbyt ciekawskiego księdza w konfesjonale. Ale pomijając wszystko, to pytanie właśnie padło.

Zastanawiał się przez chwilę. Słowo „tęsknić" było tak strasznie zużyte w dzisiejszych czasach. Amerykanie je wyświechtali, używając w każdej możliwej konfiguracji. „Tęsknili" za gazetą rano w niedzielę, za brakiem korków na drogach, za odśnieżonym chodnikiem w zimie lub za zimą ze śniegiem. Tęsknota jako uczucie w połowie dwudziestego wieku zupełnie się zdewaluowała. On rzadko używał tego słowa. Prawie nigdy. Dla niego tęsknota oznaczała dotkliwy brak kogoś – nigdy „czegoś" – związany z tym niepokój, niespełnienie, nerwowość, czasami bezsenność i ogólne poczucie niepełności w życiu. A to wszystko razem wzięte czuł bardzo rzadko. Czasami tęsknił w tym sensie za Andrew lub matką. Nigdy za ojcem. Zdarzało się mu także, że, powiedzmy, „tęsknił" za kobietami, które pojawiały się w jego życiu. Gdy nie były dostępne. Bo on był daleko albo one były daleko. Ale to naprawdę nie była tęsknota. To było raczej jak krótkotrwałe niespełnione pożądanie. Tak naprawdę za nimi nie tęsknił. Brakowało mu po prostu seksu z nimi. Pragnął ich obecności, ale tylko w tym jednym celu. Oprócz Jacqlin i teraz Doris.

To było dla niego niespodziewane i dziwne. To z Doris. Znał ją tak krótko. Zaistniała w jego życiu tak samo, jak zaistniało w jego życiu wiele innych kobiet. Przypadek, rozmowa, kolacja, flirt przy winie, taksówka lub jego samochód, potem jakieś *ad hoc* wymyślone zaproszenie na dole pod domem, potem nieśmiałe muśnięcie ust w windzie, potem muzyka z gramofonu i pierwszy prawdziwy pocałunek, potem krótki czas „przekonywania" na kanapie, potem pierwsze przyzwolenie, zamknięte oczy, przyśpieszony oddech i jego dłonie pod materiałem sukienki lub bluzki, potem nagość i dywan w jego pokoju lub jego łóżko, a potem Mefisto siedzący na radiu ze swoją uśmiechniętą mordką.

Z Doris było inaczej od samego początku, a już zupełnie inaczej od tego „istotnego" momentu. Wcale nie musiał jej pytać o nic na dole, potem w windzie to ona zrobiła coś, czego on nigdy nie odważyłby się zaproponować, a potem nie było żadnego zbędnego przekonywania. Jak dotąd nie spotkał tak przekonanej co do swoich pragnień kobiety. To ona wyznaczyła kierunek i scenariusz całej tej niezwykłej nocy, to ona dominowała. To było dla niego fascynujące. W zasadzie już od pierwszego momentu, gdy spotkał ją w redakcji, czuł jej dominację. Zupełnie się temu poddał. A potem zamiast budzika zadzwonił Arthur i w kilka minut zmieniło się jego życie, i ona była przy tym, i żegnała go, siedząc na schodach. I mieli tak mało czasu, aby ze sobą rozmawiać. Wertując w pamięci swój życiorys, zdał sobie w tym momencie sprawę, że zatrzymywał się na dłużej wyłącznie przy kobietach, z którymi chciał rozmawiać. I które miały coś do powiedzenia. Zatrzymywały go kobiety, które rozmowie darowały więcej namysłu niż makijażowi. I gdy myśli o tęsknocie, to myśli o nieodbytych lub przerwanych rozmowach. To dla niego znaczy „tęsknić". Właśnie to. Tęsknił za Doris...

– Wie pan co? Tęsknię za rozmową. Za rozmową z tą kobietą. Pierwszy raz bardziej za rozmową niż za samą kobietą. Chyba się starzeję... – odparł w zamyśleniu smutnym głosem i sięgnął po karafkę trzymaną w dłoni przez Anglika.

– Nie tęskni pan za swoimi dziećmi? Ja najbardziej tęsknię za Yaronem, moim synkiem.

– Nie mam dzieci. Myślę, że nie mam prawa mieć dzieci. Jeszcze nie teraz. Mając dzieci, nie wolno żyć wyłącznie dla siebie. Jeśli w moim życiu któregoś dnia pojawią się dzieci, to przestanę tak żyć...

Zbliżali się do miasta. To było nadzwyczaj dziwne. Wokół panowała zupełna ciemność. Nie paliły się żadne uliczne latarnie. Gdyby nie mdłe światła w oknach mieszkań, wcale by tego nie zauważył. Anglik zwrócił się do adiutanta i powiedział:

– Martin, stań przy bramie budynku biblioteki, za ratuszem, po południowej stronie.

Zatrzymali się na dużym placu wybrukowanym kamieniami, tuż przy schodach prowadzących do budynku, który przypominał mu pałac. Jedynym miastem, w którym widział podobny plac i podobny pałac, był Boston...

Andrew, odkąd tylko skończył studia, wyśmiewał Boston. Uważał, że Boston jak żadne inne miasto w Ameryce z jakiegoś dziwnego powodu koniecznie stara się być „europejski i nadzwyczaj kulturalny". Pewnie przez tę bliskość Harvardu. Jednak te starania są nieudolne, a nawet chwilami żałosne. Jego zdaniem jedynym amerykańskim miastem zbliżającym się charakterem do Europy jest San Francisco. Co samo w sobie było dziwne, ponieważ San Francisco jak żadne inne miasto przepełnione było Chińczykami i innymi emigrantami z Azji. Pomimo to, zdaniem Andrew, było europejskie poprzez atmosferę wolności, także seksualnej, większej niż gdzie indziej tolerancji i rozpowszechnionej akceptacji dla inności. Boston z kolei pozostawał ciągle bardzo wiktoriańsko pruderyjny, i to nie tylko dlatego, że geograficznie znajduje się w Nowej Anglii. I tylko ten zacofany wiktorianizm łączy Boston z Europą. W Bostonie, podobnie jak w Hollywood, za arystokratę uchodzi każdy, kto może sobie przypomnieć imiona i nazwiska swoich przodków z poprzedniego pokolenia. W Bostonie uważa się, że Europę można sobie zbudować, wcale nie wyznając jej zasad. Dlatego sprowadza się do Bostonu statkami kamienie z Austrii, tak jakby nie można ich przywieźć z najbliższego kamieniołomu, i pokrywa nimi jeden plac. Potem tynkuje się drewnianą budę na tym placu i wmawia się ludziom, że Boston przypomina Wiedeń. I wszyscy z kompleksami mają natychmiast wrażenie, że jest „europejsko i z prawdziwym smakiem". Potem w ciągu kilku miesięcy wyrzuca się księgarnie, antykwariaty i małe sklepiki z okolicy tego placu i wprowadza się tam tak zwane dystyngowane restauracje. Także „europejskie". I durni Amerykanie, głównie ci pretendujący do intelektualnej elity, w nich przesiadują, płacą za marne amerykańskie piwo z naklejką, której nie potrafią przeczytać, bo ma w napisach umlauty, jak za piwo importowane „prosto z Austrii" i patrzą w rozrzewnieniu na „kocie łby" przywiezione – za ich podatki – statkami z Austrii, w poczuciu, że są w pobliżu wiedeńskiej Staatsoper i Mozarta, oraz dyskutując o modnym ostatnio Freudzie, spotykają się, w swoim mniemaniu, z apogeum kultury. I w jakimś intelektualnym orgazmie tłumaczą sobie podnieconym alkoholem głosem dziury w mózgu Hitlera, także Austriaka, freudowskim kompleksem Edypa, przytaczają na poparcie Junga i po kilku piwach z europejskimi napisami na nalepce chcą „ćwiczyć w praktyce podświadomy seksualizm Freuda". Jeśli dama się zgodzi, to już w ciasnej toalecie restauracji, ona koniecznie stojąc lub klęcząc na sedesie, aby nie było widać przez szczelinę u dołu jej stóp, a jak nie, to wkrótce po wyjściu, na tylnym siedzeniu w samochodzie, albo u niego, albo u niej. „Egal", gdziekolwiek się da. Tak dostojnie „egal", po austriacku. W takim „uroczystym" nastroju to nie jest zwykły „fuck", to jest „fuck intelektualny". Dokładnie tak nazwał to Andrew. Czasami było w nim tyle przesadzonej zgryźliwości, sarkazmu, cynizmu, a nawet złości. Jego zdaniem największy kompleks Europy miał sam Andrew...

Przypomniał to sobie, patrząc na ten plac, i zastanawiał się, dlaczego jego brat ma na niego aż taki wpływ. Cały czas, niemal obsesyjnie, rejestruje Europę w porównaniu do jego myśli i jego opinii.

W międzyczasie Anglik wysiadł pośpiesznie z samochodu i zniknął za drzwiami budynku. A on wyszedł przed auto z karafką w dłoni. Przyłożył ją do ust. Opróżnił prawie do dna. Za zdrowie Doris, pomyślał. Schylił się i dotknął delikatnie dłonią wilgotnego od roztopionego śniegu „kociego łba" obok swoich stóp. Postawił karafkę na kamieniu. Podszedł do samochodu, otworzył bagażnik. Z walizki pośpiesznie wyjął aparat. Zdjął płaszcz i rzucił go na plac. Położył się na płaszczu z aparatem w dłoniach. Dokładnie przed karafką. Światło docierające z okien budynku odbijało się od karafki. Obraz czerwono-biało-niebieskiej flagi powiewającej na dachu budynku rozszczepiał się w pryzmacie utworzonym przez szkło karafki. Podobnie jak odbicie plakatu z przekreślonym hakenkreuzem przyklejonym do jednego z okien. Obraz flagi w obiektywie aparatu przykrywał jak przezroczystym całunem obraz plakatu i jednocześnie świecił nad czernią krzyża. Wszystko było owinięte niczym łuną rozproszonym refleksem czerwieni wina, które pozostawił w karafce. Było magicznie. Potrafił sobie dokładnie wyobrazić rozłożenie odcieni szarości na kliszy. Naciskał raz po raz przycisk migawki.

– Czy pan potrzebuje pomocy? – usłyszał nagle kobiecy głos dochodzący z góry.

Jak wyrwany z letargu uniósł powoli głowę, spoglądając w kierunku, z którego dotarł głos. Ciągle nie był „tutaj i teraz". Ciągle jeszcze oglądał świat przez obiektyw swojego aparatu. Rozstawione szeroko nogi w czarnych, wełnianych pończochach. Krawędź granatowej spódnicy tuż nad kolanami, rozpięta granatowa marynarka ze złotą naszywką, dłonie o długich palcach z wiśniowoczerwonym kolorem lakieru na paznokciach, biała bluzka wsunięta w spódnicę nad płaskim brzuchem, szerokie biodra wepchnięte w spódnicę, biała bluzka wypchnięta piersiami, zapięta pod szyją brązowym rzemykiem, z którego zwisał bursztynowy kamień otoczony połyskującym metalem, kosmyk jasnych włosów zakrywający fragment wypukłego prawego policzka i dotykający szerokich warg, niewielka plamka jakiegoś okruchu przyklejonego do skóry tuż nad wargami, zadarty lekko nos, ogromne niebieskie oczy, mała blizna na skraju lewej brwi, zmarszczone, wysokie czoło, jasne włosy podniesione do góry. Sięgnął po aparat. Położył się na plecach. Kobieta się uśmiechnęła. Nacisnął spust migawki.

– Pomocy? Dlaczego? – odparł zdziwionym głosem, podnosząc się.

Obok kobiety stał Anglik i uśmiechał się pod nosem. Dopiero teraz go zauważył. Gdy tylko wstał, Anglik powiedział:

– Pozwoli pan, że przedstawię, pani porucznik Cécile Gallay.

Kobieta wyciągnęła energicznie dłoń w jego kierunku.

– Cieszę się, że nic się panu nie stało – powiedziała z uśmiechem – i że dotarł pan do nas bezpiecznie – dodała, odsuwając kosmyk włosów od ust.

Patrzyła mu w oczy, powoli zapinając guziki marynarki. Mówiła nienagannym angielskim, którego akcent kojarzył mu się z Kanadyjczykami z Quebecu. Nie mógł się powstrzymać. Wyciągnął rękę i delikatnie usunął palcem okruch z jej twarzy.

– Wybaczy pani – powiedział – ale ten okruch zakłócał obraz pani twarzy.

Zaskoczona tym gestem, opuściła głowę i odgarnęła nerwowo włosy, starając się ukryć zmieszanie.

– Mam dla pana wiadomości przesłane z Nowego Jorku. Przekażę je panu później, na kwaterze. A teraz... teraz muszę, niestety, opuścić panów.

Odwróciła się i szybkim krokiem ruszyła w kierunku otwartych drzwi prowadzących do pałacu. Patrzył na jej pośladki, gdy wspinała się schodami do góry. Anglik cierpliwie odczekał, aż zniknęła za drzwiami.

– Porucznik Gallay pracuje dla sztabu Pattona. Doskonale mówi po niemiecku i angielsku. I oczywiście po francusku. Jest Francuzką. Jedyny obywatel Francji u Pattona. I do tego kobieta. Jest wyjątkowa nie tylko swoją urodą, co pan przed chwilą miał okazję podziwiać. Jest wyjątkowa na różne inne sposoby.

– Co pan ma na myśli? – zapytał zaciekawiony.

– Sam się pan przekona – odparł tajemniczo Anglik. – Porucznik Gallay będzie panu towarzyszyć przez najbliższe dni. A teraz pojedźmy do kwatery.

W furgonetce Anglik tłumaczył adiutantowi drogę do „kwatery". To było dla niego dziwne słowo. Kwatera kojarzyła mu się wyłącznie z jakimś zadymionym budynkiem pełnym nerwowych żołnierzy biegających z telegramami i rozkazami. Mapy na ścianach i mapy rozłożone na ogromnych stołach, nieustannie dzwoniące na biurkach czarne telefony z czerwonymi przyciskami, wszystko zanurzone w szmerze wydobywającym się z głośników radiostacji. Wkrótce okazało się, że tak zwana kwatera to ogromna, secesyjna willa otoczona ogrodem. Gdyby nie wartownik stojący przy bramie, pomyślałby, że trafił do pomniejszonej dwa, trzy razy kopii willi Arthura na Long Island.

Anglik wyjaśnił mu natychmiast, że to porzucona posiadłość niemieckiego nazistowskiego arystokraty, który uciekł w popłochu do Niemiec tuż przed wkroczeniem do Luksemburga aliantów. Arystokrata powiązany był jakimiś bardzo bliskimi koligacjami z Cosimą Wagner, żoną kompozytora Richarda Wagnera, znanego ze swojego antysemityzmu i głównie przez to ulubionego kompozytora, więcej, niemalże błogosławionego idola samego Hitlera. Operę Wagnera *Śpiewacy norymberscy* Hitler obejrzał czterdzieści razy i specjalnym listem nakazywał Goebbelsowi, aby stała się obowiązkową operą dla całej niemieckiej młodzieży. Hitler wynosił Wagnera pod niebiosa, był jego obsesyjnym fanem i bardzo często w swoich przemówieniach do Wagnera się odwoływał. „Wierzę w Boga, Mozarta i Beethovena" – z lubością cytował Wagnera, dodając za każdym razem: „a ja także w Wagnera". Stąd w willi wszędzie znajdują się instrumenty muzyczne oraz Wagnerowskie pamiątki. Niektóre skandalicznie wyjątkowe. W salonie na pierwszym piętrze wisi na przykład za szkłem rękopis eseju Wagnera pod tytułem *Żydostwo w muzyce*. Bo Wagner nie tylko komponował, ale także, niestety, czasami pisał. Ten tekst to prawdziwie bluźnierczy paszkwil poniżający i opluwający Żydów. Oczywiście po niemiecku. Amerykanie albo tego nie zrozumieli, albo im to zupełnie nie przeszkadzało i uważali, że jest to doskonałe miejsce, aby ulokować tutaj swoich oficerów. I ulokowali.

W przestronnym salonie, do którego wkroczyli, nie było ani jednej mapy. Nie dostrzegł także żadnego telefonu. Na ścianach zamiast map wisiały w złoconych ramach malowidła rubensowskich półnagich tłustych kobiet, na dwóch dębowych stołach i na zamkniętym pianinie w środku salonu stały rzędy pustych butelek po piwie. Jedyne, co łączyło „kwaterę" z tym miejscem, to żołnierze. Wcale nie byli zdenerwowani. Wręcz przeciwnie. Zrelaksowani, w porozpinanych mundurach siedzieli na skórzanych kanapach lub na przykrytej skórami marmurowej podłodze. Większość z nich skupiła się wokół ogromnego, płonącego i skrzypiącego kominka. Nie dzwoniły żadne telefony. Nie było żadnego pośpiechu. Było przytulnie i leniwie, jak w zimowym, luksusowym hoteliku w Aspen, w Kolorado, wieczorem, po przyjemnym dniu spędzonym na nartach. Nie było także ani jednej radiostacji. Z oddali dochodziła muzyka z gramofonu. Rozpoznał Andrews Sisters. Odpowiednio do atmosfery tego miejsca śpiewały swój aktualny kawałek *Rum and Coca-Cola*. Poczuł się jak w Nowym Jorku. Taki sam skowyt jak w jego samochodowym radiu, gdy jedzie rano do biura. Nie znosił tego. Zawsze to wyłączał. Tutaj się nie dało. Trudno mu było – gdy patrzył na tę idylliczną scenerię – uwierzyć – po raz kolejny – że jest „na wojnie".

Młoda, niska dziewczyna w czarnej sukience przewiązanej nad biodrami koronkowym fartuszkiem zaprowadziła go do pokoju na parterze. Wyrwał z jej ręki swoją walizkę. Protestowała, mówiąc coś po francusku. Nie rozumiał ani słowa. Cały czas się uśmiechała. Dotarli do drzwi pokoju. Nawet nie wie, jaki banknot wyjął z kieszeni. Studolarówkę, dwudziestodolarówkę, a może jednodolarówkę. Nie zwrócił na to uwagi. Nie miało to dla niego teraz żadnego znaczenia. Dziewczyna szybko schowała banknot do kieszeni fartucha i z pęku kluczy zwisających z metalowej obręczy wybrała jeden, otwierając drzwi prowadzące do pokoju. Anglik podniósł jego walizkę i weszli do środka. Poczuł intensywny zapach świeżej farby. Łóżko stało w poprzek pokoju. Tuż za łóżkiem – biały fortepian. Na ścianie za fortepianem wisiało ogromne kryształowe lustro. Po przeciwnej stronie w rogu pokoju, jak gdyby objęta dwiema pozłacanymi obręczami, leżała ogromna porcelanowobiała wanna. Wydawała się wyrastać prosto z podłogi. Nigdy nie widział w swoim życiu takiego zestawienia w jednym miejscu: łóżko, fortepian i wanna...

Podszedł do okna i otworzył je na oścież. Wrócił do Anglika.

– Gdyby pan kiedykolwiek w przyszłości był w Nowym Jorku, a ja będę nadal żył, to proszę, no, nie wiem, jak to wyrazić... to proszę dać mi znać. Powie mi pan wtedy, jak madame Calmes ma na imię, a ja obiecuję, że nie będę pana, proszę mi wybaczyć, pytał o nienawiść. Znajdzie mnie pan, prawda? Nazywam się Stanley Bredford. Gdyby co, to w „Timesie" powiedzą panu, gdzie mnie szukać. Nawet jeśli będzie to cmentarz. Nowy Jork wbrew pozorom nie jest taki duży. Proszę, niech pan mnie znajdzie...

Anglik wysunął rękę. Zignorował to. Objęli się.

– Znajdę... – wyszeptał Anglik.

Po chwili stanął przed nim na baczność i zasalutował. Nie był pewny, ale wydawało mu się, że Anglik miał łzy w oczach. Tak jak on...

Luksemburg, około południa, wtorek, 27 lutego 1945 roku

Obudził go dochodzący z zewnątrz dźwięk muzyki zakłócany uderzeniami ramy okna o framugę. Było mu zimno. Przykrył się pierzyną, którą podniósł z podłogi. Chopin zakłócany łomotaniem okna! Nie mógł tego znieść. Nie dało się ani tego słuchać, ani przy tym zasnąć. Wstał i ze złością zatrzasnął okno. Wracając do łóżka, zauważył dwie koperty leżące na podłodze tuż przy drzwiach. Chciał wrócić pod ciepłą pierzynę. I wrócił. Nie mógł jednak zasnąć. Muzyka ustała. Nastała cisza. Poczuł dziwny niepokój. Wstał. Podszedł do drzwi. Wrócił z kopertami do łóżka. Na dużej, pomarańczowej był napis: *From Cécile Gallay for Stanley Bredford, strictly confidential.* Na białej kopercie nie było żadnego napisu. Była jedynie zaklejona rodzajem woskowej pieczęci. Otworzył ją jako pierwszą. Na skrawku papieru wydartego z notesu odczytał tekst:

Madame Calmes ma na imię Irène. Na drugie imię Sophie. W naszych aktach widnieje jednakże raz jako Sophie Irène Calmes, a drugi raz jako Irène Sophie Calmes. Obawiam się, że to jakieś niedopatrzenie w MI5 w Londynie. Postaram się to wyjaśnić. Z wyrazami szacunku. JBL.

Nie rozpoznał wprawdzie inicjałów „JBL", ale był pewny, że to od Anglika. Zdał sobie sprawę, że tak naprawdę nie zna nawet nazwiska i imienia Anglika. Wprawdzie przedstawił się w tym miasteczku, do którego przywiózł go szeregowiec Bill, ale w całym tym tumulcie tego nie zarejestrował.

Oho! – pomyślał – madame Calmes istniała więc nawet „w aktach" brytyjskiego wywiadu! I to dwukrotnie! Pewnie przez te pierzyny, które trzymała dla cudzoziemców w szafach swojego pensjonatu. A może przez rozmowy, które można było podsłuchać przy kolejnej karafce wina? Okay. Postara się to zrozumieć. Jest przecież wojna. Trzeba wszystko i wszystkich sprawdzać. Nawet dobrotliwą madame Calmes. Przez chwilę się zastanawiał, w jakiej kategorii i od kiedy on istnieje w tych „aktach".

– W każdym razie chciałbym być we wszystkich brytyjskich aktach MI5 skojarzony razem z Irène Sophie Calmes. To chciałbym, kurwa, z całkowitą pewnością! – powiedział cicho do siebie, uśmiechając się i zacierając ręce.

Rozerwał „bardzo tajną" pomarańczową kopertę od Cécile. Pomyślał, że to imię samo w sobie jest erotyzujące. Nawet bez skojarzenia go z płaskim brzuchem, wypukłymi piersiami, napęczniałymi wargami, jasnymi włosami i tym bardziej niezwykłymi pośladkami pod granatową, obcisłą spódnicą porucznik Cécile Gallay. W kopercie były dwie inne koperty. Jedna mniejsza, biała, oficjalna, z pieczątką „Timesa", i druga większa, szara, bez pieczątki, przewiązana czarnym skórzanym paskiem. W pierwszej chwili nie był całkiem pewny. Przyjrzał się paskowi bardzo dokładnie. Rozpoznał obrożę Mefista! Wstał z łóżka. Usiadł w fotelu obok fortepianu. Rozerwał białą kopertę. Rozpoznał koślawe pismo Arthura. Zaczął czytać...

Stanley,

Twój kot jest spasiony jak świnia. Jest chyba grubszy nawet od Ciebie.

Byłem wczoraj w Twoim mieszkaniu go nakarmić. Kupiłem dla niego najlepszą wołowinę, jaką można dostać na Manhattanie. Ale pomimo to nie chciał jeść. Siedział ze mną na fotelu i mruczał, gdy drapałem go za uszami. Nie wiedziałem, że słuchasz Schumanna. Ta płyta leżała na Twoim gramofonie. Słuchaliśmy tego razem z Twoim kotem. Ja Schumanna słuchałem ostatnio na moim ślubie z Adrienne. To było dwadzieścia pięć lat temu.

Nie wiedziałem, że masz w domu nasze fotografie. Zabrałem Ci jedną, tę, gdzie Adrienne patrzy na Niagara Falls. Nie wiedziałem, że to sfotografowałeś i że ona była taka piękna. Chociaż powinienem wiedzieć. Albo przynajmniej o tym pamiętać. Oddam Ci ją. Fotografię. Ale najpierw mi ją jakoś nasi graficy skopiują.

Poza tym Liza jest smutna. Odkąd wyjechałeś, Liza zupełnie przestała się uśmiechać, a dwa dni temu płakała, gdy posadzili kogoś przy Twoim biurku. Wpadła tam i ponoć siłą wyrzuciła z Twojego pokoju tego gościa. Sam wiesz, jaka potrafi być Liza, gdy jest wkurwiona. Cała redakcja o tym szemrała. Nie mam pojęcia, kto to był. Tutaj wiele rzeczy dzieje się poza mną. Już nigdy nikogo tam nie posadzą. Tak ustaliłem. I możesz być pewny, że Liza tego dopilnuje.

Arthur

PS Stanley, możesz wrócić, kiedy tylko zechcesz. Pamiętaj o tym. Nie rób żadnych głupstw. Proszę Cię...

Wstał z fotela. Koniecznie musiał zapalić. Znalazł papierosy w kieszeni marynarki. Wrócił na fotel. Postawił kryształową popielniczkę na klawiaturze fortepianu. Odpiął spinkę w skórzanym pasku. Rzucił go na łóżko, rozerwał kopertę...

Bredford,

kupiłam masło. Mamy teraz bardzo dużo masła...

Rano budzę się o godzinę wcześniej, ubieram się dla Ciebie, wsiadam w metro na Greenpoincie i jadę do stacji na Park Avenue. Potem strażnik na dole w Twoim bloku ogląda dokładnie moje prawo jazdy i sprawdza coś w swoim grubym zeszycie. Robi to bardzo powoli. Mimo że powinien mnie już doskonale znać. Za każdym razem jednak udaje, że mnie nie zna. Powiedzmy, że masz dobrych, bardzo uważnych strażników. Prawdopodobnie lubi wąchać moje perfumy. Potem uśmiecha się do mnie i pozwala mi przejść do windy. Jestem pewna, że w drodze do windy wpatruje się w mój tyłek. Całkowicie go rozumiem. Mam niezły tyłek...

Gdy otwieram drzwi do Twojego mieszkania, Mefisto miauczy na powitanie. Nie sądzę, aby cieszył się z powodu mojej osoby. Chyba miauczy z radości, że za chwilę przestanie być głodny. Potem przebiega szybko do kuchni i ociera się o wszystkie cztery nogi stołu. Kładę mu jedzenie na talerzyku i nalewam mleka do miseczki. Potem opieram się o lodówkę i opowiadam mu, że znowu tęskniłam za Tobą. Nie zauważyłam, aby to robiło na nim jakiekolwiek wrażenie. Myślę jednak, że Mefisto udaje. On też tęskni za Tobą. Chyba jednak bardziej wieczorem niż rano. Tak jak ja. Ja także bardziej tęsknię za Tobą wieczorami. A najbardziej nocą. Dlatego wieczorem nie wracam na Brooklyn, tylko idę z biura do Twojego domu i spotykam innego strażnika. Tego zupełnie łysego, chudego staruszka, tego, który mnie wpuścił do Twojego życia i do Twojego łóżka tamten pierwszy raz. On nie chce oglądać fotografii z mojego prawa jazdy. Patrzy mi w oczy. I dlatego gdy przechodzę do windy, to staram się najlepiej, jak potrafię, kręcić biodrami.

Wieczorem Mefisto miauczy inaczej. I nie biegnie do kuchni. Natychmiast wskakuje na Twoje radio i patrzy na mnie. Najpierw podchodzę do niego i szepczę mu do ucha Twoje imię. To go uspokaja. Potem siadam w fotelu, zapalam lampkę, kładę Schumanna na gramofonie i czytam wszystkie gazety. Chcę wiedzieć wszystko o tej Twojej wojnie. Najbardziej chciałabym z nich wyczytać, że się skończyła i że wkrótce wrócisz. Niekiedy czytam to na głos, aby słyszał także Mefisto. Myślę, że on także by chciał, aby ta wojna się skończyła.

Dwa razy w tygodniu biorę taksówkę i jadę prosto z biura do „Village Vanguard", zamawiam dwa wina, czasami dwa kolejne. Niekiedy więcej. Słucham z Tobą jazzu i dopiero stamtąd wracam do Twojego domu. Najczęściej trochę pijana. Wtedy przyciskam wargi do lustra w naszej windzie. I zaraz potem biegnę tym wąskim korytarzem do Twojego mieszkania. I natychmiast idę pod prysznic i jesteś tam ze mną. Czasami wchodzę pod prysznic ubrana. Abyś mógł mnie rozebrać. Bredford, uwielbiam, gdy mnie rozbierasz! Chociaż zrobiłeś to tylko jeden jedyny raz...

Potem wracam spełniona i naga do Twojego łóżka. Nastawiam budzik na trzecią albo czwartą (nie mogę sobie przypomnieć, o której tej nocy zadzwonił?), ale gdy zadzwoni, wstaję i idę do kuchni, aby zrobić Ci kanapki. I rano wkładam je do mojej torebki i zabieram ze sobą. Moja sukienka jest czasami rano nadal wilgotna. Dlatego trzymam w Twojej szafie dwie inne na zmianę. W południe, gdy siedzę na ławce, jem te kanapki w Central Parku i opowiadam o Tobie na głos drzewom, to wierzę, że w jakiś mistyczny sposób słyszysz to i czujesz moją obecność. Z parku wracam do swojego biura i patrzę na wyciętą z atlasu mapę Europy, którą przypięłam pinezkami do ściany mojego *cubicle*, i zastanawiam się, w którym miejscu rosną Twoje drzewa.

Dwa dni temu przeżyłam pewien szok. W nocy wszedł do Twojego mieszkania jakiś starszy mężczyzna. W pierwszej chwili chciałam sięgnąć po telefon i wezwać strażnika. Ale gdy ten mężczyzna prosto od drzwi przeszedł do kuchni, zrezygnowałam. Mefisto był bardzo zaniepokojony. Potem ten mężczyzna oglądał fotografie stojące na Twoim biurku. Na końcu włączył muzykę z Twojego gramofonu i usiadł w Twoim fotelu. Nie zauważył mnie w łóżku. Dla pewności starałam się nie oddychać. Przykryłam się kołdrą, a potem, gdy była głośna muzyka, wysunęłam ostrożnie głowę. W pewnym momencie ten mężczyzna zaczął płakać. Potem wstał, zgasił światło w kuchni i wyszedł. Mefisto natychmiast przybiegł do mnie do łóżka, mocno się przytuliliśmy i przestałam się bać.

Rano zdjęłam z szyi Mefista jego obrożę. Kupię mu nową. Ta jest zbyt twarda i musi go uciskać. Wepchnęłam do koperty ten list i przewiązałam jego obrożą. Mefisto się ucieszył. Poznałam to po ruchu jego ogona. On chyba nie lubi żadnych obroży wokół szyi. Myślę, że podobnie jak ty. Nie założę Ci nigdy w życiu żadnej obroży. Mężczyźni z obrożami na szyi i tak nie wracają do swoich kobiet. A ja chciałabym, abyś wracał. Do mnie. Bądź wolnym kotem, ale budź się rano obok mnie. Niekoniecznie za każdym razem o trzeciej lub czwartej nad ranem...

Wczoraj w czasie przerwy na lunch poszłam do Twojej redakcji. Pomyślałam, że to będzie długi i zdrowy spacer. Chciałam po drodze, przez nic nierozpraszana, myśleć o Tobie. W Nowym Jorku jest zupełnie inaczej, gdy myśli się o Tobie. Padał śnieg, świeciło słońce, a ja myślałam o tym, jaki śnieg i jakie słońce ty widzisz.

Gdy tylko wymówiłam przy recepcji Twoje nazwisko, natychmiast pojawiła się tam bardzo gruba kobieta. Miała chyba na imię Liza. Albo jakoś tak podobnie. Ale nie jestem pewna. Gdy położyłam kopertę na ladzie recepcji, Liza natychmiast ją zabrała i przytuliła do swoich ogromnych piersi. Podejrzewam, że nie chciała, aby dotknęła tej koperty ta młoda recepcjonistka. Nie wiem skąd, ale Liza znała moje imię. Obiecała mi, że „przekaże to natychmiast w zestawie obszernej korespondencji do redaktora Stanleya Bredforda, który tymczasowo przebywa w Europie". Polubiłam ją.

Gdyby Liza przekazała mój list w „jakimś obszernym zestawie korespondencji" do Ciebie, to proszę, wyłuskaj tę kopertę i podziękuj Lizie. W moim imieniu także. Bo bardzo chcę, abyś wiedział, że myślę o Tobie. Praktycznie nieustannie.

Doris

PS Pragnę Cię, Bredford. Także nieustannie...

Zapalił kolejnego papierosa. Nie zauważył, że poprzedni tli się ciągle w popielniczce. Gdy palił dwa papierosy jednocześnie, to przeważnie trafiał do jednego świata, w którym tracił kontrolę nad sobą. Wtedy najlepsza była aktywność. Skupić się na bardzo prostych, najbardziej podstawowych czynnościach. Takich wykonywanych automatycznie. Odkręcił pozłacane kurki przy wannie, zmoczył włosy ciepłą wodą, wyszorował zęby nad umywalką, wysuszył ręcznikiem głowę, ubrał się, wsunął koperty do kieszeni marynarki, przewiesił aparat przez ramię. W wąskim korytarzu minął drobną dziewczynę w czarnej sukience i koronkowym fartuszku. Tę z wczorajszego wieczoru. Przywitała go serdecznym, niewymuszonym uśmiechem i przesunęła wózek z czystą pościelą, robiąc mu miejsce. Przeszedł szybkim krokiem przez salon na dole. Znowu pełen żołnierzy. Starał się udawać, że nikogo nie zauważa. Z gramofonu znowu wykrzykiwały siostrzyczki Andrews, w kominku płonął ogień, na stole dalej stały piwa. „Jeśli sztab Pattona dalej będzie tak wojował, to on, kurwa, nie wróci do domu przed Świętem Dziękczynienia!" – pomyślał ze złością. Trzasnął drzwiami i wyszedł.

Szeroką, żwirową aleją przeszedł do bramy. Strażnik nie zwrócił na niego najmniejszej uwagi. Wąska ulica porośnięta z obu stron wyłysiałymi o tej porze roku platanami kończyła się przy małym placyku z klombem pośrodku. Zatrzymał się, nie wiedząc, w jakim kierunku powinien pójść. Wiedział jedynie, że chce napić się kawy, zjeść bułkę, najlepiej z serem topionym, a potem zapalić przy kawie papierosa. Nie był wcale pewny, czy takie najzwyklejsze rzeczy nie są przypadkiem jego chimerą w miejscu, które jest tak blisko wojny. Najbardziej jednak chciał być wśród ludzi i patrzyć na słońce i drzewa, aby je opisać w liście do Doris.

W oddali, w tej stronie, gdzie na niebie przez chmury momentami przebijało się słońce, zobaczył sylwetki ludzi i przejeżdżające samochody. Dotarł do skrzyżowania z szeroką ulicą. Na granatowej tablicy przedziurawionej w kilku miejscach pociskami odczytał biały napis: rue des Gaulois. Kojarzył to z papierosami, które lubił. Skręcił w tę ulicę. Mijał zasłonięte żaluzjami okna kamienic, przyglądał się mijanym nielicznym przechodniom. Ulica była opustoszała. Gdyby nie rzadko przejeżdżające wojskowe samochody i rowerzyści, których nie odstraszyło lutowe zimno, byłaby zupełnie pusta.

Po chwili dotarł do witryny małego sklepiku. Za nieskazitelnie czystą szybą na metalowych hakach wisiały pęta kiełbas i kawały mięsa. W środku stały dwa prostokątne stoliki. Przez drzwi wydostawał się zapach gotowanych parówek. W dwóch drewnianych skrzyniach przymocowanych do ściany leżały bułki. Poczuł natychmiast dokuczliwy głód. Wszedł do środka. Uśmiechnięta kobieta z czerwonymi policzkami, w białym, poplamionym krwią fartuchu, wyszła natychmiast zza lady i bez słowa przykryła jeden ze stolików ceratą. Postawiła na nim wazonik z plastikowym kwiatem i położyła nóż i widelec owinięte w sztywno wykrochmaloną serwetkę. Za chwilę, pomimo że nie zdążył jeszcze wymówić ani jednego słowa, przyniosła małą filiżankę pachnącej kawy, biały talerzyk i popielniczkę. Wstał i sięgnął po bułkę w jednej ze skrzyń. Przekroił ją nożem, położył na talerzyku i podszedł do lady. Nie powiedział ani jednego słowa. Nie chciał być rozpoznany jako „cyniczny, arogancki Amerykanin". Chciał być zwyczajnym, głodnym przechodniem z ulicy. Nie wie dlaczego, ale dokładnie w tym momencie przypomniał sobie Bronx...

Gdy w Nowym Jorku trafiał do dziwnych miejsc, to także starał się nie odzywać ani słowem. Te miejsca nie były w żadnej puszczy amazońskiej! One były o wiele bliżej. Albo w Harlemie, ale częściej w Bronksie. Nie chciał, żeby rozpoznali po jego akcencie, że jest ze środkowego Manhattanu. Ludzie w nowojorskim Bronksie, kilka stacji metrem od środkowego Manhattanu, byli tak samo odlegli od siebie jak Luksemburg City w Luksemburgu od Bronksu. Chociaż, pozornie, rozmawiali tym samym językiem, mieszkali w tym samym kraju, mieli tę samą flagę, ten sam hymn i tę samą historię. W tym samym kraju?! Co za bzdura! Mieszkali w tym samym mieście! Ameryka była podzielona granicami bardziej niż Europa. Nie było tych granic na żadnej oficjalnej mapie. Ale były na innych mapach. Na przykład tej w mózgu analfabety, który nie zna słowa „geografia" i nigdy nie będzie go stać, aby kupić jakiś atlas. Na przykład Portorykańczyka, który sprząta zachlapaną spermą, śmierdzącą moczem toaletę na zapleczu mrocznego baru w Bronksie. Tylko raz był w takiej toalecie. Potem nakazał swojemu pęcherzowi, aby się nieustannie rozszerzał. Gdy już bardziej nie mógł, to płacił rachunek, brał taksówkę i wracał do domu. On nie chciał się w Bronksie nawet wysikać. Dla tego Portorykańczyka jednakże to był jego świat. A dekadencki środkowy Manhattan z limuzynami podjeżdżającymi pod pałace był daleko. Za górami i lasami. W jakiejś baśniowej Nibylandii. Luksemburg jest dla niego jeszcze o kolejne lasy i o kolejne góry dalej, bo Nibylandia po angielsku po prostu brzmi bardziej swojsko. I na dodatek jest tylko o 25 centów za bilet i kilka stacji metra dalej, patrząc w kierunku na południe. „Tylko" o 25 centów?! Za 25 centów można kupić w Nowym Jorku – na dzisiejsze ceny z czterdziestego piątego roku – śniadanie. Dla całej rodziny...

Starał się – bez słów – przekazać kobiecie z czerwonymi policzkami, że chciałby topionego sera na bułce. Uśmiechając się, symulował ruch noża przesuwającego się po powierzchni rozkrojonej bułki. Kobieta wymawiała kolejne słowa po francusku. Potem po niemiecku. Po chwili, widząc jego bezsilność, odeszła od lady i zniknęła na zapleczu sklepiku. Wróciła z wiklinowym koszykiem. Ustawiła na ladzie, na małych talerzykach, masło, marmoladę, biały ser, zmielone krwistoczerwone mięso z cebulą, plasterek sera, pomarańczową pastę pachnącą rybą i czekoladowy mus. Palcem wskazał najpierw na masło, a potem na biały ser. Pomyślał, że to z pewnością nie wina tej kobiety, że on nie wie, jak pokazać ser topiony. Wrócił do stolika. Sięgnął po filiżankę z kawą, wyrwał z notesu kilka pustych kartek. Zaczął pisać...

Madame D,

mam wrażenie, jak gdybym dobrnął do miejsca, gdzie dawni kartografowie wpisywali na skraju mapy „dalej są już tylko smoki". A ja chciałbym spotkać te smoki i je sfotografować. Ale pewien angielski oficer, który bardzo dobrze zna się na wojnie, mi to odradza. Uważa, że mogłyby to być ostatnie moje zdjęcia. I nigdy bym ich nie zobaczył. A ja chciałbym je zobaczyć, a potem oglądać je z Tobą. I to mnie powstrzymuje. Bardzo chcę wrócić. Do Ciebie. Aby dokończyć naszą rozmowę. I rozpocząć wiele innych. Dlatego poczekam tutaj, aż kartografowie przesuną smoki. Dalej na wschód.

Czytałem dzisiaj rano Ciebie. Liza wiedziała, że czekam na Twój list. Ona zawsze wie, na które listy czekam. Ona także wie, po których listach będzie mi lepiej. Chociaż Liza ma powody, aby nie przepadać za takimi kobietami jak Ty. Jesteś zbyt piękna i zbyt niezależna...

Czytając, doznałem pewnego rodzaju, nie wiem, jak to dokładnie nazwać, chyba rodzaju zawieszenia. Zapaliłem papierosa, z popiołem strząsnąłem ciarki, jakie wywołałaś we mnie, rozkładałem Twoje myśli na czynniki pierwsze, żałując, że uprzedzasz nimi moje. Potem zazdrościłem Mefistowi Twojej bliskości, a potem, czytając czwarty raz ten fragment o łazience, odurzyłem się pożądaniem. I chciałem Cię dotykać. Bez opamiętania i bezwstydnie. Ze spuszczonymi ze smyczy i obroży zmysłami.

Przegryzam teraz kanapkę z masłem i popijam ją kawą. Jest mi przytulnie i czuję się bezpieczny. Bardziej niż niekiedy w Bronksie lub wieczorem w Central Parku. Chwilami zbyt bezpieczny. I wcale nie chodzi mi o to, aby być jakimś bohaterem. Ta wojna, która się tutaj toczy, odsuwa się ode mnie i jest o wiele mniej dramatyczna niż ta opisywana na pierwszej stronie „Timesa". Odkąd wylądowałem w Namur, czuję się jak niewidomy, którego dobrzy ludzie przeprowadzają przez ulicę. Słyszę nadjeżdżające samochody, ale otoczony czyimś troskliwym ramieniem i tak wiem, że cały i zdrowy dotrę na drugą stronę. Wojnę poznaję, jak na razie, tylko z opowieści tych ludzi. Ale to są jedynie opowieści, a sama wiesz, że ja jestem tak naprawdę tylko ilustratorem.

Nie wiem jeszcze, jak długo tutaj pozostanę. Za tydzień podążę śladami jakiejś armii lub dywizjonu – szczerze mówiąc, nie odróżniam, co jest większe i ważniejsze – i powinienem znaleźć się w Niemczech. Chcę najpierw dotrzeć do Trewiru, a potem, gdy kartografowie zmienią mapy i przesuną smoki, do Kolonii, a stamtąd o wiele bardziej na wschód, może nawet do Frankfurtu. Stamtąd chciałbym z kopertą zdjęć i pełnym, naświetlonym negatywem w aparacie powrócić jak najprędzej do domu. To może trochę potrwać i zależy bardziej od generałów niż ode mnie. Dlatego zaczynam się obawiać, że Mefisto może mnie nie rozpoznać, gdy wrócę. Opowiadaj mu o mnie jak najczęściej i dalej czytaj mu na głos gazety. To pojętny kot. Szybko skojarzy Kolonię lub Frankfurt z moim powrotem i wróci na swoje radio, zwalniając mi moje miejsce. Obok Ciebie. W łóżku.

À propos łóżka. Ostatnio bardzo intensywnie śnię. Prawie każdej nocy wraca do mnie uporczywie jeden sen. Jest w nim więcej dźwięków niż obrazów. Już samo to jest dla mnie dziwne. Bo ja przeważnie śnię obrazami. Przerywam ten sen przebudzeniem. Budzę się ze smutku. Budziłaś się tak kiedyś? Z nieopanowanym smutkiem? Młoda dziewczyna z mojego snu ma na imię Anna, jest kochana i jest zakochana. Ale Annę kocha także ocean. Pewnego dnia jej kochanek wypływa na połów ryb i ocean go z zazdrości zabija. Anna nie wie o tym, stoi na brzegu, płacze i czeka na niego. Czeka tak długo, aż zamienia się w skałę i ocean z furią uderza w nią każdą falą, chcąc ją wchłonąć w siebie. To chyba przypadek dla psychoanalityka, ale ja naprawdę w tym śnie słyszę płacz Anny i słyszę nieustanny ryk zazdrości fal oceanu. Nawet zamieniona w skałę Anna nie należy w całości do oceanu. Raczej znika w nim częściami, ale w całości nigdy mu się nie podda. Często wyraźnie widzę twarz Anny. Przeraża mnie ten sen. I zastanawia...

Starszy mężczyzna, który Cię wystraszył, to ten sam, który zadzwonił do mnie podczas naszej ostatniej nocy. Naszej jedynej i ostatniej nocy. Tylko on, poza Tobą, ma klucz do mojego mieszkania i tylko jego wpuszczą na górę strażnicy. On, przechodząc na dole, nie zerknie nawet na strażnika. Po prostu przejdzie do windy. Strażnika pozostawi komuś, kto z nim przyjechał pod mój dom. Innemu strażnikowi. On od lat nie rozmawia ze strażnikami. On ma swoich i im po prostu płaci.

To Arthur. Mój dobry przyjaciel. Właściciel gazety „New York Times". On czasami potrzebuje kontaktu bardziej z kotami niż z ludźmi. Przy ludziach nigdy, przenigdy nie pokazałby, że jest zdolny do płaczu. Chociażby dlatego, aby nie dać satysfakcji Rockefellerowi. Arthur nienawidzi jakiejkolwiek satysfakcji Rockefellerów. Satysfakcja ich klanu z powodu jego płaczu by go najprawdopodobniej zabiła. Dlatego, nawet przed pogrzebami najbliższych i najdroższych mu osób, Arthur znika na jakiś czas i podejrzewam, że płacze w samotności. A kilka godzin później, przy grobie, ma twarz posągu.

Byłaś, zupełnie przypadkowo, pierwszą osobą, poza – jak przypuszczam – jego żoną Adrienne, która była tego świadkiem. Napiszę do Arthura, że Mefisto jest przekarmiony i że ma dzwonić, zanim następnym razem przyjedzie pod mój dom. I że to nie Mefisto odbierze telefon.

Dlatego odbieraj telefony, jeżeli będziesz akurat w pobliżu. I nie zdziw się, gdyby to były głuche telefony. Gdy odbierzesz, Arthur się wycofa, dobrze go znam, nawet spod mojego domu. Myślę, że Arthur już nigdy Cię nie przestraszy. Ale będzie, gdy nie odbierzesz, odwiedzał Mefista...

Dzisiaj, zaraz po tym późnym śniadaniu, pójdę posłuchać drzew, a potem dokładnie zbadam zakamarki tego miasta. Dzisiaj nie chcę jak ślepiec być przeprowadzany przez ulice. Tak pięknie nastrojony Twoimi słowami, chcę być tylko z Tobą.

Jestem w Luksemburgu, to takie małe państewko w Europie. Jeśli nie znajdziesz go na swojej mapie w biurze, to znaczy, że skala kartografa była źle wybrana albo nie zerknęłaś zbyt uważnie. Taka nieregularnie okrągła plamka, trochę pod linią przechodzącą z zachodu na wschód przez Paryż, ale nad linią przechodzącą przez Reims, przytulona wschodnimi granicami do ogromnych Niemiec. Luksemburg jest tak mały, że łatwo go przeoczyć. Chociaż dzieją się tutaj wielkie sprawy dla całej Europy. Moim zdaniem dzieją się zbyt powoli, ale albo ja jestem z tej tęsknoty za Tobą zbyt niecierpliwy, albo taka jest kolej rzeczy i ja tego najzwyczajniej nie pojmuję...

Jeśli pozwolisz, będę Ci opowiadał o tej wojnie.

Bredford

PS Doris, gdy już wrócę, to poproszę Cię, abyśmy przejechali się windą. Niekoniecznie w moim domu. Zatrzymasz ją, tak jak ostatnio, między piętrami? A potem jeszcze raz w naszej windzie?

Skończył pisać, złożył zapisane kartki i wepchnął je za okładkę swojego notesu. Pochłonięty myślami nie zauważył, że tymczasem na jego stoliku pojawił się czajnik z kawą ubrany w rodzaj stożkowatej czapki z flaneli, spodeczek wypełniony kawałkami czarnej czekolady i obłożona w lnianą, zieloną obwolutę książka. Otworzył na pierwszej stronie. Przeczytał tytuł: *Słownik angielsko-francuski*. Odwrócił głowę i uśmiechnął się rozbawiony do kobiety stojącej za ladą. Dał jej znak, że chciałby zapłacić.

Kobieta ponownie zniknęła w drzwiach prowadzących na zaplecze. Po minucie wróciła z małą dziewczynką. Nie miał wątpliwości, że to była jej córka. Były tak bardzo podobne do siebie. Wstał z krzesła i wyciągnął portfel. Kobieta trzymała w dłoni kretonową torbę. Dziewczynka, wypchnięta przez matkę, stanęła przed nim i z rumieńcem zawstydzenia na twarzy zaczęła powoli czytać z kartki tekst. Słowo po słowie, powoli i wyraźnie, po angielsku:

– Bardzo dziękujemy Panu za wolność.

Gdy dziewczynka skończyła, jej matka podała mu torbę i dała znak, aby schował portfel. Dziewczynka natychmiast uciekła. Stał oniemiały, nie wiedząc, jak się zachować. Sięgnął po dłoń kobiety i pocałował ją w rękę. Kobieta mówiła coś ze łzami w oczach, po francusku, wskazując na torbę. Odprowadziła go do drzwi sklepu.

Wyszedł na ulicę. Cała ta sytuacja była wzruszająca. Niezwykła. Zupełnie nieoczekiwana. Przypomniał sobie charakterystyczne słowa Anglika: „pomimo wdzięczności, którą na każdym kroku okazuje się wyzwolicielom...". Nie uważał, że dał tej kobiecie jakikolwiek powód do „pomimo". Ale także nie czuł, że on sam – osobiście – dał jej także jakikolwiek powód do wdzięczności. Ta wdzięczność należała się komuś zupełnie innemu. W tym momencie inaczej zaczął myśleć o Angliku, szeregowcu Billu i o wszystkich żołnierzach słuchających przy kominku skowytu Andrews Sisters...

Przeszedł na drugą stronę ulicy. Skierował się ku budynkom wyrastającym na horyzoncie za niewielkim parkiem. W tym momencie usłyszał za sobą dziecięcy głos. Zatrzymał się i odwrócił głowę. Dziewczynka od „wdzięczności za wolność" stała po drugiej stronie ulicy. Podbiegła do niego i podała mu książkę, którą zostawił na stoliku. *Słownik francusko-angielski* oprócz torby pełnej kiełbas i mięs także należał do tej wdzięczności...

Przewędrował chyba całe miasto. Odwiedzał kościoły, wchodził na podwórka za frontonami kamienic w centrum miasta, zaglądał do starych studni, pił wodę z ulicznych pomp, zbierał ulotki leżące na chodnikach i próbował je czytać ze słownikiem. Gdy poczuł zmęczenie, siadał na ławce i przyglądał się drzewom. Gdy poczuł głód, sięgał do kretonowej torby. Tylko miejscami miasto przypominało swoją niedawną, świeżą historię. Kilka budynków zniszczonych wybuchami pocisków, kilkanaście innych z wybitymi oknami, powierzchnie kilku ulic rozjechane gąsienicami czołgów, kilka drogowskazów kierujących do schronów. Najbardziej o pobliskiej wojnie informowała obecność wojskowych samochodów, francuskich, amerykańskich, brytyjskich i kanadyjskich, oraz patriotyczne melodie wydobywające się z megafonów na ulicach. Tuż przed zmrokiem dotarł do małego cmentarza w ogrodzie za jednym z ewangelickich kościołów. Za bramą na oddzielonym placu znajdowały się dopiero co usypane mogiły. Oddzielone od reszty cmentarza rodzajem płotu utworzonego z lin rozciągniętych pomiędzy drewnianymi palikami. Na linach wisiały flagi, na każdej z piaskowych mogił płonęły świece i na każdej leżał wieniec owinięty biało-czerwono-niebieską szarfą. Przechodził alejkami obok mogił. Na blaszanych, pokrytych czarną emalią tabliczkach białe napisy. Nazwisko, imię, wiek i data śmierci. Wszystkie daty z ostatnich miesięcy. „Jean, 21 lat, Horst, 25 lat, Paul, 19 lat...". Tak naprawdę dopiero ten mały cmentarz przypomniał mu, gdzie jest.

Późnym wieczorem, w zwyczajnym, małym sklepiku przypominającym mu kiosk z gazetami – absolutnie nie do pomyślenia w Nowym Jorku – kupił butelkę irlandzkiej whisky, spod lady, dziesięć razy droższą niż w Nowym Jorku, i gauloise'y. Pomyślał, że od dzisiaj będą to jego ulubione papierosy.

Wrócił do willi około dwudziestej trzeciej. Przemknął chyłkiem niezauważony przez hałaśliwy salon do swojego pokoju. Rzucił na łóżko ubranie. Napełnił szklankę whisky i odkręcił złote kurki przy wannie. Poczuł przyjemne ciepło, zanurzając się w wodzie. Z oddali dochodziła muzyka. Zamknął oczy, przełknął whisky. Po chwili usłyszał pukanie do drzwi. Nie był pewny, czy przekręcił klucz w drzwiach. Znając siebie, przypuszczał, że na całe szczęście nie przekręcił. W ten sposób nie musiał wychodzić z wanny. Krzyknął po angielsku. Usłyszał chrobot otwieranych drzwi. Wysunął głowę ponad krawędź wanny i zobaczył okrągłe biodra porucznik Cécile Gallay. Wyglądało na to, że w pierwszej chwili nie dostrzegła go w wannie. Stanęła w otwartych drzwiach, rozglądając się wokół. Wysunął głowę i ręce ponad wannę i powiedział:

– Proszę wejść. Jeśli nie przeszkadza pani, że jestem nagi. Za chwilę będę do pani dyspozycji.

– Nagi? Do dyspozycji? – odpowiedziała, wchodząc do pokoju i siadając na łóżku. – Nie, to mi zupełnie nie przeszkadza.

Po chwili wstała, wróciła do drzwi i przekręciła klucz w zamku.

– Martwiliśmy się o pana. Nawet bardzo. Pana angielski opiekun był tak przerażony, że wysłał swojego adiutanta i dwa inne samochody, aby pana szukali. Musiał go pan czymś oczarować. On normalnie

nie okazuje żadnych emocji. Biedny chłopak, mam na myśli adiutanta, zjechał całe miasto. Mógł pan nam zostawić jakąś wiadomość. Wystarczyłaby kartka z informacją, że na przykład odechciało się panu już tej wojny i wraca pan do domu. Ale to cudownie, że panu się nie odechciało – dodała natychmiast z uśmiechem.

Pomyślał, że ona ma rację. Faktycznie, zachował się trochę po szczeniacku. Odłączył się jak turysta od wycieczki rano i zaczął zwiedzać miasto na własną rękę, nie powiadamiając nikogo. A wcale nie jest tutaj na wycieczce. Poczuł się nieswojo.

– Co pan pije? – zapytała, próbując, na widok jego zmieszania, zmienić temat.

Przechyliła się do tyłu, wsparta dłońmi o łóżko. Po chwili zsunęła buty ze stóp, podeszła do wanny i sięgnęła po szklankę stojącą na krawędzi. Podniosła ją do nosa i powąchała. Zaraz potem zanurzyła w niej koniuszek języka i powoli przesunęła nim wzdłuż warg.

– Irlandzka, prawda? Jeśli się nie mylę, to stara, dobra paddy whiskey, przeszmuglowana prosto z Cork. Gdzie pan trafił na ten rarytas? – zapytała zaciekawiona.

Spojrzał na nią zdziwiony. Pierwszy raz w życiu zetknął się z kobietą, która próbowała rozpoznawać pochodzenie whisky po smaku i zapachu.

– Zupełnym przypadkiem. W małym sklepiku z gazetami – odparł z uśmiechem – i nie wiem, czy to akurat paddy. Wiem tylko, że rzekomo irlandzka.

– Doleję panu. Gdzie pan postawił butelkę? – zapytała, patrząc na niego i rozpinając powoli guziki marynarki.

Zdjęła marynarkę i położyła ją na klawiaturze fortepianu. Sięgnęła ręką do tyłu głowy i rozpuściła włosy. W tym momencie jej biała bluzka wydała mu się o wiele bardziej opięta niż wczoraj. Postanowił – wbrew całej tej dziwnej sytuacji – zachowywać się tak, jak gdyby leżał w wannie ubrany, a ona nie mogła dostrzec jego nagości.

– Butelka? – odparł, patrząc jej prosto w oczy. – Butelka stoi na podłodze, tuż obok pani stóp, chciałem mieć do niej blisko.

Gdy schyliła się po butelkę, natychmiast odwrócił się w wannie. Myślał, że tak, głównie dla niego, będzie to jednak mniej krępujące. Nie chciał, aby widziała reakcje, nad którymi nie mógł zapanować. Bo nie mógł. Podsunęła mu napełnioną szklankę do ust. Gdy wziął ją do ręki, podeszła do małego kredensu. Wróciła ze szklanką, nalała do niej whisky i usiadła na krawędzi wanny.

– Gdzie pan bywał przez cały dzień? – zapytała, wkładając rękę do wanny i przepychając fale ciepłej wody na jego plecy i szyję.

W tym momencie pomyślał, że Anglik ma rację. Porucznik Cécile Gallay jest wyjątkowa.

– Najpierw wzruszyłem się w sklepie mięsnym, a potem szukałem w mieście śladów wojny. A potem... potem myślałem, kiedy wreszcie będę mógł przedostać się do krainy smoków.

Delikatnie masowała jego plecy i szyję. Milczała. Podnosił się nieznacznie, podsuwając swoje ciało w kierunku jej dłoni. Najpierw plecy i szyję, a potem głowę. Wsunęła palce w jego włosy i delikatnie, miejsce przy miejscu, uciskała skórę głowy. Nie wypowiedzieli w tym czasie ani jednego słowa. Po kilku minutach dotknęła palcami jego czoła i zaraz opuściła je do ust. Znalazła jego wargi. Rozsunęła. Zamoczyła palec w szklance z whisky i powoli rozprowadzała krople płynu na jego wargach. Zaczął delikatnie dotykać językiem jej palca. W tym momencie wróciła z dłońmi na jego plecy.

– Chciałby pan do smoków? Hmm... myślę, że to jeszcze trochę potrwa. Ale przyjrzymy się teraz temu spokojnie – powiedziała, nie przestając masować jego pleców. – Generał Millikin z trzeciego korpusu trzeciej armii Stanów Zjednoczonych dotrze wkrótce do Renu, to jest prawie pewne. George, to znaczy... Patton po spotkaniu z generałem Hodgesem już to ogłosił, więc to musi być pewne. Czy nie za mocno pana uciskam? Ma pan bardzo zesztywniałe mięśnie. Czy pan się czegoś boi? Mogę mocniej?

Generał Leonard ze swoimi dywizjami pancernymi z dziewiątej dywizji powiniem zdobyć ważny ze strategicznego punktu widzenia most Ludendorffa w pobliżu Remagen. Jeśli oczywiście Niemcy go wcześniej nie wysadzą. Załóżmy, że nie wysadzą. Gdy Leonard go zdobędzie, powinien natychmiast ulokować się na przyczółku na wschodnim brzegu rzeki i koniecznie go utrzymać. Leonard jak dotychczas zawsze dotrzymywał słowa.

Na pana szyi jest mała blizna. Tuż pod włosami. Tak jakby pana ktoś niedawno mocno ugryzł. Ale już zanika.

Anglicy powinni wspomóc przekroczenie Renu. RAF obiecał, że roztrzaska wiadukt kolejowy w Bielefeld jakimiś specjalnymi bombami. Patton bardzo na to liczy. Byłam przy rozmowie Pattona i majora Caldera, dowódcy sześćset siedemnastego dywizjonu RAF-u. W Bielefeld jest ważne połączenie komunikacyjne. Musimy je koniecznie zlikwidować. Calder twierdzi, że ich lancaster zlikwiduje ten wiadukt jakąś jedną magiczną, ogromną bombą, nad którą Anglicy od dawna pracowali.

Czy pan się gdzieś uderzył? Tuż nad prawym pośladkiem ma pan zieleniejący, ogromny siniak. Czy boli to pana, gdy tam dotykam? Obiecuję, że będę bardzo delikatna.

Potem Patton planuje uderzyć dwunastym korpusem trzeciej armii w okolicach Oppenheim i zbliżyć się do Menu. Dla Pattona, z jakichś niezrozumiałych dla mnie powodów, Men jest bardzo ważny.

Wie pan? Ma pan śliczne pośladki. Powiedziała to już panu kiedyś jakaś kobieta?

W tym czasie generał Dempsey z drugiej armii brytyjskiej razem z pierwszą armią kanadyjską powinni wspólnie przekroczyć Ren w okolicach miasta Wesel. Ma dołączyć do nich dziewiąta armia Stanów Zjednoczonych generała Simpsona. Patton wydał już odpowiednie rozkazy. Gdy rozlokujemy się wokół Wesel, to otoczymy Zagłębie Ruhry i dotrzemy do dolnego biegu Łaby. To niełatwe, ponieważ Niemcy będą się tam zaciekle bronić. Zagłębie Ruhry jest dla nich także bardzo ważne. Najważniejsze. Oczywiście poza Berlinem. Ale na szczęście to nie nasz obszar. Dlatego uważam, że Niemcy zignorują obszar na południe od Renu i przemieszczą wszystkie siły na północ. Nasz wywiad, na podstawie podsłuchów, twierdzi, że generał Gustaw von Zangen, dowódca niemieckiej piętnastej armii, został już o konieczności tego przemieszczenia poinformowany przez feldmarszałka Rundstedta.

Czy mogę dotknąć pana pośladków? Bardzo bym chciała. Dotknę...

Tereny na południe od Renu powinny być wolne od, jak to pan nazywa, smoków już wkrótce. JBL przekazał mi, że chciałby pan dotrzeć do Trewiru. Myślę, że w ciągu maksymalnie dziesięciu dni Trewir powinien być nasz i będzie mógł pan tam bezpiecznie dotrzeć. Mógłby być nasz o wiele prędzej, ale mamy, nazwijmy to tak, problemy zaopatrzeniowe. Sama słyszałam, jak zdenerwowany Patton krzyczał do Eisenhowera:

„Moi żołnierze mogą żuć swoje pasy, lecz moje czołgi potrzebują benzyny". Patton często przesadza, ale tym razem miał rację.

Czy mógłby się pan teraz odwrócić?

Słuchał jej z zamkniętymi oczami, poddając się bezwolnie wszystkiemu, co jej dłonie robiły z jego ciałem. Przewidywane plany przemieszczania całych armii opowiadane przy masażu pośladków brzmiały jak opowieść o tym, co wydarzy się w scenariuszu jakiejś planszowej gry dla dorosłych. Gdyby kilka godzin temu nie był tak blisko tablic na przykościelnym cmentarzu, to może by uwierzył. Ale był i pamiętał. „Jean, 21 lat, Horst, 25 lat, Paul, 19 lat...".

Nawet nie próbował zarejestrować w pamięci tych wszystkich nazw miast lub mostów, nazwisk generałów, numerów korpusów, dywizjonów czy armii. Strategia wojny opowiadana w ten sposób kojarzyła mu się jednoznacznie z opowieścią szachisty, który przy filiżance herbaty, w przytulnym zaciszu pokoju i swoich myśli, planuje kolejną partię. Prawdziwi ludzie, konkretni żołnierze z krwi i kości, z datami urodzenia, w armiach, dywizjonach czy korpusach, tak naprawdę nie istnieli. Byli jak poświęcane strategii niewiele znaczące pionki na szachownicy. Ale mógł się mylić. Może to tylko porucznik Cécile Gallay opowiadała to tak, jak gdyby relacjonowała pewien projekt. A może wojna jest także tylko projektem? Jeśli tak, to nic dziwnego, że świat szeregowca Billa McCormicka wydał mu się o lata świetlne odległy od świata porucznik Cécile Gallay. Poza tym porucznik Cécile Gallay często w przyjemnie wyszukany sposób zmieniała kontekst swojej opowieści. Zdawał sobie sprawę, że powinien się skupić – słuchając jej kilka godzin temu – na armiach, ale pomimo to skupiał się głównie na tym drugim kontekście. Trudno było przy Cécile Gallay jemu, mężczyźnie, w tych niezwykłych okolicznościach pozostać tylko dziennikarzem.

Otworzył oczy i zastanawiał się przez chwilę nad tym, co będzie, gdy się odwróci. Tak naprawdę nie wiedział. Cécile Gallay zdawała się być nieprzewidywalna. Nie czuł wstydu. Tego z pewnością nie czuł. Wręcz przeciwnie. Chciał, aby wyraźnie i jednoznacznie dostrzegła, co się z nim dzieje. Nie wiedział, jak to jest u innych mężczyzn, ale u niego – od pewnego poziomu natężenia pożądania – pojawiało się trudne do opanowania pragnienie obnażenia się. Podniecało go, albo, dokładniej mówiąc, wzmagało jego podniecenie, samo uczucie, że kobieta to dostrzega, że patrzy na niego w tym momencie. Absolutnie klasyczny przypadek ekshibicjonizmu, według Freuda albo Junga, nie pamiętał dokładnie. Prawdopodobnie według nich obu. Czytał o tym kiedyś w obszernym materiale nadesłanym do „Timesa". Nie mógł sobie w tym momencie przypomnieć numeru perwersji, pod którym psychiatrzy z tytułami profesorów zarejestrowali to w „katologu zboczeń". Nie w jakimś tam katalogu. W poważnym, publikowanym na cały świat katalogu Amerykańskiego Towarzystwa Psychiatrycznego. Pod oddzielnym numerem. Z pełną nazwą zboczenia i z przynależnym mu numerem. Bardzo naukowo i bardzo oficjalnie. Gdy któregoś popołudnia czytali długą listę tych zboczeń z Arthurem, to on przyznał się uczciwie do dwunastu, a Arthur, po czwartej szklance koniaku, do dwudziestu czterech. Arthur żartował, że szefowie powinni mieć w sobie minimum dwa razy więcej perwersji niż pracownicy. Tylko wtedy, jak twierdził z właściwym sobie sarkazmem, firma może dobrze funkcjonować. Obraz życia seksualnego Amerykanów, jaki wyłaniał się z tej „czarnej listy" profesorów, był grzeszny i mroczny oraz tak naprawdę przypominał średniowieczne przekazy, albo raczej zakazy, ortodoksyjnych mnichów. Pamięta, że studiując tę listę perwersji, ucieszył się z faktu, że „zboczenie" polegające na czerpaniu przyjemności i radości z seksu – inaczej niż według średniowiecznych przekonań – na szczęście się na niej nie znalazło. Gdyby tak było, to on byłby absolutnym zboczeńcem.

Postawił szklankę obok uda Cécile i położył się na plecach w wannie. Dotarł do najtrudniejszego momentu. Wiedział, że nie będzie mógł uniknąć jej wzroku. Pomogła mu. Wcale nie patrzyła na jego twarz. Wpatrywała się zupełnie gdzie indziej. Musiała zauważyć, że gwałtownie wciągnął brzuch. Sięgnęła po szklankę z whisky. Popijała z niej dużymi łykami i uśmiechała się do siebie. Po krótkiej chwili odstawiła szklankę na podłogę, rozpięła bluzkę, pochyliła się i położyła dłonie na jego podbrzuszu.

– Jeszcze nigdy nie widziałam tatuażu w takim miejscu – wyszeptała – to musiało chyba pana bardzo boleć?!

Delikatnie przesuwała opuszkami palców po małym czarno-pomarańczowym kształcie wyrysowanym pod włosami łonowymi tuż przy nasadzie penisa, na zawsze, na skórze jego prawej pachwiny. Taki grzech młodości z dzikich, odurzonych alkoholem i zawadiactwem studenckich czasów. Godło Uniwersytetu Princeton w prawie najważniejszym miejscu mężczyzny. Nie odważył się wtedy na to „najważniejsze miejsce", jak niektórzy z jego bardziej szalonych kolegów. Teraz przez chwilę tego żałował. Zastanawiał się, czy gdyby miał to godło Princeton na penisie, to porucznik Cécile Gallay dotknęłaby go tam. Może w końcy by dotknęła?!

Nie dotknęła. Podniosła się i sięgnęła po ręcznik leżący na małej drewnianej szafce stojącej obok wanny. Czekała z rozpostartym ręcznikiem w dłoniach, aż wstanie i wyjdzie z wanny. Zaczęła go wycierać. Podniósł ręce do góry i poddawał się temu. Od czasu do czasu dotykał ustami jej włosów. Nigdy przedtem nie spotkała go taka historia. Zupełnie nie czuł wstydu. Nie czuł także zawodu. Czuł jedynie zdziwienie. Bardziej tym, co się nie wydarzyło, niż tym, co się wydarzyło.

Ubrał się. Podszedł do okna. Zapalił papierosa. Cécile oddaliła się od niego. Chodziła wzdłuż ścian pokoju. W rozpiętej bluzce, z rozpuszczonymi włosami, ze szklanką whisky w dłoni. Przyglądała się obrazom i fotografiom na ścianach. Czasami odrywała od nich wzrok i patrzyła mu w oczy.

– Lubi pan Rachmaninowa? Słyszał pan o nim? – zapytała, podeszła do niego i wyciągnąwszy papierosa z jego ust, głęboko się nim zaciągnęła. – To rosyjski kompozytor, ale od wielu lat mieszkał w pana kraju. Wybitny pianista. Rachmaninow mówi, że muzyki wystarcza na całe życie, ale całego życia nie starczy na muzykę...

Jeśli się nie mylę, Ameryka przyznała mu nawet swoje obywatelstwo. Musiał pan o nim słyszeć! Zmarł w swoim domu w Beverly Hills w Los Angeles, zupełnie niedawno, w marcu 1943 roku. Chciał być pochowany w Szwajcarii, ale w tej sytuacji było to niemożliwe. Uwielbiam go. A najbardziej ten jego rosyjski smutek. Chociaż on sam uważał, że tylko polski smutek jest prawdziwy. Tutaj na ścianie wisi także portret Chopina. Ostatni koncert, jaki zagrał Rachmaninow, to sonata Chopina, ta zawierająca *Marsz pogrzebowy*. Jak gdyby wiedział, że wkrótce umrze.

Ma pan teraz ochotę na chwilę melancholii? Ja mam. Mogę to panu zagrać? Bardzo chciałabym coś zagrać dla pana...

Zapięła bluzkę, ściągnęła na powrót włosy, odsłaniając czoło, włożyła marynarkę. Wsunęła stopy w buty. Usiadła przy fortepianie i zaczęła grać. Stał przy oknie i wpatrywał się w nią. Po chwili przestał patrzeć. Zacisnął powieki. Chciał tylko słuchać. Nie. Nie znał Rachmaninowa! Ale teraz go słuchał. Było mu w tym momencie obojętne, że jest amerykańskim, niedouczonym durniem z dyplomem wydziału artystycznego Princeton i z idiotycznie żałosnym tatuażem, który ten fakt uwiecznił...

Grała...

Otworzył oczy. Wpatrywał się w jej dłonie przemykające po klawiaturze. Te same dłonie, które przed chwilą go dotykały. Czuł uroczystość nastroju wypełniającego powoli ten pokój. Tylko raz do tej pory doznał czegoś podobnego płynącego prosto z muzyki. A przecież kosztował muzyki, i to tej na najwyższym poziomie. Bardzo często. Od bardzo dawna... Tylko raz...

Któregoś wieczoru przy kolacji jego ojciec, tuż po modlitwie, powiedział, że „w przyszły piątek jadą do City". To było dokładnie dwa tygodnie po tym, jak nadszedł list z Princeton informujący go o stypendium. Przez dwa tygodnie ojciec nie odzywał się do nikogo, ale tego wieczoru się odezwał. Tylko Andrew odważył się zapytać: „A po cóż to jedziemy do City?". Ojciec zignorował go i nie odpowiedział. Matka milczała jak zawsze i on także milczał jak zawsze. Pamięta, że ojciec położył wtedy na stole obok chleba plik banknotów. Mają „ubrać się za to przyzwoicie, ostrzyc się i ogolić". Tak powiedział. W czwartek przed tym piątkiem ojciec umył samochód. Pierwszy raz widział, aby jego ojciec sam mył samochód. Do Nowego Jorku dotarli wieczorem. Zamieszkali na jedną noc w rozpadającym się motelu na przedmieściach Queens. W sobotę wczesnym wieczorem stali z Andrew w garniturach przed motelem. Pamięta dokładnie, jak pięknie wyglądała matka w granatowej sukience i jak bardzo błyszczały od łez jej oczy...

Było już ciemno, gdy dotarli do ogromnego rozświetlonego wieżowca w centrum Manhattanu. Przeczytał napis na frontonie budynku: Carnegie Hall. Ojciec podjechał ich rozpadającym się dżipem pod czerwony dywan kończący się na krawężniku. Wysiadł, otworzył drzwi auta i podał matce ramię. Wcisnął banknoty i kluczyki od samochodu do ręki młodemu Murzynowi, który patrzył na ich samochód z otwartymi z pogardliwego zdziwienia oczami. Po chwili szybko przeliczył banknoty i był jeszcze bardziej zdziwiony, po czym natychmiast skłonił się z najbardziej udawanym szacunkiem. Andrew i on stanęli za rodzicami.

Prowadzeni przez chudego mężczyznę w czerwonym surducie, wkroczyli do rozświetlonej kryształowymi żyrandolami ogromnej sali. Na środku sceny stał czarny fortepian. Wokół pachniały perfumy, stare, pomarszczone, bardzo brzydkie kobiety ściskały w dłoniach złociste torebki, pobrzękując biżuterią, a niektórzy mężczyźni byli w czarnych smokingach i mówili zupełnie innym angielskim niż on. Usiedli na krzesłach wyłożonych miękkim wiśniowofioletowym pluszem. W środku drugiego rzędu, tuż przed sceną. Potem na parkiet sceny wszedł spocony, gruby mężczyzna z błyszczącą w świetle reflektorów brylantyną na włosach, opowiadał przez dziesięć minut jakieś idiotyzmy, aby na samym końcu powiedzieć, że przy fortepianie zasiądzie Igor Strawiński. A potem w sali zgasło światło i do fortepianu podszedł bardzo chudy człowiek w okularach. Skinął jedynie głową w kierunku wypełnionej po brzegi widowni i gdy ucichły oklaski, zasiadł przy fortepianie i bez słowa zaczął grać...

A potem, gdy wsłuchany zaczynał odczuwać wzbierające w nim uniesienie, zdarzyło się coś niezwykłego. Siedział po lewej stronie ojca. W pewnym momencie ojciec sięgnął po jego dłoń. Nigdy w swoim życiu nie otrzymał tyle bliskości i tyle dotyku od ojca jak w chwili, gdy ten chudy mężczyzna grał na fortepianie, a ojciec ściskał jego dłoń. Nigdy dotąd i także nigdy później...

Po koncercie uniżony Murzyn podjechał ich dżipem pod krawężnik chodnika, na którym stali. Ojciec wepchnął mu do ręki kolejne banknoty i odjechali. Rano byli w Pensylwanii. Nie pamięta, aby ojciec kiedykolwiek drugi raz umył ich samochód...

Zapadła cisza. Siedziała przy fortepianie z opuszczonymi wzdłuż ciała rękami i z pochyloną głową. Podszedł do niej.

– Nawet pani nie wie, co mi pani podarowała i jakie wspomnienie przywróciła – odezwał się, usiłując zachować spokój. – Chciałbym...

– Proszę już więcej nie znikać. Tak bez słowa – przerwała mu w pół zdania, wstając od fortepianu. – Chciałabym jeszcze kiedyś dla pana zagrać.

Podeszła szybkim krokiem do lustra wiszącego naprzeciwko wanny. Poprawiła włosy, nałożyła szminkę na usta i bez słowa pożegnania wyszła z pokoju.

Trewir, Niemcy, sobota, późny wieczór, 3 marca 1945 roku

Drugiego marca 1945 roku wojska amerykańskie bez większych walk zajęły Trewir. Najpierw sam dowiedział się o tym z wrzasku żołnierzy, potem wyczytał to – ze słownikiem – w gazecie leżącej w łazience obok salonu willi, a jeszcze później wieczorem potwierdziła to oficjalnie Cécile.

Od ratusza w Luksemburgu do centrum niemieckiego Trewiru jest około pięćdziesięciu kilometrów – powoli uczył się myśleć w kilometrach – czyli mniej niż trzydzieści dwie mile. I to nie prostą drogą, tą na skróty, wzdłuż kreski wyrysowanej ołówkiem na mapie. Normalnymi drogami. To znaczy drogami, które kiedyś istniały. Przynajmniej na jego mapie, tej przestarzałej, jeszcze sprzed wojny, którą Arthur wepchnął do koperty przekazanej mu w Nowym Jorku. Szacował, że jeśli wyjadą przed wschodem słońca, to dotrą do Trewiru około południa. Nawet uwzględniając „najbardziej katastrofalne okoliczności wojenne". Bardzo się mylił. I Cécile także. Uważała, że skoro będą mieli „auto od Pattona, z flagami i wszelkimi przepustkami", to powini dotrzeć do Trewiru wczesnym popołudniem. Ale wczesnym popołudniem byli już wprawdzie w Niemczech, ale dopiero przy Konz.

Najpierw główne drogi były dla nich nieprzejezdne ze względu na pierwszeństwo wojskowych kolumn. Z kolei boczne, nawet te leśne, były zbyt niebezpieczne ze względu na prawdopodobną możliwość zaminowania ich przez uciekających Niemców. Jadąc, widzieli zepchnięte na pobocza wraki pozostałe po samochodach i transporterach, które przypadkowo wjechały na taką minę. W niektórych z nich nadal znajdowały się resztki porozrywanych eksplozją ciał żołnierzy. Poprosił Cécile, aby przy jednym z takich wraków mogli się zatrzymać. Wysiadł z samochodu i z aparatem w ręku podszedł do leżącej na dachu zielonobrązowej furgonetki. Szyby boczne były nienaruszone.

Pokryte błotem zmieszanym z krwią nie pozwalały dostrzec niczego we wnętrzu auta. Przeszedł ostrożnie przed auto i stanął naprzeciwko otworu po przedniej szybie. W kłębowisku powyginanych rur i kawałków blachy, przykryte gąbką z siedzeń i resztkami czarnego skaju leżały fragmenty ciał. Głowy w hełmach, z otwartymi oczami, oddzielone od korpusów, oderwane od tych korpusów ręce z zaciśniętymi pięściami, dłonie oderwane od tych rąk. Wszystko to widział dokładnie przez obiektyw aparatu, gdy naciskał spust migawki. Kiedy wrócił przerażony i blady do ich auta, Cécile powiedziała:

– No to dotarłeś w końcu do swojej krainy...

Potem ponad trzy godziny stali w punkcie kontrolnym w Konz. Nie pomogły ani flagi na aucie, ani perswazje i insygnia na mundurze Cécile, ani pieczątki i podpisy na przepustkach, którymi Cécile chciała przekonać żołnierzy. Twierdzili, że mają wyraźne rozkazy, aby nie przepuszczać na wschód żadnych cywilów. Także tych z amerykańskimi dokumentami. A on był cywilem. Jeśli cokolwiek ich przekonywało i być może mogło wziąć górę nad biurokracją, to uroda Cécile. Obserwując ją podczas pertraktacji z żołnierzami, zastanawiał się, dlaczego ona tego nie zauważa. Gdyby on podchodził do żołnierzy w punktach kontrolnych i wyglądał tak jak Cécile, to w pierwszej kolejności uśmiechałby się, trzepotał rzęsami i zaczynał mówić z jeszcze bardziej francuskim akcentem. Niestety, porucznik Cécile Gallay koniecznie chciała być oficerem bez płci. Ale przy jej subtelnej kobiecości i przy jej wyglądzie było to prawie niemożliwe. Czasy jeszcze nie dorosły do tego, co sobie wymyśliła Cécile Gallay. W połowie dwudziestego wieku, a szczególnie pod koniec wojny światowej, miejsce kobiet było – według czasów połowy dwudziestego wieku – zupełnie gdzie indziej. Cécile Gallay wydawała się tego nie zauważać i przedzierała się przez życie – prawdopodobnie jak przez takie właśnie lub nawet większe zapory na drogach – aby dotrzeć do swojego celu. I zważywszy na wielkość oporu świata w tej materii, dziwnym, szczęśliwym trafem dotarła bardzo daleko. W salonach sztabów ze swoją wiedzą, egzotyczną biografią, młodością i niezwykłą urodą była pewnie interesującą ciekawostką, ale na zewnątrz salonów była „tylko" kobietą. Dla świata kobieta, póki co, nie jest wiarygodna jako osoba podważająca rozkazy mężczyzn. Nawet jeśli ma na mundurze te same naszywki co ci mężczyźni.

Na przejeździe przy Konz szczerbaty brytyjski kapral żujący gumę dokładnie tak właśnie uważał. I na dodatek sięgał, łącznie z hełmem, do brody Cécile. Pewnie dlatego kazał im zjechać na pobocze i czekać, „dopóki nie sprawdzi tych papierów dokładnie". Nie było wiadomo, jak miałby to sprawdzić, tym bardziej dokładnie, bo przy drewnianej barierze w poprzek drogi nie było niczego, co przypominałoby radiostację lub coś w tym rodzaju.

Nie zjechali na pobocze. Cécile, świadoma, że tak zwane sprawdzanie zajmie dużo czasu, tak dużo, aby przykładnie ukarać ją za podniesiony głos i jej wzrost, kazała kierowcy pojechać w kierunku Westwall. Kierowca doskonale wiedział, gdzie to jest. Po drodze Cécile opowiadała mu, dokąd jadą. Wokół Konz Niemcy od 1938 do 1940 roku wybudowali wzdłuż swojej zachodniej granicy około czterdziestu bunkrów. To było i jest niespotykane w skali żadnego kraju. Blisko ćwierć miliona robotników przez dwanaście godzin na dobę wkopywało się w ziemię i wznosiło betonowe ściany eliptycznych konstrukcji. Niemcy po ataku na Polskę we wrześniu 1939 roku spodziewali się gwałtownej riposty ze strony Francji, która odpowiednimi traktatami obiecała Polsce pomóc w przypadku militarnego ataku. Niemcy, podobnie jak Polacy, dali się nabrać na te zapewnienia. Naiwni Polacy zostali pozostawieni bez pomocy Francuzów, Anglików zresztą także, a Niemcy zostali z kilkudziesięcioma bunkrami, których nikt nie chciał ostrzelać nawet z myśliwskiej dubeltówki. Już latem 1940 roku nie było tutaj żadnego robotnika. I tym bardziej żadnego żołnierza. Ale dla miasta Konz te porośnięte krzakami winorośli, opustoszałe bunkry pełne ptasich gniazd i wiewiórek, które spędzały tam zimy, były fatalne. Pod koniec czterdziestego czwartego Konz było tak samo in tensywnie bombardowane przez RAF jak Trewir. Miały być zbombardowane tylko bunkry, ale tak dla pewności zbombardowano także kawał miasta. Ciekawe, że bunkry się ostały prawie nienaruszone. To było zdumiewająco podobne do scenariusza w Dreźnie. W Dreźnie także głównym celem nalotów miała być mała stacja kolejowa. Ta stacja także pozostała nienaruszona. A Drezna praktycznie nie ma...

Spacerowali pomiędzy labiryntem betonowych ścian wyrastających jak cylindry z ziemi. Zaczął padać śnieg, słońce nisko nad horyzontem tylko kawałkiem swojej powierzchni wydostawało się spoza chmur.

Szarość chmur mieszała się z pomarańczową barwą promieni zachodzącego słońca. Gdy on robił zdjęcia, Cécile opowiadała mu o grubości ścian, o szerokości i wysokości otworów strzelniczych, o planach Niemców połączenia bunkrów siecią podziemnych kanałów. Wiedziała to wszystko w najmniejszych szczegółach. Porucznik Cécile Gallay była nie tylko ładna, była przede wszystkim mądra. A przy tym przepięknie grała na fortepianie. W szczególny sposób. Wiele rzeczy stawało się w jej obecności szczególnych. W ciągu ostatnich trzech dni w Luksemburgu przekonywał się o tym na każdym kroku...

Wyjechali z willi dopiero o wschodzie słońca. Mieli wyjechać wcześniej. Ale zaspał. Było ciągle ciemno, gdy obudziło go głośne pukanie.

– Czekamy na ciebie – powiedziała uśmiechnięta Cécile, gdy odemknął drzwi – nie pal teraz, zapalisz w samochodzie. Spokojnie, spakuj wszystko, poczekamy...

Wsunęła rękę przez szczelinę drzwi i pogłaskała go po policzku.

Pakował w pośpiechu walizkę, wrzucając ubrania rozwieszone w szafie. Wbiegł do łazienki z otwartą walizką i jednym ruchem zsunął wszystko, co stało na porcelanowej półce pod lustrem. Myjąc zęby, wrócił do pokoju. Rozglądał się uważnie i w skupieniu wokół. Podbiegł do biurka i zebrał porozkładane fotografie. Ostrożnie wsunął je do koperty. Na podłodze tuż przy łóżku leżały zapisane kartki wyrwane z notesu. List do Doris. Pisany przy świetle świecy nad ranem. Zebrał je, nachylając się i zaglądając pod łóżko. Sięgnął głębiej po ostatnią kartkę.

Wszedł na chwilę do łazienki. Zmoczył ciepłą wodą ręcznik i wrócił pośpiesznie do pokoju. Biały fortepian stał się dla niego bardzo szczególny. Bardzo osobisty i jeszcze bardziej intymny. Nie chciał na nim zostawić śladów ostatniej nocy. Delikatnie zaczął ścierać z klawiatury czerwone plamy po winie. Pośród plam, pomiędzy białymi i czarnymi klawiszami, znalazł kolczyk Cécile. Z rubinowym kamieniem. Musiała go zgubić ostatniej nocy...

Nigdy nie wrócili w rozmowach z Cécile do tematu jego niecodziennej kąpieli. Tak jakby się to nigdy nie wydarzyło. Następnego dnia spotkali się około południa. On zwracał się do niej per pani porucznik, ona do niego per panie Bredford. Ta oficjalność była bardzo zabawna i na swój sposób wprowadzała w ich relacje nastrój dziwnej gry psychologicznej. Postanowił tego nie zmieniać.

Najpierw zaprowadziła go do zakładu fotograficznego na obrzeżach rynku. Weszli stromymi schodami na strych starej kamienicy. W rogu przy oknie zasłoniętym kocem stały na stole kuwety i pachniało chemikaliami. Lubił ten znajomy zapach. Garbaty mężczyzna rozmawiał chwilę po niemiecku z Cécile. Wyglądało, że znali się bardzo dobrze. Potem przyjął od niego rolki z filmami i podał mu kartkę z pokwitowaniem. On wyciągnął portfel i wsunął go do ręki Cécile. Zupełnie nie potrafił ocenić, co tutaj ile kosztuje. I tak naprawdę nie chciał tego wiedzieć. Cécile wyciągnęła pieniądze i położyła na stoliku obok kuwet. Gdy wyszli na schody, powiedziała:

– Stary Marcel zrobi to najlepiej. Mamy wprawdzie w sztabie swoje laboratorium, ale zdjęcia stamtąd zawsze wyglądają, jakby wywoływano je moczem chorego na nerki laboranta. Ja także przynoszę wszystkie swoje filmy do Marcela.

Po wyjściu od Marcela zaprosił ją na kawę do sklepiku na rue des Gaulois. Kobieta z czerwonymi policzkami wybiegła zza lady i go objęła. Serdecznie i mocno, jak kogoś z rodziny lub starego, dobrego przyjaciela. Usiedli z Cécile przy stoliku i pili kawę. Poprosił, aby Cécile przetłumaczyła „ser topiony" na francuski. Po chwili na stoliku pojawił się koszyk z bułkami i cztery rodzaje sera topionego rozłożone na znanych mu już talerzykach. Zanim wyszli – postanowił tym razem nie prosić o rachunek – położył na stole plik banknotów i przycisnął go koszykiem z bułkami.

Potem obeszli całe miasto i Cécile opowiadała swoją wersję jego historii. Wiedziała, że interesuje go wojna, więc skupiła się w swoich opowieściach na skomplikowanych losach tego małego kraju. O próbach całkowitego przyłączenia Luksemburga do Trzeciej Rzeszy, o nieudanym, zorganizowanym przez Niemców referendum w październiku 1941 roku, o ruchu oporu, który się temu przeciwstawił, i o przymusowym powoływaniu mężczyzn do Wehrmachtu od połowy 1942 roku. Ci, którzy się na to nie godzili i wystąpili przeciwko temu w ogólnokrajowym strajku w końcu sierpnia 1942 roku, zostali rozstrzelani przez gestapo albo przetransportowani do pobliskiego obozu koncentracyjnego w Hinzert, albo przesiedleni na daleki polski Śląsk. Ci zmarli, przerażająco młodzi chłopcy na cmentarzu – Jean, 21 lat, Horst, 25 lat, Paul, 19 lat – to ci, którzy nie chcieli dać się wcielić do Wehrmachtu i których demonstracyjnie, dla nauczki innym, rozstrzelało gestapo 31 sierpnia 1942 roku w odpowiedzi na strajk generalny będący sprzeciwem wobec zarządzeń nazistów.

– Pewnie trudno w to panu uwierzyć, ale umarli za Luksemburg, który jest o wiele mniejszy od pana Nowego Jorku... – dodała na końcu.

Wyczuł nutę ironii w jej głosie. Przestało to na niego działać. Przyzwyczaił się już przez ten czas pobytu w Europie, że jako Amerykanin jest traktowany tutaj jak niedouczony ignorant. Z definicji. Postanowił, że jutro pójdzie do biblioteki, wiedział, gdzie się znajduje – według Anglika zajechali przecież pod bibliotekę – i wypożyczy jakieś podręczniki historii. Jeśli będą mieli po angielsku. I będzie czytał je całą noc. Aby przynajmniej częściowo rozumieć, o czym opowiada Cécile.

W bibliotece, do której udał się zaraz po śniadaniu następnego dnia, nie mieli żadnych książek. „Wszystkie przeniesiono do archiwum, aby nie uległy zniszczeniu" – poinformowała go tłumaczka, którą przywołała przerażona jego wizytą stara bibliotekarka siedząca w płaszczu i w rękawiczkach przy biurku w lodowato zimnym pokoju pełnym pustych regałów i półek na ścianach. „Archiwum znajduje się poza miastem – dodała tłumaczka, oglądając uważnie jego legitymację prasową i paszport – jeśli pan chce, to zapiszę panu adres". Jedynie z kurtuazji poprosił o ten adres. Pomyślał, że douczy się historii Europy innym razem, a na razie będzie milczał, słuchając opowieści Cécile.

Po wizycie w bibliotece wrócił do swojego pokoju w willi i napisał list do Doris, a po południu poszedł na rynek i wspiął się stromymi schodami do ciemni na strychu starego Marcela. Prawie wszystkie zdjęcia były w porządku. Oprócz dwóch z cmentarza. Jego zdaniem niedoświetlone. Marcel zauważył jego rozczarowanie. Podsunął mu krzesło, przyzwalając usiąść przy kuwetach. Wcisnął mu do ręki rolkę z negatywem, pobiegł do drzwi i zamknął je na klucz. Wrócił do pracy przy kuwetach, a potem razem czekali, aż wyschnie papier. Marcel wyciągnął spod stołu butelkę z samogonem. Wpatrywali się w wiszące na lince dwie kartki papieru, przypięte drewnianymi klamerkami, i pili na zmianę wódkę z butelki. Kolejna dziwna i niezwykła dla niego sytuacja. Pomyślał, że w Europie to musi być jakiś powszechny zwyczaj lub ceremoniał, iż dowody bliskości i zaufania bardzo często wyraża się wspólnym piciem alkoholu.

Mocno pijany, wrócił ze strychu Marcela do willi i przyłączył się do żołnierzy w salonie. Pijąc z nimi piwo, przysłuchiwał się opowieściom o ich żonach, narzeczonych, dziewczynach. Oglądał fotografie wyciągane spontanicznie z portfeli. Kiwał głową, wpatrując się w roześmiane twarze młodych kobiet na wyblakłych, pogiętych zdjęciach: Joan w kuchni, Susanne podczas urodzin Patricka, ich syna, Marilyn na ślubie brata, Diane kąpiąca ich córeczkę,

Jane przy choince w domu jego rodziców, Jennifer na plaży w Mattituck na Long Island...

Stęsknieni młodzi mężczyźni bardzo pragnący opowiadać o swojej tęsknocie. Pierwszy raz w życiu zdał sobie sprawę, jak bardzo ważne jest mieć kogoś, do kogo się tęskni. Dla tych młodych mężczyzn wokół niego było to chyba najważniejsze. Jednocześnie wcale im to nie przeszkadzało gapić się z jednoznacznym głodem w oczach na młodą dziewczynę w czarnej sukience przewiązanej nad biodrami koronkowym fartuszkiem. I w jej siostrę bliźniaczkę także. Tęskniący za swoimi Jennifer, Jane, Marilyn i wieloma innymi wyświęconymi w myślach Madonnami z fotografii mężczyźni nie przestawali ani na chwilę być samcami. On nie miał żadnej takiej fotografii w swoim portfelu...

Nie pamięta, po której butelce piwa zaczęło mu się wydawać, że siostry Andrews śpiewają przepiękne arie. W każdym razie był to dla niego wyraźny znak, że dokładnie w tym momencie powinien zakończyć ten kolejny dzień. Nie pamięta także, czy sam dotarł do swojego pokoju. W każdym razie dotarł i następnego ranka pierwsze, co zrobił, to wsunął głowę pod strumień zimnej wody płynącej ze złotych kurków w wannie. Potem podszedł do okna i zebrał obu dłońmi z parapetu świeży puszysty śnieg, który napadał w ciągu nocy, i natarł nim twarz, ramiona i klatkę piersiową. Dotkliwe zimno spowodowało, że nieprzyjemne uczucie wirowania w głowie trochę ustąpiło. Mimo to piątek, drugi marca 1945 roku, zaczął ciągle bardzo pijany...

Wrócił do łóżka i z całych sił starał się nie zamykać oczu. Tylko wtedy sufit nie kręcił się wokół żyrandola, a on nie czuł, że chce zwymiotować. Miał gigantycznego kaca. Nie pamięta, kiedy przestał sobie obiecywać i powtarzać w myślach, że już „nigdy, przenigdy nie będzie pić", i zasnął.

Około południa obudził go przeraźliwie głośny krzyk dochodzący z salonu. Owinął się pośpiesznie prześcieradłem i wybiegł z pokoju. Żołnierze zgromadzeni wokół oficera odczytującego z kartki „rozkaz" podpisany przez „generała G.S. Pattona" przypominali mu tłum otumanionych kibiców na stadionie podczas dzikiego świętowania zwycięskiego meczu swojej drużyny baseballu. Nie rozumiał baseballu, głównie dlatego, że go nie znosił. Nie mógł pojąć, co takiego kieruje ludźmi, że są gotowi poświęcić czas tak nieważnej rzeczy jak baseball. Ale tutaj i teraz, wbrew pozorom, nie chodziło o baseball.

Amerykanie zajęli Trewir!!!

Wrócił podniecony tą wiadomością do swojego pokoju. Wyrwał kilka kartek z notesu i zaczął pisać. Chciał to opisać. To miejsce, ten moment, to przeżycie. Nie wiedział, dla kogo. Chciał to po prostu utrwalić słowami, zanim zniknie lub wyblaknie w pamięci. I potem, kiedyś podzielić się z innymi. Nigdy wcześniej nie czuł tak silnie tej potrzeby. Przypomniał sobie, jak Arthur którejś nocy – gdy po wydarzeniach w Pearl Harbor przesiadywali całymi nocami w redakcji, czekając niecierpliwie na nowe wiadomości z Hawajów – powiedział do niego:

– Stanley, przyjdzie taki czas, że fotografowanie przestanie ci wystarczać, będziesz chciał pisać, i to nie tylko dla siebie, będziesz chciał pisać dla innych. To jest bardzo mocne pragnienie, ale pomimo to tylko niewielu ludzi mu ulega. Bo ich lęk jest silniejszy niż to pragnienie. Strach przed posądzeniem o beztalencie, strach przed posądzeniem o grafomanię, strach przed obnażeniem siebie, bo pisanie to także poddanie się przecież czatującemu na swoje pierwsze pięć minut ekshibicjonizmowi, strach przed poczuciem nieważności historii, które chcieliby opowiedzieć w swoich fabułach. Ten paraliżujący strach dusi w nich to pragnienie i powoduje, że książka, którą noszą w sobie, która się już w nich poczęła, nigdy się nie narodzi. Ale niektórzy nie poddają się temu lękowi i zaczynają rodzić tę swoją pierwszą książkę.

Ja, starzec, tak naprawdę nigdy jak dotychczas nie zdobyłem się na taką odwagę. Zawsze coś mnie powstrzymywało. Pisanie dla mnie było i ciągle jest aktem uroczystym, jak uczestnictwo w ważnym obrządku religijnym. Padam natychmiast na kolana. U nas, Żydów, tych starszych i prawdziwych, a nie tych przyszywanych, nowych żydowskich emigrantów z Brooklynu, ma to inne znaczenie niż u ateistów i innowierców. Prawdziwy Żyd nie napisze kartki z życzeniem do Boga nieumyty i w krótkich spodniach! A tym bardziej nie pójdzie w krótkich spodniach i mokasynach, aby wepchnąć ją w Ścianę Płaczu. Nie! To nie tak. Dlatego gdybym ja pisał książki, to zasiadałbym do tego w smokingu. Najlepszym, jaki mam. Ale ja nie mam żadnego smokingu, Stanley. Ty dobrze o tym wiesz, że nienawidzę smokingów. Przypominają mi przebrania klownów z cyrku. A dla mnie cyrk to smród pierdzących, poganianych batem koni i ogromne, zapłakane oczy wystraszonych słoni. Czy zauważyłeś, jak duża jest łza słonia, Stanley? Przypatrz się kiedyś...

Wyskrobałem w międzyczasie z mózgu kilka być może ważnych książek – dodał na końcu – i ciągle się obawiam, że nawet moja szuflada mnie wykpi, gdy zamknę w niej swój pierwszy rękopis. Ale ty, Stanley, to co innego. Ty jesteś młody. I na dodatek masz wrażliwość, której ja nigdy nie posiadłem. Widzę ją w twoich fotografiach. Są czasami – jak to kiedyś powiedział mój ulubiony żydowski pisarz Franz Kafka, mając na myśli książki, a nie fotografie – niczym siekiera, która rozbija zamarznięte w nas morze. Tobie się to udaje...

Dlatego gdy tylko poczujesz to ciśnienie w sobie, to się nie wahaj. Pisz. Pozbądź się lęku płynącego z pytania, co inni pomyślą albo powiedzą. Zawsze znajdą się małe pieski, które będą cię szarpać za spodnie. Sam wiesz, że krytycy muszą istnieć. Publikujemy ich nawet. Za duże pieniądze. Sam wiesz, jak krytycy deptali Hemingwaya po jego pierwszych powieściach. Ale pytać pisarza, co myśli o krytykach, to tak jak pytać latarnię uliczną, co sądzi o pieskach, które podnoszą tylną nogę i na nią sikają. Bądź jak ta uliczna latarnia. Miej to po prostu w dupie! Pisz, chłopcze. Pisz...

Tego dnia Cécile spotkała się z nim dopiero późnym wieczorem. Usiedli na największej kanapie w środku salonu i przekrzykiwali jazgot żołnierzy, którzy byli jeszcze bardziej podchmieleni i jeszcze bardziej hałaśliwi niż zazwyczaj. Doskonale widział ich łapczywe spojrzenia niemal obłapiające ciało Cécile. Jednak żaden z nich się do nich nie dosiadł. Gdy któryś z nich próbował, wystarczało jej uniesienie w grymasie brwi, aby natychmiast rezygnował z tego pomysłu.

Cécile była zamyślona. Wyczuwał w tonie jej głosu zmęczenie, a nawet smutek. Na wstępie potwierdziła, że „Trewir został zajęty bez większych walk i praktycznie bez ofiar w ludziach po stronie aliantów".

– Dla losów wojny nie ma to większego znaczenia, może oprócz psychologicznego i propagandowego – powiedziała. – Ale i ono, jak pan sam widzi, się liczy. – Wskazała z uśmiechem na świętujący tłum żołnierzy wokół nich. – Już jutro może pan tam być. Jeśli pan zechce – dodała oficjalnym tonem, spoglądając na kartki papieru, które przyniosła ze sobą i rozłożyła na kolanach. – Udało mi się zdobyć pieczątki i podpisy na wszystkich potrzebnych dokumentach. Chce pan, prawda? – Podniosła głowę i popatrzyła mu uważnie w oczy.

Oczywiście, że chciał! Nareszcie otworzyła się droga do miejsca, w którym bardzo chciał się znaleźć. Nareszcie!

– Kiedy mógłbym tam wyruszyć? – zapytał, nieudolnie ukrywając swoje podekscytowanie.

– Może jutro? Przed wschodem słońca? – odparła, zgarniając kartki z kolan i starając się nie patrzyć na niego.

Chwycił poręcz kanapy, przysunął się bardzo blisko do niej i delikatnie dotknął wargami jej policzka.

– A więc jutro, przed wschodem słońca – wyszeptał.

W tym momencie usłyszał głośne oklaski i okrzyki dochodzące z salonu. Cécile nie odwróciła nawet głowy. Patrzyła na niego, zupełnie ignorując wrzawę, którą on swoim gestem nieopatrznie wywołał.

– Proszę nie zwracać uwagi na tych wygłodzonych samców – skomentowała z uśmiechem – już dawno się do tego przyzwyczaiłam.

Po dłuższej chwili sięgnęła do skórzanej wojskowej torby leżącej obok jej kolan i wydobyła z niej butelkę.

– Ta sama. Irlandzka. Przebiegłam wszystkie spelunki w tym mieście, aby ją znaleźć...

Tutaj, na tej kanapie, ta sama whisky nie smakowała tak jak wtedy w wannie. Chociaż była dokładnie ta sama. Oryginalna paddy irish whiskey z irlandzkiego Cork. Nie pamięta, w którym momencie hałas w salonie stał się tak nieznośny, że z trudem dało się rozmawiać, nie krzycząc. W pewnym sensie był wdzięczny tym żołnierzom. Najbardziej wtedy, gdy zniecierpliwiona Cécile przysunęła wargi do jego ucha i drażniąc go ciepłym powietrzem wydychanym z ust, powiedziała:

– Panie Bredford, ja teraz wezmę naszą whisky i pójdę do toalety. Pan posiedzi tutaj jeszcze kilka minut, a potem dyskretnie wstanie i udając zmęczenie, wróci do swojego pokoju. Będę czekała na pana pod drzwiami pana pokoju. Sam pan przyzna, że tutaj nie da się normalnie rozmawiać, prawda? Może tak być? – zapytała, uśmiechając się do niego i poprawiając włosy. – Nie możemy wstać z tej kanapy i wyjść razem, bo zapewniam pana, że jutro w sztabie byłby to temat ważniejszy i bardziej szczegółowo dyskutowany niż wyzwolenie Trewiru...

Nie czekając na jego odpowiedź, wsunęła butelkę do torby i podając mu rękę – jak przy bardzo oficjalnym pożegnaniu – wstała. Po chwili zniknęła w zaułku korytarza.

Przeszedł do swojego pokoju. Nie widział jej, ale wiedział, że tam jest. Czuł zapach jej perfum. Gdy otwierał drzwi, stanęła za nim, ocierając się o niego biodrami. Przepuścił ją przed sobą. Zdjęła marynarkę i rzuciła ją na łóżko. W dłoni trzymała butelkę. Usiedli obok siebie na krawędzi wanny. Milczeli. Podała mu butelkę i wychylając się do przodu, dotknęła palcami białej politury blatu fortepianu. Pierwszy raz w życiu nie wiedział, co ma zrobić. Po chwili oparła głowę na jego ramieniu. Wsunął ostrożnie palce w jej włosy i zbierając je w kosmyki, zaczął całować. Nagle zsunęła buty ze stóp, zerwała się z miejsca. Podbiegła do lampki nocnej stojącej na stoliku. Potem podeszła do wyłącznika światła przy drzwiach. Snop światła lampki przeciął mrok pokoju, padając na łóżko i na fortepian.

– Zagram coś dla ciebie. Obiecałam ci to przecież – powiedziała, rozpuszczając włosy.

Patrzył, jak się dla niego rozbiera. Usiadła naga na fortepianie i zaczęła na nim grać. Palcami stóp. Obu stóp. Biały, czarny, biały, czarny, czarny, czarny... Wysokie tony ze ściśniętymi udami. Potem tylko niskie tony. Następnie niskie i wysokie tony razem. Czarny i biały klawisz jednocześnie, odległe od siebie o całą długość klawiatury. Nie słuchał. Patrzył. Tylko patrzył.

Potem w łóżku – zanim przytulony do niej zasnął – całował także te palce. A rano, zdziwiony jej nieobecnością, wybudzony pukaniem, odemknął drzwi i najpierw usłyszał: „Czekamy na ciebie, nie pal teraz, zapalisz w samochodzie", a potem poczuł dotyk jej dłoni na policzku. Zanim dojechali do niefortunnego przejazdu w Konz, wypalił całą paczkę gauloise'ów...

Gdy wrócili ze spaceru po bunkrach pod drewnianą barierę w Konz, szczerbatego brytyjskiego kaprala już nie było. Wystarczyło, że zniknął jeden zakompleksiony biurokrata, aby świat całkowicie zmienił zdanie. Cécile nie musiała nawet pokazywać żadnego „papieru". Jej mundur wystarczył, żeby bariera się natychmiast podniosła.

Starali się wjechać do Trewiru z kilku stron. Za każdym razem ich cofano. Według danych Cécile mieli dotrzeć do hotelu o nazwie Porta Nigra w centrum miasta. W tym hotelu ulokowało się amerykańskie dowództwo. Cécile nie znała dokładnego adresu. Dopiero w okolicach Konstantin Strasse, gdy wjechali do miasta od południa, udało im się namówić przestraszonego przechodnia, który poprowadził ich bocznymi uliczkami do budynku obwieszonego amerykańskimi flagami.

Przedtem, w środku Konstantin Strasse, w samym centrum miasta, zatrzymali się na skraju szerokiego, owalnego i głębokiego na minimum pięćdziesiąt stóp leju po bombie. Wokół całej krawędzi leju płonęły ogniska. Na dnie stożkowatego dołu, brodząc po uda w zamarzającej wodzie, grupa ludzi wydobywała gruz i wpychała go do zabłoconych, brezentowych worków wyciąganych linami na górę. Oświetlały ich płomienie z dymiących pochodni wepchniętych w szczeliny ścian dołu. Przypominało mu to scenę z popularnonaukowego filmu, który miał zilustrować budowę egipskich piramid. Ale to nie był film. To działo się naprawdę. W samym centrum miasta! To tak, jak gdyby zrzucić bombę na Times Square! Nie mógł sobie tego dotychczas wyobrazić, a tutaj to widział! Szarpnął gwałtownie drzwi furgonetki i wyskoczył na zewnątrz. Podbiegł do samej krawędzi leja, położył się na ziemi i wysuwając głowę poza krawędź, zaczął fotografować. Wyciągnięte do góry ręce z kawałkami kamieni, wypełnione brezentowe worki mijające w drodze na górę płonące pochodnie, pochylona postać mężczyzny z papierosem w ustach zaginającego z całych sił żylastymi rękami stalowy pręt wyrastający prosto z betonowej bryły, która przebiła się przez grudy czarnej ziemi.

Fotografował...

Gdy wrócił do auta, Cécile patrzyła na niego oniemiała. Kiedy usiadł, podała mu zapalonego papierosa. Kierowca natychmiast ruszył. Przechodzień, którego jako przewodnika ściągnęli z ulicy, spoglądał na niego – nic nie rozumiejąc – jak na wariata tuż po ataku obłędu. Na siedzeniu w furgonetce starał się siedzieć jak najdalej, aby przypadkiem nie otrzeć się o jego zabłocony płaszcz. I tak mu się to nie udało, zwłaszcza na zakrętach wąskich uliczek.

Przed ozdobionym rzędem gwiaździstych flag budynkiem dostojnego hotelu Porta Nigra przeszli na trzech posterunkach szczegółową kontrolę. Zwrócił uwagę, że za każdym razem przyglądano mu się bardzo podejrzliwie.

Weszli do rozświetlonego holu. Za ladą recepcji siedział amerykański żołnierz w zielonym berecie. Z wyraźnym znudzeniem na twarzy palił papierosa z nogami założonymi na małym stoliku wypełnionym brudnymi filiżankami. Był bliźniaczo podobny do brytyjskiego kaprala sprzed bariery w Konz. On bez słowa położył na ladzie swój paszport. Natychmiast też przyłożył palec do ust, dając znak Cécile, aby tym razem milczała. Podczas gdy żołnierz, strona po stronie, przeglądał uważnie przemoczony paszport, Cécile podała mu ukradkiem kartkę z ogromną pieczątką. Żołnierz wydawał się być zaczytany w jego paszporcie i nie zwracał na nich najmniejszej uwagi.

– Nazywam się Stanley Bredford, jestem dziennikarzem „New York Timesa" – powiedział, chcąc przerwać to dziwaczne milczenie. – Moja wizyta jest uzgodniona ze sztabem generała Pattona. Może byłby pan łaskaw zerknąć w ten dokument...

W tym momencie żołnierz sięgnął w kierunku stolika, na którym trzymał przed chwilą swoje zabłocone buty, po lniany, poplamiony ręcznik i podając mu go, odparł:

– Tylko spokojnie, wszystko po kolei. Najpierw chciałbym rozpoznać pana na zdjęciu w paszporcie. A teraz nie rozpoznaję. Nie wygląda pan na ważnego redaktorka, wygląda pan jak ktoś, kto wyszedł przed chwilą z kanału kanalizacyjnego lub okopu. Czy mógłby pan zetrzeć to błoto z twarzy?

W tym momencie Cécile roześmiała się na cały głos, oparła łokcie na blacie recepcji i zwróciła się do żołnierza:

– Pan redaktor Bredford przed chwilą na Konstantin Strasse dokumentował dla swojej gazety dowody zwycięstw naszej armii. Stąd ten wygląd.

Wyciągnęła chusteczkę z kieszeni marynarki, skropiła ją perfumami i zwracając się do żołnierza, dodała:

– A tą zasmarkaną szmatą, którą podałeś, szeregowcu „jakkolwiek-się-nazywasz", panu redaktorowi Bredfordowi, możesz sobie wypolerować buty. Nie pamiętam teraz numeru kodu w kodeksie zachowania, który ustala, że żołnierzy armii amerykańskiej w kontaktach z cywilami obowiązuje schludność i czystość. Ale mogę to wkrótce sprawdzić. Poza tym, szeregowcu „jakkolwiek-się-nazywasz", na twoim mundurze powinna być plakietka z twoją rangą, nazwiskiem i imieniem. Na to jest także oddzielny numer kodu. Ten numer także mogę sprawdzić. Na twoim mundurze nie ma takiej plakietki i na dodatek masz, chłopcze, rozpięty rozporek...

Odwróciła się plecami do przestraszonego żołnierza, a jego pociągnęła kilka kroków od lady recepcji i zaczęła ocierać mu delikatnie twarz chusteczką.

– Naprawdę wyglądasz jak hydraulik, który dopiero co wyszedł z rury, ten prostak ma rację – szeptała mu do ucha. – Nie wiedziałam, że to dla ciebie aż takie ważne, zachwyciłeś mnie tym, tak bardzo się bałam, że wpadniesz do tej dziury, że coś złego ci się stanie, masz prześliczne niebieskie oczy, zetrę ci teraz błoto z rzęs, zamknij oczy, nie otwieraj, trzymaj zamknięte, w zmarszczkach wokół masz ziarna piasku, wydłubię je delikatnie, masz takie śliczne zmarszczki wokół oczu, musiałeś się wiele uśmiechać, nie otwieraj jeszcze oczu, jeszcze chwilę nie otwieraj, na powiekach masz szare plamy, a teraz otwórz oczy, szeroko, tak jak wczoraj...

Wreszcie, chwytając delikatnie za szyję, przekręciła jego głowę w kierunku żołnierza.

– Czy teraz, szeregowcu „jakkolwiek-się-nazywasz", rozpoznajesz twarz redaktora Bredforda na zdjęciu w paszporcie? – zapytała podniesionym głosem.

Przerażony chłopak poprawiał nerwowo beret, na podłodze leżała szmata, którą pośpiesznie starł błoto ze swoich butów, jego rozporek był zapięty, a na kieszonce munduru, tuż pod pozłacanym guzikiem, wisiała biała plakietka, którą w pośpiechu przypiął do góry nogami.

– Tak jest! – wykrzyknął, stając na baczność.

Na ladzie recepcji leżał klucz, tekturowa karta i szara koperta.

– Cywil S. Bredford z obiektu „New York Times" został zameldowany oddzielnym rozkazem. Mam polecenie, aby przydzielić go do stacjonowania w pokoju dwieście piętnaście. Z rozkazem nadszedł radiotelegram do porucznik Cécile Gallay. Rozumiem, że to dotyczy pani? – meldował, patrząc na Cécile.

On się uśmiechnął, spoglądając na Cécile. Pomyślał, że gdy wróci do Nowego Jorku i przywita się z Arthurem, to przedstawi się: „cywil Bredford z obiektu «New York Times» melduje się po powrocie z wojny".

Cécile nie odpowiedziała uśmiechem. Bez słowa sięgnęła po szarą kopertę. Rozerwała ją i przez chwilę w skupieniu czytała tekst na wydartej z zeszytu, kratkowanej, postrzępionej kartce wyciągniętej z koperty. Podała kartkę kierowcy stojącemu przez cały czas w oddaleniu za nimi i powiedziała:

– Marcel, muszę być przed północą w sztabie, sprawdź, proszę, gdzie możemy jak najszybciej zatankować.

Marcel natychmiast wybiegł z hotelu. Cécile podeszła do lady i sięgnęła dłońmi w kierunku munduru żołnierza.

– Pozwoli pan? – zapytała spokojnym głosem, odpinając plakietkę z jego munduru. – Chciałabym ją zachować. Na pamiątkę. A z tymi kodami tylko żartowałam. Mogę, prawda?

Zamilkła. Ścisnęła plakietkę w dłoni i odwracając się do niego, wyszeptała:

– Zostaw po sobie jakieś ślady, Stanley, chciałabym jeszcze kiedyś zagrać dla ciebie.

Patrzył za nią, jak szybkim krokiem wychodzi z hotelu.

Wszystko wydarzyło się tak nagle. Wyciągnął papierosy. Usiadł okrakiem na walizce i zapalił. Zamknął oczy. Dym z papierosa wokół niego mieszał się z zapachem perfum Cécile...

„Stacjonowanie" w pokoju dwieście piętnaście w hotelu Porta Nigra w Trewirze na początku marca 1945 roku uświadomiło mu – już po kilku godzinach pierwszej nocy – jak bardzo przyzwyczaił się do luksusu, którego zaznał w Belgii, a potem w Luksemburgu. Po pierwsze, został zupełnie sam. Nie był już więcej niewidomym, którego ktoś za każdym razem przeprowadza na drugą stronę ulicy. Z chwilą zniknięcia Cécile stał się naprawdę „cywilem z obiektu", który kręci się po obiekcie w kółko. Nikt się nim nie interesował, nikt nie potrafił lub nie chciał udzielić mu żadnych informacji. Wprawdzie w hotelu stacjonował oficer od propagandy – znał nawet jego nazwisko i numer pokoju – który teoretycznie powiniem z nim współpracować, jednakże nigdy nie udało mu się go spotkać. Po drugie, pokój dwieście piętnaście wyglądał jak sala w biednym szpitalu dla psychicznie chorych. W pomieszczeniu o wielkości jego pokoju w willi w Luksemburgu upchnięto dziewięć piętrowych łóżek i cztery szafy, usuwając wszystko, co zajmowało miejsce, łącznie z umywalką, stołem i krzesłami. W pokoju można było jedynie stać lub siedzieć i oczywiście leżeć na łóżku. Przypomniało mu to obóz harcerski, na który kiedyś pojechał do Yellowstone ze swoją klasą w podstawówce. Tyle że podczas tego obozu wieczorem do pokoju w drewnianym baraku wpadał nauczyciel, gasił światło i zapadała cisza. Tutaj było inaczej. Cisza była tylko wtedy, gdy wyczerpany, pomimo hałasu zasypiał lub udało mu się na chwilę zdrzemnąć. Wokół niego nie było tak zwanych prostych żołnierzy. Prości żołnierze nie mieli dostępu do siedziby sztabu w Porta Nigra. Wokół niego byli oficerowie armii amerykańskiej. Dokładnie rzecz biorąc, siedemnastu oficerów. Nie przebywał jak dotąd na tak małej przestrzeni przez dłuższy czas z amerykańskimi oficerami, jednakże ci, do których trafił w pokoju dwieście piętnaście, byli, delikatnie mówiąc, zgrają dziwaków. Jeden miał depresję i praktycznie wstawał z łóżka tylko, gdy musiał. To było w tym najlepsze. O wiele gorsze było to, że spał i żył, nie rozbierając się i nie myjąc. Drugi koniecznie chciał na wojnie nauczyć się grać na gitarze, aby zaimponować po powrocie swojej kobiecie. Dlatego nieustannie brzdąkał te same kawałki. Budził się i brał gitarę do ręki, wracał ze służby i łapał za gitarę, a co najgorsze, przed snem także wykańczał wszystkich brzdąkaniem. Trzeci koniecznie chciał rozśmieszyć i prawdopodobnie zachwycić wszystkich głośnym bekaniem. W jego planie było wybekanie całego angielskiego alfabetu. Jednym ciągiem. Czwarty przed wojną był mistrzem rzucania lotek w swoim miasteczku w Dakocie Północnej i nieustannie trenował rzucanie do tarczy przymocowanej do drzwi szafy, obok której znajdowało się jego łóżko. Potrafił tak rzucać przez cały wieczór. Gdy któryś z nich wymusił w końcu zgaszenie światła, to ten pomyleniec zapalał latarkę i dalej rzucał. Kolejny nieustannie opowiadał „na dobranoc" historie ze swoich podróży – jak się okazało, tylko jednej – do Kanady. Ciągle te same, usiłując koniecznie przekrzyczeć gitarzystę, tego wariata od bekania i mistrza od lotek. Także trochę pokręcony, ale bardzo sympatyczny był z kolei inny oficer. Sam się określił jako „amerykański Polak żydowskiego pochodzenia" z Filadelfii. Chciał koniecznie opowiedzieć wszystkie żydowskie dowcipy, jakie znał. Ciekawe, że wyłącznie żydowskie. Jak gdyby nie było innych dobrych, jak na przykład te o półgłówkach z Polski. Fakt, że znał ich dużo, ale to wcale nie znaczyło, że wszyscy chcieli słuchać, i to każdego wieczoru. Pamięta, że jeden z dowcipów bardzo go rozśmieszył. Innych w pokoju nie za bardzo. Woleli te prostackie. Te o „popiele z Żydów w pudełku od zapałek". Postanowił, że po powrocie natychmiast opowie ten dowcip Arthurowi. Sam sobie go opowiadał, aby nie zapomnieć. Przeważnie zapominał dowcipy...

„Przychodzi Żyd do synagogi. Klęka w pierwszym rzędzie i głośno zawodzi, przeszkadzając w modlitwie innym Żydom. «Boże, daj mi te pięćdziesiąt dolarów, Boże, daj mi te pięćdziesiąt dolarów...».

Zawodzi i zawodzi. W pewnym momencie z tylnego rzędu podnosi się z kolan bardzo zniecierpliwiony inny Żyd, podchodzi do zawodzącego nieszczęśnika z pierwszego rzędu i syczy mu wściekły do ucha, wyciągając portfel z kieszeni: «Masz tutaj te swoje pięćdziesiąt dolarów i natychmiast stąd spierdalaj. Przeszkadzasz, człowieku! My modlimy się tutaj o naprawdę duże pieniądze...»".

W każdym razie spośród siedemnastu mężczyzn dzielących z nim pokój na palcach jednej ręki można było policzyć tych, którzy byli całkiem normalni. To znaczy normalni według jego standardów.

Na szczęście spędzał w pokoju niewiele czasu. Rano przy rzępoleniu rozstrojonej gitary wstawał, czasami głośno przeklinał, kalecząc stopy igłami lotek leżących na podłodze, potem wychodził do łaźni – bo trudno było nazwać to pomieszczenie łazienką – na trzecim piętrze, brał prysznic wśród grupy nagich żołnierzy. Niektórzy z nich nie mieli żadnych problemów z publicznym pokazywaniem tego, jak radzą sobie z poranną erekcją. Następnie wracał do pokoju, ubierał się, brał aparat i wyruszał do miasta. Na dole w recepcji sprawdzał przed wyjściem z hotelu, czy są dla niego jakieś wiadomości.

Czekał na znak od... Cécile. Może dlatego, że tylko ona mogłaby wiedzieć, gdzie jest. A może dlatego, że to ona była drogą do innych. Na przykład do Doris. To było dziwaczne, ale tak było. Nie dostrzegał nic specjalnie nagannego w tym, że Doris jest „tam", a Cécile była „tutaj". Traktował to jak dwa rozłączne światy. Do tego pierwszego wróci, w tym drugim aktualnie jest. Wierność, lojalność? Nie. Nie patrzył tak na to. Ani trochę. Te dwie kobiety spotkały się tylko raz. Najbliżej siebie były w kopercie, którą, wsuniętą dłońmi Cécile, znalazł przy drzwiach w swoim pokoju willi w Luksemburgu...

Do jego ostatniego dnia w Trewirze nie było żadnej wiadomości od Cécile. Wychodził rano z hotelu Porta Nigra i przemierzał miasto wzdłuż i wszerz. Już po kilku godzinach pierwszego poranka odkrył, że lej po bombie na Konstantin Strasse nie był niczym szczególnym. Takich blizn na mapie tego miasta było bardzo wiele. W zasadzie więcej miejsc z bliznami niż bez nich. I Anglik, i Cécile mieli rację, gdy mówili: „Trewir nie ma dla nas zbyt dużego znaczenia". Trewir był wymarłym miejscem. Większość mieszkańców tego osiemdziesięciotysięcznego miasta opuściła swoje domy, gdy tylko Trewir stał się celem nalotów. Miastem bez znaczenia. Najpierw skutecznie zbombardowanym przez dwa dywizjony powietrzne armii amerykańskiej przy nieznacznym wsparciu brytyjskiego RAF-u, a potem zdobytym przez Amerykanów bez „większych walk". Bo naprawdę nie było o co walczyć. Węzeł kolejowy i fabrykę wagonów po lewej stronie Mozeli zniszczono jeszcze w trakcie nalotów pod koniec 1944 roku, podobnie jak lotnisko w dzielnicy Euren. Nie potrafił zrozumieć, dlaczego po „wyłączeniu obiektów strategicznych" prawie puste miasto nadal bombardowano w styczniu tego roku. Całkowicie wypalona bazylika, ruiny tysiącletniej katedry, sterta gruzu na miejscu, gdzie kiedyś było muzeum historyczne...

Już po pierwszym dniu zaprzestał fotografować zbombardowane budynki. Było ich tak dużo. Wędrował po mieście i szukał normalności. Żadna wojna nie zwycięży normalności życia. Tylko obrazy normalności przemawiają do wyobraźni. Wojna jest obca w świadomości ludzi. Jest tak obca i tak bolesna jak ropiejący guz w mózgu. Szczególnie dla tych, którzy wojny nigdy nie przeżyli. Dla czytelników w Nowym Jorku już czwarty lej po bombie na fotografii będzie nudny. Pomyślą, że – cytując prawdopodobną dygresję Arthura – „syjonistyczny «Times» aż tak się zeszmacił, że reklamuje fabrykę bomb lub producenta samolotów". Dlatego chciał odnaleźć tutaj, w wyzwolonym dopiero co Trewirze, okruchy normalności. Mimo że nic tutaj jeszcze nie powinno być normalne. Ale w swoich wyznaczonych okolicznościami granicach było. Wystarczyło tylko odpowiednio się temu przypatrzyć i trochę oszukać świat. Zatopić normalność w „odpryskach" wojny. Wiedział, że bez tej „wojny" w tle sama tylko normalność także nie byłaby ciekawa.

Starszy mężczyzna w kapeluszu trzepiący laską wyleniały dywan na trzepaku. Ustawił obiektyw tak, aby było widać pogięty trzepak, fragment podwórka, firanki w oknach mieszkania i kawałek dachu z otworem bez dachówek i z wystającą z tego otworu białą flagą przestrzeloną w kilku miejscach pociskami. Trzepak, okno z firankami i mężczyzna powinni być rozmazani na fotografii. Ważne były tylko te otwory po pociskach na białej fladze. Tylko one opowiadały jakąś dramatyczną historię. A jemu zależało na opowieściach dopowiadanych wyobraźnią.

Zakonnica karmiąca gołębie na opustoszałym placu, na którym z pomnika pozostał tylko fragment cokołu wystającego z gruzów. Grupa kobiet przed wojskową ciężarówką, z wyciągniętymi w górę rękami w oczekiwaniu na bochenki chleba rozdawane przez amerykańskiego żołnierza. Wychudzony pies pijący wodę z hełmu leżącego na schodach prowadzących do zburzonego kościoła. Mały chłopiec pchający przed sobą ogromną oponę, która co rusz przewracała się na kawałkach gruzu leżącego na ulicy.

Przemierzał Trewir i fotografował, wydobywając ze scen zwykłej codzienności to, co jemu wydawało się niezwykłe. Gdy zaczynało mu być zimno, przysiadał się do ludzi grzejących się przy stalowych koszach z rozżarzonym węglem. Wprawdzie był początek marca, ale w Trewirze ciągle trwała zima. Wszędzie przyjmowano go z mniej lub bardziej udawaną sympatią.

Przypomniał sobie jedną z rozmów z Anglikiem. Patton, według niego, pomimo że czasami zachowywał się – jako polityk i jako generał – jak pijany słoń w składzie porcelany, to jednak o jedną rzecz niezwykle uważnie zadbał. Nauczony doświadczeniem z Włoch za wszelką cenę chciał, aby amerykańscy żołnierze byli w Niemczech wyzwolicielami, a nie zdobywcami. W zajmowanych Włoszech, co rozniosło się szybko po Europie, Amerykanie zachowywali się jak butni zdobywcy. Podczas gdy niezliczeni Włosi byli bezdomni i głodni, amerykańscy oficerowie bawili się w luksusowych hotelach, tolerowali rozkwit czarnego rynku i chętnie korzystali z gościnności wyższych sfer, które jeszcze nie tak dawno równie wspaniale podejmowały niemieckich esesmanów. Tego generał Patton za wszelką cenę nie chciał i skrupulatnie tępił najsurowszymi karami takie zachowania.

Próbował rozmawiać z tymi ludźmi grzejącymi się razem z nim przy ogniu. Nie bardzo skutecznie. Po ceremonii przedstawienia się przeważnie tylko słuchał monologów, z których rozumiał niewiele. *Hitler kaputt, Krieg, Frieden, Zukunft...*

Gdy zapadał zmrok, wracał do Porta Nigra i jadł coś w szarej od papierosowego dymu hotelowej restauracji przerobionej na wojskowe kasyno. To miejsce przypominało mu szpitalną stołówkę w Harlemie...

Robił tam kiedyś „materiał" o umieraniu w amerykańskich szpitalach. Mąż sprzątaczki Arthura umarł tam na korytarzu tylko dlatego, że nie miał żadnego ubezpieczenia. To znaczy miał – tymczasowo zawieszone – ponieważ nie zapłacił ostatniej składki. Zaczynał się rok szkolny i wydał wszystkie pieniądze na podręczniki, tornistry i mundurki dla czwórki swoich dzieci. Nie zakładał, że przejedzie go samochód, nim zbierze pieniądze na składkę. Zanim w księgowości szpitala ustalono, że jest to

„przypadek zagrożenia życia", po prostu umarł. Arthur pojechał do tego szpitala osobiście. Wziął jego i innych fotografów. Nigdy wcześniej nie widział Arthura z pianą na ustach. Nigdy też nie słyszał takich przekleństw. Pamięta, jak przerażony dyrektor szpitala machał przed nimi jakimiś kartkami. Arthur wyrwał mu je z dłoni i powiedział:

– Ty mały skurwysynie! Możesz sobie w dupę wcisnąć te rachunki. I potem je wysrać do brudnej dziury w twoim zaśmierdziałym, niesprzątanym od roku kiblu na parterze. Zamiast podać mu tlen, sprawdzałeś stan jego konta?! Tak?! Wykończę cię, łapiduchu. Zrobię wszystko, aby cię wykończyć!

I zrobił. Reportaż ze szpitala był przerażający. Wydrukowali go w sobotnim numerze „Timesa". Tym z najwyższym nakładem. Z zapowiedzią na pierwszej stronie i całym materiałem na drugiej. Dyrektora zmienili w tydzień później. Co wcale nie znaczyło, że cokolwiek się zmieniło. Ludzie z powodu niezapłaconych składek dalej umierali na korytarzach tego szpitala. Arthur okazał się „impulsywnym socjalistą", ponieważ – w tym wypadku – dotyczyło go to osobiście. Ale Ameryka jako całość nie stała się z tego powodu bardziej socjalistyczna.

Przełykał swoją porcję bezbarwnej brei nakładanej na poszczerbiony talerz z aluminiowego kotła, popijał ją kompotem zrobionym z nierozpoznawalnych owoców i zaraz potem szedł po zasypanych niedopałkami schodach do pokoju dwieście piętnaście na drugim piętrze. Przy dźwiękach rozstrojonej gitary i stukaniu lotek trafiających do celu kontynuował pisanie długiego listu do Doris. Gdy tracił, jak to nazywał, pragnienia, robił notatki i z pamięci, według klucza ważności, numerował zdjęcia, próbując wymyślić jakieś rozsądne podpisy pod nimi.

Tuż przed północą, ciągle we wtorek szóstego marca, „amerykański Polak żydowskiego pochodzenia z Filadelfii" pomiędzy jednym a drugim dowcipem o Żydach, przy głośnym chrapaniu dochodzącym z wielu kierunków, ogłosił wszystkim w pokoju, że „armia amerykańska wyzwoliła Kolonię". Pamięta, że natychmiast zeskoczył z łóżka, po raz kolejny pokłuł sobie skórę stóp igłami lotek, przeklął najbardziej dosadnie, jak potrafił, ubrał się i zszedł na dół do holu. W przegródce na wiadomości pokoju dwieście piętnaście znajdowała się koperta z wiadomością dla „redaktora Stanleya W. Bredforda". Zaspany kapral za ladą recepcji nie chciał mu jej wydać, zanim nie sprawdzi „jego tożsamości". Wrócił do pokoju. Z marynarki wydobył paszport i ponownie zbiegł schodami na dół.

W szarej kopercie były dwa arkusze papieru. Na jednym, zapisanym odręcznym pismem, Cécile informowała go, że „Kolonia – w najważniejszej części – jest nasza. Dotrzyj tam od zachodu. Cécile", na drugim był tekst po angielsku, francusku i niemiecku, potwierdzony pieczęcią i podpisem samego Pattona: „Niniejszym upoważnia się pana redaktora Stanleya W. Bredforda do uzyskania wszelkiej możliwej pomocy od zespolonych sił armii sojuszniczych w związku z jego działaniami dla najwyższego, wspólnego dobra...".

Przestał czytać. Wystarczyło mu to, czego się właśnie dowiedział – że działa „dla najwyższego wspólnego dobra zespolonych armii sojuszniczych". Uśmiechnął się. Wyobrażał sobie, jak Cécile musiała się śmiać, wystukując na maszynie treść tego tekstu. Porucznik Cécile Gallay doskonale wiedziała, że on niezbyt utożsamia się z „dobrem armii sojuszniczych". Interesuje go wyłącznie „niedobro" wyrządzone przez jakąkolwiek armię. Opowiadał jej o tym w szczegółach i szczególnego wieczoru, przy irlandzkiej whisky, na kanapie w willi w Luksemburgu.

Wrócił podniecony tą wiadomością do pokoju. Przez chwilę zastanawiał się, skąd Cécile znała inicjał „W." jego drugiego imienia. Faktycznie miał na drugie imię William, jak ukochany dziadek ze strony ojca. To dziadek Stanley William podarował mu pierwszy aparat fotograficzny i tym samym całkowicie odmienił jego życie. Nigdy nie używał drugiego imienia. Poza Andrew, rodzicami, księdzem, który już nie żyje, i jednym urzędnikiem w maleńkim amerykańskim miasteczku na zadupiu stanu Pensylwania nikt inny o tym nie wiedział. To znaczy nie powinien wiedzieć. Ani w jego paszporcie, ani w prawie jazdy, ani na dyplomie z Princeton nie było takiej adnotacji. Wszędzie, tak mu się wydawało, powinien istnieć jako Stanley Bredford. Wyglądało na to, że wszystkie jego dokumenty musiały być w odpowiednim czasie skrupulatnie prześwietlone przez amerykański i prawdopodobnie także brytyjski kontrwywiad. „Droga madame Calmes, proszę mnie powitać w klubie" – pomyślał, kręcąc z niedowierzaniem głową. Kolejny raz przekonał się, że Cécile potrafi przekazać ważne wiadomości w tak wyrafinowany sposób, aby mało kto, poza nim, mógł je rozszyfrować.

Po raz kolejny spakował walizkę. Nie mógł zmrużyć oka aż do świtu. Gdy tylko zaczęło szarzeć za oknami, ostatni raz zeskoczył ze swojego łóżka w pokoju dwieście piętnaście w hotelu Porta Nigra w Trewirze. Najpierw dokładnie pozbierał wszystkie lotki z podłogi. Potem, uśmiechając się do siebie, ułożył je – igłami do góry – tuż przed łóżkiem potencjalnego mistrza gry z Dakoty Północnej.

Godzinę później siedział na szczycie sterty ziemniaków pod przeciekającą plandeką wojskowej ciężarówki przewożącej w jednym wspólnym ładunku kartofle, węgiel i dodatkowe mundury dla armii amerykańskiej, która w wyniku „zespolonego wysiłku armii sojuszniczych" dotarła do Kolonii...

Kolonia, Niemcy, środa, tuż po północy, z 7 na 8 marca 1945 roku

Nie zliczył, ile razy ciężarówka stawała po drodze. Gdy się zatrzymywali, kierowca odkrywał plandekę, pokazywał kartofle, węgiel, mundury i jego paszport wraz z dokumentem od Cécile. Potem na ogół stali przez kilka godzin. Za każdym razem najdłużej medytowano nad jego dokumentem. Za każdym razem także wciskał dyskretnie do ręki kierowcy nowy plik banknotów. Nie pamięta, aby jakakolwiek podróż w jego życiu była droższa niż ten przejazd na stercie kartofli z Trewiru do Kolonii w Niemczech.

Było ciemno, gdy kierowca po raz kolejny odsłonił plandekę i poinformował go, dosadnie, że „jesteśmy, kurwa, w końcu w tej pierdolonej Kolonii". Spojrzał na zegarek. Było kilka minut po północy. Ścierpnięty, obolały i przemoczony do suchej nitki zsunął się na kolanach ze sterty ziemniaków. Wygramolił się z ciężarówki. Zatrzymali się na placu przed ogromną budowlą ze strzelistymi, wysokimi wieżami majaczącymi w świetle księżyca. Plac w wielu miejscach pokrywały sterty gruzu i kłębowiska prętów. Zauważył czołg stojący niedaleko głównego wejścia do budowli. W oddali stali amerykańscy żołnierze.

Stanął na wyprostowanych nogach. Nigdy nie przypuszczał, że zwykłe stanie na wyprostowanych nogach może być aż tak przyjemne. Wciągnął głęboko powietrze do płuc. Nareszcie, po długim czasie, świat nie śmierdział gnijącymi kartoflami. Kierowca tymczasem rozmawiał z trzema mężczyznami. Każdy był w długim brązowym habicie przewiązanym wokół bioder białym plecionym sznurem. Po chwili jeden z nich zbliżył się do niego. Przedstawił się, składając dłonie jak do modlitwy. Musiał spędzić wiele lat w Kalifornii. Tylko w Kalifornii, poza Azjatami i Meksykanami, ludzie mówią po angielsku z tak czystym akcentem, że zupełnie nie można go rozpoznać.

– Nasi niemieccy bracia bez wątpienia zadbają o pana – powiedział, skłaniając głowę. – Proszę zabrać swoje rzeczy i podążyć za mną.

Naprawdę tak powiedział: „podążyć za mną"! Ostatni raz przeczytał takie zdanie, gdy był w podstawówce i uczył się na pamięć tekstu jakiegoś dramatu Szekspira, który mieli wystawiać w ich szkolnym teatrzyku.

Zanim wydobył swoją walizkę spod góry mundurów, wokół ciężarówki pojawiło się więcej mnichów. Każdy z nich pchał przed sobą pustą taczkę. Po chwili taczki wypełniły się ziemniakami i węglem. Kierowca tymczasem palił papierosa i spokojnie przeliczał banknoty. Wreszcie zrozumiał, dlaczego amerykański transport wojskowy w drodze do celu najpierw stanął pod kościołem.

Długo podążał za mnichem, gdy obchodzili dookoła budynek kościoła. Nigdy dotąd nie widział tak ogromnej katedry. Chwilami omijali głębokie wyrwy na powierzchni placu, czasami przechodzili obok usypanych zwałów gruzu. Jednakże sama katedra wydawała się nienaruszona. Po kilku minutach oddalili się od katedry. Szeroką ulicą dotarli do zejścia ze schodami prowadzącymi stromo w dół. Przypominało mu ono zejście do stacji metra w Nowym Jorku. Tyle że tutaj nie śmierdziało moczem. Zeszli, zatrzymując się przy ciężkich, okutych stalowymi blachami drewnianych drzwiach. Otworzył je inny mnich. Ten jego, kalifornijski, najpierw objął tego nowego, a potem tłumaczył mu coś po niemiecku. Ten niemiecki mnich na powitanie także złożył dłonie jak do modlitwy i ciemnym korytarzem poprowadził go do pomieszczenia, które przypominało więzienną celę. Widział taką kiedyś w więzieniu w Alcatraz. Ta tutaj była bardzo podobna. Tak samo ponura i równie przerażająca przez zardzewiałe kraty w niewielkim otworze w betonowej ścianie. Tyle że tutaj zamiast jednej pryczy stały cztery łóżka, a na ścianie wisiał ogromny drewniany krzyż. Tylko na jednym z łóżek był materac. Na materacu leżało prześcieradło, koc, ręcznik, kostka szarego mydła, biała świeca i pudełko zapałek. Ze ściany w narożniku celi wystawała umywalka z mosiężnym kranem. Z gestów mnicha zrozumiał, że właśnie dotarli do celu. Po chwili usłyszał z oddali głuche trzaśnięcie drzwi.

Zapadła cisza. Słyszał jedynie kapanie wody z nieszczelnego kranu. Został sam. Cela dyszała mrokiem. Usiadł na łóżku, sięgnął po pudełko zapałek. Zapalił najpierw świecę, a potem papierosa. Gdyby teraz umarł, to zupełnie nikt by o tym nie wiedział – pomyślał, zaciągając się papierosem – nikt z ludzi, którzy są dla niego ważni, nie wie, gdzie on jest. Nawet on sam tego nie wie. Wie jedynie, że jest w niemieckiej Kolonii i że kilkanaście minut drogi pieszo pomiędzy zgliszczami od tej celi pod ziemią stoi niewiarygodnie wielka katedra.

Jeszcze nigdy nie czuł takiego niepokoju jak teraz. Właśnie tak. Niepokoju. Wcale nie strachu. Pierwszy raz potrafił te dwa stany wyraźnie odróżnić od siebie. Strach jest krótki, intensywny. Jak orgazm. Niepokój jest inny. Rozlewa się powoli po mózgu i ciele. I trwa. Ci mnisi jak ze średniowiecznych ilustracji, ta niezwykła katedra, ta ciemność, to podziemie przypominające przedsionek czyśćca, te ruiny i zgliszcza, ta cała wojna... Może właśnie to wszystko razem zsumowało się do jakiejś masy krytycznej i natychmiast potem rozlało się w nim dziwnym niepokojem. W takim miejscu jak to trudno było nie pomyśleć o śmierci. O swojej śmierci przede wszystkim. Z najważniejszym pytaniem, które nie może się nie pojawić. Co będzie dalej?! Po śmierci. Zawsze podziwiał naprawdę świetny pomysł wszystkich bez wyjątku religii. Najpierw przerazić maluczkich śmiercią, ziemskim końcem wszystkiego, a potem obiecać im, po ziemskiej śmierci, nieśmiertelność w jakimś nieskończenie szczęśliwym, idyllicznym edenie. Jak z naiwnych rysunków w broszurach świadków Jehowy. Pod warunkiem, że w trakcie jedynego pewnego – jak na razie – ziemskiego życia będą przestrzegać skrupulatnie określonych reguł. W jednej religii, tej na przykład wyznawanej przez jego dziadków i matkę – ojciec nie wierzył w żadnego Boga – było ich dokładnie dziesięć. Wyłącznie jako rozkazy lub zakazy.

W innych o wiele więcej, ale za to bardziej jako rady, którymi należy się kierować. Te były mu bliższe, ale pomimo to traktował każdą religię jako mitologię. Biblia i mity greckie były dla niego jak książki z tej samej półki. Nie wie, jak to się stało, ponieważ matka budziła regularnie rano jego i Andrew i przeganiała w niedzielne poranki do kościoła, wciskając im do ręki dwudziestopięciocentówki na ofiarę. Andrew skrupulatnie je zbierał, udając tylko, że coś wrzuca do wiklinowego koszyka ministranta. Potem kupił sobie za nie swoją pierwszą prawdziwą piłkę do koszykówki. Andrew do dzisiaj uważa, że to było najważniejsze oszustwo jego życia, i dodaje z ironią w głosie, że „widocznie Bóg tak chciał". On z kolei przykładnie wrzucał monety do koszyka. Głównie dlatego, że siedział w kościele obok matki i bał się, że mogłaby zauważyć jego machlojki i byłoby jej przykro. Andrew nie miał z tym żadnych problemów. Jego młodszy brat Andrew zawsze interesował się tylko sobą.

Nie pamięta dokładnie, kiedy Andrew którejś niedzieli nie wstał z łóżka i nie poszedł z nimi do kościoła. Pamięta, że matka głośno płakała tego ranka. Z bezsilności. Ojca to nie obchodziło. Ojciec także do kościoła już od dawna nie chodził. Przypomina sobie rozmowę rodziców na ten temat. W kościele nie chcę słuchać po raz kolejny o karzącym Bogu – mówił ojciec – chciałbym usłyszeć podczas kazania, że dam radę, że przetrwamy, tego jednak nigdy nie słyszę. Jedyne, co łączyło ich ojca z religią, to wyklepywana z pamięci, ciągle ta sama modlitwa przed posiłkiem. Ale to było bardziej przyzwyczajenie niż wyznawanie wiary. Jajecznica na śniadanie bez modlitwy nie smakowała mu tak samo jak jajecznica bez soli.

Później, gdy wyprowadził się od rodziców do Princeton, Kościół i religia przestały dla niego istnieć. Po prostu pewnego dnia zrozumiał, że wiara nie jest mu do niczego potrzebna i że Bóg wcale nie pomaga mu zrozumieć świata. Wręcz przeciwnie. Wszystko tylko swoją nieudowodnioną rzekomą wszechobecnością komplikował. On nie zauważał tej obecności w obliczu całego ogromu zła i cierpienia, któremu Bóg, jego zdaniem, powinien się przeciwstawiać. Albo Go po prostu nie było, albo stworzony rzekomo przez Niego świat zupełnie Go już nie obchodził. Tłumaczenie milczenia Boga grzechem pierworodnym człowieka wcale go nie przekonywało. Wręcz przeciwnie. Jeśli tak było, to Bóg okazałby się uparty i mściwy. Wszystko to utwierdzało go powoli w przekonaniu, że Boga nie ma.

Później, kilka lat po studiach, niepostrzeżenie i powoli zaczęło się to zmieniać. Przestał zgadzać się z tezą, że „im mniej wiesz, tym bardziej wierzysz", która była swego czasu bardzo modna wśród studentów na campusie w Princeton. Sam uległ jej chwytliwemu urokowi i jak wielu innych demonstrował to noszeniem krzyża na piersi. Pamięta, że matka, gdy odwiedzał dom, była tym jego krzyżem na piersiach bardzo uradowana, nieomal poruszona. Nie zauważyła, że to odwrócony krzyż. Głową Chrystusa w dół. Taka dziecinna i naiwna kontestacja, z której szybko wyrósł, gdy po skończeniu studiów wyruszył w dorosłość. Dowiadywał się coraz więcej i jednocześnie coraz mniej rozumiał. Coraz bardziej brakowało mu Czegoś lub Kogoś, kto nadałby temu wszystkiemu cel, uporządkował to wszystko, wytłumaczył i zamknął w ramach jednego Sensu lub jednolitej Teorii przez duże S i duże T. Póki co, nie znajdował niczego takiego. Czasami tylko dopuszczał do siebie myśl, że Bóg mógłby być alternatywą...

Myślał o tym zdziwiony swoim niepokojem, wpatrując się w płomień świecy i paląc papierosa w mrocznej klasztornej celi gdzieś pod powierzchnią zrujnowanej Kolonii. Czuł się tutaj trochę jak w swoim grobie. Postawił płonącą świecę w umywalce. Pierwszy raz w życiu bał się zasnąć w ciemności. Zdał sobie nagle sprawę, że – także pierwszy raz w życiu – zastanawia się, czy obudzi się następnego ranka. Sen to przecież taka mała śmierć.

Kolonia, Niemcy, czwartek rano, 8 marca 1945 roku

Obudziło go pukanie. Otworzył oczy. Przez kraty otworu w ścianie do wnętrza celi przedostała się szara poświata. Rozpoznał twarz kalifornijskiego mnicha, który stał przy framudze otwartych na oścież drzwi.

– Czy spożyje pan ze mną śniadanie? – zapytał z uśmiechem mnich. – Musi być pan pewnie bardzo głodny...

Natychmiast usiadł na materacu. Mnich w tym czasie podszedł do umywalki i nalał wodę do dwóch metalowych kubków, które przyniósł ze sobą. Po chwili przysiadł się do niego na łóżku. Podał mu kubek z wodą i postawił między nimi wyłożony białą serwetą koszyk wypełniony kromkami suchego chleba.

– Szanowny pan sierżant Medlock, który przywiózł pana, poinformował mnie, że interesuje się pan robieniem fotografii dla gazet. Jeśli pan chce, mogę pana zaprowadzić na wieżę naszej katedry. Rozpościera się z niej widok na całą okolicę. Dzisiaj niebo jest wprawdzie trochę zachmurzone, ale za to jest bardzo spokojnie. Nie było dzisiaj jak na razie żadnych strzałów z drugiej strony rzeki.

Siedzieli obok siebie i jedli chleb, popijając wodą.

– Jakich strzałów? – zapytał, nie rozumiejąc.

– No, tych z drugiej strony Renu – odparł mnich, spoglądając na niego. – Kolonia po naszej lewej, zachodniej stronie Renu jest... nasza, ale po drugiej stronie ciągle są nasi wrogowie. Dwa dni temu wysadzili w powietrze most Hohenzollerna, ostatni, który się ostał, i trudno się przedostać na drugą stronę rzeki. Ale to tylko kwestia kilku dni. Po tej stronie jest bardzo spokojnie. Wszyscy Niemcy, którzy tutaj pozostali, powitają pana godnie.

Sięgnął po drugą kromkę chleba. Mnich miał rację. Był bardzo głodny.

– To znaczy, że po drugiej stronie Renu są Niemcy, a po tej Amerykanie?! – zapytał z niedowierzaniem.

– Właśnie – odpowiedział mnich i dodał: – Jeden z naszych braci zaprowadzi pana później do sztabu na Kaiser-Wilhelm-Ring. Myślę, że uzyska tam pan wszelką możliwą pomoc. Nasze możliwości są, niestety – wskazał na koszyk z suchym chlebem – bardzo ograniczone.

– Czy z wieży katedry zobaczę tę drugą stronę?! – zapytał podniecony.

– Z wieży naszej katedry zobaczy pan całą Kolonię. Nasza katedra jest...

– Czy mógłby mnie pan tam zaprowadzić?! Teraz? – przerwał mu, łykając w pośpiechu ostatni kawałek chleba i sięgając nerwowo po papierosy.

Wstał. Otworzył walizkę i wyciągnął z niej aparat.

– Zaraz?! Czy możemy zaraz tam pójść? – zapytał, stojąc przed mnichem z aparatem przewieszonym wokół szyi.

– Czy pan nie jest przypadkiem z Nowego Jorku? – zapytał spokojnie mnich, nie ruszając się z miejsca.

– Nie. Jestem z Pensylwanii, ale rozumiem, o co panu chodzi. Mierzę czas tak jak ludzie w Nowym Jorku. Przepraszam. Proszę spokojnie skończyć śniadanie – odparł, podchodząc do zakratowanego otworu w ścianie celi. – Czy pan ma imię? – zapytał po chwili. – Czy mam do pana zwracać się jakoś specjalnie? Nigdy nie wiem, jak zwracać się do księży. Nie chciałbym pana urazić.

– Nie jestem księdzem. Jestem zakonnikiem. Mam na imię Martin. Nazywam się Martin Carter. Nie wiem, skąd pochodzili moi rodzice, ale ja urodziłem się w przytułku w Greenwich Village w Nowym Jorku. Może pan zwracać się do mnie, jak pan tylko chce – odparł i podchodząc do niego, zapytał: – Czy poczęstuje mnie pan papierosem? Lubię zapalić po śniadaniu.

– Ależ oczywiście – odparł zdziwiony i podał mu paczkę z papierosami. – Gauloise'y, prawda? Ja także lubię gauloise'y, ale najbardziej te stare, zupełnie białe, bez filtra.

Po chwili wyszli z celi. Wydawało mu się, że w nocy korytarze, którymi szedł tutaj, nie były takie długie. Na zewnątrz, w dziennym świetle, wszystko wyglądało inaczej. Gdy tylko stanęli na chodniku, zatrzymał się na chwilę i patrzył oniemiały na dwie wieże wyrastające strzeliście spomiędzy jakby przyklejonych do tych wież kościołów z tysiącami figur wyrzeźbionych na powierzchni ich ścian. Nigdy dotąd nie widział nic takiego na własne oczy!

– Przepiękna jest ta katedra – powiedział do mnicha po chwili zachwytu. – To dobrze, że ktoś z naszych pomyślał, aby ją oszczędzić i nie zbombardować...

– Tak pan sądzi? – odparł mnich. – Ja wcale tak nie uważam. Teraz nasi i brytyjscy generałowie w ulotkach przekonują żołnierzy i mieszkańców Kolonii, że z tak zwanego szacunku dla dziedzictwa kultury oszczędzili tę katedrę. Ale to nie cała prawda. I propagandowa bzdura. W listopadzie czterdziestego trzeciego spadły na katedrę bomby. Gdyby nie plomba budowana ogromnym wysiłkiem przez kilka miesięcy przez Niemców, północna wieża z pewnością by się zapadła. Gdy przejdziemy dalej, pokażę panu tę plombę. Poza tym rozmawiałem niedawno z pewnym polskim lotnikiem z RAF-u. Katedra ze swoimi wieżami była doskonałym punktem orientacyjnym dla nadlatujących samolotów. Tylko z tego powodu jej zniszczenie nie było w niczyim interesie. Jego zdaniem to, że katedra jest taka, jak jest dzisiaj, to czysty przypadek. Szczęśliwy przypadek... – dodał na końcu.

Dotarli do głównego portalu. Wszyscy żołnierze musieli znać „brata Martina" – tak postanowił go zapamiętać i nazywać – ponieważ, pomimo że był cywilem, przechodzili obok punktów wartowniczych bez żadnej kontroli. Gdy tylko znaleźli się w katedrze, brat Martin poprowadził go natychmiast do niewielkich drzwi po prawej stronie i powiedział:

– Te drzwi prowadzą na szczyt południowej wieży. Aby dotrzeć na taras, musi się pan wspiąć krętymi, wąskimi schodami na górę. Ostrzegam, że zajmie to panu około pół godziny. Nasza katedra jest bardzo wysoka. Druga pod względem wysokości w Europie. To tak, jak gdyby pan schodami wszedł do połowy Empire State Building. Niech pan będzie bardzo ostrożny po drodze. Niektóre z desek są przegniłe, niektóre połamane, a niektórych brakuje – dodał, wskazując ręką w kierunku ciemnego korytarza.

– Czy mógłbym na chwilę pozostać na dole i podejść chociaż do ołtarza? – zapytał.

– Tak. Oczywiście, że tak! Zupełnie zapomniałem, że pan przecież jeszcze nigdy tutaj nie był. Proszę bardzo. Proszę pójść, gdziekolwiek pan tylko chce. Zaczekam tutaj na pana. A może mam panu towarzyszyć? Znam tutaj każdy szczegół...

– Jeżeli pan pozwoli, to chciałbym być sam. Opowie mi pan to wszystko innym razem. Chciałbym być teraz sam. Tylko z moim aparatem...

Wrócił do centralnej nawy. Zdjął przykrywkę z obiektywu. Myślał, jak kilkoma obrazami pokazać monumentalność i wyjątkowość tego miejsca. Nie chciał być jak turysta fotografujący pod światło witraże. Stanął przy rzędach świec stojących na metalowej płycie po lewej stronie nawy. Wosk przyklejony do płonących świec tworzył przeróżne kształty i przepięknie rozpraszał światło. W oddali za balustradą z czarnych stalowych prętów w ogromnej donicy sterczały maszty z flagami. Amerykańska dotykała rosyjskiej. Dalej, tuż przed głównym ołtarzem, oświetlony przefiltrowanym przez szkło witraża światłem stał drewniany wóz pełen ludzkich czaszek. W środku wozu przełamany hakenkreuz. To było prymitywne i prostackie. Dość miał tej kiczowatej propagandy. Nie rozumiał nawet, do kogo była skierowana. Otoczona wojskiem katedra była niedostępna dla normalnych ludzi. Nie sądził, żeby Arthur opublikował takie zdjęcia.

Przeszedł dalej. Na pulpicie pod figurą Chrystusa na krzyżu porozrzucane w nieładzie zapisane kartki papieru i leżące na nich okulary. Kilkanaście metrów dalej staruszka w czarnej chuście myjąca na kolanach schody pod obrazem w złotych ramach. Fotografował dalej...

Gdy wrócił pod drzwi prowadzące na wieżę, brat Martin nalewał akurat do marmurowej kropielnicy wodę z aluminiowego wiadra. Zauważył go. Postawił wiadro na posadzce i powiedział:

– Poczekam na pana. Niech pan idzie. Znajdzie mnie pan tutaj. Nie wyjdę z katedry, zanim pan nie wróci. Mam co robić – dodał z uśmiechem. – Tutaj jest dużo kropielnic... A potem zaprowadzę pana na Kaiser Ring – krzyknął za nim.

Brat Martin Carter miał rację. Wspinaczka na górę była niebezpieczna. Schody wieży nigdy nie powinny nazywać się schodami. Gdy pierwszy raz ledwie zdążył cofnąć się z załamującej się deski na stopień niżej, pomyślał, że to przypadek. Później, gdy „przypadek" powtórzył się drugi, trzeci, czwarty raz, sprawdzał, naciskając stopą każdą następną. Nie pamięta, ile czasu zajęła mu ta wspinaczka. W każdym razie było to znacznie dłużej niż pół godziny.

Gdy wyszedł w końcu na taras pod ażurowym ostrosłupem kopuły, przez chmury przedarło się słońce. Podszedł pośpiesznie do balustrady. Pierwsze, co zauważył, to wystające z wody łuki stalowych fragmentów nad zatopionymi filarami mostu. Kończyły się w połowie rzeki. Po drugiej stronie miasto wyglądało dokładnie tak samo jak po tej. Dostrzegł zgliszcza zbombardowanych budynków, kilka wysokich budowli, wielkie zwały gruzu, ulice. Nic specjalnego. Tak jak w Trewirze i tak jak tutaj. Nie wie dlaczego, ale był rozczarowany. Nie potrafiłby powiedzieć, czego się spodziewał. Z pewnością nie smoków, ale chociaż jednego działa skierowanego w jego kierunku. Niczego takiego nie zobaczył. Niezdobyte jeszcze Niemcy po drugiej stronie rzeki wyglądały dokładnie jak już zdobyte Niemcy po tej. Przypomniał sobie słowa Anglika. *Drôle de guerre*, nudna wojna...

Usiadł na balustradzie. Palił papierosa i przekręcał korbkę zwijającą film do kasety. Wsunął kasetę z nowym filmem do aparatu. Wychylił się, próbując wydobyć najlepsze ujęcie zatopionego mostu.

– Na jakiej przysłonie pan to robi? Na pięć koma sześć, prawda? Niech pan zwiększy przysłonę, ale wydłuży czas naświetlania. Uzyska pan wtedy większe nasycenie po prawej stronie. Tam jest teraz ciemniej przez tę chmurę na niebie...

W ostatniej chwili zsunął się z balustrady. Upadł plecami na kamienną posadzkę, chwytając w locie aparat i przyciskając go do piersi. Spojrzał z wściekłością w górę. Młoda kobieta w czarnym płaszczu z papierosem pomiędzy wargami wyciągnęła w jego kierunku rękę. Wstał. Bez jej pomocy. Oddaliła się od niego, przechodząc na drugą stronę tarasu. Spojrzał na nią. Długie blond włosy opadające na twarz. Blizna na policzku. Wojskowe kamasze na nogach. Podszedł do niej.

– Mogłem spaść z tej balustrady. Jeszcze nikt mnie tak nie przestraszył jak pani – powiedział z wyrzutem.

Milczała.

– Zrobiłem na pięć koma sześć. Ale to w tym oświetleniu jest optymalne. Tak myślę. Przy większej przysłonie i dłuższym czasie mógłbym poruszyć – dodał.

Odwróciła twarz w jego kierunku. Miała błękitne oczy, lekko wystające kości policzkowe i długie rzęsy.

– Myli się pan – odparła po chwili. – Zrobił pan na pięć koma sześć, ponieważ w tej leice to standardowa przysłona ustawiana automatycznie po zmianie filmu. Nie pomyślał pan, aby ją zmienić. To prawie wszystkim się zdarza. Nie poruszyłby pan. Nawet najbardziej uzależnieni alkoholicy, którym trzęsą się ręce, nie poruszą, tym bardziej przy tak szerokim planie...

Gdy mówiła, marszczyła czoło. Miała szerokie, zaczerwienione wargi i białe zęby.

– Skąd pani wie, jaką mam leicę?

Uśmiechnęła się. Miał wrażenie, że w tym samym momencie do jej oczu napłynęły łzy.

– Ma pan taką leicę, że poznałabym ją nawet po zapachu – powiedziała cicho.

– Dlaczego pani płacze?

– Ja zawsze płaczę, gdy się uśmiecham. Ostatnio. Ale to ponoć przejdzie. Przeszkadza to panu? Przeszkadza ci to?!

– Skąd pani wiedziała, że rozumiem tylko angielski?

– Martin powiedział, że sprowadzi cię na wieżę, a gdy powiedział mi, że masz aparat, polubiłam cię już tylko za to, bezwarunkowo. –

Opuściła głowę. – Czekam na ciebie tutaj już od samego rana. Martin daje mi ulotki do tłumaczenia i pozwala sprzątać katedrę. Kupuję za te pieniądze jedzenie dla mnie i cioci Annelise. Powiedział mi, że jesteś jak typowy Amerykanin, nie znasz żadnych języków poza angielskim.

– Dlaczego pani zna moją leicę?!

– Wiesz co?! Wkurwiasz mnie teraz! Robisz mi tutaj, do cholery, śledztwo czy co?! A ja chciałam ci tylko poradzić, jaką masz nastawić przysłonę. Zachowujesz się jak amerykański zdobywca. Mam w dupie zdobywców! – wykrzyknęła nagle.

Znowu oddaliła się od niego. Zapalił dwa papierosy. Powoli podszedł do niej.

– Zapytałem tylko z ciekawości. Proszę zrozumieć, że nikt nigdy nie rozpoznawał mojej lejki po... zapachu – powiedział z uśmiechem i podał jej papierosa. – Mogę zadać pani tylko jeszcze jedno, ostatnie pytanie?

Przyjęła od niego papierosa. Próbowała się nim zaciągnąć. Papieros zgasł. Zbliżyła się do niego i sięgnęła do kieszeni jego płaszcza, opierając brodę na jego ramieniu. Jej włosy pachniały lawendą. Wydobyła zapałki z kieszeni, stanęła tuż przed nim i zapaliła papierosa.

– Możesz – powiedziała, wydmuchując dym.

– Czy pani jest Niemką?

– Tak. Jestem Niemką. Nazywam się Anna Marta Bleibtreu. Czy to ci przeszkadza? – zapytała, odwracając się plecami do niego.

Ruszyła w kierunku balustrady. Podążył za nią. Stanęli przy balustradzie, patrząc na miasto.

– Nie! Skądże. W żadnym wypadku. Chciałem po prostu wiedzieć.

– Nie kłam. Nie możesz lubić Niemców. Ja bym ich nie lubiła – powiedziała podniesionym głosem.

– Dlaczego zna się pani tak dobrze... dlaczego zna pani mój aparat? – zapytał, ignorując jej uwagę.

– Znam wszystkie aparaty.

– Dlaczego?

– Bo znam – odparła, przysuwając się bardzo blisko do niego. – A czy teraz ja mogę cię o coś zapytać?

– Oczywiście, niech pani pyta.

Sięgnęła do kieszeni płaszcza i wydobyła z niej rolkę z filmem. Zauważył, jak nagle zmienia się wyraz jej twarzy. Zniknęła z niej obojętność i rodzaj zaczepnej arogancji. Jej oczy stały się jeszcze większe. Dostrzegł w jej spojrzeniu niepokój małej dziewczynki, która nie wie, co może się za chwilę wydarzyć. Ściskając rolkę mocno w dłoni, zapytała:

– Wywołasz mi ten film? Wywołasz? Dobrze mi go wywołasz?

– Oczywiście, że wywołam. Jasne. Może jeszcze nawet dzisiaj.

– Sam to zrobisz czy oddasz komuś?

– Tego nie wiem. Jestem w Kolonii dopiero od kilkunastu godzin. Nie wiem, czy wpuszczą mnie do ciemni. Nie wiem nawet, czy tutaj jest jakaś ciemnia. Brat Martin ma mnie zaprowadzić na jakiś ring czy coś takiego. Tam się wszystkiego dowiem.

– Tak. Na rogu Kaiser-Wilhelm-Ring i Christoph Strasse. Tam ulokował się wasz militarny rząd tego miasta. Martin mówił mi, że pracujesz dla „Timesa". Myślę, że kogo jak kogo, ale ciebie powinni tam przyjąć z honorami. Mój ojciec, jeszcze przed wojną, robił tłumaczenia niemieckich poetów dla twojej gazety. Był bardzo z tego dumny. Opublikowaliście nawet jego fotografię.

Słuchał jej ze zdumieniem. Na dachu katedry w Kolonii spotkanie dwóch biografii, które teoretycznie nigdy nie powinny się dowiedzieć o swoim istnieniu! Przecież mógł tutaj nie przyjechać, przecież mógł nie spotkać „szanownego pana sierżanta Medlocka", który sprzedaje na czarno mnichom kartofle i węgiel, przecież to inny „brat" mógł go zaprowadzić do celi. Ale to był cwany sierżant Medlock dorabiający „na boku" i to był dobroduszny brat Martin, który znalazł akurat tę dziewczynę, aby tłumaczyła ulotki. A ojciec tej dziewczyny tłumaczył dla „Timesa" i na dodatek ta dziewczyna tak bardzo chciała go spotkać, że wspięła się na tę wieżę i mu to wszystko opowiedziała. Pomijając już drobny fakt, że ta dziewczyna zna się na fotografowaniu tak, jakby zajmowała się tym od chwili poczęcia! Miała rację. Przy większej przysłonie, dłuższym czasie i przy tym oświetleniu wydostałby lepszy obraz zatopionego mostu. Z pewnością miała rację. Jego leica ustawia „pięć koma sześć" jako standard po otwarciu komory na film...

– Dlaczego zamilkłeś? Powiedziałam coś niestosownego? – wyrwała go z zamyślenia.

– Ależ nie! Zastanawiałem się tylko, co jest przeznaczeniem, a co przypadkiem, ale to teraz nieważne – odparł. – Niech pani da mi ten film.

– Obiecasz mi, że tylko ty go wywołasz? – zapytała z niepokojem w głosie. – Jeśli nie ty, to proszę, abyś go nikomu nie przekazywał. Obiecasz?

– Obiecuję – odparł, chowając rolkę z filmem w kieszeni marynarki.

Dziewczyna stanęła na palcach, pocałowała go delikatnie w policzek i wykrzyknęła:

– Przyniosę ci za to ogórków i wędzonej kiełbasy od cioci Annelise! I upiekę dla ciebie ciasto z jabłkami. Będę tutaj czekała za trzy dni, w niedzielę, o tej samej porze. A teraz muszę już iść.

Podskakując chwilami na jednej nodze jak czymś bardzo uradowana mała dziewczynka, pobiegła w kierunku schodów prowadzących na dół. W pewnej chwili zatrzymała się i pędem wróciła do niego.

– Dasz mi potrzymać twoją leicę? Chociaż przez chwilę?! Proszę!

Wyglądała jak dziecko proszące o wymarzoną zabawkę. Podał jej aparat. Podeszła z nim do balustrady i skierowała obiektyw na most. Odwrócona do niego plecami, wykrzyknęła:

– Mogę?! Tylko jedno! Obiecuję...

Usłyszał klik spustu migawki. Wróciła do niego i oddała mu aparat.

– Jak się pani nazywa? Nie zapamiętałem, proszę mi wybaczyć.

– Bleibtreu – odparła, biegnąc przez taras.

– Czy to coś znaczy po niemiecku?! – krzyknął za nią.

– Tak! – odkrzyknęła, zatrzymując się przy drzwiach prowadzących na schody. – W dosłownym tłumaczeniu na twój język oznacza „bądź wierny" lub „pozostań wierny".

Jeszcze jakiś czas przebywał na dachu. Zrobił kilkanaście zdjęć. Za każdym razem, gdy zmieniał ustawienia w aparacie, myślał o tym spotkaniu z dziewczyną.

W okazałym budynku biurowym przy ulicy Kaiser-Wilhelm-Ring 2 w Kolonii faktycznie rozmieścił się jakiś „rząd". Każdy, kogo tam spotkali, wydawał się rządzić i każdy był wyjątkowo „ważny". Ale tylko do chwili, gdy miał podjąć jakąkolwiek samodzielną decyzję. Z szacunkiem odnoszono się do brata Martina, natomiast jemu poświęcano jedynie pozorowaną uwagę. Nikogo nie obchodziło, że oto nagle pojawił się jakiś redaktor z „New York Timesa", który oczekiwałby pomocy przy wypełnieniu „informacyjnej misji, dla dobra uprawnionych do niezależnych informacji czytelników w Stanach Zjednoczonych". Pewien gruby oficer powiedział mu bez ogródek, że dziennikarze w czasie wojny, cytując go dosłownie, „to jak bolące wrzody na dupie".

Spędzili pomiędzy piętrami biurowca przy ulicy Kaiser-Wilhelm-Ring ponad trzy godziny odsyłani z jednego zadymionego biura do innego. Czuł najpierw wściekłość, potem bezsilność, powoli zamieniającą się w uczucie rezygnacji. Poza tym czuł, że nie ma prawa obciążać swoim problemem zakonnika, który chodził z nim od pokoju do pokoju i wysłuchiwał kolejny raz tej samej historyjki o „misji informacyjnej". Gdy był już naprawdę gotowy zrezygnować – rozważając powrót najpierw do Luksemburga, a potem po kontakcie z Arthurem ostatecznie do domu – trafili do kolejnego zadymionego biura w podziemiach budynku. Gdy wkroczyli, chudy mężczyzna w oficerskim mundurze najpierw spojrzał na nich uważnie, potem powoli przesunął okulary z nosa na oczy, a następnie z krzykiem podbiegł do brata Martina. Objęli się jak dobrzy przyjaciele. Okazało się, że znali się z czasów misji brata Martina w Irlandii. Potem ich drogi się rozeszły i teraz, po wielu latach, spotkali się w podziemiu budynku w Kolonii. Po krótkiej rozmowie chudy oficer przywołał adiutanta i rozkazał mu „za wszelką cenę wydobyć, jeśli trzeba, to spod ziemi, podporucznika Bensona, tego od ulotek". Okazało się, że podporucznik Benson nie był w żadnych podziemiach. Siedział spokojnie z nogami na biurku w biurze na drugim piętrze. I to w tym biurze, które w trakcie pielgrzymki po zadymionych pokojach już odwiedzili! Benson udawał przy chudym oficerze, że widzi redaktora Stanleya Bredforda pierwszy raz w życiu. Przy każdym poleceniu wydawanym przez chudego oficera trzaskał głośno obcasami i wydobywał z siebie posłuszne szczeknięcie „yes, sir". Tak naprawdę to polecenia wydawał Stanley. Chudy oficer w okularach zamieniał je jedynie w rozkazy, po których nadchodziło trzaśnięcie obcasami.

– Słyszałeś, Benson, co masz zrobić, prawda? Podsumujmy, najpierw przygotujesz redaktorowi przepustki do wszystkich obszarów miasta. Przyniesiesz je tutaj do mnie do podpisu. Potem zarezerwujesz trzy godziny w ciemni u fotografa, jeśli to możliwe, to jeszcze dzisiaj wieczorem. Następnie dasz redaktorowi Bredfordowi pełnomocnictwo do wysyłania depesz. Nie muszą to być szyfrogramy. Wystarczą zwykłe depesze. Upoważnienia na depesze podpisuj moim nazwiskiem. A teraz zadbaj, aby redaktor miał co jeść, pić i gdzie spać. Za pół godziny będziesz tutaj z przepustkami i z meldunkiem. Jasne?! Czy to dla ciebie jasne, Benson?!

– Yes, sir! – szczeknął ostatni raz podporucznik Benson, trzasnął butami i natychmiast wyszedł.

– A teraz, Martin – powiedział chudy oficer do zakonnika – opowiadaj. Co u ciebie? Jak tutaj trafiłeś? I dlaczego akurat tutaj? To wyjątkowo nudne miejsce. A to się Shilla zdziwi, gdy jej napiszę, że cię spotkałem. Boże, ale się zdziwi! Ona nieustannie cię wspomina. Opowiadaj...

A zwracając się do niego, dodał:

– Panie redaktorze, wybaczy pan nam teraz? Mamy sobie z ojcem Martinem trochę do pogadania.

Wyszedł bez słowa na korytarz. Usiadł na drewnianej ławce naprzeciwko drzwi. Pomyślał, że przeznaczenie spotkało się z przypadkiem i oboje muszą mieć dzisiaj jakąś niezwykłą kulminację...

Spocony podporucznik Benson pojawił się z meldunkiem i plikiem papierów z pieczątkami po dwóch godzinach. Chudy oficer zajęty rozmową z bratem Martinem najwyraźniej nie zauważył upływu czasu. Przerzucił szybko dokumenty i powiedział:

– Benson, kurwa, no co ty, chcesz położyć spać pana redaktora w domu wycieczkowym dla młodzieży? I to w jakiejś wsi pod Kolonią? Benson, no kurwa... Chcesz, żeby pan redaktor o nas coś źle napisał i żeby potem przeczytał to pan pułkownik Patterson – podniósł głos. – Sam wiesz, że John strasznie nie lubi, jak się o nim źle mówi, a już z pewnością nie wybaczy, gdy się o nim źle napisze. I to w Nowym Jorku. No, Benson. Zastanów się...

– Nie mamy na dzień dzisiejszy miejsc w innych kwaterach, panie pułkowniku! – odkrzyknął Benson.

– Jak to nie macie? – Chudy oficer podniósł głowę znad papierów. – Kto to jest, kurwa, „my", Benson, i o której możecie mieć?

– Jeśli panowie pozwolą – Stanley wtrącił się nieśmiało do rozmowy – to ja bardzo chętnie pozostanę w celi brata Martina. Jeśli w ogóle mogę tam pozostać? – dodał, patrząc w kierunku zakonnika.

– Oczywiście, że pan może pozostać – odparł brat Martin.

– Benson, to zróbmy tak, ty opierdol w moim imieniu tych palantów od kwaterunku i powiedz im, że znaleźliśmy bez ich pomocy inne rozwiązanie. – Chudy oficer się uśmiechnął. – A teraz zaprowadź panów do naszego kasyna.

– Czy mógłbym, jeśli panowie pozwolą – ponownie wtrącił się do rozmowy – pójść z podporucznikiem Bensonem do ciemni? Wcale nie jestem głodny.

– Benson, słyszałeś? – zapytał chudy oficer.

– Tak jest, sir! – wykrzyknął Benson.

Ciemnia była chyba w najciemniejszym miejscu budynku na ulicy Kaiser-Wilhelm-Ring 2. Szedł, momentami biegł, ledwie nadążając za podporucznikiem Bensonem. Dotarli do niewysokiego otworu w ścianie na poziomie pod piwnicą. Na schodach i potem na korytarzu nie było żadnych lamp. Weszli do jakiegoś pomieszczenia. Młody żołnierz siedział przy jednym z drewnianych stołów ustawionych jeden obok drugiego. Na stołach stały kamienne kuwety. Na sznurach rozwieszonych pod sufitem wisiały poprzypinane klamerkami fotografie. Poczuł znajomy zapach chemii.

– Brian, wytłumacz panu Bredfordowi wszystko – powiedział podporucznik Benson do młodego żołnierza i natychmiast zniknął.

– Tak jest, sir – odpowiedział Brian, patrząc na plecy podporucznika Bensona.

Podali sobie ręce na powitanie. Brian wylał do metalowego wiadra płyn z kilku kuwet. Zebrał je, kładąc jedna na drugiej, i podszedł do zlewu. Dokładnie je wypłukał. Potem ustawił na stole, jedna obok drugiej, i przyniósł szklane butle z odczynnikami.

– Gdyby pan mnie potrzebował, to będę obok, w palarni.

Lubił ten zapach, lubił takie miejsca. Wydobył rolkę. Zaczął wywoływać. Czuł to samo podniecenie jak zawsze. Na stacji benzynowej ojca też to czuł. Pewne rzeczy nigdy się nie zmieniają. Chciało mu się palić. Nie zapalił. Odsunął krzesło. Wolał stać przy pracy w ciemni. Powoli na papier wypływały obrazy. Przypominał sobie kolejne ujęcia. Zatopiony most na Renie zrobiony przez niego, ten sam most zrobiony przez dziewczynę kilkanaście minut później. Jej most był inny. Wyraźniejszy. Prawdziwszy. Jej fotografia była po prostu lepsza. Mimo że zrobiona jakby od niechcenia. Usłyszał z oddali jej głos: „Mogę?! Tylko jedno! Obiecuję". Powiesił wywołane zdjęcia na sznurku. Sięgnął do kieszeni marynarki. Wydobył jej rolkę. W pierwszej chwili poczuł się jak ktoś czytający cudzy list. Chociaż mu pozwoliła, miał wrażenie, że wkrada się do czyjegoś życia. Fotografie dla niego były zawsze bardziej osobiste niż jakiekolwiek listy. Zanurzył rolkę w kuwecie. W chwilę potem zaczął naświetlać negatyw. Spod powierzchni płynu zaczęły powoli wydobywać się obrazy. Jeden po drugim...

Modlący się żołnierz. Prawą dłonią ściskający kikut, który pozostał z lewej ręki. Z hełmu leżącego obok jego nóg wydostawał się płomień palącej się świecy. Mała płacząca dziewczynka z zabandażowaną ręką siedząca na nocniku nieopodal żołnierza. Staruszka w futrze i słomkowym kapeluszu głaszcząca siedzącego na jej kolanach wychudzonego kota z jednym uchem. Mężczyzna czytający książkę i odmawiający różaniec. Ksiądz w ogromnych okularach, siedzący w fotelu, palący papierosa i przyjmujący spowiedź od klęczącej przed nim zakonnicy. Przed krzyżem troje przytulonych do siebie ciał. Z opuszczonymi głowami. Jak Święta Trójca czekająca wspólnie na egzekucję. Niewielki fragment muru, który pozostał z budynku. Przytwierdzony do muru zardzewiały zlew. Na resztkach drewnianego blatu obok zlewu kubek z niedopitą przez kogoś herbatą, nieopodal na białym porcelanowym talerzyku nadgryziony, posmarowany masłem kawałek chleba przykryty stwardniałym, żółtym serem. Nad zlewem do ściany przymocowane lustro z brązowymi zaciekami rdzy. Na małej szklanej półce pod lustrem cztery aluminiowe kubki ze szczoteczkami do zębów. Kamienna lada w jakimś sklepie. Na przysypanym resztkami tynku marmurowym blacie przewrócona waga pokryta brunatnymi plamami skrzepniętej krwi. Młody mężczyzna w białym, poplamionym krwią fartuchu siedzący z papierosem w ustach na drewnianym krześle tuż przed rowem wypełnionym rzędami trupów. Skrzypek pod żyrandolem ze świecami. Czoło skrzypka owinięte bandażem, jego przymrużone w natchnieniu oczy. Trumny i piramidy czaszek w tle. Rząd uśmiechniętych żołnierzy w niemieckich mundurach stojących na krawędzi kolejowego wagonu z penisami w dłoniach i sikających na zmarzniętą zaspę śniegu przed wagonem. Leżąca na futerale skrzypiec, pomiędzy karabinami, głowa młodego mężczyzny z zakrwawioną opaską na czole...

Przekładał wywoływane zdjęcia z kuwety do kuwety. Wzbierała w nim ekscytacja. Drżały ręce. Czuł pulsowanie żyły na czole. Automatycznie sięgnął po papierosy. Zapalił. Dwa naraz. Z oddali słyszał jej głos. „Wywołasz mi ten film? Wywołasz? Dobrze mi go wywołasz?".

Przypiął wszystkie jej fotografie na oddzielnej lince. Powoli przechodził obok każdej z nich. Wielokrotnie. W tę i z powrotem. Przystawał i patrzył. Za każdym razem odkrywał coś nowego. Bardzo chciał ich dotykać. Nie dotykał. Nawet tylko dymem z papierosa. Zgasił natychmiast papierosy. Pierwszy dotyk należy się tylko jej. Gdy papier był suchy, zsuwał ostrożnie po kolei każdą fotografię do koperty podstawianej pod linkę. Swoje fotografie zebrał do innej koperty. Ostrożnie zwinął negatywy, wsunął je do metalowego pudełka, które włożył do kieszeni marynarki. Opuścił pośpiesznie ciemnię i przeszedł do palarni obok.

– Skończyłem – powiedział, zwracając się do kaprala Briana. – Czy mógłby mnie pan natychmiast zaprowadzić do miejsca, gdzie mógłbym nadać depeszę?

– Czy coś się stało? – zapytał kapral Brian, gasząc natychmiast papierosa. – Jest pan blady i spocony.

– Nie, nic takiego. Wydaje się panu...

Przeszli na trzecie piętro. W dusznym zaciemnionym pokoju bez okien, pełnym zielonkawych światełek mrugających z pulpitów radiostacji przypominających mu przestarzałe radia, siedzieli żołnierze ze słuchawkami na uszach. Kapral Brian zaczął rozmawiać z jednym z nich. Po chwili wrócił do niego z kartką papieru.

– Proszę przygotować swoją depeszę i podanie. Proszę pisać drukowanymi literami i podpisać się pełnym imieniem i nazwiskiem. W podaniu proszę podać swój stopień i datę urodzenia.

– Nie mam żadnego stopnia – odparł.

– To proszę wpisać zero.

Usiadł przy stoliku w rogu pokoju. Zaczął pisać drukowanymi literami.

ARTHUR, DZIĘKUJĘ CI, ŻE DBASZ O MOJEGO KOTA. CHCIAŁBYM WRÓCIĆ DO NYC W PRZYSZŁYM TYGODNIU. ZMNIEJSZYSZ W TEN SPOSÓB KOSZTY. MAM DLA NAS WSZYSTKO, CZEGO POTRZEBUJEMY. PODSTAWISZ MI JAKIŚ SAMOLOT? JESTEM W KOLONII, WIĘC LOTNISKO MOŻE BYĆ BLISKO

KOLONII. NIE PRZYLECĘ SAM. CZY MOŻESZ W DEPARTAMENCIE STANU WYSTAWIĆ WIZĘ NA NAZWISKO ANNA MARTA BLEIBTREU? OSTRZEGAM CIĘ, ŻE TO NIEMKA. JEJ OJCIEC JEST TŁUMACZEM LITERATURY I PRACOWAŁ KIEDYŚ DLA NAS. MOŻESZ TO SPRAWDZIĆ. SZUKAJ W ARCHIWUM PRZED '39. WYMYŚL JEJ DATĘ URODZENIA. JA JESZCZE TEGO NIE WIEM. ARTHUR, JEŚLI NIE WYSTAWISZ TEJ WIZY DLA NIEJ, TO NIE WRÓCĘ.

STANLEY

Uśmiechnął się. Pomyślał, że Arthur natychmiast zrozumie, co znaczy zdanie z depeszy: „JEŚLI NIE WYSTAWISZ TEJ WIZY DLA NIEJ, TO NIE WRÓCĘ". Arthur doskonale zrozumie, co kryje się za tym żartobliwym ultimatum. Musi zrozumieć! Podał kartkę młodemu chłopakowi ze słuchawkami na uszach.

– Do kogo ma dotrzeć depesza? – zapytał chłopak, nie ukrywając śmiechu.

– Do redakcji „New York Timesa" – odparł.

Chłopak zaczął przewracać nerwowo kartki w grubym poplamionym zeszycie.

– W Nowym Jorku czy w Chicago? – zapytał w pewnej chwili.

– W Nowym Jorku, oczywiście, że w Nowym Jorku. – Całkiem zapomniał, że niedawno otworzyli swoje biura także w Chicago.

– Czy mógłby pan skrócić depeszę? – zapytał żołnierz. – Mamy ograniczenie na nieszyfrowane depesze do pięciuset liter. Pana depesza ma dokładnie pięćset dziewięćdziesiąt siedem liter. Licząc odstępy.

Przez chwilę się zastanawiał, jak chłopak mógł to policzyć w tak krótkim czasie. Skrócił. Wyrzucił uwagę o kocie i o zmniejszeniu kosztów, usunął wszystkie przecinki, kropki i zbędne odstępy.

– Może pan jutro odebrać potwierdzenie odbioru depeszy na piśmie. Ale dopiero od południa. A odpowiedź, jeśli będzie, dotrze do nas najprędzej w sobotę późnym popołudniem lub najpewniej wieczorem – powiedział chłopak. – Ze względu na różnicę czasu – dodał uprzejmie.

Pomyślał, że nagle wszyscy w budynku przy ulicy Kaiser-Wilhelm-Ring 2, który jeszcze tak niedawno w najgorszych słowach, jakie zna, przeklinał i wysyłał do piekła, troszczyli się o niego. Nigdy nie zapomni tego miejsca! A już z pewnością nie zapomni tej ciemni...

Czuł w sobie jakieś niezwykłe uniesienie. Aż chwilami zapierające dech. Najbardziej chciałby spotkać za chwilę tę dziewczynę i opowiedzieć jej o tym, co czuł, gdy oglądał jej fotografie. A potem zapytać, co ona czuła, gdy je robiła. O to przede wszystkim. To było o wiele ważniejsze. A na końcu opowiedzieć jej o swoim planie. Wymyślił coś, czego tak naprawdę nie powinien. I na dodatek nadał już temu bieg. Był pewien, że Arthur nie zaśnie jutro, zanim nie poruszy całego Departamentu Stanu w Waszyngtonie i nie zorganizuje wizy dla tej dziewczyny. Sądził, że wiza, chociaż także bardzo problematyczna, znając biurokratyczny bezwład i znany powszechnie opór w Waszyngtonie, jest do ugryzienia. Gorzej będzie z miejscem na podłodze w amerykańskim samolocie wojskowym dla... Niemki. Miał nadzieję, że w Waszyngtonie nie będzie żadnych „złych" materiałów o ojcu i rodzinie dziewczyny.

Teraz, gdy napięcie i pierwsze podniecenie minęły, zastanawiał się, czy miał w ogóle prawo coś takiego wymyślić. Dlaczego niby Anna Marta Bleibtreu miałaby zostawić wszystko i pojechać z nim do Stanów?! Ale przecież nie miał – myślał – nic do stracenia. Zapyta ją. Natychmiast! Najlepiej jeszcze dzisiaj. Dzisiaj przeznaczenie miało przecież swoje urodziny...

Wyszedł z budynku na ulicę. Było już ciemno. W oddali majaczyły wieże katedry. Szedł szybkim krokiem pomiędzy ruinami. Czasami zatrzymywały go patrole żołnierzy. Wyciągał wtedy białe kartki z pieczęciami i ruszał dalej. Główną bramą wszedł do katedry. W ławach przed ołtarzem modlili się mnisi. Każdy z nich trzymał zapaloną świecę. Jak dzieci podczas pierwszej komunii. Zbliżył się do ołtarza. W środku drugiej ławy z zamkniętymi oczami modlił się brat Martin Carter. Przepraszając przy każdym kroku, przedostał się do niego. Stanął przed nim i powiedział:

– Czy mógłby pan mi pomóc? Potrzebuję pana pomocy...

Brat Martin uśmiechnął się, zdmuchnął świecę i natychmiast wstał. Stanęli za jedną z kolumn.

– Anna Bleibtreu... ta dziewczyna od pana ulotek, czy pan wie, gdzie mógłbym ją teraz znaleźć? Teraz! – zapytał Stanley szeptem.

– Ania? Opowiadała mi o panu. Ona się za pana modli, chociaż nie wierzy w Boga. Powiedziałem jej...

– Gdzie mógłbym ją teraz znaleźć? – przerwał mu obcesowo. – Teraz!

– Mieszka z ciocią poza Kolonią...

– Wie pan, gdzie mieszka?

– Wiem...

– Poda mi pan jej adres?

– Nie znam adresu. To małe miasteczko kilkanaście kilometrów stąd. Na zachód.

Sięgnął do kieszeni po notes.

– Zapisze mi pan nazwę tego miasteczka? – poprosił, podając mu notes i ołówek.

– Pan naprawdę jest z Nowego Jorku – mruknął mnich, kiwając głową i pisząc coś w jego notesie.

– Przepraszam pana. Bardzo przepraszam. To dla mnie ogromnie ważne. Wytłumaczę to panu po powrocie – usprawiedliwiał się. – Czy wpuszczą mnie do celi, gdybym wrócił dopiero jutro?

– Wpuszczą. Kiedykolwiek pan wróci – odparł spokojnie mnich.

– Dziękuję! – wykrzyknął i ruszył ku głównemu wyjściu z katedry.

Wyszedł na plac. Podszedł pośpiesznie do żołnierza opartego o czołg. Wyrwał kartkę z notesu. Wyciągnął paczkę z papierosami i portfel z kieszeni.

– Kolego, muszę dostać się do tego miejsca – powiedział do żołnierza i podsunął mu papierosa i kartkę pod nos. – Jak najszybciej.

Żołnierz, nie ruszając się z miejsca, długo studiował napis na kartce i powiedział znudzonym głosem:

– To długa podróż. I drogi bilet.

– Jak drogi?

– Tak na dzisiaj, z wieczorną taryfą i studencką zniżką jak dla ciebie, myślę, że około stówy. Z powrotem do łóżka na noc u mamy sto pięćdziesiąt.

Wyciągnął banknoty z portfela. Poślinił palce i zaczął demonstracyjnie liczyć.

– Raz, dwa, trzy. Trzysta ze zniżką. Cztery. Sto bonusu dla ciebie, gdy ruszę za cztery minuty. Ale nie później. Później mnie nie interesuje. Mam bardzo niecierpliwą mamę.

Żołnierz uśmiechnął się i natychmiast wstał. Załomotał kolbą karabinu w pancerz czołgu. Po chwili z otworu na górze wysunęła się głowa w hełmie.

– John – krzyknął żołnierz do głowy w hełmie – zamów ekspresem limuzynę do Königsdorfu! Masz trzy minuty.

„Limuzyna" okazała się rozklekotanym gazikiem z przedziurawioną rurą wydechową. Gdy po godzinie wjeżdżali z hukiem do Königsdorfu, całe miasteczko musiało pomyśleć, że to kolejny nalot Amerykanów. Zatrzymali się przy jedynym oświetlonym budynku na rynku. Wysiadł. Przed budynkiem stała grupa mężczyzn. Z ogromnych poszczerbionych kufli pili piwo. A on wiedział jedynie, że chce dotrzeć do kobiety o imieniu Annelise mieszkającej w Königsdorfie. Nie miał żadnej pewności, że nazywa się Bleibtreu. Wymieniał po kolei: Annelise, Anna Marta, Bleibtreu...

Wszyscy mężczyźni przed knajpą znali „Frau Annelise". Jeden z nich podszedł z nim do auta i bez pytania rozsiadł się na przednim siedzeniu obok kierowcy. W ręku trzymał do połowy pusty kufel. Ruszyli. Kierowca wiedział na szczęście, że *links* znaczy na lewo, a *rechts* na prawo. Po kilkunastu minutach zatrzymali się przed niewielką bramką wpiętą w druciany płot porośnięty krzakami winogron. Bramka była zastawiona metalowym koszem pełnym ziemniaków. W oddali, w oknach niewielkiego domu, dostrzegł żółtawe plamy światła. Wysiadł z gazika. Wsunął do ręki kierowcy kilka banknotów.

– Odwieź szkopa do knajpy i wróć tutaj. Czekaj na mnie. Jasne?

Kierowca kiwnął głową.

Odsunął na bok kosz, popchnął bramkę, przeszedł wąskim, wyłożonym kamieniami gankiem do drewnianej altany. Wyciągnął z kieszeni pomiętą kartkę. Zapukał. Gdy usłyszał szmer po drugiej stronie drzwi, przeczytał powoli z kartki:

– *Mein Name ist Stanley Bredford. Ich möchte Anna Marta Bleibtreu sprechen...*

W tym momencie usłyszał zgrzyt przekręcanego klucza.

– Nie mogłeś zasnąć, redaktorze? – zapytała, stając w drzwiach. – Twój niemiecki jest taki prześmiesznie słodki. Jak gdyby pijany hipopotam mówił do krokodyla w jakiejś bajce dla dzieci...

W dłoni opartej o udo trzymała otwartą książkę. Paliła papierosa. Drugą rękę opierała o framugę drzwi. Wyraźnie widział jej piersi pod materiałem prześwitującej nocnej koszuli. Miała rozpuszczone włosy opadające na ramiona. Przymusił się, aby patrzyć wyłącznie w jej oczy.

– Wejdziesz? Czy tylko tędy przypadkowo przejeżdżałeś i nie masz czasu? – zapytała, wyciągając papierosa z ust.

Wyglądała jak Lolita. Niewinność dziewczynki i jednocześnie wyrafinowanie prostytutki z Czterdziestej Drugiej Ulicy przy Times Square w Nowym Jorku. Jej przywitanie, pełne udawanego spokoju, zimnej obojętności, a nawet ironii – tak zupełnie nieadekwatnych do sytuacji – było, musiało przecież być, tylko maską, którą szczelnie przykrywała napięcie i oczekiwanie.

– Wejdę, jeśli pani pozwoli – odparł, poddając się tej grze.

Weszli do przedsionka i przeszli do kuchni. Podsunęła mu mały drewniany zydel. Usiadł. Za jego plecami na rozżarzonej płycie parował czajnik, wydzwaniając swoimi drganiami melodię. Czuł ciepło ogrzewające jego ramiona. Usiadła na wąskim blacie białej szafki naprzeciwko niego. Trzymał w dłoni kopertę. Spojrzał w jej kierunku. Dostrzegł jej rozsunięte uda. Jeszcze bardziej skupił się na tym, aby patrzyć tylko w jej oczy. Wyciągnął z koperty pierwsze zdjęcie. Przez chwilę uważnie je oglądał. Zsunęła się powoli z blatu i stanęła na podłodze. Jak w oczekiwaniu, na baczność. Podniósł się z krzesełka i podał jej pierwszą fotografię. Stanął za nią. Starał się trzymać w oddaleniu, nie dotykając jej. Jak widz. Tylko patrzyć. Stojąc za nią. Patrzyć jej oczami.

Przy każdym zdjęciu, które wsuwał jej do ręki, kurczyła się w sobie. Jak ktoś, kogo kolejny raz uderzają, z całej siły, pięścią w brzuch. Gdy obejrzała ostatnie, wszystkie wypadły z jej dłoni i rozsypały się na podłodze. Odwróciła się twarzą do niego i stąpając po nich bosymi stopami, powiedziała:

– Napijesz się herbaty? Powiedz, że chcesz napić się herbaty. Proszę cię, poproś mnie teraz, kurwa, o herbatę! Powiedz, że chcesz się napić herbaty. Że marzysz teraz tylko o herbacie. Będę musiała sięgnąć po słoik z herbatą w szafce. Będę musiała znaleźć jakąś czystą filiżankę dla ciebie. Będę musiała znaleźć torebkę z cukrem. Zajmij mnie czymś. Powiedz mi teraz, że chcesz herbaty. Chcesz, prawda?!

– Tak, chcę. Chcę napić się teraz herbaty – wyszeptał.

Uklękła na podłodze. Zaczęła zbierać fotografie. Jak w jakimś amoku. Każdą po kolei podnosiła z podłogi i przyciskała do ust.

– Pojedziesz ze mną do Nowego Jorku? – zapytał cichym głosem.

– Nie wiem, gdzie ciocia ma cukier, chyba w piwnicy albo w sypialni...

– Pojedziesz ze mną do Nowego Jorku? – powtórzył głośniej.

– Chyba w sypialni. Musisz pić z cukrem? Ciocia już pewnie śpi...

– Czy polecisz ze mną do Nowego Jorku?! – podniósł głos.

– Na pewno jest w szafie w sypialni, cukier jest zbyt ważny na piwnicę, tak jak wódka. Zaczekaj, przyniosę. To nie potrwa długo.

Mocno chwycił ją za rękę. Przyciągnął do siebie. Wziął jej twarz w dłonie i patrząc w oczy, wycedził powoli przez zaciśnięte zęby:

– Ja piję herbatę bez cukru. Zrozumiałaś? Bez cukru! A teraz uważnie słuchaj! Czy pojedziesz ze mną do Nowego Jorku?!

Jeszcze nigdy nie widział nikogo, kto tak konwulsyjnie drżał. Oprócz głowy, którą trzymał w swoich dłoniach, jej ciało drżało jak w ataku padaczki. Miała zamknięte oczy. Płakała. Pot w jednej chwili zmoczył jej czoło i włosy. Czuł strużki jej potu na swoich palcach.

– W sobotę wieczorem lub w nocy przyjadę tutaj – mówił, przytulając ją mocno do siebie. – Dzisiaj dasz mi swój paszport albo jakikolwiek inny dokument ze zdjęciem. W poniedziałek, gdy wszystko będę już wiedział, spotkamy się na wieży. Do samolotu możesz wziąć tylko jedną walizkę. Chciałbym, abyś robiła zdjęcia dla „Timesa". To znaczy, chciałbym, abyś zgodziła się robić zdjęcia dla „Timesa". Dostaniesz leicę, jaką tylko zechcesz. Najlepszą. Będziesz miała swoją ciemnię.

Przekręciła głowę. Zaczęła całować wnętrze jego dłoni. Mówił dalej:

– Nie wiem, kogo tutaj zostawisz, ale zostawisz na długo. Przynajmniej do końca wojny. W Nowym Jorku znajdziemy ci mieszkanie, podpiszemy z tobą kontrakt, pomogę ci we wszystkim, co będzie wymagało pomocy. Wszyscy ci pomogą. Mówisz lepiej po angielsku niż ja...

Przestała drżeć. Delikatnie zsunął dłonie z jej głowy. Stała przed nim z opuszczonymi wzdłuż ciała rękami i wpatrywała się w niego. Milczała. Wrócił na zydel.

– Zrobisz mi teraz herbaty? – zapytał, spokojnie patrząc jej w oczy.

– Ale dlaczego? Dlaczego tak, dlaczego ja? – szepnęła, nie ruszając się z miejsca.

– Bo bardzo chcę napić się teraz herbaty – odparł.

Odprowadziła go – ciągle taka rozebrana, tylko w nocnej koszuli – do gazika stojącego pod płotem. Schylił głowę i pocałował jej rękę na pożegnanie. Wsiadł do samochodu.

– No, no, niezła sztuka, mniam... – skomentował kierowca, gdy tylko ruszyli.

– Zawieź mnie teraz na ten ring. Jak najszybciej – powiedział stanowczym głosem, ignorując tę uwagę.

Spojrzał przez tylną szybę za siebie. Biegła drogą z wyciągniętymi przed siebie rękami.

– Zawróć – krzyknął do kierowcy – słyszysz, kurwa?! Zawróć! Zapomniałem czegoś. Zawróć natychmiast!

Kierowca gwałtownie zahamował. Tuż przed wrakiem wypalonego czołgu wjechał na łąkę przy drodze i zawrócił. Zatrzymali się kilka metrów przed nią. W świetle reflektorów wydawała się zupełnie naga. Stała tak, po kolana w rozjechanym kołami samochodu błocie, z wysuniętą przed siebie ręką. Wyskoczył z samochodu. Podbiegł do niej.

– Nie zabrałeś mojego paszportu – powiedziała – nie zabrałeś...

Sięgnął po zmięte zielonkawe kartki w jej dłoni. Objął ją, przykrywając jej ramiona swoją marynarką. Wsiedli do auta.

– Podwieź panią Bleibtreu pod dom! – krzyknął do kierowcy.

Wtuliła się w niego.

– Będę czekać na ciebie w sobotę na wieży. Przyjedź tam. Cokolwiek się zdarzy – powiedziała, wysiadając z samochodu.

Młody telegrafista w mrocznym pokoju bez okien z zielonkawo mrugającymi światełkami na trzecim piętrze budynku przy ulicy Kaiser-Wilhelm-Ring 2 w Kolonii natychmiast go rozpoznał.

– Dobrze, że pan jest. Mam dla pana dwie depesze. Jedna szyfrowana z Departamentu Stanu, a druga normalna z Nowego Jorku. Czy mógłby pan napisać teraz oświadczenie o zachowaniu tajemnicy przy przyjęciu szyfrowanej depeszy?

Chłopak podał mu kartkę z tekstem na pół strony. Nie czytając, natychmiast podpisał. Zaraz potem odebrał z jego rąk dwie kartki szarego papieru wyrwane z teleksu. Zaczął czytać:

Anna Marta Bleibtreu, lat 22, kobieta, bez znaków szczególnych, córka Wolfganga (adnotacja 1938-CIA-1705-NYT-NY) i Hildegardy (bez adnotacji)

Bleibtreu, obywatelstwo niemieckie, urodzona w Dresden, Niemcy, dnia trzydziestego pierwszego lipca 1922 roku, niekarana, bez adnotacji w archiwum numer Conf/03/08/1945/EU/DE/DRSD, uzyskuje niniejszym jednokrotne prawo numer 03/08/45/31/07/22/MAB/WH do przekroczenia granicy Stanów Zjednoczonych w ciągu 14 (słownie: czternastu) dni od obwieszczenia tego dokumentu w dniu 03/08/1945. Dokument towarzyszący (paszport lub rozpoznawalne i uznawane przez DS zezwolenie podróży) poświadczony pod przysięgą oświadczeniem obywatela amerykańskiego Stanleya Bredforda, niekarany, bez znaków szczególnych, urodzony w Penn, zamieszkały ostatnio w NYC, NY, legitymujący się paszportem 1139888-PEN/02/18/40 wydanym w NYC, NY nakazem 1-01/02/18/40/UNLTD/NYC. Wiza potwierdzona kodem 03-08-45-211 (słownie: zero-trzy-zero-osiem-czterdzieści-pięć-dwieście-jedenaście). DS, WA, DC, US. Jednostka 12/41/40-45/18. Identyfikator uprawnienia numer: 03/08/45/R.18/19/NYT/NY.

Nigdy nie czytał tak pięknej wiadomości przekazanej tak okropnym językiem. Oczywiście, że przysięgnie – pomyślał – jako niekarany obywatel amerykański, zamieszkały ostatnio w NYC, bez znaków szczególnych. I będzie się legitymował. Cały czas. Gdzie tylko zechcą. Zatarł z radości ręce. Sięgnął po drugą kartkę. Zauważył, że w tym momencie telegrafista zaczął mu się uważnie przyglądać.

Stanley, jeśli te chuje z DS w WA, DC nie przysłali ci do teraz wizy dla AMB, to znaczy, że mogę spokojnie sprzątnąć biurko i odejść na emeryturę. Adrienne zadzwoniła dzisiaj do DS. Ona nigdy nie wtrąca się w moje sprawy. Teraz się wtrąciła. Pierwszy raz w życiu. Jeszcze nigdy nie słyszałem tak przeklinającej Adrienne. Tak uroczo zjebała tych urzędasów w DC. Jestem pewny, że chciałbyś to słyszeć. Napisz, proszę, że przysłali. Liza krzyczała dzisiaj rano po pokojach w redakcji, że wracasz. Nikt w to nie wierzy poza nią i mną. Wracaj. Pracuję nad samolotem. Te zamulone kutasy w hełmach w Pentagonie udają ważniaków, wydaje się im, że otworzyli własne linie lotnicze z rejsami wycieczkowymi przez Atlantyk. Zleciłem to Lizie. Już ona ich ustawi. Jutro (naszego czasu) będziesz miał wiadomość. Czekamy z Adrienne na Ciebie. To znaczy czekamy na Was.

Arthur

PS Przysłali wizę, prawda?!

Chwilami nie mógł powstrzymać się od śmiechu. Telegrafista, który oczywiście znał treść depeszy, wydawał się śmiać dokładnie w tych samych miejscach co on. Poprosił o druk podania na wysłanie depeszy.

– Nie musi pan wypisywać podania – odpowiedział rozbawiony telegrafista – zarejestrowaliśmy już wszystkie pana dane. Proszę jedynie wypisać tekst depeszy. Nie więcej niż pięćset liter. Pamięta pan?

Pamiętał. Zaczął pisać:

ARTHUR, MAM WIZĘ DLA AMB. JESZCZE NIGDY ŻADNA WIZA NIE BYŁA DLA MNIE TAK WAŻNA. DZIĘKUJĘ. PRZYLECIMY, GDY TYLKO PODSTAWISZ NAM SAMOLOT. UCAŁUJ ADRIENNE ODE MNIE.

STANLEY

Podał kartkę z tekstem telegrafiście. Ten przeczytał i podnosząc głowę, nieśmiało zapytał:

– Czy mógłby mi pan powiedzieć, tak między nami, kto to jest ten Arthur?

– Arthur? To porządny i szlachetny człowiek. Bardzo dobry dziennikarz. Czasami tylko zdarza mu się być cholerykiem. Szczególnie wtedy, gdy nie wszystko dzieje się tak, jak by on tego chciał...

– Okay – odparł z uśmiechem telegrafista – niech pan do nas jak najczęściej przychodzi. Jeszcze nigdy nie było tutaj tyle śmiechu, ile przy depeszy Arthura. A przy tym kawałku o „zamulonych kutasach w hełmach w Pentagonie udających ważniaków" kilku z chłopaków o mało nic posikało się w kalesony. Mówię panu. Naprawdę. Mieliśmy taki ubaw. Arthur musi być świetnym gościem.

– Przekażę to Arthurowi, gdy tylko wrócę do domu. Może być pan pewny – odparł rozbawiony. – On sam był kiedyś żołnierzem. Doceni to...

– Gdyby nadeszła depesza o samolocie, to mogę pchnąć jakiegoś naszego chłopaka do pana. Gdzie pan mieszka?

– Niedaleko. Blisko katedry.

– Ale gdzie? Tutaj kogokolwiek zapytać, to mówi, że mieszka blisko katedry – roześmiał się telegrafista.

– Może trudno panu w to uwierzyć, ale nie wiem, gdzie mieszkam.

– Jak to pan nie wie?

– No, nie wiem. Nie znam adresu. Wiem, jak tam dotrzeć. Mieszkam w czymś, co przypomina klasztorną celę. Schodzi się tam stromymi schodami, jak do metra w Nowym Jorku. Mówi to coś panu?

– Jasne, że mówi! – wykrzyknął. – Mieszka pan w piwnicy u plemienia brązowych.

– U plemienia brązowych?! – zapytał w osłupieniu.

– No, u tych świętojebliwych z katedry! Okay. To wiem. Gdyby co, przyślę pędem chłopaka z papierem.

Wydobył portfel z kieszeni. Przy pożegnaniu dyskretnie wsunął kilka banknotów do ręki telegrafisty.

Minęła druga w nocy, gdy wreszcie dotarł do swojej celi. Zamykając drzwi, pomyślał, że minął niezwykły dzień w jego podróży „na wojnę". Najważniejszy dzień. Dla tego dnia warto było tutaj przyjechać...

Dopiero teraz poczuł, jak bardzo jest zmęczony. Umył ręce, opłukał lodowato zimną wodą twarz. Położył się w ubraniu na łóżku i natychmiast zasnął. Zamieniona w skałę Anna z jego snów wróciła także tej nocy. Przekrzykiwała coraz głośniejsze, rozbijające się z furią o skały fale oceanu. „Ale dlaczego? Dlaczego tak, dlaczego ja? Powiedz!" – krzyczała. Fale wracały z coraz większą wściekłością, coraz gwałtowniej uderzając o skały. Wtedy ona coraz głośniej krzyczała.

Otworzył oczy. Przez chwilę trwał w dziwnym stanie pomiędzy jawą i snem. Słyszał odgłos rozpryskującej się wody. Wyraźnie słyszał odgłos spadającej wody! Zerwał się na równe nogi. To nie był sen. Brat Martin Carter stał przy zlewie i nalewał wodę do metalowych kubków.

– Zje pan ze mną śniadanie? – zapytał, podchodząc do niego.

Königsdorf, 12 km na zachód od Kolonii, piątek rano, 9 marca 1945 roku

– Zabiję cię! Uduszę własnymi rękami! – krzyczała i biegając jak oszalała po kuchni, zaglądała w każdy kąt. – Ty stara wyleniała suko, zamorduję cię! Zedrę z ciebie skórę! Gdzie się schowałaś, ty wstrętna alkoholiczko?!

Czuła wściekłość. Tym większą, że sama sobie była winna. Wściekłość przeciwko sobie jest zawsze najbardziej dotkliwa. Dlatego trzeba ją jak najszybciej przenieść przeciwko innym. Dlatego biegała jak oszalała po kuchni i chciała potrząsnąć kotem.

Gdy wczoraj w nocy – po jego wyjeździe – wróciła do kuchni, Karafka akurat wąchała zydel, na którym przed kilkoma minutami siedział. Najpierw dokładnie wąchała, potem naznaczyła go dotykiem swojego ogona, a na końcu wielokrotnie ocierała się o niego grzbietem. I głośno przy tym mruczała. Powinna już wtedy zauważyć, że Karafka jest bardzo nerwowa i zaniepokojona. Nie zauważyła tego zajęta swoim niepokojem.

Ciągle drżała. Wcale nie z zimna. Najpierw zdjęła zabłocone i przemoczone buty i postawiła je na płycie. Obmyła w zlewie błoto z łydek. Potem przystawiła krzesło do szafy, wspięła się na palcach i zanurzyła igelitowy wąż w stojącym na szafie szklanym baniaku z porzeczkowym winem. Zassała mocno, połykając pierwszy strumień. Po chwili różowy płyn zaczął wypełniać kryształowy dzbanek. Wyraźnie czuła, że kot, skuszony zapachem wina, histerycznie drapie nogi krzesła, na którym stała.

To nie był przypadek, że kotka cioci Annelise nazywa się Karafka. Ponoć pierwsze, co wypiła, gdy ciocia znalazła ją przy śmietniku obok knajpy w Königsdorfie i zabrała do siebie do domu, było właśnie wino. Pierwszej nocy, zamknięta w kuchni, przewróciła karafkę stojącą na stole i wylizała z podłogi rozlany płyn. Rano, gdy ciotka weszła do kuchni, kotka, ciągle pijana, leżała na grzbiecie i głośno pomrukiwała. Ponoć leżała tak do południa. Potem z trudem stanęła na nogach i wypiła dwie miseczki wody. Według cioci Annelise koty mają dokładnie takie same objawy kaca jak ludzie. Po kilku dniach rozeszła się po miasteczku plotka, że „Frau Annelise mężczyźni już nie wystarczą, teraz rozpija nawet koty". Było trochę prawdy w tej plotce. Karafka chętnie piła wino przy każdej nadarzającej się okazji. Niedorzecznością było jednak to, że ciocia Annelise ją rozpijała. Poza tym wszyscy mężczyźni, których ciocia poznawała, i tak już byli, jej zdaniem, alkoholikami. Nie musiała ich rozpijać. Wręcz przeciwnie. Każdego z nich, zresztą bezskutecznie, chciała uczynić abstynentem. Dlatego ją, raczej prędzej niż później, porzucali.

Wyjęła szklankę z szafy, usiadła na krześle, napełniła szklankę winem. Karafka natychmiast przybiegła, wskakując na stół. Sięgnęła po fotografie.

Modlący się żołnierz. Prawą dłonią ściskający kikut, który pozostał mu z lewej ręki. Zsunęła się z krzesła. Uklękła. *Trumny i piramidy czaszek w tle.* Kładła fotografie jedna obok drugiej na podłodze. *Skrzypce pod żyrandolem ze świecami. Jego głowa owinięta bandażem.* Zamknęła oczy. Opuszkami palców dotykała fotografii. Wróciła do Drezna. Słyszała głos matki. „Obetnij mu włosy, ubierz go w ten mundur, załóż mu przepaskę na oczy. Przepaskę załóż, zanim wyjdzie na górę. Zrozumiałaś?". Potem szept Markusa. „Opowiedz mi bajkę. Zanim umrzemy". Kładła kolejne fotografie. „Czy ma pani wódkę? Dam pani swoją obrączkę za butelkę wódki. Gdy upiję małą, będzie ją mniej boleć. I mnie także". Potem jego krzyk dochodzący z oddali, zagłuszany stukotem kół rozpędzającego się pociągu. „Uważaj na moje skrzypce. Kocham cię, Marto. Mam na imię...". Nie dosłyszała jego imienia. Klęczała. Usłyszała muzykę. „Bicie serca, dwóch serc, jest ona i on, ciemno, późna noc, biegną razem, śmiejąc się, deszcz moczy im ubrania i włosy, przystają gdzieś, słychać pociągi, mają mokre twarze, spojrzenia, nagle przeskakuje iskra, dotyk, namiętność, pocałunki, chwila, moment, mokre twarze, mokre włosy, mokre usta, splątane istnienia, poplątane myśli i jeszcze bardziej poplątane uczucia. I świat, który tętni życiem".

Karafka zeskoczyła ze stołu. Usiadła naprzeciwko niej, nerwowo machając ogonem i rozsuwając nim na wszystkie strony fotografie leżące na podłodze. A ona na kolanach podeszła do narożnika przy piecu. Sięgnęła po szklaną miseczkę z wodą. Podniosła się i opróżniła ją w umywalce. Wróciła do zdjęć rozrzuconych na podłodze. Napełniła miseczkę winem i ostrożnie podsunęła ją w kierunku kota. Karafka natychmiast zanurzyła w płynie różowy języczek i zaczęła łapczywie pić.

– Karafka – powiedziała, podnosząc szklankę z winem do ust – czy ty wiesz, gdzie jest Nowy Jork? Na pewno nie wiesz. To tak trochę bardziej na zachód od śmietnika przy knajpie w Königsdorfie. Napij się ze mną za Nowy Jork. Nawet jeśli ten jankes opowiedział mi bajkę, to warto za nią wypić. Ja zawsze wierzyłam w bajki. Papa czytał mi bajki. Pięknie czytał. Karafka, czy ty lubisz bajki? Kiedyś ci opowiem. Tę o Kocie w Butach. Opowiem. Papa, gdy mi ją czytał, dokleił sobie wąsy i miauczał, udając kota. I potem, gdy mnie całował, to te wąsy przykleiły się do mnie. Trzymałam je latami pod poduszką. Chcesz, Karafka? Mogę ci teraz opowiedzieć. Naprawdę...

Zaczęła płakać. Ściskała w dłoniach szklankę i płakała. Cały ten dzień. Cała ta bajka...

– Bo widzisz, Karafka, ja nie mogę, ja nie potrafię w ciągu jednego dnia przyjąć do siebie tyle dobroci – mówiła, połykając łzy. – Najpierw tam na wieży w katedrze i teraz tutaj. Nie mam w sobie tyle miejsca. Czy ty wiesz, że modliłam się dzisiaj? Ja nie mam swojego Boga. Dlatego modliłam się do jego Boga. Po angielsku. Aby mnie lepiej zrozumiał. Karafka, jak myślisz? Czy Bóg mówi po angielsku? Myślisz, że Bóg zna wszystkie języki świata? A jeśli tak, to czy Bóg wstydzi się teraz niemieckiego? Karafka, jak myślisz? Czy już zawsze będzie się wstydził? Do końca świata?

Kot podniósł głowę znad miski. Patrzył na nią przesmykami brązowawych źrenic, zlizując krople z pyska. Dolała wina. Najpierw do miski kotu, potem do szklanki sobie.

– I dzisiaj, pomyśl o tym, Karafka, nagle mnie zapytał o ten Nowy Jork, no, kurwa, pomyśl tylko sama, Karafka. No, pomyśl. Siedzisz sobie w bezpiecznym, przytulnym śmietniku, a jakiś przystojny kocur pyta cię, teraz w marcu, czy może cię wyrwać do raju. Tylko dlatego, że go poruszyłaś swoim patrzeniem na świat. No pomyśl, Karafka! Oniemiałam. Zapadłam się w siebie. I na dodatek nie miałam cukru. Na szczęście nie miałam cukru. Skoncentrowałam się na cukrze, którego nie miałam. A potem nagle on mi mówi o walizce. Że tylko jedna. Karafka, on mi opowiada taką bzdurę! Wyobrażasz to sobie?! Dla niego ważna jest jakaś walizka! Ja, Karafka, spakuję się do kieszeni płaszcza. A jak będzie trzeba, to nie zabiorę nawet płaszcza. I się skurczę, aby zajmować jak najmniej miejsca. Ja nie potrzebuję żadnej walizki. Potrzebuję tylko swojego aparatu. I skrzypiec – dodała po chwili, opróżniając do dna szklankę – skrzypiec też... No co ty, Karafka? Upijesz się przede mną – powiedziała, spoglądając z wyrzutem na kota – a mam ci tyle do opowiedzenia. Wyobrażasz sobie, Karafka? Dostanę najlepszą leicę, jaką tylko zechcę! Wyobrażasz to sobie? Tak mi powiedział. A potem chciał napić się herbaty. Ot tak. Po prostu. Herbaty. I wiesz co? Gdy nalewałam do szklanki wrzątku, patrzyłam na niego. I wiesz co? No wiesz. Tak inaczej patrzyłam na niego. Ma takie oczy... no wiesz. No takie ogromnie okrągłe i błękitne. Zmęczone i prawe. I ma przepiękne dłonie. Takie długie palce i delikatne kości. No i w ogóle. No wiesz... I siedział tam na tym zydlu. Jak mały chłopiec. Nieśmiały, zawstydzony, milczący, trochę niespokojny. I podeszłam do niego z tą szklanką w dłoniach. Stałam przed nim, herbata mnie parzyła, jego głowa była dokładnie na wprost mojego brzucha. I wtedy on objął mnie w talii i przytulił twarz do mojego brzucha. A ja, usprawiedliwiona swoją bezsilnością, chciałam, aby ta herbata nigdy nie wystygła i mnie tak parzyła. I jego dotyk także mnie parzył. Ale tak inaczej. On się chyba zapomniał. I ja też. Ale co miałam zrobić? Wylać na niego ten wrzątek? A potem, gdy on pił herbatę, siedziałam u jego stóp na podłodze i słuchałam jakiejś niezwykłej opowieści o przyszłości. O mojej przyszłości, Karafka. O mojej. Ja po trzynastym lutego przestałam wierzyć w przyszłość, ale słuchałam tego z zapartym tchem. Wszystko, co opowiadał, było jak piękna wróżba. Karafka, czy ty wiesz, gdzie jest Nowy Jork?

Kot przestał pić. Zrobił dwa kroki do tyłu. Położył się na grzbiecie pośród fotografii, podniósł łapy do góry i zasnął. Przysunęła się do niego i przytuliła go do piersi.

– Karafka, opowiem ci bajkę, tę o Kocie w Butach – szepnęła, delikatnie rozsuwając sierść kota za uszami. – Chcesz, prawda? Przy strumieniu stał młyn. Co dzień koło młyńskie uderzało w wodę tap-tap. Ale pewnego dnia odgłosy te zostały stłumione przez żałobne pieśni. Zmarł stary młynarz. Po stypie bracia podzielili schedę po ojcu: najstarszy przejął młyn, średni zabrał osła, a Janek dostał kota. Widział Janek, że nie ma dla niego już miejsca we młynie. Wziął bochen chleba, szarego kota i poszedł w świat...

Dotknęła mokrymi od łez policzkami wąsów kota. Zacisnęła mocno powieki. Ojciec tulił ją do siebie. Słyszała jego spokojny głos. „Wziął bochen chleba, szarego kota i poszedł w świat...". Po chwili zasnęła.

Szarzało za oknem, gdy obudziło ją głośne rżenie konia. Stary Kurt Begitt rozwoził węgiel po okolicy. Stawał przy domach na obrzeżach Königsdorfu i szypą rozładowywał porcje węgla, wsypując go do drucianych koszy stojących przy drzwiach lub furtkach. Zaczynał swoją pielgrzymkę z węglem po wschodniej stronie miasteczka. Do nich na Eichstrasse docierał dopiero około szóstej rano. Nikt nie wiedział, skąd Begitt zdobywał węgiel. Wielu twierdziło, że kupuje go na czarno od Amerykanów w Kolonii. Ale nikt nie był tego pewny. Tym bardziej że Begitt rozwoził węgiel, jeszcze zanim Amerykanie wkroczyli do Königsdorfu. Nie dociekano tego w miasteczku. Begitt miał węgiel i rozwoził go jak kiedyś przed wojną mleko. I tylko to się liczyło. Ponieważ kartkowe racje węgla starczały tylko na jeden tydzień w miesiącu, węgiel od Begitta ogrzewał kuchnie – mało kto palił w piecach w innych częściach domu – przez pozostałe trzy tygodnie. Dlatego wszyscy na swój sposób szanowali Begitta i swój szacunek okazywali mniej lub bardziej sowitą zapłatą. Niektórzy ziemniakami, niektórzy bimbrem, inni winem domowej roboty, jeszcze inni kanistrem ropy. Begitt znajdował to wszystko rano w drucianych koszach, ładował swoją zapłatę na wóz i w zamian sypał do drucianych koszy węgla. Jednym mniej, innym więcej. W zależności od zapłaty. Drabiniasty wóz Begitta z węglem i zapłatą, według cioci Annelise, od zawsze ciągnęła wychudzona szkapa Brzózka. Z każdym rokiem bardziej mizerna i z każdym rokiem bardziej leniwa. Stary Begitt nie dostrzegał mizerności Brzózki, odczuwał jedynie jej lenistwo. Dlatego tłukł ją batem o wiele częściej, niż ją karmił. Gdy tłukł ją zbyt mocno, to Brzózka głośno rżała. Tak jak tego ranka, gdy ona przytulona do pijanej Karafki obudziła się na podłodze w kuchni pośród fotografii.

Ogień w piecu musiał dawno wygasnąć. Było jej bardzo zimno. Wstała i przebiegła do sypialni. Wsunęła się pod pierzynę. Usłyszała głos cioci Annelise.

– Aniu, gdzie ty byłaś? Czekałam na ciebie.

– W Nowym Jorku, ciociu. W Nowym Jorku. Razem z Kotem w Butach...

– Co ty opowiadasz, dziecko?! Musiało ci się coś złego przyśnić. Masz takie zimne stopy. Przytul się do mnie. Nie bój się. To tylko sen.

– Zabiję cię! Uduszę cię własnymi rękami! Wypruję z ciebie flaki! – krzyczała, zbierając fotografie z podłogi.

Większość z nich była podrapana pazurami Karafki. A niektóre pofałdowane i ciągle mokre od jej moczu. Na innych leżały przyklejone resztki kału.

– To tak było w Dreźnie? – usłyszała spokojny głos ciotki.

Odwróciła głowę. Ciotka Annelise stała przy odemkniętym oknie i paliła papierosa.

– Nie! Tak nie było w Dreźnie. Tego, co było w Dreźnie, nie można pokazać – odpowiedziała, zbierając fotografie. – Widziałaś, co ta wredna suka zrobiła z moimi zdjęciami?!

– Skąd masz te zdjęcia? – ciotka zignorowała pytanie. Wyczuła w jej głosie agresję.

– Z Kolonii.

– To twoje zdjęcia? To znaczy, czy ty je zrobiłaś?

– Tak. Moje.

– Dlaczego nie pokazałaś mi ich wcześniej?
– Nie mogłam. Były w aparacie.
– Kto ci je wywołał?
– Stanley...
– Kto?
– Stanley. Dziennikarz z Nowego Jorku!
– Skąd?! Jaki dziennikarz? Co ty bredzisz?
– Z Nowego Jorku.
– Dlaczego?
– Nie wiem, dlaczego z Nowego Jorku.
– Jak to, nie wiesz?
– No, nie wiem. Poszłam na wieżę, dałam mu film i mi go wywołał.
– Na jaką wieżę?
– Na katedrze.
– Co mu za to dałaś?
– Nic...
– Jak to nic?!

Głos ciotki powoli zamieniał się w piskliwy krzyk. Doskonale rozpoznawała ten moment. Od pierwszego pisku w głosie ciotki Annelise kończyła się rozmowa i zaczynało się przesłuchanie. Nie znosiła tego. Każde przesłuchanie było dla niej poniżające. Odziedziczyła to po ojcu i matce, i babci. Dla cioci Annelise jednakże świat dzielił się na dwie nierówne części. Jej część, ta większa, prosta i jedynie prawdziwa, zamknięta w granicach dwustanowej filozofii, „mam-winien" księgowego, i druga – mała, niepotrzebna nikomu reszta – należąca do „idiotów i takich marzycieli poetów jak twój ojciec i twoja ciągle rozmarzona matka". Od pewnego momentu, według ciotki, nie dało się rozmawiać z tym drugim światem. Można było go jedynie przesłuchiwać. Sama to od niej usłyszała. Może być, że nie użyła słowa „przesłuchiwać", ale sens był dokładnie taki sam. Ona nie pozwoli się nikomu przesłuchiwać! Nigdy! Czuła wzbierającą w niej złość. Podeszła do okna, przy którym stała ciotka. Bez pytania jej o zgodę sięgnęła po papierosy leżące na parapecie. Zapaliła.

– No, kurwa, nic! – wycedziła przez zęby, wydmuchując dym w jej kierunku. – Zupełnie nic. Wcisnęłam mu do ręki mój film i on mi go wywołał. Rozumiesz? Za nic mi wywołał. Za nic. Za zupełne nic! I przyjechał wieczorem tutaj do wsi i mi przywiózł te zdjęcia. Też za nic. Rozumiesz? Za nic! Nie dałam mu kartofli i nie dałam mu dupy. Możesz to sobie wyobrazić?! Ktoś zrobił coś dla mnie za nic. I do tego Amerykanin. Rozumiesz to?!

– Nie! Nie mogę! Co chce od ciebie? – Ciotka zsunęła się na podłogę z parapetu i stanęła przed nią.

– Chce zabrać mnie do Nowego Jorku.

– I ty w to wierzysz?!

– W to, że chce, tak. W to, że zabierze, nie.

– Ubierz się i przyciągnij kosz z węglem. Zrobiło się zimno. Nie wierz mu. Nawet nasza Karafka się na nim poznała. I proszę, nie klnij, gdy mówisz do mnie.

Ciocia Annelise podeszła do pieca, uklęknęła przy nim i zaczęła wybierać popiół do aluminiowego wiadra. Ona dopaliła papierosa i zebrała fotografie z podłogi. Wsunęła je do koperty. Po chwili wyszła przed dom i podeszła do bramki. Najpierw wciągnęła kosz z węglem na ganek, potem wyszła na drogę. Zmarznięte koleiny po kołach samochodu połyskiwały kryształkami szadzi w słońcu. Dostrzegła ślady swoich stóp odciśnięte w błocie. Wróciła na ganek. Przesypała węgiel do wiader. Wniosła je do kuchni i postawiła przy piecu. Karafka siedziała na stole i nerwowo obwąchiwała kopertę z fotografiami. Wzięła kota na ręce i zaczęła głaskać.

– Wcale nie chciałam cię zabić, zdenerwowałaś mnie trochę – szeptała, drapiąc delikatnie jego uszy. – Zniszczyłaś mi pierwsze odbitki. Pierwsze odbitki są dla mnie najważniejsze.

– Co tam mówisz? – zapytała ciotka, wsypując szufelką węgiel do pieca. – Ten cwany Begitt ostatnio przysyła nam wyłącznie miał. Muszę kiedyś rano wstać i mu to wygarnąć. Widziałaś, co dzisiaj wsypał?

– Nie. Nie widziałam, ciociu...

– To źle. Powinnaś widzieć. Za taki zasrany miał dajemy mu najlepsze ziemniaki. Jutro wsypię mu do kosza same łupiny. À propos, obierzesz ziemniaki na obiad?

– Nie obiorę.

– Dlaczego?!

– Bo pójdę teraz do swojego pokoju i spakuję walizkę...

– Jesteś tak samo głupia i tak samo naiwna jak twój ojciec. Dokładnie tak samo! – wykrzyknęła ciotka ze złością.

A ona odrzuciła gwałtownie kota. Podeszła do pieca. Usiadła na podłodze i wsunęła obie dłonie w wiadro z popiołem. Ścisnęła nimi twarz ciotki Annelise i rozcierając popiół, wysyczała z nienawiścią:

– Jeśli jeszcze raz cokolwiek złego powiesz o moim ojcu, to... no to...

Chwilę potem zaczęła łkać z głową na ramieniu Annelise.

– Słyszałaś?! – wymamrotała, przytulając się do szyi ciotki. – Słyszałaś, ciociu? Nie rób mi tego. Zostaw tatę w spokoju. Proszę cię. Mój ojciec cię kochał. Mam na imię Anna, po tobie. Ciociu...

– Ten twój ojciec... – szeptała ciotka, tuląc ją mocno do siebie – ...nie mogę się od niego uwolnić. Miałam cholernego pecha z twoim ojcem. Taki głupio naiwny, święty poeta urodził mi się jako młodszy brat. Za bardzo dobry człowiek był. Wszystkich tych przechodniów z mojego życia porównuję do niego. Wszystkich. Idź i się spakuj. Sama obiorę ziemniaki...

Kolonia, piątek, 9 marca 1945 roku

Po śniadaniu się ogolił. Pierwszy raz w życiu golił się bez patrzenia w lusterko, przy tym tępą, zardzewiałą żyletką. Po czerwonawym kolorze wody spływającej do otworu umywalki rozpoznał, że to nie był najlepszy pomysł. Zastanawiał się, gdzie dzisiaj w Kolonii można kupić żyletki. Postanowił, że zapyta brata Martina. On i wszyscy „brązowi" byli zawsze dokładnie ogoleni. Wyrwał czystą kartkę z notesu i skrawkami papieru pozaklejał krwawiące nacięcia na szyi i policzkach. Marzył o ciepłym prysznicu, czystym, suchym ręczniku i świeżej bieliźnie. Pomyślał, że dzisiaj lub najpóźniej jutro rano poprosi tego strzelającego butami podporucznika Bensona o dostęp do jakiejś łazienki lub łaźni. Chciałby jutro na wieży, gdy się z nią spotka, wyglądać jak normalny, zadbany Stanley, a nie jak cuchnący kocmołuch...

Wyciągnął z walizki czyste spodnie i ulubioną błękitną koszulę. Spodnie były wilgotne, a pomięta koszula śmierdziała stęchlizną. Przeklinając, zdał sobie nagle sprawę, jak wielkim luksusem wypełnione było jego dotychczasowe życie w Nowym Jorku. Poczuł zimno wilgotnego materiału, gdy wciągnął spodnie. W skórzanym pasku było za mało dziurek! Uśmiechnął się. Wyraźnie schudł – pomyślał –

zresztą nic dziwnego, gdy od trzech dni je wyłącznie suchy chleb popijany wodą w trakcie śniadań z bratem Martinem. I na dodatek zupełnie nie czuje głodu. Niekiedy tak miał. Czasami bardziej burczy mu w mózgu niż w brzuchu. A wtedy zupełnie zapomina o brzuchu. Ostatni raz zapomniał na Hawajach, w ciągu kilku dni w Pearl Harbor, w czterdziestym pierwszym. Wtedy także wrócił do Nowego Jorku „wychudzony jak pustelnik po diecie", jak orzekła Liza. I zaczęła go troskliwie dokarmiać smakołykami przynoszonymi z domu. Już po tygodniu znowu zaczął sobie obiecywać, że musi „wreszcie schudnąć". Związał spodnie sznurkiem. Przykrył go czarnym długim swetrem.

Potem kilka godzin wędrował po mieście i już dobrze po południu na chwilę wrócił do celi. Ciągle nie było depeszy od Arthura. Ponownie wyszedł na górę i ruszył do katedry. Na placu przed głównym wejściem natknął się na wartownika z wczorajszego wieczoru. Stał tak jak wczoraj oparty o czołg.

– I co, podróżniku? Autobus wrócił na czas? Mama była zadowolona? – wykrzyknął do niego, wydmuchując ustami gumę do żucia.

– Dasz mi, konduktorze, jakąś zniżkę, gdybym musiał śpieszyć się do mamy drugi raz? – odkrzyknął. – Jeśli nie dasz, to znajdę inny dworzec...

– Jasne, że dam. I na dodatek ta zgrabna mała z podstawówki pojedzie za darmo. Może tak być? Na innych dworcach nie mają szkolnych stawek.

„Ta zgrabna mała z podstawówki", no tak – pomyślał – w tym powołanym do życia *ad hoc* przedsiębiorstwie transportowym trudno ukryć cokolwiek.

– Nawet gdyby to znowu była nocna taryfa? Chciałbym się upewnić – zapytał.

– My tutaj w nocy mamy większe zniżki niż w dzień. Takie czasy...

– Będę pamiętał – odkrzyknął, skręcając w drzwi katedry.

Wspiął się schodami na wieżę. Tym razem miał ze sobą lornetkę. Zastanawiał się, kiedy aparaty fotograficzne będą miały optykę lornetek. To byłoby dopiero coś! W okopach po drugiej stronie rzeki panował spokój. Tak jak gdyby nic się nie stało i nie miało stać. Hełmy leżące w nieładzie na skarpach okopów, płonące żeliwne piece z parującymi garnkami, odłożone na bok karabiny. Atmosfera pikniku. Wojna robi sobie wolne na niedzielę – pomyślał – i to po obu stronach rzeki. Żołnierze poza tym byli bardzo młodzi, tak jak gdyby na wojnę wysłali wszystkich uczniów ze szkół.

Usiadł na posadzce tarasu, oparł się plecami o balustradę, wyciągnął z kieszeni notatnik i ołówek. Zapalił papierosa. Zaczął pisać list do Doris.

Fräulein D,

jestem więc w krainie smoków. I co?! – zapytasz. I nic. Bo nie ma tu żadnych smoków. Siedzę około pół mili od okopów Niemców na wysokiej wieży katolickiej katedry, nad szeroką rzeką w Kolonii i nie usłyszałem jak dotychczas żadnego strzału, odgłosu żadnego wybuchu, żadnego ryknięcia. Po mojej lewej stronie rzeki (Ren) spotykam tak zwanych wyzwolonych Niemców, po drugiej stronie są ci, którzy dopiero „czekają" na „wyzwolenie". Ci „wyzwoleni" czują rzekomo wdzięczność. Ale to taka dziwna „wdzięczność". Rozmawiałem długo o tym dzisiaj rano z pewnym zakonnikiem. Amerykanin z urodzenia, ale zdecydowanie Europejczyk z myślenia (wytłumaczę Ci tę ogromną różnicę po powrocie). Wdzięczni (pozwól, że będę od teraz opuszczał należny cudzysłów) Niemcy rozumieją wyzwolenie inaczej. Oni czują się wyzwoleni tylko od okropieństw wojny, natomiast wcale nie czują, że zostali wyzwoleni od okropnego, bestialskiego reżimu. Tego, zdaniem kochającego bezwarunkowo wszystkich ludzi i wszystkie biedronki, i także Niemców zakonnika, zupełnie nie czują. On wie, co mówi, ponieważ rozmawia z nimi, karmi ich, daje im pracę i jest przy nich na pogrzebach ich bliskich lub na ich pogrzebach. To tak dla wyjaśnienia, kim jest mój zakonnik. Ale wracając do Niemców. Podobnie jak nie ma w nich poczucia winy i odpowiedzialności za to, co się stało w czasach tego reżimu i do czego oni swoim gremialnym – a tylko w najlepszym wypadku cichym – przyzwoleniem się przyczynili. Nie wszyscy. To wiem. Ale naprawdę większość. Takie prawdziwe wyzwolenie przynieśli uwielbiający słowo „wolność" Amerykanie (teraz, stąd, dzisiaj, po wszystkim, co tutaj przeżyłem, ja też inaczej patrzę na naszą tak zwaną wolność) tylko kilku tysiącom robotników przymusowych, więźniom gestapo, kilkuset ukrywającym się w Kolonii Żydom i kilkudziesięciu błąkającym się po mieście dezerterom z niemieckiej armii. Mój zakonnik, brat Martin, bardzo ubolewał nad tym, ale, broń Boże, ich nie osądzał lub tym bardziej potępiał. Tylko spokojnie opowiadał. Opowiedział mi na przykład, jak to pokazywał im fotografie wysokiej na dwa piętra sterty nagich, obciągniętych skórą kościotrupów w dole obozu koncentracyjnego w Polsce. I wiesz, co mówili wtedy ledwo co wyzwoleni Niemcy? „To straszne, do czego może doprowadzić wojna". I kiwali z niedowierzaniem głowami. Tak jak gdyby – trochę zatroskani – mówili o letniej burzy, która zniszczyła jakiemuś chłopu jęczmień na polu.

Ale są także inni Niemcy. Spotkałem ją tutaj, na tej wieży. Ma na imię Anna Marta. Urodziła się i nie umarła w Dreźnie. Jest tak idealnie aryjska, że mogłaby nieść chorągiew w pierwszym rzędzie pochodu na cześć i chwałę Hitlera. Mogłaby też naga pozować hitlerowskim rzeźbiarzom uświetniającym piękno aryjskiego ciała. Wyraźne nordyckie rysy twarzy, gęste blond włosy, wydatne usta, duże, ciężkie, sterczące piersi, wystające pośladki, płaski brzuch, szerokie, przygotowane do rodzenia biodra, mocne uda. Nie pytaj – chciałabyś teraz o to zapytać, prawda? – mnie, skąd wiem, jakie ma piersi, jaki brzuch i jakie uda. Wiem. Tak się złożyło, że akurat wiem. Czy to nie jest zadziwiająco uczciwe i odważne z mojej strony, że Ci o tym piszę? Mógłbym to przecież przemilczeć. Lecz nie chcę. Wiem, że to zrozumiesz. To przypadek, że widziałem ją i dotykałem jej nieomal nagiej. Ale to nie była nagość innej kobiety, która oddaliła mnie od Ciebie.

Anna Marta sfotografowała agonię Drezna. I to tak, że świat zapadnie się w fotel i na chwilę przestanie oddychać. Świat jeszcze tego nie widział, nikt oprócz niej, mnie i jej kota tego nie widział. Gdybym ja był w Dreźnie, i tak nie dostrzegłbym tego, co ona tam zobaczyła. Ona patrzyła innymi oczami. Ona ma idealnie aryjskie ciało, ale w swoim mózgu nie jest ani Aryjką, ani tym bardziej Niemką. Takiej wyrażonej obrazem nienawiści do Niemców, do Hitlera i przede wszystkim do wojny jak w jej fotografiach dotychczas nie widziałem. Jak dotąd nigdy jeszcze nie widziałem takiego protestu przeciwko wojnie wyrażonego obrazami. Może tylko *Guernica* Picassa. Ale to dwa różne rodzaje geniuszu.

Patrzyłem na jej fotografie z Drezna jako pierwszy. Były jeszcze mokre po wyciągnięciu z kuwety. W samotnej ciemni, pod powierzchnią w połowie wyzwolonej i prawie w całości zbombardowanej Kolonii. Może to te okoliczności. Może to moja zupełnie nowa tęsknota za pokojem. Ale chyba nie. Byłem w Pearl Harbor, więc, tak teoretycznie, powinienem być znieczulony. Może to absurd, ale chciałbym, aby Anna Marta zamieszkała na jakiś czas w Nowym Jorku. I robiła fotografie dla ludzi czytających „Timesa". Nie dla „Timesa". Dla ludzi czytających „Timesa". Bardzo przywiązałem się w ciągu kilku godzin do tej myśli. Arthur także się przywiązał. Mam dzięki niemu wizę dla tej dziewczyny. Czekam na dwa miejsca w samolocie do Ciebie. Jeśli Arthur tego nie załatwi, to załatwi to Adrienne, jego żona. Adrienne zawsze była i jest o krok do przodu przed Arthurem. Bez Adrienne nie byłoby takiego „Timesa", jak jest teraz. Arthur nie zrobiłby nic bez milczącego lub wyraźnego przyzwolenia Adrienne. Moim zdaniem to ona tak naprawdę robi „Timesa". I tak jest dobrze. Tylko kobiety – wierz mi – mogą zrobić dobrą gazetę. I tylko kobiety są zdolne zrezygnować ze wszystkich medali i laurów i stać w chłodnym cieniu rzucanym przez wielki dąb swoich podziwianych mężczyzn.

Czekam na dwa miejsca w samolocie. Nie polecę bez Anny Marty. Cokolwiek teraz pomyślałaby jakakolwiek zazdrosna kobieta, byłaby to nieprawda. Chyba że pomyśli tak, jak ja teraz. Wiem, że ty to pomyślisz.

Czekam więc, ciesząc się na powrót. Tymczasem przypatruję się i oddycham tym miastem. Chcę wszystko zapamiętać. Niczego nie przeoczyć. Wędrowałem dzisiaj z aparatem i lornetką po Kolonii. Wydobywające się z kataklizmu, budzące się do życia miasto. Mimo to nadzwyczaj spokojne. Spotkałem dwie grupy ludzi. To taki mój podział. Pierwsza to napływający zewsząd przybysze. Worki z całym dobytkiem na plecach, menażki w dłoniach, lęk w czerwonych od zmęczenia oczach. Drudzy to miejscowi. Ci wyzwoleni. Garnitury (dzisiaj jest wyjątkowo ciepło i słonecznie w Kolonii), wykwintne kapelusze na głowach, rasowe psy na smyczach. Przedwiosenne ciepłe popołudnie w Kolonii, kurwa jego mać. Fotografowałem ich z ukrycia. Zobaczysz te zdjęcia. Nie tylko ja fotografowałem. W którymś momencie stanął obok mnie, podobnie jak ja z aparatem w rękach, zarośnięty, chudy mężczyzna z długimi włosami i siwiejącymi wąsami. Zaczęliśmy rozmawiać. Nazywa się George Orwell, jest korespondentem wojennym i pracuje dla brytyjskiego, wydawanego w Londynie „Observera". Niezwykle ciekawy i charyzmatyczny człowiek. Nie wiem dlaczego, ale wydawało mi się, że znam jego nazwisko. Okazało się, że to całkiem możliwe. Orwell jest angielskim pisarzem i jego książki ukazały się także u nas w Stanach. To pewnie stąd go znam. Trudno było z nim rozmawiać. Ciągle kaszlał i miał bliznę, która wyglądała jak wydłubany nożem dołek w szyi. Miałem uczucie, że każde wypowiadane zdanie sprawia mu ból. Poprosił, abym nie zwracał na to uwagi. Orwell powiedział coś, z czym zupełnie się zgadzam. Propaganda, szczególnie niemiecka, utwierdzała nas w przekonaniu, że prawie wszyscy Niemcy to wysocy, aroganccy blondyni z podniesionymi głowami. W rzeczywistości spotyka się w Kolonii raczej ciemnowłosych, przysadzistych mężczyzn ze spuszczonymi głowami. Nie różnią się od mieszkających w pobliżu, za bliską granicą Belgów. W żadnym wypadku niczym szczególnym się nie wyróżniają. Może oprócz tego, że są lepiej odżywieni niż Belgowie i, co rozbawiło bardzo Orwella, mają nowocześniejsze rowery. Poza tym, jak twierdzi Orwell, a ja muszę mu wierzyć na słowo, na ulicach dopiero co wyzwolonej Kolonii widzi się więcej kobiet w jedwabnych pończochach niż na ulicach Londynu lub innych miast Anglii. To mnie akurat nie dziwi. Z tego, co pamiętam z moich dwóch podróży do Anglii, mało która kobieta nosiła tam jedwabne pończochy. Może tylko kilka podczas przyjęcia na angielskim dworze. Angielki chyba wiedzą, że ich brzydkim nogom nawet jedwab nie pomoże.

Wypaliłem papierosa, Orwell wziął jednego ode mnie, ale z powodu kaszlu nie mógł lub nie chciał palić. Ssał go tylko. Potem trochę pogadaliśmy o różnicach w dziennikarstwie po dwóch stronach Atlantyku, o aparatach fotograficznych i o... jego bliźnie na szyi. Orwell w 1937 roku brał udział jako ochotnik w wojnie domowej w Hiszpanii. Oczywiście po stronie komunistów. Tam przestrzelono mu na wylot gardło. Szczęśliwym trafem przeżył. Ponoć napisał o tej wojnie książkę *Homage à Catalonia*. Z pewnością dorwę się do niej po powrocie do domu. Potem wymieniliśmy się napisanymi na kartkach wyrwanych z notesów adresami i każdy z nas poszedł w swoją stronę Kolonii.

Spotykam tutaj wielu ludzi. Ale tylko na chwilę. I ponieważ ta chwila jest jedynym – prawdopodobnie pierwszym i ostatnim zarazem – co nas spotkało, mamy bardzo mało czasu. I na dodatek wokół jest wojna. Dlatego pewnie od razu przechodzimy do samego sedna rzeczy. Pomijamy cały ten ceremoniał zbliżania się do siebie. Raczej trudno mi jest sobie wyobrazić takiego Orwella na ulicy Londynu, przed wojną, opowiadającego mi w trakcie pierwszego spotkania historię swojej blizny na szyi. To byłby jakiś absurd. Tutaj, teraz jest to zupełnie normalne. Albo zupełnie nienormalne. Już sam nie wiem...

Doris, najbardziej chciałbym, aby ten list przyleciał ze mną. W kieszeni mojego płaszcza zamiast w jednym z lnianych, pękatych worków z listami amerykańskiej oficjalnej poczty wojennej z Europy. Chciałbym Ci go przeczytać. A potem dopowiedzieć wszystko to, czego w nim nie napisałem. I potem zasnąć przy Tobie. I obudzić się przy Tobie. I znowu zasnąć.

Tęsknię za Tobą, Doris...

Bredford

PS Sprawdź, proszę, „loty" u Lizy. Jeśli ktokolwiek – poza Adrienne i Arthurem – będzie znał przybliżone dane mojego powrotu, to z pewnością Liza. Te „loty" to nie podróż poślubna z liniami dziewiczymi na Bahamy lub Barbados. Nikt nie wie skąd, nikt nie wie dokąd i nikt nie wie, czy na pewno. Ja także dowiem się na końcu. Tyle tylko, że na pewno z Europy, koniecznie przez Atlantyk i z pewnością do jakiegoś lotniska wojskowego na kontynencie Ameryki Północnej. Do każdej podanej Ci przez Lizę daty dodaj, proszę, tak w przybliżeniu siedem dni. Przed upływem dnia siódmego (zabrzmiało to przerażająco biblijnie, jak koniec lub początek świata) powinienem być gdzieś w Ameryce.

Zapadał zmrok. Po obu stronach rzeki, jednocześnie, zaczęły zapalać się światła. Zamknął notatnik. Zdmuchnął popiół i niedopałki z posadzki. Nie mógł wstać. Odczekał, aż do zgiętej, ścierpniętej nogi, na której siedział, napłynie na powrót krew. Potem wstał i ostrożnie zszedł schodami na dół.

Znanymi ulicami ruszył od placu przy katedrze w kierunku skrzyżowania Kaiser-Wilhelm-Ring i Christopher Strasse. Pomyślał – trochę rozbawiony – że jeszcze kilka dni w tym mieście i mógłby spokojnie jako przewodnik oprowadzać amerykańskie wycieczki po wyzwolonej Kolonii. Szedł i mówił do siebie:

– Proszę państwa, stoimy akurat przy amerykańskim najnowszym modelu czołgu, a ten trochę obdrapany wysoki budynek tuż za czołgiem to zabytkowy kościół nazywany w Europie zazwyczaj katedrą, starszy niż butelki po piwie wykopane ostatnio przez naszych archeologów w San Diego. Po prawej stronie ciepłe jeszcze ruiny po skutecznych bombardowaniach amerykańskiej Air Force z końca ubiegłego wieku, to znaczy, bardzo przepraszam, z końca, dokładnie z grudnia, ubiegłego roku. W oddali widzimy dobrze zachowane resztki po historycznej starówce tego miasta. A teraz proszę podążyć za mną, udamy się, trochę okrężną ze względu na aktualne zniszczenia, drogą do tymczasowego ratusza z amerykańskim zarządcą...

Szedł coraz szybszym krokiem w kierunku „tymczasowego ratusza z amerykańskim zarządcą" i czuł wzbierającą w nim niecierpliwość. Bardzo chciał już wracać. Nie sądził, że mogłoby go spotkać tutaj coś ważniejszego niż to, co go już spotkało. Miał kilka rolek filmów, miał fotografie Anny, miał kilkadziesiąt stron notatek. I to, co najważniejsze. Miał wspomnienia. Opowiedziane na świeżo komuś wprawnemu w pisaniu reportaży w redakcji mogą być – jego zdaniem interesującą – relacją „z podróży Amerykanina pacyfisty na wojnę". Drezna nie odwiedzi, spotkanie z Rosjanami wybił mu skutecznie z głowy Anglik, do upadającego Berlina i tak go nie wpuszczą. Poza tym upadek Berlina dzisiaj, na początku marca 1945 roku, to nieprzewidywalna przyszłość. Nie widział przed sobą żadnego nowego wyzwania. Poza tym przywiezie ze sobą Annę! Nic lepszego nie mogło chyba spotkać „Timesa". Doskonale wiedział, że Arthur zdaje sobie sprawę z tego, jaki skarb mu sprowadzi...

Było już zupełnie ciemno, gdy dotarł do budynku przy Kaiser-Wilhelm-Ring. Wartownik dokładnie obejrzał jego paszport. Potem sprawdził coś w swoim notesie i przeszedł z nim pośpiesznie do innego wartownika za drzwiami budynku. Tamten natychmiast zakręcił korbką w telefonie i przywołał podporucznika Bensona. Zauważył, że dzieje się coś dziwnego. Benson pojawił się przy nim po bardzo krótkiej chwili, prawie natychmiast, jak gdyby na niego czekał. Szybko zeszli schodami do sutereny. Benson zapukał do drzwi na samym końcu ciemnego korytarza. Weszli do środka.

– No to ci dziękuję, Benson – powiedział otyły oficer w randze pułkownika do stojącego na baczność Bensona. – Zadbaj tymczasem o auto dla pana redaktora. I jeśli, kurwa, nie będzie auta, to jeszcze dzisiaj możesz pakować swój plecak! – wykrzyknął za znikającym w drzwiach Bensonem.

Wyglądało na to, że każdy, kto jest wyższy rangą w tym budynku, wyżywa się na biednym Bensonie – pomyślał. – Albo Benson z natury jest leniwy i musi być poganiany, albo to normalna procedura w armii.

– Proszę spocząć, panie Bredlay – powiedział spokojnym tonem gruby oficer, wskazując krzesło stojące naprzeciwko jego biurka.

Na skraju biurku stała lampa oświetlająca blat zasłonięty wojskową mapą Europy i niedbale porozrzucanymi depeszami.

– Nazywam się Bredford.

– Przepraszam. Panie Bredford. Oczywiście. Bardzo pana przepraszam. – Gruby oficer patrzył przez okulary w leżący przed nim dokument. – Stanley William Bredford – dodał z fałszywym uśmiechem na twarzy.

A on pomyślał, że już niedługo jego drugie imię William stanie się powszechnie znane.

– Dotarła do nas szyfrowana depesza z Luksemburga. Kilka godzin temu. Adresowana do nas, do OSS – powiedział oficer, podnosząc głowę znad dokumentu i patrząc na niego w taki sposób, jak gdyby oczekiwał w tym momencie podziwu i oklasków. – Szukaliśmy pana. Wielu ludzi pana szukało. Bardzo wielu. Gdzie pan był?

– To chyba moja sprawa, panie pułkowniku, prawda?

– Ależ oczywiście, że to pana sprawa. Ależ oczywiście. No tak, pana sprawa... – odpowiedział oficer, hamując złość i ponownie patrząc na kartki na biurku. – No więc dzisiaj po północy z naszej bazy w Findel niedaleko Luksemburg City wystartuje samolot. Generał Patton poleci tym samolotem do Waszyngtonu. Wie pan, kto to jest generał Patton, redaktorze Bredlay?

– Nazywam się Bredford! Wiem. Urzędnik państwowy Stanów Zjednoczonych. Dobrze opłacany za swoją pracę z pana i moich podatków. Generał zawodowej armii amerykańskiej.

Gruby oficer zdjął okulary i wstał zza biurka. Stanął obok niego.

– Tak pan myśli? Generał Patton to patriota – powiedział ze złością w głosie.

– Może trudno panu sobie to wyobrazić, ale ja, Stanley Bredford, także jestem amerykańskim patriotą. A teraz niech pan mi powie, o co naprawdę chodzi. Nie ściągnął mnie pan tutaj, aby rozmawiać ze mną o patriotyzmie i o Pattonie, prawda?

– Szczerze mówiąc, tak. Również o tym. Z Findel około północy odlatuje samolot. Pan i towarzysząca panu osoba, Niemka o nazwisku Anna Marta Bleibtreu, znajdujecie się na liście pasażerów tego samolotu. Dlatego pana szukaliśmy. Gdzie, jeśli jest to panu wiadome, zatrzymała się obecnie ta Niemka?

– Niedaleko stąd. W Königsdorfie.

– Czy ma legalne i ważne dokumenty podróży?

– Nie wiem – odpowiedział, sięgając do kieszeni płaszcza. – Czy to jest ważny i legalny dokument? – zapytał, kładąc na biurku zielony pomięty kartonik.

Oficer podniósł go, przyglądał się mu długo pod światłem lampy i na końcu powiedział:

– Nie! To nie jest ważny dokument. Nie został ustanowiony w Kolonii.

– Nie został co?!

– Nie został potwierdzony w naszym biurze w Kolonii. To jest nieustanowiony dokument z miasta Drezno.

– No i co?

– Anna Marta Bleibtreu nie może opuścić Niemiec. Przed ustanowieniem.

– Ustanowi pan ją teraz?

– To jest w gestii naszej administracji. Dzisiaj jest już za późno. Administracja będzie dopiero jutro...

– Ile by to kosztowało, aby administracja była tutaj za chwilę? – zapytał i starając się zachować spokój, wyciągnął portfel z tylnej kieszeni spodni. – Ile? – powtórzył głośniej.

– Pan mnie nie zrozumiał. Panu się wydaje, że wszystkich i wszystko można kupić.

– Ile by to kosztowało? To ustanowienie. Ile? – powtórzył, ignorując jego uwagę. – Nie wyjadę stąd bez niej. Ile?! Niech pan wreszcie wymówi tę sumę. Mam w portfelu około dwóch tysięcy dolarów. Resztę panu prześlę z Nowego Jorku.

– Ile?! – wyszeptał oficer z sykiem w głosie. – Pan tego nie rozumie, panie Bradley, przepraszam, Bredford...

– To pan tego nie rozumie. Nie wyjadę z Kolonii bez niej.

– Potwierdzi ją pan pod przysięgą?

– Co potwierdzę?

– Że pan ją zna i świadczy o jej prawdomówności? I że przejmuje pan jej zobowiązania.

– Kurwa, o co panu chodzi? Oczywiście, że ją znam. Jakie zobowiązania?

– Wobec rządu i podatników Stanów Zjednoczonych?

– Pan teraz żartuje, prawda?

– Nie. Absolutnie nie. Anna Marta Bleibtrue może umrzeć w Stanach Zjednoczonych. Ktoś będzie musiał zapłacić za jej pogrzeb i pochówek.

– Ona nazywa się Bleibtreu, a nie Bleibtrue. To tak dla pana wiadomości. Mógłby pan to, kurwa, zapamiętać? Niech pan napisze, że pochowam na swój koszt Annę Martę Bleibtreu. I że rząd Stanów, kurwa, Zjednoczonych i żaden podatnik nie dołoży do tego ani centa. I że będę ją karmił, poił i kupię jej buty, i że kupię jej aparat fotograficzny...

– Czy jest pan gotowy podpisać rzeczone oświadczenie? – przerwał jego tyradę gruby oficer.

– Podpiszę! Oczywiście, że podpiszę!

Grubas podał mu kartkę. Szybko przebiegł wzrokiem po napisanym na maszynie tekście. Podpisał. Rzucił z wściekłością pióro na blat biurka i wstał z krzesła, kierując się do drzwi. Przed wyjściem odwrócił głowę w kierunku oficera i zapytał:

– Czy mógłby mi pan powiedzieć, jak to się stało, że podsunął mi pan do podpisania gotowy dokument, ze wszystkimi danymi tej dziewczyny, a wcześniej opowiedział mi pan tę przerażającą bajkę o ustanowieniu, czy jak to się tam u was nazywa?

Gruby oficer, nie podnosząc głowy znad biurka, odparł:

– Sądzę, że jeśli jeszcze dłużej będzie zadawał pan takie głupie pytania, to nie zdąży pan do Findel przed północą. Przed budynkiem będzie jeszcze tylko kilka minut czekał na pana nasz konwój. Dlatego radzę się panu pośpieszyć, redaktorze Bradley.

– Bredford, kurwa, Bredford! – wykrzyknął i wyszedł z biura, trzaskając drzwiami.

Zaczął biec po schodach do drzwi wyjściowych na parterze. Za nim biegł podporucznik Benson, podając mu po drodze kolejne kartki z pieczątkami.

Konwój przed budynkiem składał się z dwóch dżipów. W jednym z nich siedział za kierownicą ten sam żołnierz, który wczoraj gazikiem transportował go do i z Königsdorfu. Auta były ozdobione małymi amerykańskimi flagami. Natychmiast ruszyli. Najpierw kazał kierowcy podjechać pod katedrę od wschodniej strony. Ciągle nie znał adresu, pod którym znajdowało się jego lokum w celi, ale pamiętał, że z pewnością od wschodniej strony katedry do zejścia schodami pod ziemię było znacznie bliżej. Po kilkunastu minutach, zdyszany, wrócił do auta z walizką i aparatem fotograficznym przewieszonym na piersiach. Po drodze za każdym razem, gdy z braku tchu musiał przystanąć, obiecywał sobie, że po powrocie do domu rzuci palenie.

Tym razem kierowca jechał do Königsdorfu innymi drogami. Wczoraj po drodze nie było żadnych punktów kontrolnych. Dzisiaj były. Mijali je bez przeszkód, jedynie zwalniając. Flagi na samochodzie i migające czerwone światło na dachu jednego z dżipów otwierały im wszystkie szlabany.

– Dlaczego jedziemy dwoma autami – zapytał kierowcy w pewnej chwili. – Wystarczyłoby przecież jedno.

– Takie mamy przepisy. Pan jest, powiedzmy to tak, VIP-em i bardzo się gdzieś śpieszy. W takim przypadku w konwoju zawsze są minimum dwa auta. Gdyby po drodze coś zepsuło się w naszym, to przejmie pana kolega.

– Ach tak... – odpowiedział, zmieniając trochę swoją opinię o grubym oficerze.

– Zabierzemy tę ślicznotkę, prawda? – zapytał po chwili kierowca z zaciekawieniem w głosie.

– Tego właśnie nie wiem. Chciałbym ją zabrać...

– Jasne. Każdy chciałby ją mieć – odparł kierowca, rechocząc.

Stanęli przy bramce, od której prowadziła ścieżka do altany. Kierowcy nie wyłączyli świateł ani czerwonego migającego koguta na dachu. Mimo jego próśb i nalegań nie zgodzili się, aby to zrobić. Obawiał się, że przerazi to tego, kto otworzy mu drzwi. Odsunął metalowy kosz wypełniony obierkami ziemniaków. Popchnął bramkę. Przeszedł wąską alejką do altany. Wyciągnął kartkę z przygotowanym tekstem i zapukał do drzwi. Tak jak wczoraj, gdy usłyszał odgłos przekręcanego klucza, zaczął czytać:

– *Mein Name ist Stanley Bredford...*

Nie zdążył dokończyć. W progu stanęła kobieta z kotem na rękach. Miała posiwiałe włosy spięte w kok, wysokie czoło i rażąco czerwone od szminki wargi.

– *Sie möchtem zur Anna, nicht wahr?* – powiedziała po niemiecku, spoglądając zaniepokojona na stojące na drodze samochody.

Zaprosiła go gestem do środka. Zamknęła drzwi. Wszedł do kuchni. Anna stała przy drewnianym stole obok okna i wylewała coś z kamiennej misy do blaszanego płaskiego naczynia. W ułamku sekundy zobaczył obraz swojej matki. Odwróciła twarz w jego kierunku. Uśmiechnęła się.

– Ciasto miało być na jutro, Stanley, zjawiłeś się za wcześnie... – powiedziała cichym głosem i dalej spokojnie wylewała żółtawą gęstą masę do blaszanego naczynia.

– Pojedziesz? Teraz? Zaraz?

W tym momencie kobieta podeszła do Anny. Wyjęła z jej rąk misę, a podała kota. Anna przytuliła do siebie kota i po chwili postawiła go na podłodze przy zydlu. Zdjęła kwiecisty fartuch przewiązany wokół talii. Bez słowa wyszła z kuchni. Usiadł na zydlu i głaskał kota. Kobieta stała przy drewnianym stole odwrócona do niego plecami. W pewnym momencie podeszła do niego i powiedziała po niemiecku:

– *Werden Sie gut aufpasen auf Anna, nicht wahr? Sie hat schon so viel schlimmes in ihrem Leben durchgemacht. Werden Sie?*

Natychmiast wstał. Patrzył na ogromne łzy spływające po policzkach tej kobiety i szukając w pamięci wszystkich niemieckich słów, jakie zapamiętał, wydukał:

– *Ich möchte Anna... ich möchte for Anna no Krieg und happy. Ich möchte Anna gut, very gut... Sie understand? Ich möchte Anna smile... Sie understand... Ich möchte Anna no egal... No egal. Sie understand... No egal! Nothing more Kaputt...*

Usłyszał dźwięk otwieranych drzwi. Anna weszła do kuchni. Miała na sobie ciemnogranatowy, długi płaszcz przewiązany wokół talii skórzanym brązowym paskiem. Obok jej nóg stała obdrapana, brązowa walizka z polakierowanej tektury. W prawej dłoni trzymała futerał na skrzypce. Kot podbiegł do niej i zaczął ocierać się najpierw o jej płaszcz, a potem o walizkę. Podeszła do kobiety. Objęły się. Po chwili kobieta zdjęła z przegubu zegarek i wsunęła go w dłoń Anny. Szeptały do siebie.

Podszedł do walizki, wyniósł ją do przedpokoju i zapalił papierosa. Kot pobiegł za nim. Po chwili w przedpokoju pojawiła się Anna. Sięgnął po walizkę. W tym momencie kot podskoczył do jego ręki. Najpierw usłyszał głośne syknięcie, a zaraz potem poczuł dotkliwy ból. Automatycznie cofnął rękę. Skóra dłoni porysowana była w wielu miejscach śladami po pazurach kota. Przypomniał sobie, że Mefisto dokładnie tak samo potrafił wyrazić swoje niezadowolenie. Wygląda na to, że niemieckie i amerykańskie koty reagują w taki sam sposób. Gdy któregoś weekendu odwiedził go w Nowym Jorku jego braciszek Andrew, także wyszedł z jego mieszkania z czerwonymi od krwi szramami na dłoniach i przegubie. Mefisto z jakiegoś niezrozumiałego powodu nie znosił Andrew. Od pierwszego z nim spotkania...

Kierowca czekał przy samochodzie. Ciotka Anny koniecznie chciała z nimi podjechać do knajpy na rynku. Po wódkę. Mówiła, że koniecznie potrzebuje teraz wódki i że wino jej dzisiaj w nocy nie wystarczy. I że nie może teraz być sama. Podjechali. Dwa amerykańskie wojskowe samochody z flagami na masce, z czerwono migającą lampą na dachu jednego z nich stanęły na małym rynku w środku Königsdorfu. Z jednego z aut wysiadła zapłakana Frau Annelise Bleibtreu. Widział, jak mężczyznom przed wejściem do knajpy opadają ze zdziwienia szczęki. Zastanawiał się, czy legendy małych miasteczek nie rodzą się właśnie w tak prosty sposób.

Gdy tylko Annelise zniknęła za drzwiami knajpy, natychmiast ruszyli dalej. Anna siedziała w milczeniu, przyciskając czoło do szyby. Kiedy minęli ostatnie światła przy drodze, sięgnął po jej dłoń. Ścisnęła mu rękę i nie puszczała. Po chwili podniosła jego dłoń do ust i zaczęła dotykać wargami szramy po zadrapaniu kota.

– Karafka jeszcze nie wie, że cię lubi, ona tylko tak. To z nerwów. Pachniesz inaczej. W tym domu od dawna nie bywali mężczyźni. Ciocia ostatnio nie wpuszcza za próg żadnych mężczyzn, żebraczek i księży. Karafka by cię polubiła, Stanley. Gdybyś dał jej tylko trochę więcej czasu. Ja ją znam...

Przypomniał sobie, że słowo „karafka" było mu znajome. Jego matka często używała tego dziwnego słowa, nazywając nim szklane dzbanki na wodę lub wino. Potem, odkąd w 1920 roku nastała w Stanach prohibicja, ojciec nalewał z metalowego baniaka na mleko właśnie do karafek śmierdzący brązowawy płyn, który nocami produkował w drewnianej szopie na narzędzia. Znał to słowo, chociaż nie przypuszczał, że można tak nazwać kota.

Wysunął dłoń z uścisku. Delikatnie przesuwał palcami po jej twarzy. Drugą ręką zapalił dwa papierosy. Podał jej jednego.

– Upiekłabym dla ciebie dobre ciasto, Stanley – szeptała, zaciągając się głęboko. – Byłam po południu w piekarni u Rollerów po rodzynki. Musiałam się przemóc, bo stary Roller to nazistowski skurwiel, ale rodzynki ma najlepsze w miasteczku. Lubisz drożdżowe ciasto z rodzynkami, Stanley? Mój ojciec je uwielbiał. Lubisz, prawda?

Przysunął się do niej. Położyła mu głowę na udach. Gładził delikatnie jej czoło i włosy. Przez długi czas milczeli.

– Jedziemy do Nowego Jorku, prawda? – zapytała szeptem w pewnym momencie. – Oglądałam dzisiaj rano atlas. To bardzo daleko. Polecimy samolotem, tak? Wiesz, że ja nigdy nie leciałam samolotem? Bardzo się boję samolotów. Będziesz trzymał mnie za rękę? Cały czas? Lubisz muzykę, Stanley? Samoloty kojarzą mi się z bombami, ale także z muzyką. Tak jakoś. Kocha cię jakaś kobieta? Oprócz matki i sióstr? Gładziłeś jej czoło i włosy tak jak moje teraz? Kocha cię? Powiedziała ci to? Zdążyła ci to powiedzieć? Znasz jej imię? – zapytała na końcu, podnosząc głowę.

Słuchał w milczeniu, czując, jak z każdym kolejnym pytaniem jej ręce coraz mocniej oplatają jego uda. Tuliła się do niego jak przestraszone dziecko. Chwilami dotykała wargami jego dłoni.

– Będę trzymał cię za rękę. Nie oddalę się od ciebie na krok. Wszystko będzie dobrze, wszystko będzie dobrze...

– Stanley, nie zostawiaj mnie ani na chwilę samej, proszę cię. Ja już mam jedne skrzypce...

Ucichła. Przykrył ją swoim płaszczem. Poprosił kierowcę, aby wyłączył trzaski dochodzące z krótkofalówki. Kierowca grzecznie, ale stanowczo odmówił.

– Jesteśmy w konwoju, muszę mieć kontakt z jednostką przed nami i z Bensonem – wyjaśnił. – On wysrałby swoje jelita w gacie, gdybym tylko nie odpowiedział na czas – dodał, rechocząc.

Zanim dotarli do przedmieść Trewiru, Anna usnęła. Zapalił papierosa. Pomyślał o Doris. Nie gładził w taki sposób jak teraz ani czoła Doris, ani jej włosów. Nigdy. Ostatnio marzył o tym. Po prostu się nie zdarzyło. Mieli zbyt mało czasu. „Kocha cię jakaś kobieta? Oprócz matki i sióstr?" – powtarzał sobie w myślach pytania Anny. Tak naprawdę nie znał odpowiedzi.

Doris pojawiła się w jego życiu przypadkiem. Podobnie jak wszystkie inne kobiety przed nią. Jak dotąd nigdy nie szukał kobiet. To one go znajdowały – albo, dokładniej mówiąc – to one mu się „przydarzały". Według dość prostego schematu. Jakaś służbowa sprawa do załatwienia, rozmowa, trochę flirtu, potem kolacja, wino lub drink, pierwszy seks, czasami kilka następnych spotkań – chociaż nie zawsze – potem jego ucieczka w milczenie, „aby się nie przywiązały", czasami ostatnia rozmowa i ostatni seks, a na końcu jego całkowite zniknięcie z ich życia. Jak dotychczas miał wiele szczęścia. Udawało mu się znikać bez większych konsekwencji. Żadnych nadzwyczaj dramatycznych scen przy rozstaniu, żadnego „prześladowania" nocnymi telefonami, żadnych nienawistnych listów z groźbami lub szantażem w jego skrzynce pocztowej. Jemu – w odróżnieniu od znanych mu przypadków kilku kolegów z redakcji – nie można było niczym grozić i niczym go szantażować. Był wolny, niezależny i był sam. Tylko czasami przekładało się to na samotność. Ale nawet to miało swoją dobrą stronę. Zauważył, że w takich fazach samotności i opuszczenia robił najlepsze zdjęcia. Poza tym najczęściej status „bycia samemu", szczególnie w jego sugerującym dojrzałość wieku i przy jego pozycji dobrze zarabiającego „białego kołnierzyka" z intelektualnym namaszczeniem, czynił go jedynie bardziej atrakcyjnym. Tylko dwie kobiety z jego przeszłości nie wpasowały się dotychczas w ten schemat: Jacqlin, która od początku wiedziała, że cokolwiek się wydarzy, i tak nie będzie mogła do niego należeć, oraz Dorothy, która od początku wiedziała, że cokolwiek się wydarzy, nie będzie chciała, aby on do niej należał. Obie odcisnęły się bliznami na jego biografii. Blizna po Doro thy Parker jeszcze teraz boli go czasami...

Arthur nie znosił Dorothy Parker. Uważał, że oprócz tego, że jest zwykłą prostytutką, to na dodatek jest prostytutką dziennikarską. To dla Arthura było o wiele gorsze. „Dawanie dupy za pieniądze jest od tysiącleci zrozumiałe – zwykł mówić – ale dawanie mózgu za kasę to czyste kurewstwo". Mówił tak, ponieważ nie mógł wybaczyć Parker, że nie oddała swojego błyskotliwego mózgu – na wyłączność oczywiście – jego „Timesowi". Arthur, wbrew rodzącej się w połowie lat dwudziestych tendencji, nie akceptował dziennikarzy piszących do kilku gazet. Arthur chciał mieć wszystkich wyłącznie dla siebie. A Dorothy Parker nie chciała należeć do nikogo. Ani jako dziennikarka, ani jako kobieta. Gdy Parker w 1925 roku zaczęła pisać do „New Yorkera", stała się automatycznie wrogiem Arthura, który w nowym tygodniku widział niebezpiecznego rynkowego konkurenta. Każdy w redakcji przyłapany na czytaniu „New Yorkera" był wzywany do Arthura na dywanik i musiał kłamać, że „tak tylko czyta z potrzeby znajomości konkurencji". On oczywiście także czytał „Yorkera" i wcale nie „z potrzeby znajomości konkurencji", a chociażby dlatego, aby wiedzieć, na co warto iść na Broadway oraz jakie są najbardziej aktualne ceny szmuglowanego alkoholu sprzedawanego „pod stołem" w jazzowych klubach Harlemu. Niebywały sukces „Yorkera" wynikał także z tego, że przeniosła się do niego cała grupa tak zwanych algonquinów. Elitarne towarzystwo najpierw kilku, potem kilkunastu młodych, dynamicznych krytyków sztuki z dziennikarskim lub pisarskim zacięciem. Agresywnych, ambitnych, narcystycznych i bez żadnych skrupułów. Zbierali się regularnie w restauracji luksusowego hotelu Algonquin przy Czterdziestej Czwartej Ulicy na Manhattanie. W czasie swoich krzykliwych, podlewanych suto nielegalnie serwowanym alkoholem spotkań wydawali sądy, tworzyli trendy i kierunki, ustalali mody, obalali autorytety, wynosili na piedestał nikomu nieznanych, aby po jakimś czasie – gdy nie sprostają oni wyzwaniom pulsującego miasta – ich z tych piedestałów bez wahania strącić w zupełne zapomnienie. Spotkania grupy przyjaciół lub znajomych w hotelu Algonquin wkrótce przerodziły się w rodzaj powtarzającego się sądu ostatecznego nad artystycznym i towarzyskim światkiem Nowego Jorku. To, co w ich trakcie orzekano, natychmiast przedostawało się do felietonów lub kolumn plotkarskich nie tylko w „Vanity Fair", „Vogue'u", „Harpers Bazaar" czy „New Yorkerze", ale również do piętnastu codziennych gazet ukazujących się – niektóre z wydaniem porannym i wieczornym – w Nowym Jorku. Miasto traktowało sądy „algonquinów" jak nieomylne drogowskazy. Sam pomysł spotkań „algonquinów" nie był aż tak oryginalny. Przypominał praktykowane od lat w Europie spotkania w tak zwanych kawiarniach literackich. Jego nowość polegała jednakże na tym, że po raz pierwszy udało się go zrealizować w Ameryce.

Wśród członków założycieli tej grupy była tylko jedna kobieta: Dorothy Parker. Najbardziej podziwiana i także najbardziej znienawidzona. To ona potrafiła napisać w recenzji o nowej premierze na Broadwayu: „Jeżeli nie umiesz robić na drutach, to weź do teatru ze sobą chociaż książkę". Innym razem nie chciała w swoim artykule wymienić autora dramatu, „aby go jego własnym nazwiskiem nie upokorzyć". To ona pośród całej tej grupy miała najostrzejsze pióro i najdotkliwiej smagała niewyparzonym językiem, a gdy brakowało jej słów, żeby jak najszybciej sięgnąć do sedna, to je po prostu wymyślała. Wkrótce miasto, i to nie tylko tak zwana elita – po Parker właśnie – bardzo chętnie przejęło do swojego codziennego słownictwa takie określenia jak *one night stand, high society* czy *face lifting*. To nikt inny jak właśnie Parker je wymyśliła i to ona wprowadziła je do obiegu.

Latem, w ostatnim tygodniu sierpnia 1928 roku, Arthur chciał dla „Timesa" bezpośredniej i „zdecydowanej relacji" ze spotkań „algonquinów". Co u Arthura znaczyło, że niekoniecznie obiektywnej. Grupa już dawno przestała być tylko kręgiem ekscentrycznych przyjaciół. To była już wpływowa i opiniotwórcza instytucja. I to bardzo niezależna. Arthur nie lubił niezależnych instytucji, szczególnie tych „za bardzo". Na dodatek „algonquini" wyraźnie ignorowali „Timesa", sprzedając prawo pierwszeństwa do najbardziej smakowitych newsów innym gazetom. Tego Arthur nie lubił jeszcze bardziej.

On ledwo co osiedlił się w Nowym Jorku i rozpoczynał pracę jako dziennikarz. To był jeden z jego pierwszych reporterskich projektów dla „Timesa". Stał tego dusznego popołudnia z aparatem przy windzie w hotelu Algonquin. Dyskretnie, trochę z boku licznej grupy ciekawskich. Z windy wysiadała trzydziestokilkuletnia kobieta z psem na smyczy. Mała, nieomal filigranowa, ciemnooka, trochę blada. Mocne perfumy, ekstrawagancko na krótko przystrzyżone włosy zamiast obowiązującej misternie poupinanej fryzury. Nie dość, że w sukience bez gorsetu, to jeszcze o wiele za krótkiej jak na purytańską Amerykę. Cała Dorothy Parker.

Przyszła jak zwykle spóźniona, chociaż miała najbliżej ze wszystkich. Od miesięcy mieszkała w tym hotelu. Spotkanie w restauracji już dawno się rozpoczęło. Ale to nie było istotne. Wszyscy i tak wiedzieli, że najważniejsze wydarzy się dopiero, gdy dołączy ta kobieta. Dorothy Parker, bezsprzeczna ikona nowego typu kobiet końca szalonych lat dwudziestych. Prowokująco niezależna i ostentacyjnie grzeszna. Podziwiana i uwielbiana przez jednych, nienawidzona i pogardzana przez innych. Poetka, pisarka, ale przede wszystkim nieposkromiona rebeliantka. Zawsze mówi to, co myśli, pali, pije, ma wielu kochanków i jeszcze więcej sukcesów...

Jej pies podbiegł nagle do niego i zaczął głośno szczekać. Zbliżyła się i chwytając go za rękę, powiedziała głośno:

– Musiał pan ostatnio wdepnąć w gówno. Mój pies ma alergię na zapach psiego gówna. Ostatnio jest tyle gówna w tym mieście. Także tego prawdziwego, śmierdzącego. Zamiast je sprzątać, wszyscy śmieciarze są zajęci kupowaniem akcji na Wall Street. To się musi źle skończyć. Nie sądzi pan?

Był tak zaskoczony tym, co się stało, że nie mógł wydobyć słowa.

– Ale pan tak od kolan w górę pachnie przepięknie – powiedziała szeptem, kładąc głowę na jego ramieniu. – Wypełni pan tym zapachem naszą windę w drodze na górę? Po spotkaniu? Bardzo podoba mi się dodatek do tego zapachu – dodała zalotnie.

Po chwili odeszła, znikając za czerwoną, pluszową zasłoną. Pamięta, że jej głupi pies do ostatniej chwili histerycznie szczekał i groźnie warczał na niego.

Ze spotkania, które było głównym celem jego wizyty, pamięta tylko tyle, że tego popołudnia Dorothy Parker była wyjątkowo rozmowna, bardzo często zamawiała szkocką whisky Haig & Haig, którą piła bez wody sodowej, i że z każdą kolejną szklanką coraz głośniej mówiła, coraz częściej także przerywając innym w pół zdania. Gdy w pewnym momencie jej pies zaczął niecierpliwić się pod stołem, demonstracyjnie wyciągnęła z torebki tabletki nasenne i podała mu jedną. Po chwili pies się uspokoił.

Zupełnie nie mógł skoncentrować się na tym, co mówiła. Z jednej strony czuł się wyśmiany i wyszydzony przez ten jej niegrzeczny komentarz o „wdepnięciu w gówno", co było, niestety, prawdą – zanim wszedł do sali, dokładnie obmył but w toalecie przy recepcji hotelu – z drugiej natomiast przez ten niefortunny wypadek został zauważony i w pewnym sensie wyróżniony. Może więc powinien być jednak wdzięczny nowojorskim śmieciarzom? – myślał, śmiejąc się w duchu.

Parker, notabene, miała rację. Coraz mniej ludzi pracuje teraz w tym mieście. Wszyscy jak w jakimś amoku kupują i sprzedają akcje. I co ciekawe, wszyscy na tym zarabiają. Ostatnio jego stary znajomy z czasów studiów w Princeton, pracujący jako dealer na giełdzie, opowiadał mu z drwiną w głosie, że o poradę w sprawie akcji poprosił go nawet czyścibut siedzący ze swoim kramem na Wall Street. Pytał go, czy lepiej pozostać przy akcjach General Electric, czy lepiej je sprzedać i kupić te United Founders lub może jednak lepiej Westinghouse. To był ostatnio jeden z życiowych problemów nowojorskiego czyścibuta! Od czterech lat kursy akcji nieprzerwanie wzrastały. Od czterech lat także coraz więcej ludzi bez pracy i wysiłku stać było na nowe radio, nowe auto, a niektórych nawet na dom. Dotyczyło to nieomal wszystkich. Bogatego właściciela firmy i jego szofera. W czasie przerwy na lunch pomywacze okien w drapaczach chmur zadawali sobie trud i schodzili na dół, aby zanotować aktualne kursy akcji, których byli właścicielami. Wall Street stała się ulubionym miejscem spacerów, a w radiu do handlu akcjami namawiali już nie tylko ekonomiści, ale także wróżki lub astrologowie. Wszyscy wiedzieli, co to jest Dow-Jones-Index, a pewna rodzina w Kalifornii swoim nowo narodzonym bliźniakom nadała imiona Dow-Jones chłopcu, a Index dziewczynce. Zgadzał się z Parker. To musi się kiedyś źle skończyć. To jedynie kwestia czasu. Wtedy jeszcze nie wiedział. Dzisiaj wie, że to się skończyło bardziej niż bardzo źle. We wtorek, 29 października 1929 roku. Od tego czarnego wtorku wszystko było inaczej...

Zastanawiał się również, co ona mogła mieć na myśli, gdy mówiła o „wypełnieniu windy". Niecałe dwie godziny później „wypełnił" najpierw „ich" windę swoim zapachem, a kilka minut później waginę Dorothy Parker. Swoim penisem. Na rozgrzebanym łóżku pełnym zeschniętych okruchów po chlebie lub bułkach, w klimatyzowanym pokoju na ósmym piętrze hotelu Algonquin. Pamięta, że siedząc na nim z rozsuniętymi udami, gryzła jego wargi i mówiła coś po francusku. Akurat wtedy zadzwonił telefon. Sięgnęła po słuchawkę. Podnosiła się i opadała, rozmawiając. Po chwili odwróciła się plecami i nie przerywając rozmowy, dalej unosiła się i opadała, wypinając zaczerwienione pośladki. Pamięta, że wpatrywał się w te czerwone plamy na jej skórze, dostrzegając wyraźne ślady po uderzeniach. W pewnym momencie przycisnęła słuchawkę telefonu do piersi, krótko głośno jęknęła i wysuwając jego penisa z siebie, stanęła obok łóżka na dywanie. Natychmiast też podniosła słuchawkę do ucha i dalej rozmawiała. Leżał jak sparaliżowany, ze swoją erekcją, z trudem pojmując, co się wokół niego dzieje. Podeszła na chwilę do lodówki stojącej w rogu pokoju, wyciągnęła z niej białą miseczkę z różowawą, płynną masą przypominającą jogurt i dokładnie rozprowadziła ją lewą ręką na jego penisie i jądrach. Poczuł dotkliwe zimno i zapach truskawek. Ciągle przy tym rozmawiała przez telefon. Po chwili odłożyła słuchawkę telefonu na stolik nocny obok budzika, nachyliła się nad nim, wzięła jego penisa w obie dłonie i powoli zaczęła zlizywać z niego różową masę.

Zatkała mu usta dłonią, gdy dochodził. Zaraz potem sięgnęła po telefon, podeszła do okna, otworzyła je na oścież i dalej rozmawiała. Pamięta, że ubrał się w pośpiechu i wyszedł bez słowa...

Do dzisiaj nie wie, co nim kierowało, że regularnie wracał przez następnych kilka tygodni do hotelu Algonquin i wypełniał swoim zapachem windę i zaraz potem, na krótko, swoim penisem waginę Dorothy Parker. Za każdym razem, gdy wjeżdżali na górę, czuł rodzaj wzbierającej w nim nadziei na odrobinę bliskości. Ale także po każdym orgazmie, który przy niej, ale nigdy z nią, przeżywał, czuł poniżenie i zaraz potem pogardę dla samego siebie. Nie miała dla niego czasu, nie poświęcała mu uwagi, praktycznie z nim nie rozmawiała. Miała jedynie dla niego swoje rozłożone szeroko uda i wyciągane z lodówki jogurty o różnych smakach i zapachach. Zastanawiał się czasami, czy kwiaty, które jej przynosi, wstawia do wazonu, czy natychmiast po jego wyjściu wyrzuca do kosza w łazience. Wielokrotnie więcej bliskości niż przy Dorothy Parker odczuwał wobec swojej masażystki Nofi z Chinatown, na południu miasta, młodej indonezyjskiej emigrantki z Bali. Przy niej także leżał zupełnie nagi. Któregoś razu – bywał wtedy u Parker i z jej powodu cierpiał – gdy odwrócił się na plecy, Nofi zapytała go: „Pan płacze? Dlaczego?". Płakał. To był taki czas, że często płakał. Szczególnie gdy miał czas myśleć o sobie.

Jeśli miałby wierzyć wszystkim publikacjom utytułowanych seksuologów, to musiałby przyjąć do wiadomości, że przeżywał przy Parker swój epizod masochizmu. To ponoć przydarza się wielu ludziom. Statystycznie częściej kobietom niż mężczyznom. Niektórzy mają przy tym zaczerwienione od uderzeń pejcza, paska lub dłoni pośladki, inni zaczerwienione – od uderzeń krwi do mózgu i następującego po nich wstydu – twarze. Niektórzy przechodzą przez ten epizod bez większych blizn.

Któregoś razu dobrnął do granicy swojego masochizmu. Tego wieczoru windę hotelu Algonquin wypełnił oprócz niego i Dorothy Parker także inny mężczyzna. Był mniej więcej w jego wieku. We trójkę weszli do jej pokoju. Gdy tylko Dorothy wyszła rozebrana z łazienki, natychmiast wybiegł...

Czasami przejeżdża samochodem obok hotelu Algonquin na Czterdziestej Czwartej Ulicy. Przypomina sobie wtedy wyraźnie jej słowa: „Musiał pan ostatnio wdepnąć w gówno. Ostatnio jest tyle gówna w tym mieście". Dzisiaj wie z całą pewnością, że pewnego sierpniowego dnia

1928 roku w ciągu kilku godzin wdepnął w dwa gówna. Smród jednego z nich pamięta do dzisiaj...

Samochód gwałtownie zwolnił. Zatrzymali się przed barierą punktu kontrolnego w Konz. Anna przebudziła się i usiadła, przeciągając się. Przez opuszczoną boczną szybę po stronie pasażera głowę wepchnął żołnierz w hełmie z brytyjskimi znakami. Gdy tylko otworzył usta, aby coś powiedzieć, natychmiast go rozpoznał. Ten sam szczerbaty brytyjski kapral żujący gumę, który zatrzymał na kilka godzin w podróży do Trewiru jego i Cécile!

– Zapal, chłopcze, latarnię – powiedział rozkazującym tonem, zwracając się do kierowcy – i wyłącz ten rozklekotany kukuruźnik. Uszy bolą.

Kierowca sięgnął po włącznik lampy pod dach dżipa. Światło oślepiło go. Czuł, że Anna, mocno przytulona do niego, drży.

– Widzę, że wozisz cywilów, chłopcze – powiedział kapral, kierując snop światła swojej latarki na twarz kierowcy.

Kierowca przymrużył oczy, podsunął w kierunku kaprala plik dokumentów i zaczął spokojnie wyjaśniać. Anna tuliła się do Stanleya coraz mocniej, wbijając mu paznokcie w skórę dłoni. Kapral zaczął w świetle latarki czytać po kolei każdą pojedynczą kartkę.

– Nie wysiadaj z samochodu, Stanley! Proszę, nie zostawiaj mnie – szeptała mu do ucha.

Widział, jak twarz ich kierowcy robi się najpierw różowa, a potem czerwona. W pewnej chwili kierowca spojrzał w lusterko. Musiał zauważyć, co dzieje się z Anną. Spokojnie wyłączył krótkofalówkę. Sięgnął po karabin leżący na siedzeniu obok. Wysiadł, dał ręką znak kierowcy w samochodzie za nimi – auto natychmiast podjechało i zatrzymało się tuż przy nich – stanął obok brytyjskiego kaprala i powiedział:

– Masz, zajebany, szczerbaty karle, jedną minutę, aby podnieść to drewno. Dałem ci najprawdziwsze kwity. Zgodne ze wszystkimi przepisami. Jeśli nie nauczyli cię do dzisiaj czytać, to teraz jest już za późno na lekcje. Niedaleko stąd czeka na nas Patton. Jeżeli się nie doczeka, to możesz wkrótce pożałować tego, że się urodziłeś. Jeśli w ogóle zdążysz czegokolwiek żałować. Jeśli za chwilę nie podniesiesz bariery, to... to nie będzie tutaj za chwilę, kurwa, żadnej bariery – dodał, podnosząc do góry rękę i sięgając po karabin.

Usłyszeli głośny ryk silnika auta stojącego obok. Spod jego kół wydobywały się strumienie błota. Czerwone światło na dachu migało na przemian z reflektorami. Kilku żołnierzy wybiegło z drewnianej budy przylegającej do bariery. Położyli się na drodze z karabinami gotowymi do strzału. Anna zaczęła panicznie krzyczeć i osunęła się z siedzenia na podłogę, ciągnąc go za sobą. Po chwili usłyszeli odgłos zatrzaskiwanych drzwi. Ryk silnika ucichł. Ruszyli.

– Pierdoleni Angole, z nudów się, chuje, w wojnę, kurwa, bawią – usłyszeli spokojny głos kierowcy. – Ale zdążymy, bez problemu. Niech się *Fräulein* więcej nie boi. Zdążymy...

Lotnisko wojskowe w Findel, Luksemburg, krótko po północy, sobota, 10 marca 1945 roku

Spóźnili się. W Findel byli kilka minut po północy. Oba samochody konwoju podjechały wprost pod oświetlony reflektorami samolot stojący na betonowym pasie startowym. Na pozór dokładnie taki sam, jakim przyleciał do Namur. Wysiedli. Anna nie pozwoliła, aby ktokolwiek dotknął jej skrzypiec. On zabrał ze sobą tylko swój aparat. Walizki do samolotu wnieśli kierowcy.

W grupie oficerów stojących równym szeregiem przy trapie prowadzącym do samolotu była Cécile. Zatrzymał się, mijając ją. Podeszła do niego. Odsunęła go od siebie, gdy próbował się zbliżyć, aby ją przytulić. Stanęła na baczność. Skinęła głową w kierunku Anny.

– Nigdy pana nie zapomnę, panie Bredford. I zagram dla pana. Nawet gdy nie będzie pan mógł tego usłyszeć – powiedziała, wpychając mu do ręki szary pakunek obwiązany sznurkiem.

Nie zdążył nic odpowiedzieć. Natychmiast cofnęła się do szeregu.

Po trzęsącym się trapie pośpiesznie weszli do samolotu, wewnątrz zupełnie innego niż ten, który pamiętał z przelotu do Namur. Tuż za kabiną pilotów minęli cztery szerokie, wyłożone skórami fotele. Za grubą kotarą po obu stronach znajdowały się dwa rzędy metalowych niskich siedzeń. Na każdym z nich leżała pomarańczowa kamizelka ratunkowa. Młody żołnierz w stalowoszarym mundurze wskazał im dwa miejsca po lewej stronie, zaraz za kotarą. Usiedli. Po chwili wąskim korytarzem zaczęli przechodzić do tylnej części samolotu żołnierze. Z pokrwawionymi przepaskami wokół głowy, o kulach, z bandażami zakrywającymi kikuty brakujących rąk, z rękami na temblakach. Uśmiechali się do nich i szli dalej.

Po kilku minutach zapadła cisza i zgasło światło. Usłyszeli narastający odgłos silników. Samolot z impetem ruszył i po kilkuset metrach poderwał się gwałtownie do góry.

– Wcale się nie boję – wyszeptała mu do ucha – wszystko będzie dobrze, Stanley. Kocham cię, kocham cię, pamiętaj, że cię kocham... – powtarzała, tuląc się z całych sił do jego ramienia.

Słuchając jej, miał chwilami wrażenie, że Anna wcale nie mówi do niego, że w pewnych sytuacjach – skrajnego emocjonalnego napięcia, wzruszenia, strachu czy tylko rozczulenia – wraca w jakiś miniony, jej tylko znany świat. Tak było, gdy wypowiedziała niezrozumiałe dla niego zdanie o „jednych skrzypcach, które już ma", i tak stało się przed chwilą, gdy nieomal histerycznie wyznawała mu miłość. Kiedy tylko napięcie, lęk lub czułość mijały, wracała do teraźniejszości.

Spoglądał przez zamglone okno samolotu. Migoczące światełka na dole powoli stawały się coraz mniejsze. Niedługo potem zupełnie zniknęły pod chmurami. Osunął się głębiej w metalowe krzesło. Lecieli. Warkot silników samolotu, który na początku przerażał, po jakimś czasie stał się miarowy i dziwnie uspokajał, upewniając, że wszystko odbywa się normalnie. Anna spała z głową na jego kolanach. Czasami mówiła coś przez sen. Po niemiecku, a niekiedy po angielsku. Po chwili się uspokojała. Wystarczyło, że dotykał jej głowy.

Zamknął oczy, bezskutecznie starając się zasnąć. Myślał. Jego niezamierzona, zupełnie nieoczekiwana i w pewnym sensie wymuszona przez Arthura podróż do pogrążonej w wojnie Europy dobiegała właśnie końca. Wracał. Czuł rodzaj melancholii i nie miał uczucia, że wypełnił swoją misję, cokolwiek słowo „misja" miałoby oznaczać. Wszystko, co tutaj przeżył, jawiło mu się jak urwane w pół myśli, w pół słowa, w pół zdania, w pół spotkania. Wszyscy, których zesłał mu przypadek lub przeznaczenie, wydawali się być przechodniami z ulicy, których będzie z pewnością wypatrywał i za którymi będzie tęsknił. Anglik, madame Calmes, Cécile, brat Martin... Niedokończone rozmowy, niedokończone myśli. Nawet ich pożegnania i rozstania także były niedokończone. Wracał, pamiętając głównie „niedokończenia". Właśnie to. Niedokończenia. Zdał sobie nagle sprawę, że jego życie – także to sprzed tego wyjazdu – było pełne takich „niedokończeń". I nagle zrozumiał, że takimi niedokończeniami mógł skrzywdzić wiele bliskich mu osób. Wracał. W pewnej chwili przypomniał sobie słowa szeregowca Billa: „Prześpij się, Stanley. A ja w tym czasie zawiozę cię na wojnę". Zasnął.

Nie pamięta dokładnie, po ilu godzinach lotu obudził go hałas. Zapalono wszystkie światła w samolocie. Oficer w zielonym mundurze energicznie potrząsnął ręką śpiącej Anny. Podniosła się i usiadła. Przecierała oczy. Przed oficera wysunął się starszy mężczyzna w generalskim mundurze.

– Nazywam się Patton. Czy mam przyjemność z panią... – zerknął na kartkę wciśniętą mu do ręki przez adiutanta w zielonym mundurze – Anną Martą Bleibtrue? – zapytał, czytając niepoprawnie nazwisko Anny.

– Nazywam się Bleibtreu. Nie Bleibtrue. O co chodzi? – zapytała przestraszona.

– Czy pani jest z Drezna?

– Tak. Jestem. Ale o co panu chodzi? Stanley, pokaż panu wszystkie papiery. – Chwyciła go nerwowo za rękę.

– Ja panią bardzo przepraszam za Drezno. To ten półgłówek Harris...

– Za co mnie pan przeprasza? – przerwała mu w pół zdania.

– No, za Drezno. Nazywam się Patton.

– Czy pan jest także z Drezna? Przy jakiej ulicy pan mieszkał? – zapytała.

– Nie. Nie jestem z Drezna. Ale rozumiem, co pani przeżyła.

– Nie jest pan z Drezna?! Nie?! To nigdy pan tego nie zrozumie! Stanley, kurwa, pomóż mi, proszę! O co mu chodzi?! Pokaż mu papiery! – krzyczała przerażona.

Podniósł się natychmiast i stanął wyprostowany przed Pattonem.

– Panie generale, pani Bleibtreu jest bardzo zmęczona i być może w tej sytuacji niedostatecznie poprawnie posługuje się językiem angielskim. Proszę jej wybaczyć – powiedział.

– Oczywiście, oczywiście. – Patton pokiwał głową i odszedł.

Całkowicie uspokoiła się dopiero wtedy, gdy Patton z adiutantem zniknęli za kotarą oddzielającą sekcję, w której znajdowali się ranni żołnierze.

– Kto to był, do cholery?! – zapytała, ściszając głos. – Wyglądał wypisz, wymaluj jak ten wredny konduktor z siedemnastki na Grunaer w Dreźnie. Poczułam się trochę jak wtedy, gdy mnie kolejny raz przyłapał bez biletu w tym tramwaju – dodała z uśmiechem.

– To był Patton. Bardzo ważny, chyba najważniejszy obecnie amerykański generał. To jego wojska zajęły najpierw Trewir, a potem połowę Kolonii.

– O kurwa! Stanley, naprawdę?! – zapytała z przerażeniem i niedowierzaniem w głosie. – Przepraszam cię. Nie chciałam. Ja boję się ostatnio wszystkich ludzi w mundurach, tego konduktora też się diabelsko bałam.

Zaczął się głośno śmiać. Jej niewiedza i tak niezwykłe, naiwnie szczere przyznanie się do niej w tych okolicznościach, gdy lecą samolotem Pattona, gdy bez Pattona nie byłoby ich tutaj, gdy ona, Niemka, jest obecna na pokładzie amerykańskiego wojskowego samolotu, którego lot był prawdopodobnie najbardziej skrywaną tajemnicą – to wszystko rozbawiło go bardziej, niż zdenerwowało lub zdziwiło. Poza tym wyobraził sobie przez chwilę Pattona jako konduktora kontrolującego bilety w niemieckim tramwaju. Na dodatek to „o kurwa" w jej ustach, zupełnie niepasujące do obrazu kruchej, delikatnej i bezradnej dziewczyny o twarzy dziecka, nie było wulgarne, a jedynie zabawne. Po chwili spoważniał.

– Opowiesz mi teraz o Dreźnie? – zapytał, patrząc w jej oczy.

– Nie.

– Opowiesz mi kiedyś?

– Nie wiem... – Odwróciła głowę. – Postaram się. Widziałeś przecież zdjęcia. Co tu jeszcze opowiadać?

– Dużo. Dlaczego jeździłaś siedemnastką bez biletu, na przykład? I wiele innych rzeczy, których na tych zdjęciach nigdy nie zobaczę. Chciałbym, bardzo bym chciał, abyś opowiedziała mi swoje Drezno, także to sprzed tych zdjęć. Dlaczego jeździłaś siedemnastką na gapę? Sądziłem, że kto jak kto, ale wy, Niemcy, to zdyscyplinowany naród.

– Najzwyczajniej w świecie brakowało mi wtedy pieniędzy i oszczędzałam nawet na biletach. Całe kieszonkowe od rodziców i wszystkie pieniądze od babci wydawałam na błony do aparatu, na książki o fotografowaniu, na papier, na odczynniki do ciemni. I na bieliznę. Uwielbiam piękną bieliznę. Gdy zaczęły mi jak szalone rosnąć piersi, to... to miałam duże wydatki – dodała z uśmiechem. – Czy twoja kobieta ma duże piersi? – zapytała nagle.

Spojrzał na nią zdumiony. Zupełnie nie spodziewał się takiego pytania. Tak prosto z mostu, otwarcie, bez ogródek? Chcąc ukryć zmieszanie, odwrócił szybko głowę i sięgnął po papierosy do kieszeni marynarki zawieszonej na oparciu metalowego siedzenia. Zapalił...

W Stanach takie pytanie – jeśli w ogóle – zadałby tylko psychoanalityk. Ostatnio w Ameryce nie ma psychiatrów. Wszyscy, ulegając europejskiemu trendowi, przemianowali się na „psychoanalityków". Do psychiatrów chodziły świry, do psychoanalityków, już tylko przez samą nazwę, chodzą „ludzie z problemami". Takie skojarzenie było korzystne dla obu stron. Chociaż tak naprawdę tylko bardzo niewielu psychiatrów stało się przez tę sprytną zmianę nomenklatury psychoanalitykami. Reszcie się tylko wydawało.

No więc takie pytanie zadałby nie psychiatra, ale psychoanalityk. I to dopiero po kilku miesiącach spędzonych na kozetce. I oczywiście kilkuset dolarach honorariów. Zważywszy na to, że tygodniowa pensja, na przykład takiej Lizy, nie była większa niż pięćdziesiąt dolarów, wizyty u psychoanalityków pod koniec lat dwudziestych były nieprzyzwoitą dekadencją. Amerykańscy, szczególnie nowojorscy i kalifornijscy psychoanalitycy czytali i, często bezkrytycznie, dosłownie zachłystywali się Freudem i freudyzmem. Ich gabinety w purytańskiej, nieomal wiktoriańskiej pod względem spojrzenia na ludzką seksualność Ameryce były miejscem „wyuzdanego i perwersyjnego występku ubranego w mylący swą elegancją płaszczyk pseudonaukowej medycyny, która ma z nią tyle wspólnego, ile zaklęcia i czary znarkotyzowanego, podobnie jak Freud, czarownika lub znachora u prymitywnych plemion w Nowej Gwinei lub Afryce". Koniec cytatu. Dokładnie w takim lub bardzo podobnym tonie pisały nieomal wszystkie konserwatywne, najczęściej wyznaniowe gazety Ameryki. Zygmunt Freud dla redaktorów tych gazet był „zboczonym, żydowskim kokainistą, który sprowadza najświętszą, podarowaną przez Boga ludzką świadomość do rzekomej podświadomości, na którą składa się tylko kilka głupich małpich ruchów". Według nich wszyscy ci, którzy tracą czas w gabinetach tak zwanych psychologów „uwiedzionych freudyzmem" i wydają tam swoje ciężko zarobione pieniądze, to „złapani w pułapkę naiwniacy". Zestawienie Żyda, zboczeńca i kokainisty oczywiście nie było przypadkowe. Gdy piszą tak wyznaniowe gazety w Stanach, to znaczy, że na pewno warto iść do tych gabinetów. Tym bardziej że on, Stanley, wiedział w szczegółach o tym, co dzieje się w tych gabinetach, z materiału, który przygotowała na któryś z jubileuszy urodzin Freuda niezastąpiona Matilde z działu kultury „Timesa". Któż mógłby zrobić to lepiej, jak nie ona?

„Starsza redaktor", doktor filozofii uniwersytetu w Wiedniu, Matilde Achtenstein urodziła się w Austrii. Tego samego dnia, w tym samym miasteczku co Adolf Hitler. W Braunau nad rzeką Inn, 20 kwietnia 1889 roku. Dlatego swój dzień urodzin, gdy z judaizmu przeszła na katolicyzm, przeniosła na 25 grudnia. Trzecia córka żydowskiego sklepikarza i austriackiej zubożałej arystokratki. Ich sklepik i mieszkanie na piętrze były oddalone tylko kilka ulic od domu Hitlerów. Matka Adolfa, Klara, często bywała w ich sklepie. Kupowała u nich mleko i pieczywo. Skromna, smutna, wiecznie zmęczona kobieta o ogromnych błyszczących oczach. Niemal nieustannie – z tego, co pamiętała matka Matilde, Klara Hitler urodziła szóstkę dzieci – była w ciąży. Czasami przychodziła, pchając przed sobą wózek z małym Adolfem. Alois Hitler, ojciec Adolfa, wąsaty, gruby pracownik urzędu celnego, chociaż bardzo rzadko, ale też bywał w ich sklepie. Tylko wieczorami. Kupował paloną, węgierską wódkę i ryby, które ojciec Matilde łowił w rzece Inn. Czasami brał zakupy na kredyt. Ale zawsze pod koniec miesiąca skrupulatnie płacił. Tak o rodzinie Hitlerów opowiada dzisiaj matka Matilde.

Mose Achtenstein, ojciec Matilde, skromny, milczący sklepikarz z Braunau, mógł zmienić historię świata. Ale nie zmienił. I do dzisiaj jest z tego dumny. Pewnego ciepłego majowego popołudnia 1894 roku Mose Achtenstein wybrał się rowerem na ryby. Jadąc ścieżką wzdłuż skarpy przy brzegu rzeki Inn, zauważył nagle małego chłopca, który tonął, porwany przez prąd rzeki. Bez chwili namysłu zatrzymał się, zbiegł na brzeg i wskoczył do wody. Gdy chłopiec doszedł do siebie, okazało się, że nazywa się Adolf Hitler. Zawiózł go na ramie roweru do domu Hitlerów. Do dzisiaj pamięta łzy w oczach Klary Hitler, która najpierw płakała z wdzięczności, a potem zaklinała go na wszystkie świętości, aby nie mówił o tym jej mężowi i nikomu w miasteczku. Nie chciała, aby ktokolwiek, szczególnie mąż, mógł pomyśleć, że mały Adolf bez jej wiedzy, niezauważony, oddalił się z domu. I mógł utopić się w rzece. Ojciec Matilde nie do końca dochował tajemnicy. Powiedział o tym po powrocie do domu żonie, która dociekała, dlaczego małżonek wraca z ryb tak wcześnie i w przemoczonym ubraniu.

Matilde uważa, że to tylko przewrotny i szyderczy żart jakiegoś eksperymentującego losem świata Boga zawiódł jej ojca nad rzekę Inn we właściwym momencie, w maju 1894 roku. Żyd ocala życie Adolfa Hitlera! To może być tylko wyrafinowana kpina z przeznaczenia. Ale to wcale nie była kpina. To była i jest absolutna prawda.

Matilde miała napisać krótki reportaż, a napisała pół książki na temat psychoanalizy i wydarzeń w gabinetach psychoanalityków w Nowym Jorku. Arthur po długich przetargach dał jej tylko trzy kolumny w sobotnim wydaniu. Uważał, że gdy da jej więcej, to wszyscy jego wrogowie uznają, że „znowu zrobił z «New York Timesa» żydowski kibuc". Mimo tego bolesnego dla Matilde okrojenia, artykuł wywołał falę protestów. Głównie dlatego, że pochwalał psychoanalizę. Szczególnie w tym najbardziej kontrowersyjnym aspekcie: skrywanej, zasypanej celowo piaskiem niepamięci seksualności, którą psychoanaliza odkopuje i pozwala pacjentowi, czy jak nazywają to psychoanalitycy, „klientowi", oko w oko się z nią skonfrontować. Ten aspekt z materiału Matilde, który czytał oczywiście w całości, go przekonał.

W trakcie związku – jeśli można to tak w ogóle nazwać – z Dorothy i po jego zakończeniu miał kłopoty ze swoją seksualnością. Gdy zaczęły się pojawiać u niego coraz częstsze epizody impotencji, zrozumiał, że potrzebuje pomocy. Chodził do psychoanalityka, tak naprawdę do trzech jednocześnie, nie dlatego, że stało się to, tak od końca lat dwudziestych, modne. Tak modne, że elity Nowego Jorku zaczęły uważać i rozpowszechniać swoją zupełnie oderwaną od rzeczywistości opinię, że psychoanalityk jest „potrzebny człowiekowi bardziej niż śniadanie". I to po „czarnym wtorku" z października 1929 roku, kiedy coraz więcej ludzi nie było stać na śniadanie! To prawda, że potrzebowali oni wtedy, szczególnie wtedy, psychoanalityka, ale o wiele bardziej jednak śniadania. On „analizował się" nie z powodu mody, z przekonania nie ulegał modom, bo doskonale wiedział, jak się je tworzy. Kładł się na kozetkach w trzech gabinetach, ponieważ, po pierwsze, było go na to stać, a po drugie, bardzo potrzebował rozmowy i pomocy. Nie mógł sobie poradzić ze swoim poniżeniem po historii z Dorothy Parker. Nie pomagał zapomnieć alkohol, od którego się powoli uzależniał, i jak okazało się po kilku miesiącach, nie pomogli mu także psychoanalitycy. Tak naprawdę pomógł mu syrop na kaszel...

„Cudowny syrop" odkrył jako pierwszy Mathew z redakcji sportowej. Akurat fakt, że to właśnie on, dla nikogo nie był dziwny. Chronicznie kaszlący od palonych jeden po drugim papierosów Mathew – co wcale nie przeszkadzało mu obłudnie namawiać w swoich felietonach i komentarzach do zdrowego, sportowego trybu życia – interesował się wszystkim, co mogłoby przynieść ulgę jego gardłu, oskrzelom i płucom. Któregoś dnia jego troskliwa żona Mary kupiła w aptece nowy „rewelacyjny" syrop na kaszel. Reklamowany od pewnego czasu we wszystkich, nie tylko nowojorskich gazetach. Heroina z Europy. Z dystyngowanej, otoczonej legendą, niemieckiej firmy Bayer z Monachium. Amerykańscy lekarze z tytułami profesorów rozpisywali się w pochwalnych listach o zaletach tego leku. „Skuteczny, niezwykły, absolutnie bezpieczny" i na dodatek bez recepty. Można heroinę pić w postaci syropu, można ją połykać w postaci tabletek, a kobiety mogą ją nawet przyjmować dopochwowo w tamponach. Kaszel miał rzekomo po heroinie mijać jak ręką odjął. Dzieciom, kobietom i mężczyznom. Mathew także przestał kaszleć. Wszyscy w redakcji się dziwili, ponieważ „papierosowe", chroniczne ataki kaszlu u Mathew były dla niego tak charakterystyczne jak nieustanne, także chroniczne, afery z kobietami. Mathew zdradzał żonę częściej, niż miał te ataki. I oto nagle Mathew palił tyle samo co zawsze i nie kaszlał. To Mathew odkrył przed nim tajemnicę działania heroiny. Nie dość, że nie kaszlał, to pewnego razu poczuł się inny. Silny, atrakcyjny, męski, wyzbyty jakiegokolwiek lęku.

Pamięta, jak opowiadał mu o tym któregoś wieczoru w Cotton Club, jazzowym klubie na Sto Czterdziestej Drugiej Ulicy, w Harlemie, po długim, ciężkim dniu w redakcji. Siedzieli przy barze w antrakcie koncertu Duke'a Ellingtona i szybko, aby zdążyć na drugą część, upijali się Madden's No. 1, nielegalnie – z powodu prohibicji – pędzoną wódką, dyskretnie nalewaną do filiżanek na kawę. Ulubiony trunek sprytnego, dobrze znanego w nowojorskim podziemnym światku właściciela klubu Owneya Maddena, który, płynąc na fali amerykańskiego szaleńczego zainteresowania jazzem, sprowadzał najlepszych muzyków z Południa i w krótkim czasie z mało znanego Cotton Club w czarnym Harlemie uczynił kultowe miejsce Nowego Jorku. Można było tutaj posłuchać i zobaczyć samych największych w branży: Benny'ego Goodmana, Louisa Armstronga, Tommy'ego Dorseya, Fletchera Hendersona, Chicka Webba i tak jak tego wieczoru Edwarda Kennedy'ego Ellingtona zwanego Dukiem.

Chociaż często tu przychodził, niespecjalnie lubił to miejsce. Tak naprawdę bywał tutaj tylko dla muzyki. Czarnej, porywającej, zaskakującej, afroamerykańskiej muzyki z okolic Nowego Orleanu. Ale tylko muzyka była tutaj czarna. I oczywiście muzycy. Salę wypełniali wyłącznie biali. W Cotton Club panował ścisły rasowy apartheid. Murzyni mogli tutaj być tylko na scenie, podawać drinki, zmywać talerze i sprzątać toalety. Przy stolikach siedzieli wyłącznie biali. Z tego powodu, szczerze mówiąc, nie znosił tego miejsca. Gdyby nie Mathew, który koniecznie chciał się napić i koniecznie pogadać, nigdy nie opuściłby sali i nie przysiadłby się do baru, gdzie amerykański rasizm zaznaczała wyraźnie wysoka, drewniana lada z mahoniowym blatem dzieląca świat na dwie części: po jednej murzyńscy barmani uwijający się jak w ukropie, po drugiej wyłącznie biali, zachowujący się, w większości jak rasa panów. Niewolnictwo w Ameryce może się i skończyło, ale nawet ten, który je zakończył, świętej pamięci Abraham Lincoln, do końca życia uważał i, niestety, publicznie twierdził, że „Murzyni nigdy jako ludzie nie będą równi białym, ale na wolność jako obywatele zasługują". To jednakże wystarczyło, aby czarni witali go jako „ojca Abrahama", porównując do biblijnego Mojżesza, który wyprowadził ich lud do ziemi obiecanej. Cotton Club w nowojorskim Harlemie, a szczególnie jego bar, nie przypominał mu w niczym tej „ziemi obiecanej". Za barem stali „obywatele", którzy – trudno było mu w to uwierzyć – mieli identyczne prawa jak on. Różnili się od niego jedynie stężeniem pigmentu w skórze. Teoretycznie – niezależnie, jak niewyobrażalnie i absurdalnie to brzmi – każdy z nich mógłby pewnego dnia, zgodnie z hołubioną przez Amerykanów jak relikwia konstytucją, zostać prezydentem Stanów Zjednoczonych! Murzyn prezydentem?! Przysięgający wierność konstytucji, z ręką na Biblii, na tarasie waszyngtońskiego Kapitolu zbudowanego rękami czarnych niewolników?! Przy placu, na którym jeszcze sto lat temu handlowano Murzynami jak bydłem?! To tak jakby uwierzyć, że człowiek kiedyś będzie spacerował po Księżycu. Gdyby on urodził się jako Murzyn, czułby się przy barze w Cotton Club poniżony...

Mathew tego podziału zupełnie nie zauważał. Mathew był z urodzenia, pochodzenia, przekonania i czystej wygody rasistą. Mathew w ogóle uważał, że na świecie jest porządek dopiero wtedy, gdy „Murzyni znają swoje miejsce, a kobiety zajmują się głównie gotowaniem, rodzeniem i robieniem dobrze mężczyznom". Jedyne, czego zazdrościł Murzynom, to ich legendarnie długich penisów. Zwykł mawiać, że Murzyni „psują białe kobiety, które po seksie z czarnymi zaczynają oczekiwać od człowieka dwudziestocalowego prącia, a Azjatki to chyba nawet dwudziestopięciocalowego". To właśnie od Mathew podczas jednej z burzliwych dyskusji o amerykańskim rasizmie dowiedział się między innymi, że Azjatki mają „bardzo płytkie waginy, ponieważ Azjaci – takie ewolucyjne dopasowanie, szczególnie zauważalne u Koreańczyków i Koreanek – mają bardzo krótkie prącia, i dlatego można je penetrować na pół gwizdka, ale tylko te, których nie penetrował przedtem żaden czarny, po czarnym trzeba na półtora gwizdka". Rasizm Mathew wyrażał się w bardzo konkretny i czasami dziwaczny sposób. Tego wieczoru nie rozmawiali w Cotton Clubie o rasizmie. Mathew chciał mu opowiedzieć o wyjątkowym niemieckim syropie na kaszel.

– Któregoś razu przydusiło mnie tak mocno, że myślałem, no, że zaraz, kurwa, zrobię skandal anatomiczny i wypluję jednocześnie krtań, oskrzela, płuca i przeponę na biurko, więc profilaktycznie wypiłem całą butelkę, chociaż w ulotce z pudełka pisali, że nie wolno przekraczać jednego kieliszka – zaczął Mathew. – Odjechałem. Stanley, wierz mi, naprawdę odjechałem. Cały świat stał się piękny. Poczułem się jak niezwyciężony rzymski gladiator. Po niewielkiej flaszce zwykłego syropu na kaszel miałem w dupie zrzędzącego, upierdliwego Arthura, miałem w dupie to, że Yankees przegrali czwarty raz z rzędu, i jeszcze głębiej w odbycie miałem cały ten chory dramat z Wall Street. Kupiłem kwiaty i pojechałem do Marilyn. I ją wybzykałem. I potem jeszcze raz. Z tymi kwiatami to był bardzo głupi pomysł, a z tym podwójnym bzykaniem jeszcze głupszy. Gdy przyjdziesz bez zapowiedzi do kochanki i przyniesiesz jej kwiaty – pierwszy raz w jej życiu – i potem ją dwa razy wybzykasz, raz po razie, to wybacz, ale ona musi dostać głupich myśli. I to nie jest dobrze, Stanley. A ja przecież byłem na tym syropie z Niemiec i nie całkiem wiedziałem, co robię. Mojej małej, głupiutkiej Marilyn się wydawało, no, wiesz, te kwiaty i ten dziki seks, że ja przyjechałem się tam niby, kurwa, jak gdyby oświadczyć i gdy tylko wyjdę jeszcze ciepły z jej łóżka, to pędem pobiegnę do urzędu, aby się dla niej rozwieść. A to nie tak. Ja już się raz oświadczyłem. Tak na amen. Ja jestem naprawdę wiernym facetem. No sam

powiedz, Stanley, czy nie? Oświadczyć można się tylko raz, no nie? To zupełnie nie tak. Wprost przeciwnie. Potem wieczorem, w domu, co nigdy wcześniej mi się nie zdarzało, czułem taką winę wobec Mary, że po kolacji pomogłem jej zmyć naczynia, położyć dzieciaki i w tej swojej szczerej pokucie zaciągnąłem ją do łóżka. I miałem erekcję. Nie żadną taką udawaną, pokutną. Nie! Taką na maksa, jak w noc przedślubną. Ona chyba bardziej się zdziwiła niż ja. Bo ona czuje, że po tych wszystkich latach mnie już nie kręci. Ale tej nocy mnie zakręciła, i to tak, że byłem jak heroiczny rycerz z wysuniętą do przodu i do góry lancą. Stanley, mówię ci, ten syrop od szkopów jest magiczny...

Znał Mathew – od wielu lat się przyjaźnili, to on poznał go z Mary i to on był świadkiem na ich ślubie – wiedział więc, jak Mathew potrafi czarująco koloryzować wszystkie swoje opowieści. Szczególnie te o kobietach. Słuchał z niedowierzaniem, jednak ta informacja o syropie zastanowiła go. Mathew, oprócz amerykańskiego futbolu i młodych – tak do dwudziestu pięciu lat – kobiet, rzadko kiedy coś zachwycało. Mathew lubił „płyny", ale jeśli już, to z pewnością nie były to syropy z apteki. Wykwintny, szmuglowany z Francji koniak, polska wódka z wybranych sklepów na Brooklynie lub oryginalny absynt kupowany prosto od „artystów" w Greenwich Village. Te płyny mogły Mathew ewentualnie zachwycić, ale nie jakiś tam syrop na kaszel!

Jeszcze tego samego wieczoru, wracając z Cotton Clubu do domu, zatrzymał się przy nocnym sklepie 7-Eleven obok dworca Pennsylvania Station. Wiedział, że mają tam duży dział z lekarstwami. Heroina stała obok brązowych buteleczek z witaminą C, środków na przeczyszczenie lub zatwardzenie i kolorowych kartoników tabletek od bólu głowy. Heroina była oferowana w pełnym wyborze: syrop, tabletki, zwykłe opakowania, eleganckie opakowania z kryształowego szkła, duże na zapas w przecenie, standardowe po normalnej cenie, a także specjalne wersje opakowań heroiny dla dzieci, które z reguły nie lubią pić syropów, z różową, plastikową łyżeczką trzymaną przez maskotkę Myszkę Miki z kreskówek Disneya. Kupił dwie największe butelki, takie „na zapas".

Mathew miał rację, heroina była magiczna.

Przekonał się o tym jeszcze tej nocy. Najpierw nakarmił miauczącego Mefista, potem usiadł przy stole w kuchni, zapalił papierosa i nalał do pełna przezroczysty, gęsty płyn do kieliszka. Był lekko słodkawy, praktycznie bez zapachu. Przypomniał sobie słowa Mathew: „Wypiłem całą butelkę, chociaż w ulotce napisano, że nie wolno przekraczać kieliszka". Wypił całą butelkę. Wstał i z lodówki wyciągnął whisky. Potrzebował alkoholu.

„Odjazd", jak nazywał to Mathew, zaczął się u niego po piętnastu minutach. Whisky na heroinie albo heroina na whisky. To wszystko na dodatek po trzech pełnych szklankach madden's No.1 wypitych w Cotton Clubie. U niego tak naprawdę nie było „odjazdu", u niego był to prawdziwy „odlot". Był na chemii. Niezwykłej chemii. Najpierw było mu po prostu dobrze. Spokojnie. Nie tęsknił za Dorothy. Potem nie wstydził się swojej impotencji. Nie miał żadnej impotencji! Zsunął spodnie. Z pewnością nie miał żadnej impotencji! Nie miał! Mógłby teraz rżnąć Dorothy Parker i wsuwać swojego penisa w jej usta bez końca. Niczego się nie bał. Ani swojej samotności, ani przyszłości. Przeszedł do pokoju i rozebrał się do naga. Wyciągnął aparat i zaczął się fotografować. Miał absolutnie pełną erekcję! Tak jak kiedyś! Chciał to koniecznie utrwalić. Wrócił do czasów przed spotkaniem z Dorothy Parker. Był znowu jak normalny Stanley Bredford. Silny, wolny, niezwyciężony...

Obudził się skulony i skostniały z zimna na podłodze przed łóżkiem. Obok na słuchawce telefonicznej leżał Mefisto i lizał jego rękę. Nie pamięta, czy zadzwonił tej nocy do Dorothy. Jeśli tak, to chyba nie powiedział jej nic interesującego, ponieważ nigdy nie oddzwoniła. Nie pamięta też – jeśli zadzwonił – czy to podczas rozmowy z nią się onanizował. Po drodze do pracy zatrzymał się w 7-Eleven obok dworca Pennsylvania Station. Kupił osiem butelek heroiny „na zapas". Pierwszą opróżnił już w samochodzie, stojąc w korku w pobliżu Times Square.

Po trzech miesiącach „odlotów" zupełnie nie bał się już Dorothy Parker. Bał się za to sprzedawców w 7-Eleven obok dworca Pennsylvania Station. Rozpoznawali go jako stałego klienta i pakowali heroinę, zanim cokolwiek zdążył powiedzieć. Któregoś dnia zebrał się na odwagę i opowiedział o tym swojemu psychoanalitykowi. Okazało się, że on leczy „takich na heroinie", aby mogli wrócić do życia „sprzed heroiny". I że szpitale zaczynają robić się pełne od „takich na heroinie". Odkąd morfina stała się niedostępna, większość morfinistów przeszła na heroinę. Podobnie jak większość tych, którzy dotychczas „odjeżdżali" na opium. Szczególnie dla całej masy emigrantów z Chin, dla których opium było jak opłatek dla katolików. Po co płacić krocie za opium, jeśli heroina jest tańsza od butelki polskiego bimbru z Brooklynu? To, że heroina jest dostępna bez recepty, jest – zdaniem jego psychoanalityka – absolutnym skandalem. Że w ogóle jest dostępna w aptekach, to skandal. Niemcy z firmy Bayer sprytnie oszukali cały świat i sprzedają heroinę jako niewinny środek na koklusz. W Niemczech, Austrii i Szwajcarii to się pewnie sprawdza. Tam mało kto wypije całą butelkę, gdy w instrukcji wyraźnie napisano, żeby zażyć tylko kieliszek. Niemcy to wyjątkowo zdyscyplinowana nacja trzymająca się instrukcji jak wszy ludzkiej skóry we włosach. Ale w Ameryce to nie działa. Amerykanie czują się wolni od wszystkiego. Przede wszystkim od instrukcji. Ludzie tutaj nie czytają instrukcji i zamiast kieliszka wypijają całe butelki. I gdy potem razem z kaszlem znika im smutek i lęki, wtedy piją już wyłącznie całe butelki. Albo jeszcze sprytniej, aby działanie pojawiło się jeszcze prędzej: rozpuszczają kryształki heroiny w alkoholu i wstrzykują to sobie do żyły...

Jego lekarz miał zupełną rację. Świat to wkrótce potwierdził. Około trzydziestego czwartego roku heroina zupełnie zniknęła z aptek. Kilka miesięcy później została w prasie z hukiem zdelegalizowana. Firma Bayer nigdy nie ogłosiła w żadnym oficjalnym raporcie, że heroina jest niebezpiecznym, bardzo szybko uzależniającym narkotykiem. Podobnie jak liczni uwiedzeni heroiną amerykańscy profesorowie medycyny nigdy nie odwołali swoich pochwalnych artykułów na temat „syropu na kaszel" z Niemiec. Nikt nie wie, co stało się z tonami heroiny po jej zdelegalizowaniu. W każdym razie w Nowym Jorku, San Francisco, Los Angeles i Bostonie były miejsca, gdzie „Hero", przez duże „H", można było kupić jeszcze przez długi czas. Ameryka bardzo powoli uwalniała się od heroiny.

On uwolnił się od heroiny – zdaniem jego psychoanalityka – zdumiewająco szybko w porównaniu z innymi. Zajęło mu to około dziewięciu miesięcy. Trochę więcej palił, dbał, aby nie jeździć do biura obok Pennsylvania Station, uciekł na trzy tygodnie na Bahamy, potem wrócił i po powrocie nie mógł się dostosować do tempa życia w Nowym Jorku. Arthur to zauważył i sam go wysłał na pół roku, jak to nazwał, „do sanatorium". Także za takie gesty szanował Arthura.

Wrócił do rodziców. Zamieszkali z Mefistem w jego pokoju na piętrze. Matka nie mogła w to uwierzyć. Przez pół roku każdego ranka budziła go rano zapachem kawy i jego ulubionego twarogu ze szczypiorkiem, upewniając się w ten sposób, że ciągle tam jest. A on przez pół roku wstawał, przebierał się w niebieski fartuch i przez dwanaście godzin nalewał benzynę do samochodów zatrzymujących się na stacji benzynowej ojca. W niedzielę wywoływał swoje zdjęcia w ciemni obok toalety. Ojciec nigdy nie zlikwidował tej ciemni. Gdy pierwszy raz tam wszedł, po wszystkich tych latach, wszędzie wisiały pajęczyny, a po podłodze biegało stado myszy. Ojciec nigdy nie rozebrał także stojaka na podwórzu. Tego z drewnianą tablicą i metalową obręczą z przywiązaną do niej siatką. To przy tym stojaku Andrew stawał się mistrzem koszykówki. Ojciec kochał swoich synów tak samo jak matka. Nie tak samo. Inaczej. Może nawet mocniej. Tyle że nie potrafił o tej miłości opowiadać. Niektórzy ludzie po prostu nie potrafią mówić o swoich miłościach, ale to wcale nie znaczy, że nie kochają. Czasami, gdy godzinami nikt nie przyjeżdżał na stację, wychodził na plac przed stojakiem i starał się trafić piłką do otworu w obręczy. Ojciec przychodził wtedy na plac, siadał na wyleniałej trawie, palił papierosa za papierosem i patrzył na niego. Jego starszy syn Stanley rzucał piłkę, ale to jego młodszy Andrew trafiał. Stanley rzadko trafiał, ale ojciec widział tylko same trafienia...

Któregoś dnia zadzwonił do Andrew. Celowo około tygodnia przed urodzinami ojca. Tak naprawdę przez ponad godzinę rozmawiali o niczym. Zgodził się rozmawiać z Andrew o niczym tylko dlatego, aby zupełnie przypadkowo przypomnieć mu o urodzinach ojca. Gdy tylko udało mu się wepchnąć w rozmowę tę informację, mógł już spokojnie słuchać opowieści o „wielkich sukcesach" małego Andrew opatrzonych nudnymi wykładami z fizyki. Brat potrafił od pewnego czasu mówić tylko o dwóch rzeczach: o swoich sukcesach i o fizyce.

Nadszedł dzień urodzin. Ojciec ubrał się jak zawsze w ślubny garnitur i od rana upijał się brązowawym, śmierdzącym bimbrem. Pierwszą szklankę wypił przed poranną kawą, drugą do porannej kawy, ostatnią tuż po północy. Andrew nie zadzwonił. Gdy po północy ojciec z trudem wstał z fotela stojącego przy stoliku z telefonem i na chwiejnych nogach wytoczył się z salonu, on upił się tym samym bimbrem. W ciągu godziny. Do poziomu zamroczenia ojca. W którymś momencie nie wytrzymał i wykręcił numer telefonu Andrew. Nie pamięta, ile razy wybierał tej nocy jego numer. Za każdym razem linia była zajęta. Sprawdził kilkakrotnie u operatora, ze z linią było wszystko w porządku. Za każdym razem instruowano go, że „abonent najprawdopodobniej prowadzi rozmowę lub niepoprawnie odłożył słuchawkę". Każdy, kto znał Andrew, wiedział, że kto jak kto, ale nieskazitelnie poprawny dr Andrew Bredford zawsze, bez wyjątku, prawidłowo odkłada słuchawkę telefoniczną. Trudno mu także było uwierzyć w to, że jego brat rozmawia z kimś nieprzerwanie od pierwszej w nocy do piątej nad ranem. Nigdy wcześniej nie czuł takiej złości do brata jak przez te kilka godzin. Ale ta noc, pomimo całej frustracji, bezsilności i rozczarowania, była dla niego ważna. Chyba właśnie tej nocy zrozumiał, co to znaczy być ojcem...

Do Nowego Jorku wrócił, gdy upewnił się, że może przestać pić. Nie przestał, ale wiedział, że potrafi to kontrolować. Celowo na dzień powrotu wybrał niedzielę. Chciał być sam. Około południa usiadł przy swoim biurku w opustoszałej redakcji. W jego zwykłym, popalonym papierosami skoroszycie znalazł zlecenia „na jutro" przygotowane przez Lizę. Tak jak gdyby tych wyrwanych z jego życia dziewięciu miesięcy nieobecności zupełnie nie było. Po chwili zadzwonił telefon.

– Stanley – rozpoznał głos Arthura w słuchawce – pojedź proszę natychmiast z aparatem na Wall Street. Jakiś idiota chce na schodach giełdy demonstracyjnie poderżnąć sobie brzytwą gardło. To już szesnasty w tym roku. Zrób kilka zdjęć i rozeznaj się, kto to taki. Jeśli nie będziemy mieli pecha, to sobie poderżnie i mamy świeżutkiego newsa. Poprzedni wariaci tylko grozili. Nie wysyłałbym cię tam akurat dzisiaj, ale ten gościu twierdzi, że jest blisko spokrewniony z Charlesem Mitchellem. Szczególnie ten ślad sprawdź. Jeśli to prawda, to mielibyśmy naprawdę coś, nawet gdyby zmienił zdanie i się nie poderżnął. Potencjalny samobójca i krewny faceta, który latami napędzał tę chorą euforię na Wall Street, to jest coś, prawda, Stanley?

– Jasne, Arthur, jasne – odparł – zaraz tam pojadę. To jest bardziej niż coś. Będę na Wall Street za chwilę.

– A w ogóle to jak u ciebie, Stanley? Adrienne bardzo chce cię widzieć. Wpadniesz do nas wieczorem? Mówiła mi, że śniłeś się jej ostatnio. Ty to masz chłopie szczęście. Chciałbym śnić się kobietom, Stanley. Nawet tylko Adrienne. Ale jednej wrednej babie to wcale bym nie chciał... Parker jest daleko. Nie dodzwonisz się do niej w mieście. Wiem, gdzie jest. Powiedz, że nie chcesz jej numeru w Europie?

– Nie chcę, Arthur...

– Pamiętasz ciągle tę Parker? Możesz teraz spokojnie skłamać.

– Pamiętam.

– Skłamałeś?

– Tak.

– No i dobrze, synu. Tak trzeba czasami. Przyjedziesz wieczorem sam czy mam wysłać po ciebie samochód?

– Przyjadę sam.

– I nie przywieziesz ze sobą promili, Stanley?

– Nie przywiozę, Arthur, nie przywiozę...

– A co przywieziesz?

– Kilkaset zdjęć z Pensylwanii.

– Przyjeżdzaj, Stanley, czekamy z Adrienne na ciebie...

Po tej rozmowie był pewien, że wrócił do normalnego życia.

Spojrzał na Annę. Nie doczekała się jego odpowiedzi. Ostatnio często mu się zdarzało, że – tylko pozornie – ignorował zadane mu pytanie, zapadał się w swoje rozmyślania i wspomnienia, stając się na długi czas nieobecny. To musiało być chyba w jakiś sposób dziedziczne – pomyślał. Coraz bardziej upodabniał się do swojego dziadka Stanleya, który czasami na pytanie zadane przez babcię przy śniadaniu ni stąd, ni zowąd odpowiadał dopiero przy kolacji.

Anna, przytulona prawym policzkiem do krawędzi metalowego oparcia, spała. Przez chwilę wpatrywał się w jej twarz. Jej jasne włosy rozsypały się nieregularnymi strużkami wzdłuż głowy i opadając na ramiona, lśniły w świetle mrugającej żarówki. Chwilami zagryzała wargi i zaciskała powieki. Powoli uniósł jej nogi i ostrożnie zsunął ze stóp buty. Potem oparł jej nogi na swoich udach i szczelnie przykrył ją płaszczem. Zamruczała coś tylko niewyraźnie pod nosem, ale się nie przebudziła. Wsunął dłonie pod płaszcz i objął nimi jej stopy. Spojrzał w ciemność za oknem samolotu. Wróciło do niego jej niecodzienne pytanie.

„Czy twoja kobieta ma duże piersi?".

Nie wiedział, czy istnieje jakakolwiek „jego" kobieta. Nigdy nie istniała w jego życiu żadna „jego" kobieta – w tym normalnym, powszechnie zrozumiałym sensie – ponieważ nigdy nie domagał się od kobiet, z którymi bywał, wyłączności. Pojawiały się, wkraczały w jego życie z całym bagażem swojej przeszłości – czasami tej sprzed kilku dni lub tylko sprzed kilku godzin – a on nigdy nie pytał o ich mężczyzn, nie pytał, z kim obudziły się rano i do kogo, po spędzonej z nim nocy, powrócą. Gdy nie pytał pierwszego wieczoru, były mu wdzięczne. Gdy nie pytał w trakcie kolejnych spotkań, zaczynały być zaniepokojone. Zauważył, że kobiety zdradzające swoich mężczyzn – a wiele z tych, które poznawał, kogoś z nim zdradzało – koniecznie chciały o nich opowiadać. Albo chociaż ich wspomnieć. Tak naprawdę nie rozumiał po co. Przypuszczał, że chciały się jakoś przed nim usprawiedliwić. Opowiedzieć mu, że to nie tak, że z przekonania są, bardzo chcą i będą wierne, że niewierne są jedynie z powodu braku miłości, braku czułości, braku rozmowy, braku dotyku, zobojętnienia, zaniedbania i lodowatego zimna ich związków. Chyba właśnie to chciały mu historiami o ich mężczyznach powiedzieć. I zasugerować, że – z nadzieją – szukają tego wszystkiego u niego. Ale on zupełnie nie chciał tych historii słuchać. Poza tym te ich nadzieje go przerażały. Ostatnią rzeczą, jaką chciał im dawać, były takie nadzieje! Chciał te kobiety „mieć" – swoją drogą nie znosił tego słowa – na krótko, wyłącznie „randkowo" i w ten sposób cały czas odświętnie. Doskonale wiedział, że prawdziwy związek zaczyna się wtedy, gdy kończy się faza randek, a odświętność tonie – często bezpowrotnie – w rutynie codzienności i niezauważalnie dla wielu przeistacza się w przyzwyczajenie, a mężczyźni zamiast kwiatów zaczynają kupować warzywa. Żeby tego chcieć, trzeba... trzeba kochać. On jak każdy chciał kochać, jednak ciągle nie był gotowy na następną fazę i dlatego nie chciał żadnych prawdziwych związków.

Tak było mniej więcej do późnego, wtorkowego popołudnia 13 lutego 1945 roku, kiedy to jego sekretarka Liza zadzwoniła do jego biura i z nieukrywaną złością w głosie powiedziała, że „niejaka Doris P. od kilku minut stacjonuje w bazie i ma sprawę".

Nie wiedział, czy Doris P. jest jego kobietą. Niecodzienna bliskość ich jednej jedynej nocy, to niezwykłe pożegnanie przed jego podróżą do Europy, ten jej jeden jedyny list... To było bardzo wiele, ale razem wzięte wcale nie upoważniało go do myślenia, że Doris czeka na niego w Nowym Jorku. Tak bardzo chciałby, aby czekała...

Nagle wygasły wszystkie światła. Oparł głowę na ramieniu Anny, próbując zasnąć. Rozprostował nogi. Usłyszał dochodzący z dołu szelest papieru. Schylił się i podniósł z metalowej podłogi paczkę od Cécile. W całym tym zamieszaniu i pośpiechu przed startem samolotu zupełnie o niej zapomniał. Zębami przegryzł sznurki, odwinął szary papier i wyjął kwadratowe pudełko. Pod przykrywą kartonu znalazł płytę gramofonową. Na popękanej w kilku miejscach obwolucie płyty znajdowała się czarno-biała fotografia pustej sali koncertowej z fortepianem na środku sceny. Przeczytał napis: *Sergei Rachmaninov, the best piano concerts*. Spomiędzy okładek obwoluty wystawał kawałek materiału. Na jedwabnej, kremowobiałej chuście zobaczył wyrysowane czarnym atramentem cztery rzędy pięciolinii wypełnione nutami. Nad nimi, pismem Cécile, wykaligrafowany tytuł: *Prélude cis-mol*. Chusta ciągle pachniała jej perfumami. Pod płytą, owinięte w wełniany szalik, znalazł dwie butelki whisky. Tej samej. Irlandzkiej, spod lady w sklepiku nocnym w Luksemburgu, tej dziesięć razy droższej niż w Nowym Jorku. Zerknął na etykietę na butelce i przeczytał czarny napis: Paddy Irish Whiskey. Przypomniał sobie jej głos, gdy uśmiechając się do niego, mówiła: „Przebiegłam wszystkie spelunki w tym mieście, aby ją znaleźć".

Odkręcił złotawą, blaszaną zakrętkę z symbolem liścia koniczyny na wieczku, przyłożył butelkę do ust. Wrócił myślami do Luksemburga i Trewiru. Nie dość, że poczuł rodzaj smutku i nostalgii przemijania, to na dodatek whisky bez Cécile smakowała jak tania palona wódka z przemytu. Zasnął, słysząc z oddali Rachmaninowa...

Obudziło go mocne szarpnięcie za ramię. Adiutant Pattona wkroczył z latarką do kabiny i informował wszystkich, że za chwilę „wylądują w Gender na tankowanie". Przekroczyli Atlantyk, lecieli nad Kanadą. Po chwili samolot zaczął kołysać się w turbulencjach. Anna mocno ścisnęła jego dłoń.

– To już niedługo, prawda? – zapytała przerażona.

– Niedługo co?

– Kocham cię, pamiętaj...

Wylądowali. Najpierw usłyszał odgłos oklasków dochodzących z tyłu samolotu, a zaraz potem trzask otwieranych luków. Po kilku minutach kabinę wypełniło zimne powietrze śmierdzące oparami benzyny.

W kanadyjskim Gender „na tankowaniu" spędzili około godziny. Tuż po starcie, gdy przestało kołysać, Anna podniosła się z siedzenia i stanęła przed nim. Pamięta ten widok. Rozsypane, potargane blond włosy, ogromne przerażone oczy, spuchnięte wargi, opięta wokół jej ogromnych piersi mokra od potu bluzka. Przeszła do toalety w końcu samolotu. Po chwili, tak jak się spodziewał, usłyszał kolejny odgłos oklasków i gwizdy.

– Tam w ogonie samolotu siedzi na napęczniałych jajach stado samców w trakcie rui! – powiedziała z przerażeniem w głosie, gdy wróciła. – Czy wszyscy amerykańscy żołnierze są tacy?

– W tej sytuacji chyba większość – odparł z uśmiechem. – Szczególnie ci, którzy wracają do domu i od miesięcy nie dotykali kobiety. Dziwi cię to?

– A kiedy ty ostatni raz dotykałeś kobiety? – zapytała niby mimochodem, wyciągając zielone banknoty wsunięte za pasek spódnicy. – Wyobraź sobie, że oni wyciągali ręce i wsuwali mi pieniądze. Jacyś porąbani wariaci chyba... Czy kupię za to jakieś dobre wino dla ciebie w Nowym Jorku? – zapytała, rzucając mu banknoty na kolana.

– Zaczekaj sekundę – odparł, licząc pieniądze. – Za jednym wyjściem zebrałaś ponad sto dwadzieścia dolarów, czyli blisko cztery tygodniowe pensje urzędniczki w mieście! Możesz za to kupić ekskluzywną bieliznę w niezłym sklepie na Piątej Alei. Nieźle!

– Ile potrzeba na nową leicę? Taką mniej więcej jak twoja? – zapytała podniecona.

– Taką jak moja? Tak mniej więcej, na dzisiejsze ceny, dziesięć, maksymalnie dwanaście razy tyle. Dziesięć do dwunastu miesięcznych pensji – odparł z uśmiechem.

– Myślisz, że jak zdejmę bluzkę i stanik i pójdę się jeszcze raz wysikać, to zbiorę od tych facetów takie pieniądze?!

– Jasne! Oczywiście, że tak! – zażartował rozbawiony jej pytaniem.

Wtedy zdarzyło się coś zupełnie nieoczekiwanego i niezwykłego. Anna najpierw ściągnęła bluzkę, a potem powoli odpięła stanik i rzuciła go na jego kolana. Stała przed nim półnaga.

– Więc pójdę – powiedziała, zapalając papierosa.

Zerwał się natychmiast z siedzenia. Schwycił ją za ramię, próbując zatrzymać.

– Aniu, żartowałem. Proszę, nie rób tego! – wykrzyknął.

– Ja także żartuję – odpowiedziała.

Posadził ją i przykrył płaszczem. Usiadł obok niej. Sięgnęła po jego rękę. Przycisnęła dłoń do swojej piersi. Czuł szybkie bicie jej serca. Nie był wcale pewien, czy żartowała. Anna Marta Bleibtreu była nieprzewidywalna. Szczególnie gdy czegoś bardzo chciała. Inna. Zupełnie inna niż kobiety, które spotkał dotychczas...

Wylądowali. Rozpoznał znajome lotnisko na Long Island. Z niego startował w swoją podróż do Europy. Wysiedli z samolotu jako ostatni. Anna zeszła z trapu i przytulona do futerału ze skrzypcami rozglądała się dookoła.

– Jedziemy do Nowego Jorku, Stanley, prawda? – zapytała wystraszona.

– Tak. To już niedaleko.

– To naprawdę prawda, Stanley?! I nikt mi cię już nie odbierze?

– Nikt.

Najpierw odjechała kolumna samochodów z Pattonem, potem żółty autobus z rannymi żołnierzami. Zostali sami. Pomimo mocnego wiatru wiejącego od oceanu było wyjątkowo ciepło, nieomal wiosennie. Dwójka żołnierzy wystawiała na betonowy plac bagaże z luku samolotu. Przeniósł ich walizki i ustawił przed trapem. Po chwili pod samolot podjechał wojskowy gazik.

– Bredford i Bleibtrue?! – wykrzyknął kierowca.

– Nie!

– A kto?

– Bredford i Bleibtreu – odkrzyknął, poprawnie i powoli wypowiadając nazwisko Anny.

Kierowca wysiadł z wozu, zasalutował i podał mu zalakowaną kopertę. Załadował walizki do bagażnika. Dał znak Annie, aby wsiadła do samochodu. Wyjechali z lotniska bez żadnej kontroli.

– Pojedzie pan, żołnierzu, najpierw na Brooklyn, w okolice Flat bush Avenue, a potem na Manhattan. Po drodze powiem panu, gdzie zatrzyma się pan przy Flatbush i gdzie na Manhattanie – polecił kierowcy, czytając dokładną instrukcję przygotowaną przez Lizę.

Z listu napisanego przez Lizę wynikało, że Arthur wynajął dla Anny umeblowany pokój przy jednej z przecznic w pobliżu Flatbush Avenue, w samym centrum Brooklynu. Właścicielką domu jest stara przyjaciółka Adrienne, która „zrobi wszystko, aby Miss Anna Marta Bleibtreu czuła się tam dobrze". Czynsz za sześć miesięcy został przekazany i zostanie potrącony w ratach z pensji Miss Bleibtreu, która od dzisiaj jest „praktykantką w wydawnictwie gazety «New York Times»". Ze względu – tu następował zamieszczony przez Lizę w całości i bez zmian oryginalny cytat Arthura – „na tych chujów w urzędzie imigracyjnym Miss Bleibtreu nie posiada rzekomo uprawnień do podjęcia pracy na terenie Stanów Zjednoczonych". Wynagrodzenie za pracę Miss Bleibtreu zostanie dodawane, tymczasowo, do jego pensji. Dalej, cytując Arthura, Liza pisała: „ta poniżająca dla Miss Bleibtreu sytuacja ulegnie zmianie po włączeniu do rozmów z urzędem imigracyjnym prawnika wydawnictwa, co może, niestety, nastąpić dopiero – ze względów formalnych – po przedłożeniu dokumentów personalnych przez Miss Bleibtreu". Do listu Lizy podpięte spinaczem były dwa czeki. Jeden na sumę czterystu dolarów na nazwisko Anny wystawiony przez Adrienne, drugi na sumę dziesięciu dolarów podpisany przez Lizę. Nie wie dlaczego, ale poczuł nagle ogromne wzruszenie. Szczególnie z powodu tych dziesięciu dolarów Lizy.

– Co jest, Stanley? Dlaczego masz załzawione oczy? – zapytała przestraszona Anna. – Coś złego?

– Nie! Wręcz przeciwnie. Coś bardzo dobrego, Aniu – odparł, tuląc ją do siebie.

Przez całą drogę Anna z twarzą przyklejoną do szyby samochodu ściskała jego rękę. Po godzinie dotarli do Brooklynu. Z Tillary Street skręcili w lewo we Flatbush Avenue. Tuż za skrzyżowaniem Flatbush i Tillary był maleńki „spożywczak", w którym czasami, gdy trafiał na Brooklyn, kupował pomarańcze i banany. Właściciel sklepu Louis był Portorykańczykiem. Robił o nim kiedyś reportaż, gdy urząd imigracyjny odmówił jemu i całej jego rodzinie przedłużenia wizy pobytowej. Rzekomo zatajał dochody, co „grozi Stanom Zjednoczonym ogromnymi wydatkami związanymi z utrzymywaniem na koszt amerykańskich podatników kolejnego nielegalnego imigranta". To była kolejna bzdura biurokratów z ratusza. Louis nic nie zatajał. Po prostu po „czarnym wtorku" ludziom zabrakło pieniędzy i powoli przestawali u niego kupować, przenosząc się do dużych, tańszych sklepów, takich jak na przykład Key Food. Wielu z tych ludzi nie miało wyboru. Kartki żywnościowe wydawane tym najbiedniejszym – a tych wkrótce było najwięcej – akceptowano wyłącznie w dużych sklepach. To także wymyślili skorumpowani urzędnicy w ratuszu. Małym sklepikom nie wolno było przyjmować kartek. Dopiero po materiale w „Timesie" i długich przepychankach prawnych z urzędem imigracyjnym wycofano nakaz ekstradycji rodziny Louisa. Do dzisiaj Louis przysyła co tydzień skrzynki bananów i pomarańczy na adres „Timesa". Louis ma u siebie w sklepie najlepsze pamarańcze i banany w mieście. Świeże. Prosto z Kuby.

Tak bardzo tęsknił za owocami przez ostatnie dni. Nie zdawał sobie sprawy, że najzwyklejsze pomarańcze i banany mogą stać się wymarzonym, nieosiągalnym luksusem. Poprosił kierowcę, aby zatrzymał się na chwilę przed sklepem. Wrócił do samochodu z papierową torbą wypełnioną owocami. Rozerwał torbę i wysypał zawartość na kolana Anny. Po chwili samochód wypełnił zapach pomarańczy. Teraz dopiero naprawdę poczuł, że wrócił z wojny...

Nowy Jork, Brooklyn, niedziela, wczesny poranek, 11 marca 1945 roku

Obudziła się, gdy za oknem zaczynało szarzeć. Spojrzała na zegarek. W Dreźnie mijało właśnie niedzielne południe. I w Königsdorfie blisko Kolonii także. Siedziałaby teraz pochylona nad wiadrem, starałaby się nie słuchać z trzeszczącego radia starych, puszczanych na okrągło przemówień Goebbelsa i Hitlera przerywanych przekleństwami ciotki Annelise, i skrobałaby ziemniaki, rzucając co jakiś czas – z nudów – obierki w kierunku Karafki wygrzewającej się pod piecem w kuchni. Jeszcze przedwczoraj byłoby to dla niej jak kara za grzechy. Teraz chciałaby wrócić do tej kary, do spokoju i bezpieczeństwa tamtej kuchni w domu cioci Annelise w Königsdorfie.

Wstała i na palcach podeszła do okna. Usiadła na parapecie, zapaliła papierosa. Spojrzała przed siebie. Na budynku, tuż przy bramie prowadzącej do parku, migotał ogromny czerwony neon. Odemknęła ostrożnie okno, usłyszała poranny świergot ptaków. Nie pamięta, kiedy ostatni raz słyszała ptaki. W czasie wojny giną także ptaki. I nie ma neonów. Tutaj były i ptaki, i neony. To wszystko trwało jak przepiękny sen, z którego nie chciała się wybudzić. Zamknęła oczy. Wróciła pamięcią do poranka w Annenkirche w Dreźnie. To było przecież tak niedawno. Niecały miesiąc temu. Dotknęła piersi. Serce biło. Zagryzła wargi. Potem mocniej. Jeszcze mocniej. Gdy poczuła słony smak krwi, otworzyła oczy. Żyła. To nie był sen...

Rozejrzała się po pokoju. Był przestronny i intensywnie pachniał lawendą. Małe poduszeczki z lnu wypełnione sproszkowanymi łodyżkami i kwiatami lawendy leżały wszędzie. Najwięcej było ich w łazience wytapetowanej w turkusowym kolorze. Toaleta i wanna na tym tle uderzały śnieżną białością. Podobnie jak porcelanowy bidet, który swoją obecnością – w porównaniu ze skromnością wyposażenia całego wnętrza – zadziwiał nieoczekiwanym, kiczowatym luksusem. Pamięta, że Stanley, obchodząc z nią ten pokój, zafascynowany był jedynie tym bidetem.

Zatrzymała wzrok na dużej szafie tuż przy wejściu do małego pomieszczenia, nieomal klatki, w którym obok żeliwnego zlewu na regale z różową poplamioną firanką stała kuchenka gazowa. Jedyny pokój z kuchnią w całym dwupiętrowym domu! Astrid, właścicielka domu, podkreślała ten fakt na każdym kroku, gdy wczoraj wymieniała zalety jej „nowego gniazdka"...

Astrid Weisteinberger, kobieta około sześćdziesięcioletnia, powitała ich wczoraj wieczorem na schodach prowadzących do typowego amerykańskiego domu, który w Niemczech byłby co najwyżej dużych rozmiarów domkiem letniskowym. Wokół jej szyi, opadając na głęboki dekolt, wisiała diamentowa kolia dotykająca materiału czarnej udrapowanej sukni. W trakcie powitania przedstawiła się jako przyjaciółka Adrienne, żony Arthura, „wydawcy gazety «The New York Times»". Nie użyła nazwiska Adrienne i Arthura. Być może sam fakt, że Arthur był „wydawcą", miał zrobić na Stanleyu, a może i na niej, wrażenie. Zaraz potem dodała, podnosząc głos, że „jest Żydówką i że jej rodzina w Europie dużo wycierpiała od Niemców, pani jest Niemką, prawda?". Stanley złapał ją w tym momencie za rękę.

– Chodźmy stąd – wyszeptał jej do ucha – nie musisz tego słuchać. Przenocujesz u mnie.

Nie rozumiała, o co w tym wszystkim chodzi. Stała z wyciągniętą na powitanie dłonią i milczała. Stanley wysunął się do przodu, stanął pomiędzy nią i Astrid Weisteinberger i powiedział:

– O ile wiem, wydawca „The New York Timesa" przelał na pani konto czynsz za sześć miesięcy pobytu w pani domu obywatelki Niemiec, pani Bleibtreu. Nie interesuje nas, a może tylko mnie, czy pani jest Żydówką, czy nie, i zupełnie nas nie interesuje, a może tylko mnie, los pani rodziny w Europie. Krótko mówiąc, mam to głęboko w dupie. Głęboko, najgłębiej, pani Weisteinberger. Za chwilę zadzwonię do wydawcy „The New York Timesa" i poinformuję go, że pani kontrakt został, z powodu pani zachowania, zerwany. Wystąpię także do wydawnictwa, aby zwróciła pani cały czynsz z należnymi odsetkami. I za naszą taksówkę na Manhattan także pani zwróci. I tym bardziej za „koszty bólu", który wyrządziła pani Miss Bleibtreu.

Astrid Weisteinberger wysłuchała w spokoju Stanleya. Nie okazała żadnej reakcji. Potem obeszła go dookoła i podchodząc do niej, powiedziała, bez najmniejszego akcentu, po niemiecku:

– Wie pani, że mój ojciec urodził się w Ulm? Mój młodszy brat i Einstein chodzili do tej samej szkoły. Zna pani Einsteina? To bardzo mądry Niemiec. Chociaż Żyd. Niech pani nie słucha tego redaktorka. Oni zawsze tak ładnie gadają. A piszą jeszcze ładniej, chociaż same bzdury. A niech sobie dzwoni i do samego diabła. U mnie będzie pani dobrze. Mam dla pani pokój z kuchnią. Podoba się pani ten redaktor? Naprawdę?! Taki jakiś wychudzony i łysawy. Pani jest dla niego o wiele za młoda...

Podała jej rękę i poprowadziła na schody. Tak jak gdyby Stanley w ogóle nie istniał.

– Stanley, daj spokój – powiedziała Anna, odwracając głowę w jego kierunku – pani Weisteinberger nie sprawiła mi żadnego bólu. Chodź...

Stanley zupełnie nic nie zrozumiał, ale posłusznie podszedł do niej. Nachyliła się i delikatnie pocałowała go w czoło.

– Nie jesteś wcale łysy – wyszeptała mu do ucha – uwielbiam twoją głowę.

Weszli na drugie piętro i przeszli wąskim holem do wielkiej donicy z rododendronem stojącej na podłodze przed oknem w końcu holu. Astrid Weisteinberger otworzyła drzwi i z dumą na twarzy wprowadziła ich do pokoju. Od tej chwili mówiła tylko po niemiecku, zupełnie ignorując Stanleya.

– To mój najbardziej ulubiony pokój. Z kuchnią! Tylko dla pani. Będzie tu pani dobrze, *Fräulein*. Ale mamy tutaj kilka zasad...

Podniosła do góry dłoń, wysuwając po kolei palce.

– Pierwsza: żadnego radia po dziesiątej trzydzieści wieczorem. Druga: gasi pani wszystkie światła, gdy opuszcza pokój, nie zamierzam niepotrzebnie płacić tym złodziejom z Con Edison*. Trzecia, ostatnia, ale najważniejsza: żadnego palenia w łóżku! Kuzyn mojego ostatniego świętej pamięci męża spalił siebie i co gorsze cały dom, gdy zasnął z papierosem. Ale to był Polak. I pijak. Czy to jasne dla *Fräulein*?

---

* Consolidated Edison – istniejąca od ponad 180 lat największa firma dostarczająca elektryczność na terenie Nowego Jorku (z wyjątkiem niektórych obszarów dzielnicy Queens). Istnieje do dzisiaj.

Wszystko było dla niej jasne. Dla Stanleya oczywiście nic nie było jasne, ale po krótkiej rozmowie za zamkniętymi drzwiami, w łazience nad bidetem, dał się przekonać, że „pani Astrid Weisteinberger z tymi Niemcami zareagowała zbyt emocjonalnie, zresztą nawet właściwie, ale tak w ogóle... będzie jej tu dobrze". Pokiwał tylko głową i powiedział:

– Przyjadę po ciebie w poniedziałek rano, powiedzmy, że tak około dziesiątej. Zabiorę cię do redakcji. Gdyby co, to dzwoń. Kiedykolwiek. Gdyby było ci tu źle albo ktoś wyrządził ci jakąkolwiek przykrość, albo gdybyś po prostu zbyt mocno zatęskniła za Karafką, dzwoń – powtórzył, wyrywając skrawek papieru toaletowego i zapisując na nim numer swojego telefonu.

– Stanley, ty nigdy nie zrozumiesz, co dla mnie zrobiłeś. Ja też jeszcze tego nie rozumiem. Nie do końca. Ale ty nie zrozumiesz nigdy. Słuchaj, Stanley, kiedyś sfotografuję wdzięczność. Taką ostateczną wdzięczność. Nie potrafię jej teraz wyrazić. Ale ją kiedyś sfotografuję. Słyszysz?! Sfotografuję wdzięczność dla ciebie! Wdzięczność! Tylko dla ciebie... – przytuliła się do niego.

Wyszedł, zabierając ze sobą Astrid Weisteinberger. Została sama. Usiadła na łóżku, jadła pomarańcze i płakała...

Wróciła do łóżka z zapalonym papierosem. Złamała tym samym pierwszy raz – trzecią, chyba trzecią – zasadę Astrid Weisteinberger. Nie mogła zasnąć. Wsłuchiwała się w odgłosy tego miejsca. Oprócz szumu wody płynącej w rurach i świergotu ptaków za otwartym oknem nie mogła nic innego dosłyszeć. Nowy Jork kojarzył się jej ze wszystkim, ale nie z dyszącymi rurami i świergotem ptaków. Bardzo chciała, aby czas przyśpieszył.

Doczekała, aż w pokoju zrobiło się jasno. Zawiązała sznurowadła, narzuciła płaszcz, wydobyła aparat z walizki i wyszła z pokoju. Powoli, jak najostrożniej, na palcach, schodziła schodami na dół. Przy każdym skrzypnięciu czuła niepokój. Nie chciała teraz nikogo spotkać, z nikim rozmawiać. Chciała wybiec na ulicę i pierwszy raz – sam na sam – pobyć z tym miastem. Przekręciła cicho klucz w drzwiach na dole. Zbiegła wąskimi schodami na chodnik. Zaczęła biec. Usłyszała dochodzący z oddali dźwięk syreny.

Biegła dalej. Dźwięk syreny stawał się coraz głośniejszy. Zamknęła na chwilę oczy. Biegła coraz szybciej. Jak oszalała. Mocno ściskała dłoń Lukasa. Jej matka poganiała. Biegła. Lukas upadł. Przez kilka metrów ciągnęła go po chodniku. Zatrzymała się. Podniosła go z ziemi. Uśmiechał się do niej. Lukas w mundurku Hitlerjugend. „Nie przewrócę się już więcej" – powiedział przepraszającym głosem. Biegli dalej. Syrena ciągle wyła. Biegli...

– Czy pani zwariowała?! – usłyszała przeraźliwy krzyk nad sobą. – Czy pani postradała wszystkie zmysły?! Ta karetka mogła panią zabić! Wbiegła pani prosto pod nią...

Młody mężczyzna klęczał przy niej i zbierał z chodnika resztki swoich rozbitych okularów.

– I co ja teraz zrobię – mówił bardziej do siebie niż do niej – bez okularów jestem prawie ślepy. Nawet nie widzę wyraźnie pani twarzy. Czy wszystko w porządku? Czy dobrze się pani czuje? Czy mam wezwać...

I nagle głośno się roześmiał.

– Nie, raczej nie wezwę karetki. Proszę coś powiedzieć! Czy pani jest przytomna?

– Proszę mi wybaczyć. Myślałam, że to samoloty. Biegłam z Lukasem do schronu – powiedziała cicho.

– Gdzie pani biegła?! Jakie samoloty, jaki Lukas? Co pani opowiada? Pani biegła sama. Na oślep. Pustym chodnikiem. Prosto pod pędzący ambulans. W ostatniej chwili panią zatrzymałem. Może jednak wezwę lekarza?

– Nie! Proszę nie wzywać. Wszystko dobrze. Dziękuję panu, przepraszam. Wszystko dobrze. Zapłacę za naprawę pana okularów. Wszystko dobrze, bardzo pana przepraszam, dziękuję panu – wyrzucała z siebie potok słów.

– Nie ma co naprawiać – przerwał jej, pokazując kawałki szkła i plastiku na swojej dłoni. – Zresztą i tak były już stare i za słabe. Niech sobie tym pani nie zawraca głowy. Proszę teraz wstać. Jeśli pani może – powiedział i podał jej rękę.

Podniosła się i zaczęła otrzepywać płaszcz. Schyliła się i sięgnęła po aparat leżący w krzakach pobliskiego klombu.

– Jeszcze raz bardzo pana przepraszam. Nie wiem, co mnie napadło.

– Czy pani mieszka gdzieś w pobliżu? Odprowadzę panią do domu. Gdzie pani mieszka?

– Nie wiem dokładnie. Ale niedaleko stąd. Z mojego okna widać platany i klony w dużym parku. A obok jest taki wielki czerwony neon. Po drodze, gdy się tam jedzie samochodem, skręcając z Flatbush Avenue, mija się szpital.

– A, to już wiem. Ten park to Parade Grounds. Musi pani mieszkać przy Woodruff Avenue lub Crook Avenue. To bardzo blisko mnie. Ja mieszkam przy Woodruff. Także widzę z okna ten park. Ta karetka jechała z pewnością do szpitala, który pani mijała. Długo pani tam mieszka? Nigdy wcześniej pani nie spotkałem.

– Od wczoraj wieczorem.

– Ach tak? To wszystko rozumiem. A przedtem gdzie pani mieszkała, jeśli można zapytać?

– Ostatnie kilkanaście dni niedaleko Kolonii, ale tak naprawdę to przez cały czas w Dreźnie.

– Przepraszam, gdzie?! – wykrzyknął z niedowierzaniem w głosie.

– W Dreźnie. W Niemczech. Jestem Niemką...

– W tym Dreźnie?!

– Co pan ma na myśli?

– No w tym... w tym, którego już nie ma?!

– Jak to nie ma?!

– Ostatnie kilkanaście dni? – zignorował jej pytanie. – Nie myli się pani? Przepraszam, czy była tam pani w lutym, gdy...

– Tak, byłam – przerwała mu. – Zapłacę panu za te okulary. Gdy pan mnie spotka albo ja pana następnym razem.

– Mam na imię Nathan. Proszę zapomnieć o tych okularach. I tak chciałem kupić nowe. To drobiazg. Nieważny drobiazg. Jak pani ma na imię?

– Anna. Czy jest tutaj w pobliżu jakiś kościół?

– Kościół? Tutaj? – odparł zaskoczony. – Tutaj jest mnóstwo kościołów. Jakiego pani szuka? To znaczy, jakiej religii?

– Obojętne jakiej. Nie chodzi mi o religię. Chcę iść po prostu do kościoła.

– To z pewnością natrafi pani na jeden z nich. Tutaj w okolicy jest, niestety, więcej kościołów niż szkół. Ale teraz są wszystkie pozamykane. Myślę, że tak od dziesiątej otworzą.

– Czy mogę teraz zostać sama? Proszę mi wybaczyć, ale chciałabym być teraz sama. Kiedyś to panu wytłumaczę.

– Ależ oczywiście – odparł, kiwając głową. – W tym mieście każdy lubi być sam, a jeśli nie lubi, to i tak przeważnie jest sam...

Odeszła pośpiesznie. Po kilkunastu krokach zatrzymała się i odwróciła głowę. Mężczyzna ciągle stał w tym samym miejscu, w którym go zostawiła.

Wróciła do domu, gdy zaczął zapadać zmrok. Chodziła po okolicy tak naprawdę bez żadnego konkretnego celu. Nie jest pewna, ale chyba tylko raz opuściła Brooklyn. Dotarła do ogromnego mostu i przemierzając go pieszo, przeszła na Manhattan. Była prawdopodobnie jedyną osobą idącą pieszo tym mostem. Czasami słyszała dźwięk klaksonów pędzących obok niej samochodów. Po drugiej stronie mostu, który wydawał się nie mieć końca, zmęczona marszem usiadła na kilka minut na drewnianej ławce stojącej naprzeciwko napisu Frankfort Street. Uśmiechnęła się do siebie.

Wróciła na Brooklyn drugą stroną mostu i trzymając się cały czas przy wodzie – nie wiedziała, czy to rzeka, czy już zatoka oceanu – szła na północ. Czasami zapuszczała się na krótko w głąb ulic, mijała niewysokie, podobne jeden do drugiego, przytulone do siebie domy i małe sklepiki ze straganami wystawionymi na chodnikach. Na drzwiach lub oknach wystaw napisy włoskie, greckie, rosyjskie, hiszpańskie, arabskie, polskie bądź w jidysz. Niektórych języków nie potrafiła nawet rozpoznać. W pewnym momencie inne zniknęły, były niemal wyłącznie polskie. Tak jak na starych, brązowokremowych, wyblakłych fotografiach z albumu babci Marty! Została tam. Postanowiła nie wracać do ulicy wzdłuż rzeki. Stała obok obskurnej stacji metra. Przeczytała napisy na dwóch tablicach spiętych ze sobą: Greenpoint Avenue, Manhattan Avenue. W pewnej chwili z podziemia metra na powierzchnię wydostał się tłum ludzi. Przyglądała się uważnie twarzom. Kobiety w kolorowych chustach na głowach, mężczyźni z wąsami, w granatowych beretach lub kapeluszach, dzieci przypięte jak krótkimi smyczami do matek, ubrane w zbyt długie płaszczyki do kostek. Dokładnie tak jak na zdjęciach babci z jej polskiego Opola! Wmieszała się w tłum. Zatrzymała się dopiero przy schodach prowadzących do kościoła.

Wycofała się i stanęła z boku. Chciała dzisiaj być w kościele. To prawda. Ale nie w takim. Chciała być w pustym. Całym dla niej...

Od kościoła na Greenpoincie zeszła labiryntem podobnych do siebie uliczek do kolejnej wody. To nie mogła być rzeka. Wyglądała jak morze lub ogromne jezioro. Nie czuła nóg. Była wyczerpana. Usiadła na betonowym falochronie. Wiał mocny wiatr. Podniosła kołnierz płaszcza. Zeszła z falochronu, skryła się od wiatru i zapaliła papierosa. Z małej przystani nieopodal odpływał właśnie prom z ogromnym napisem na burcie „Jamaica Bay Ferry Service".

Ostatni raz płynęła statkiem w końcu lipca trzydziestego siódmego roku, gdy spędzała wakacje z rodzicami na wyspie Sylt. Wtedy gdy dostała w prezencie na urodziny pierwszy aparat fotograficzny. Skąd mogła wiedzieć, jak ten niezapomniany wieczór na plaży zmieni całe jej życie. Ale czasami myśli, że ojciec już wtedy to wiedział.

Prom oddalał się i w końcu zniknął za horyzontem. Wyrzuciła niedopałek do wody, przytuliła do siebie aparat i powoli zeszła z falochronu na ulicę. Zaczynało szarzeć. Chciała wrócić do domu przed zmrokiem. Jak on to dzisiaj rano powiedział? „Musi pani mieszkać przy Woodruff Avenue lub Crook Avenue". Gdy tylko usłyszała wycie syreny karetki, zatrzymywała się, podchodziła szybko do ściany lub najbliższego drzewa, zaciskała oczy, zatykała palcami uszy i czekała.

Po dwóch godzinach marszu dotarła do Flatbush Avenue. Ulica pulsowała migotaniem neonów i światłem reflektorów pędzących aut. Na chodnikach po obu stronach przemieszczały się szeregi hałaśliwych ludzi. Dotarła do Woodruff Avenue. Gdy rozpoznała budynek szpitala, skręciła w lewo. Po kilkuset metrach hałas prawie ucichł. Kojącą ciszę zakłócały jedynie z rzadka przejeżdżające samochody. Rozpoznała zarysy platanów i klonów w parku.

Uświadomiła sobie, że wychodząc rano, nie zabrała klucza do drzwi wejściowych. Zapukała. Po chwili w progu stanęła Astrid Weisteinberger. W jedwabnym czarnym szlafroku, z długim papierosem w ustach i kieliszkiem wina w dłoni.

– No, wreszcie jesteś, maleńka! Wycieczka do miasta, co? – zapytała. – A tymczasem cały świat cię szukał. Ten redaktorek dzwonił chyba z tysiąc razy. I moja przyjaciółka Adrienne także – mówiła, nie wyciągając papierosa z ust. – A tak godzinę temu był tutaj jakiś nieogolony Żyd. Przedstawił się jako Nathan. Bardzo dziwny człowiek. Wypytywał o ciebie. Przyniósł ze sobą taki zielony dokument z twoim zdjęciem. To twoje prawo jazdy, dziecko? Rzekomo znalazł go rano w krzakach. Kto szuka w tych czasach czegoś po krzakach?! To jakiś kłamczuch i zboczeniec. Ty uważaj na niego! Bardzo dziwny. I prawie ślepy. Ty trzymaj się od niego z daleka...

Sięgnęła natychmiast do kieszeni płaszcza. Dowód osobisty, który zwrócił jej w samolocie Stanley! Musiał wypaść z kieszeni, gdy zatrzymał ją ten mężczyzna.

– Czy zostawił ten dokument? – zapytała zdenerwowana.

– Nie chciał zostawić, dziecko, nie chciał. Jakiś taki niedowiarek. Mówił, że przyjdzie jutro. Opowiesz mi przy winie o tych krzakach, maleńka? – dodała.

– Może innym razem, pani Weisteinberger. Dzisiaj jestem bardzo zmęczona. Innym razem...

– Jak sobie życzysz, *Fräulein* – odparła po niemiecku z wyraźną nutą złości w głosie.

A ona weszła pośpiesznie schodami na górę. Zaraz za drzwiami zrzuciła z siebie płaszcz na podłogę. Położyła się na łóżku i natychmiast zasnęła.

Nowy Jork, Brooklyn, poranek, poniedziałek, 12 marca 1945 roku

Około ósmej stała już przy oknie i wypatrywała Stanleya. Paliła papierosa za papierosem. Chciała być gotowa, gdy po nią przyjedzie. I chciała być dzisiaj wyjątkowa. To znaczy, przynajmniej wyjątkowo wyglądać. Wysypała na podłogę całą zawartość walizki. Nie pamięta, ile razy stawała przed lustrem w łazience. Jedyne, co pasowało do wyjątkowości tego dnia, to jej sukienka. Ta, którą ostatni raz miała na sobie w „grobowcu". Ale przecież brakowało jej halki, odpowiedniej bielizny, białej torebki i butów! Niczego nie miała! Gdy zatrąbił przed domem około dziesiątej, siedziała na skraju łóżka, prawie naga, przykryta tylko materiałem tej sukienki, i paliła kolejnego papierosa, czując napływające do oczu łzy. Gdy wbiegł uśmiechnięty do pokoju, zerwała się przerażona z miejsca.

– Stanley, przepraszam! Chciałam dzisiaj dobrze wyglądać. To taki specjalny dzień, twój i mój, ale nie mam nic... odpowiedniego. Tylko tę sukienkę.

Najpierw stanął i przez chwilę patrzył na nią, potem powoli zbliżył się i powiedział:

– Pamiętasz, gdy w kuchni w Königsdorfie podeszłaś do mnie ze szklanką herbaty? Pamiętasz? Przytuliłem wtedy głowę do twojego brzucha. Nawet nie wiesz, jak bardzo można cię pragnąć. A teraz włóż buty i narzuć płaszcz. Znajdziemy coś w mieście. Inaczej Mathew... Nie opowiadałem ci jeszcze, kto to jest Mathew? Opowiem ci innym razem. Zresztą poznasz go dzisiaj.

Po drodze, w samochodzie, „objaśniał" jej miasto. Nie opowiadał, ale objaśniał. Gdzie są stacje metra, na których nie powinna wysiadać, gdzie jest drogo, gdzie tanio, jakie muzea warto zobaczyć, czym Brooklyn różni się od Manhattanu, a czym Bronx od Harlemu. Siedziała zapatrzona w obrazy mijane za oknem, tak naprawdę nie słysząc, co on do niej mówi. Samo patrzenie zajmowało całą jej uwagę. Na Manhattan Bridge utknęli w ogromnym korku. Jeszcze nigdy nie widziała tylu aut w jednym miejscu. Berlin, który pamiętała z wycieczki szkolnej, wydawał się przy Nowym Jorku wioską, przez którą tylko od czasu do czasu przejeżdżają samochody.

Zatrzymali się na wprost wielkiej wystawy sklepowej na Fifth Avenue. Znała ze słyszenia nazwę tej ulicy. Sprzedawczyni podbiegła do nich natychmiast, gdy tylko weszli do środka.

– Potrzebujemy dla tej młodej damy – Stanley wskazał na nią palcem – odpowiedniej... no, odpowiedniej... Aniu, no co my potrzebujemy? Wytłumacz pani, proszę.

Nie potrafiła sobie przypomnieć, jak jest „halka" po angielsku. Zaczęła objaśniać. Nieskutecznie. W pewnej chwili, w swojej bezradności, widząc coraz większe ze zdziwienia oczy dziewczyny, zdjęła płaszcz. Stała przed nią bez stanika, bez majtek, w prawie przezroczystej sukience i z czarnymi kamaszami na stopach. Ekspedientka osłupiała. Stanley tylko chrząknął, zapalił papierosa, pośpiesznie się oddalił i usiadł na skórzanej kanapie przy drzwiach.

– No, potrzebujemy coś pod tę sukienkę – powiedziała do sprzedawczyni, składając dłonie jak do modlitwy.

Przerażona dziewczyna rozejrzała się po sklepie i chwytając ją za rękę, pociągnęła w kierunku ściany z luster.

Wyszła ze sklepu w jedwabnej białokremowej halce pod sukienką, pod halką miała nylonowe pończochy ze szwem, biały koronkowy stanik i koronkowe majtki. Buty w pistacjowym kolorze pasującym do motywów na sukience były na niewysokich, czarnych koturnach. Torebek w tym sklepie nie sprzedawano. Na całe szczęście. Nie była pewna, czy czek od Adrienne wystarczy, aby za wszystko zapłacić. Ale nie musiała za nic płacić. Stanley po prostu przy kasie zostawił swoją wizytówkę i poprosił, aby rachunek przysłano na adres redakcji. Gdy tylko znaleźli się za drzwiami sklepu, rzuciła się mu na szyję i zawołała:

– Stanley, wcale nie powiedziałeś mi, czy ci się podobam. Powiedz, że tak!

W samochodzie zamilkła. Zagryzała wargi i palcami nerwowo układała włosy. Jechali do jego „redakcji". Nie było już odwrotu. Z jednej strony z rozpaczliwą niecierpliwością czekała na ten moment, z drugiej bała się jak licealistka idąca rano do szkoły zdawać maturę. Redakcja „New York Timesa"! Miała za chwilę się tam znaleźć. I zostać na dłużej. I fotografować. Dla „Timesa"! Uszczypnęła się mocno w udo. Zabolało. To nie był sen...

Objechali kilka razy Times Square, przeciskając się w mrowisku samochodów i przepuszczając ludzi przechodzących przez ulicę. Stanley klął, bo nie mógł znaleźć miejsca do parkowania. W końcu sprzed wieżowca odjechała ciężarówka. Zaparkowali. Wysiedli z samochodu. „The New York Times Building" – przeczytała ogromny napis nad obrotowymi drzwiami. Przez chwilę czuła, że najbardziej chciałaby stąd uciec. Mocno ścisnęła jego rękę. Stanley, wyczuwając jej napięcie i nerwowość, uspokajał ją, nawet jeszcze w windzie, którą wjeżdżali na górę, szeptał jej do ucha, nie zwracając uwagi na stojących obok ludzi:

– Aniu, wszyscy czekają tam na ciebie, będzie dobrze, będzie bardzo dobrze, zobaczysz...

Po wyjściu z windy krótkim korytarzem przeszli do szklanych drzwi. Stanley nacisnął przycisk dzwonka. Wycofała się i stanęła za nim. Z głośnika odezwał się natychmiast kobiecy głos:

– „New York Times", czym mogę służyć?

– Nazywam się Bredford, Stanley Bredford.

– Stanley?! Stanley!!! – usłyszała głośny wrzask z głośnika.

Chwilę później po drugiej stronie drzwi stanęła gruba kobieta w peruce z czarnych włosów. Zamaszyście otworzyła drzwi. Weszli do środka.

– Stanley, Stanley! Jesteś! Jesteś nareszcie – powtarzała, obejmując i klepiąc go po plecach. – Dlaczego nie zadzwoniłeś? Boże, jakiś ty chudy! Arthur co kilka godzin telefonuje z Waszyngtonu, dopytując się o ciebie. I Mathew. I Adrienne. Dlaczego nie zadzwoniłeś? Upiekłabym dla ciebie szarlotkę. Stanley, chłopaku, jak dobrze, że wreszcie jesteś! Nakarmię cię, doprowadzę do porządku...

Wreszcie wychyliła głowę z objęć Stanleya. Otarła łzy. Podeszła powoli do Anny i wyciągając rękę na powitanie, powiedziała:

– Mam na imię Liza. Jestem sekretarką Stanleya. I od dzisiaj... Mam przyjemność z panią Anną Martą Bleibtreu, prawda?

Anna pamięta, że usiłując powstrzymać napływające do oczu łzy i drżenie ust, skinęła tylko głową. Kobieta mocno uścisnęła jej dłoń i dodała:

– I od dzisiaj także pani sekretarką.

Stanley podał jej rękę i pociągnął za sobą. Przechodzili pośpiesznie wzdłuż ściany z szyb. Niektóre były zasłonięte żaluzjami. Weszli do pachnącego różami i tytoniem pokoju. Wszystkie ściany od podłogi do sufitu pokrywały fotografie. W środku stały dwa biurka. Jedno z nich było zupełnie puste. Ledwie weszli, zadzwonił telefon. Stanley wskazał jej wieszak przy drzwiach i bez słowa podbiegł do telefonu.

– Stanley Bredford... – powiedział, podnosząc słuchawkę.

Zdjęła płaszcz. Podeszła wolno do pustego biurka. Na skraju blatu stała czarna tabliczka z jej nazwiskiem. Przysłuchując się rozmowie Stanleya, powoli przesuwała palcami po zagłębieniach liter w czarnym plastiku.

– No, żyję. Witaj, stary! Nie, Mathew. Teraz nie. Wpadnij później. Muszę teraz spojrzeć przez okno, rozejrzeć się po mieście i zerknąć w papiery. Zebrało się z pewnością parę spraw. Dasz mi tak ze dwie, trzy godziny? Nie chcę o tym teraz rozmawiać, Mathew. To bardzo osobiste... Miss Bleibtreu? Stoi nie dalej niż jard ode mnie. Sam to ocenisz, Mathew. Znając twój gust, wiem, że będziesz zachwycony. Nie wątpię, że chciałaby ciebie poznać, Mathew. Ale tak za mniej więcej dwie, trzy godziny. Nie prędzej...

Odłożył słuchawkę i stanął obok niej. Zerknął na tabliczkę i wykrzyknął z zadowoleniem:

– Niesamowite, genialne! Napisali twoje nazwisko poprawnie. Jestem pewny, że Liza o to zadbała.

– Stanley, jeśli będziesz miał jakieś osobiste sprawy do omówienia, to daj mi znak. Wyjdę wtedy z...

– Z naszego biura – przerwał jej, nie dając dokończyć.

– Wiesz, że ja często muszę sikać, Stanley...

– Wyjdziesz, gdy będziesz miała na to ochotę – dodał z uśmiechem. Niebawem nie będę miał żadnych osobistych spraw. Od dzisiaj zaczynamy tutaj komunę. No, nie taką zupełną. Zorganizuję dla ciebie twój własny telefon.

Wrócił pośpiesznie do swojego biurka i sięgnął po słuchawkę.

– Liza, najdroższa, czy mogłabyś znaleźć jakiś ładny numer telefonu dla Anny? Nasz redakcyjny. Nie, jeszcze nie ma. Ale proszę, nie zabij z tego powodu techników. I może także jakieś wizytówki? Już są?! Gdzie? Okay. W prawej górnej szufladzie jej biurka. Słucham?! Co?! Powtórz jeszcze raz, proszę. Liza... – Położył na chwilę słuchawkę na biurku i zapalił papierosa. Wyczuła podniecenie w jego głosie. – Na jakim rachunku to zaksięgowałaś, jeśli wolno mi spytać? – Znów mówił do słuchawki. – Na żadnym?! Jak to na żadnym? Od kogo? Od Adrienne? Naprawdę?

Odłożył słuchawkę, zdusił papierosa w popielniczce i zbliżył się do niej. Podał jej rękę i podeszli do szafy stojącej pomiędzy oknem i wysokim, sięgającym pod sufit regałem wypełnionym rzędami szarych skoroszytów. Stanął na palcach, otworzył kluczem szafę, sięgnął ręką do najwyższej półki i odwracając się twarzą do niej, podał jej przewinięty szeroką wstążką karton. Widziała, że drżą mu ręce.

– Adrienne zostawiła tutaj coś dla ciebie – powiedział zmienionym głosem.

Rozwiązała wstążkę, odwinęła szybko papier. Podniosła wieko. Podeszła do biurka, ostrożnie wyjęła aparat z kartonu i położyła na środku blatu. Kilka razy w milczeniu obeszła biurko dookoła. Płakała.

– Stanley, napijesz się herbaty? Powiedz, że chcesz napić się teraz herbaty – wyszeptała.

– Tak, napiję się. Bez cukru. Pamiętasz? – odpowiedział i podszedł do niej. – A teraz chodźmy. Nacieszysz się nim później.

Podał jej chusteczkę. Uspokoiła się. Wyszli z biura do ogromnej, szemrzącej jak ul hali. Prowadził ją labiryntem ścieżek pomiędzy stołami lub biurkami. W oddali słyszała łoskot teleksów, dzwonki telefonów, stukot maszyn do pisania, fragmenty rozmów. Przedstawiał ją każdej napotkanej po drodze osobie.

– Jak się masz?

– Pozwól, że ci przedstawię: Anna Marta Bleibtreu, nasz nowy pracownik...

– Stanley! Jesteś wreszcie, żołnierzu...

– Bardzo mi miło panią poznać...

W pewnej chwili powiedział:

– Wpadnę na chwilę do Mathew. Nie przebaczyłby mi, gdyby nas tutaj spotkał. On lubi być zawsze pierwszy i jedyny. Tylko na chwilkę, zaraz będę. – Oddalił się w kierunku biura z szybą zasłoniętą żaluzją.

Podeszła do okna i usiadła na parapecie, podciągając nogi pod brodę. Zapaliła papierosa. Większość przechodzących obok niej kobiet spoglądała na nią z zaciekawieniem. W oczach niektórych z nich dostrzegała jeśli nie wrogość, to przynajmniej wyraźnie okazywaną dezaprobatę. Mężczyźni z kolei, wszyscy mężczyźni, uśmiechali się do niej. Niektórzy z nich – w ciągu tych kilku minut, zanim wrócił Stanley – potrafili przemaszerować obok niej kilka razy.

Nie pamięta, w ile par oczu spojrzała przy powitaniu i ile dłoni uścisnęła. Na końcu zaprowadził ją przed drzwi z napisem „ciemnia". Weszli do mrocznego, oświetlonego mrugającą czerwoną lampą korytarza i przeszli do drugich drzwi pomalowanych na czerwono z białym napisem *Do n o t even think that you can open this door**. Uśmiechnęła się rozbawiona. Stanley nacisnął czerwony guzik dzwonka na ścianie.

---

* Nawet nie myśl, że możesz otworzyć te drzwi.

– Słucham? – usłyszeli chrypliwy, zniecierpliwiony głos.

– Maks? Odemkniesz? – odpowiedział.

– No, kurwa, Stanley. Nareszcie! Zgasisz fajkę?

– Nie palę. To znaczy, teraz akurat nie palę.

Po chwili w progu stanął wysoki, barczysty mężczyzna w białym fartuchu z wielką blizną na policzku. Wpuścił ich do środka i natychmiast zatrzasnął drzwi. Poczuła znajomy zapach chemikaliów. Z oddali dochodziła muzyka. Krótko uścisnął dłoń Stanleya i zaraz potem podszedł do niej. Nie przedstawiając się, zapytał:

– Czy to pani zrobiła ten negatyw?

Milczała, zdumiona całą sytuacją.

– Czy to pani naświetliła ten negatyw? Ten z Drezna? – powtórzył podniesionym głosem.

– Maks! Daj spokój, o co chodzi? – wtrącił się do rozmowy zaniepokojony Stanley.

– Ten w kościele?! – nalegał Maks, patrząc w jej oczy i zupełnie ignorując Stanleya.

– Nie, to nie ja. To Stanley – odpowiedziała, zastanawiając się, o co chodzi temu mężczyźnie.

– Okay. Powiedzmy, że negatyw naświetlił Stanley. Okay, niech będzie, że Stanley. Ale to pani zrobiła te zdjęcia, prawda?!

– Tak, to ja...

– Widzi pani – wyczuła dziwne poruszenie w jego głosie – tutaj w tej ciemni jeszcze nigdy nie pojawiły się takie obrazy. Pracuję dla tej firmy ponad dwadzieścia lat. Dokładnie dwadzieścia dwa lata. Obejrzałem w swoim życiu wiele tysięcy zdjęć. Naprawdę wiele tysięcy. Najróżniejszych. Wiele z nich to zapis bólu i cierpienia. Bo w tym mieście jest bardzo dużo bólu i cierpienia. Ale tylko przy pani obrazach pierwszy raz w życiu założyłem okulary i chodziłem w tę i z powrotem wzdłuż sznura ze schnącymi pozytywami. A potem... potem zachciało mi się palić. Chociaż ja od siedmiu lat, od mojego zawału w trzydziestym ósmym, nie palę. Na szczęście Brenda, moja asystentka, nie miała akurat tego wieczoru papierosów – zakończył, uśmiechając się do niej. – Zrobiłem powiększenia wszystkich pani zdjęć. Kazałem, aby Brenda je oprawiła. Chciałaby je pani zobaczyć? – zapytał z podnieceniem w głosie.

– Nie. Dzisiaj nie. Dzisiaj nie chcę wracać do Drezna. Proszę zrozumieć! To mój pierwszy dzień...

– Nie? No tak. Jasne. Przepraszam. Kiedykolwiek pani zechce. Proszę po prostu zapukać. Nazywam się Maksymilian Sikorsky. Każdy mnie tu zna...

– Anna Bleibtreu – powiedziała, wyciągając do niego dłoń.

– Maks. Jestem Maks. Może tu pani przychodzić, kiedykolwiek pani zechce.

– Maks, nie wiesz, co teraz powiedziałeś – wtrącił z uśmiechem Stanley. – Będziesz miał jej wkrótce dosyć. Ona ma fotograficzną obsesję. Jest od tego całkowicie uzależniona.

Wrócili do ich biura. Na jej biurku stał czarny telefon. Obok leżała kartka z numerem, a przy aparacie fotograficznym plik wizytówek.

– Stanley – wyszeptała – mówiłam ci już dzisiaj, że cię kocham?

Uśmiechnął się i usiadł w swoim fotelu. Zaczął czytać kartki leżące na biurku. Czasami sięgał po telefon i rozmawiał, notując coś w kalendarzu. Niekiedy wstawał i wyciągał skoroszyty stojące na półkach regału.

– Stanley, wyobraź sobie, że mnie tutaj nie ma – powiedziała w pewnej chwili. – Pozwól mi teraz go dotykać. Zostaw mnie z nim zupełnie samą – dodała, sięgając po aparat.

Usiadła z aparatem w dłoni, na podłodze, tuż za jego fotelem. Jak mała dziewczynka uszczęśliwiona nową zabawką, którą właśnie dostała w prezencie od ojca. Położył rękę na jej włosach i delikatnie pogłaskał. Sięgnęła po jego dłoń i pocałowała. Zaczęła naciskać spust migawki, fotografując jego stopy. Położyła się na podłodze i fotografowała sufit. W pewnej chwili wpełzła pod biurko Stanleya i stamtąd fotografowała biuro. Nagle usłyszała energiczne pukanie. Do pokoju wkroczył mężczyzna w zabłoconych butach przykrytych zbyt długimi szarymi spodniami. Przez otwór pod biurkiem widziała tylko jego nogi do wysokości ud.

– Stanley – wykrzyknął – wróciłeś z wojny, a zachowujesz się, kurwa, jak gdybyś wrócił z krótkiej przerwy na lunch. Cały ty. Witaj, stary.

– Witaj, Mathew...

Buty mężczyzny zbliżyły się do niej.

– Musisz mi wszystko opowiedzieć. Może jutro? Zagonię Mary do kuchni, ugotuje to coś polskiego, co tak lubisz, a my pogadamy i wypijemy co nieco. A poza tym faluje dzisiaj nad biurkami. Nie dość, że ty wróciłeś, to na dodatek ta mała Niemka, coś ją przywiózł z okopów, skręciła niezłe turbulencje na hali i prawdziwe tornada w wielu rozporkach. Ma ponoć takie piersi, że Dorian Leigh przy niej to płaska jak deska zakonnica. Wielu zamarzyło, żeby ją mieć na kolanach pod swoim biurkiem, a niektóre zawistne kobiety w redakcji rozpowiadają, że jeśli chodzi o ciuchy, to jak nic trzeba lecieć na zakupy do Drezna. Myślałem, że jako twój najbardziej oddany przyjaciel dostąpię zaszczytu poznania tego cuda przed innymi. No cóż, stary, pomyliłem się. Kolejny raz. Gdzie ją przechowujesz, ty egoisto?

– No co ty, Mathew, jak możesz tak mówić. Nigdzie jej nie przechowuję. Jest na kolanach. Pod moim biurkiem – odpowiedział spokojnym głosem Stanley.

– Widzę, że nauczyłeś się w tej Europie dość specyficznie żartować, stary zbereźniku – zarechotał Mathew.

Szybciutko potargała włosy, obficie zmoczyła śliną wargi, sięgnęła ręką do pleców, rozpięła kilka guziczków sukienki i zsunęła materiał tak, aby odsłaniał jej nagie ramię i ramiączko stanika na lewym obojczyku. Wygramoliła się na kolanach spod biurka i podeszła do mężczyzny. Oblizując demonstracyjnie wargi i mrużąc oczy, wyszeptała, siląc się na lubieżność:

– Anna Marta Bleibtreu. Jest mi teraz wyjątkowo miło...

Widziała, jak twarz mężczyzny powoli różowieje, aż stała się całkiem czerwona. Podał rękę, unikając jej wzroku.

– ...także poznać pana – dodała stanowczo po krótkiej chwili.

– Stanley, to ja wpadnę później po te materiały. To nie jest takie pilne – powiedział i szybkim krokiem wyszedł z biura.

Stanley zaciskał dłońmi usta. Odczekał chwilę. Potem parsknął, poderwał się z fotela i rzucając się przed nią na kolana, zgiął łokieć prawej ręki i zacisnął pięść. Usłyszała wybuch gromkiego śmiechu i odgłos uderzeń jego pięści o podłogę.

– Ja pierdolę! Ale happening! On tego nigdy nie zapomni. No nie! Byłaś boska...

Zostali u niego w biurze do późnego wieczoru. Siedziała obok niego przy biurku i w skupieniu zapisywała do zeszytu, jak podczas wykładu, wszystko, co mówił. Od inicjacji projektu, poprzez pracę z aparatem na miejscu, wywiady, zbieranie informacji, czasami powrót na miejsce zdarzenia drugi lub kolejny raz. O odróżnianiu tego, co ważne, a co jedynie podsuwa się reporterowi jako ważne, a wcale takim nie jest. Opowiadał o obiegu fotografii od aparatu do wydrukowania jej w gazecie. O dokumentach, jakie trzeba wypełniać, aby uruchomić, kontrolować i zamknąć ten obieg. Wprowadzał ją w każdy szczegół pracy fotoreporterskiej, pokazując istniejące już zdjęcia, konstruując z nią opisy lub raporty dla innych redaktorów, tłumaczył, dlaczego niektóre fotografie „poszły" do druku, a inne, pozornie lepsze, odrzucono. Wyjaśniał, jakie warunki musi spełniać zdjęcie na pierwszą lub ostatnią, a jakie tylko na wewnętrzną, znacznie rzadziej oglądaną, stronę gazety. Mówił o odpowiedzialności reportera, o prawie osób do prywatności, o etyce zawodowej i o czymś, co w Ameryce ciągle nie jest jeszcze oficjalnym prawem, ale jest rodzajem niepisanego, niemniej skrupulatnie przestrzeganego przez „Times" kodeksu prasowego.

Zasypywał ją tonami informacji, odpowiadał na pytania, nieustannie zadawał swoje. Zauważyła, że Stanley, który wydawał się jej wrażliwym, zawsze trochę rozkojarzonym romantykiem, jest – jeśli chodzi o sprawy zawodowe – pedantycznym, chwilami dokuczliwie bezkompromisowym, wymagającym profesjonalistą. Gdy w pewnym momencie, słysząc jej coraz głośniejsze jęki i westchnienia, uznał, że dotarł do granic jej percepcji, przerwał i zaprosił ją na kawę do kuchni.

Szmer ula w „hali", tak postanowiła nazywać to miejsce za ich biurem, ucichł. Tylko na kilku biurkach świeciły żarówki lamp. Przeszli w mroku do wąskiego, ale bardzo długiego pomieszczenia, w którym przy jednej ścianie znajdował się rząd niewysokich regałów, na których stały kuchenki gazowe. Przy ścianie naprzeciwko warczały cztery bardzo wysokie, wyższe od niej lodówki. Każda była w innym kolorze. Jedna z nich, co ją rozbawiło, była różowa! Obok lodówek wisiała przeszklona szafka, na górnej półce stały różnokolorowe torebki i kartoniki, na dwóch niższych filiżanki. Pod oknem na drewnianym blacie przylegającym do zlewu stał rząd emaliowanych czajników.

Stanley nastawił czajnik i zaparzył dla nich kawę. Pozostali w kuchni.

– Kiedy piłaś ostatnio kawę? – zapytał, gdy obu dłońmi objęła gorącą filiżankę i zamknąwszy oczy, rozkoszowała się aromatem.

– Zbożową czy taką jak ta, prawdziwą?

– Czy kawa może być ze zboża? – zapytał zdziwiony. – Z płynów ze zboża znam tylko wódkę. Najlepsza jest polska...

– Może być, wierz mi, że może. Zbożówkę piłam z moją mamą, po naszym ostatnim wspólnym obiedzie, we wtorek po południu, trzynastego lutego. A normalną, taką z palonych ziaren? Czekaj! No, nie pamiętam dokładnie. Ale chyba dwudziestego kwietnia czterdziestego czwartego. W dniu urodzin Hitlera. Rzucili wtedy do sklepów w Dreźnie i czekoladę, i prawdziwą kawę...

Stanley pokiwał ze zrozumieniem głową. Nie była zupełnie pewna, czy naprawdę zrozumiał, co to znaczy „rzucić coś do sklepów". Tutaj chyba nikt, łącznie z tymi żebrakami, których napotykała wczoraj podczas swojej pieszej wędrówki po Brooklynie, nie mógłby tego do końca zrozumieć. Tych falujących, napęczniałych złością i agresją kolejek przed sklepami, tych przekleństw, tego poniżenia, tych bijatyk, ale także tego niesłychanego uczucia szczęścia, gdy z dziesięcioma dekagramami kawy w szarej papierowej torebce i jedną tabliczką czekolady wydostawało się na ulicę przed sklepem i gnało do domu. Nie! Stanley tego nie mógł do końca zrozumieć.

Wyciągnął z kieszeni marynarki paczkę z papierosami. Zapalili i stojąc oparci o różową lodówkę, powrócili do rozmowy o pracy. Tym razem nie było żadnej teorii. Tym razem omawiali jej najbliższą przyszłość.

Na razie nie podzielą żadnych projektów. Przynajmniej do końca miesiąca będą robili wszystkie materiały razem. Za każdym razem oboje będą, równolegle, fotografowali. To Arthur będzie arbitrem i to on będzie wybierał zdjęcia do publikacji. Tymczasem Anna „łyknie miasto i zaciągnie się klimatami", a on postara się „wyciąć jej szerokie i bezpieczne ścieżki w tej dżungli". Zorganizuje dla niej „prawdziwe mapy miasta, łącznie z tymi policyjnymi z NYPD i FBI", przedstawi ją swoim własnym, zaufanym kontaktom, będzie nad nią czuwał, ale postara się stać jak najdalej z boku. Jeśli ona w kwietniu poczuje, że da sobie radę bez niego, to... to natychmiast spróbuje dać sobie radę. Przez pół kwietnia będzie „na krótkiej smyczy" – on pracuje w biurze, czuwając pod telefonem, a ona robi wszystko sama. Sama! Od początku do końca. Gdy to wypali, to w połowie kwietnia podzielą między siebie najpierw miasto, a potem cały region. Gdy zdarzy się

„nagłówkowe wydarzenie" poza miastem i regionem, to – na razie – będą jeździć razem. Potem podzielą także mapę całych Stanów. Chciałby, aby wiedziała, że on już teraz rezerwuje sobie Boston, Chicago i Hawaje. Kiedyś wytłumaczy jej, dlaczego akurat te miejsca. Poza tym bardzo by chciał, aby każdy – bez wyjątku – materiał fotograficzny z Europy przechodził przez jej oczy i ręce. A jeśli chodzi o Niemcy i wojnę, to przekaże Arthurowi jedynie materiał przez nią „przyklepany i zaklepany". Jest pewny, że Arthur także będzie tego chciał. Zresztą porozmawiają o tym w szczegółach, gdy tylko Arthur wróci z delegacji do Waszyngtonu. Na końcu zapytał, czy się zgadza na ten plan, a jeśli nie, to czy ma inne – „najlepiej lepsze" – propozycje.

Wypiła ostatni łyk kawy z filiżanki, zaciągnęła się mocno papierosem i powiedziała:

– Stanley, spróbuj teraz wejść we mnie. W moją głowę. Wszedłeś? Czy będąc tam, masz jakieś inne propozycje? No, masz? Chociaż jedną?! Jedyne, co chciałabym ci odebrać, to Hawaje. Kiedyś ci także wytłumaczę dlaczego. Jak tak o tym wszystkim mówisz, to mam uczucie, że to wcale nie mnie dotyczy, że tutaj obok nas stoi jeszcze jakaś inna kobieta.

Stanley, zapomniałeś?! Ja jeszcze dwa dni temu obierałam ziemniaki w kuchni u cioci Annelise w Königsdorfie, a ty ciągle masz czerwone szramy na rękach po pazurach Karafki. Dlatego proszę cię, Stanley, nie pytaj mnie o żadne propozycje. Nie potrafię mieć i nie mam żadnych propozycji. Jeszcze jakiś czas nie będę miała.

Ja jestem ciągle zagubiona, Stanley – ciągnęła cichym, załamującym się głosem – ja, gdy słyszę syreny karetek na ulicach, uciekam i szukam schronów. Ja jestem psychicznie trochę chora, Stanley. Ale to minie. Obiecuję ci. Nie będziesz pracował ze świrem. Obiecuję. Dałeś mi już aparat, teraz daj mi jeszcze tylko trochę czasu. Pokieruj przez jakiś czas moim życiem. Pomóż mi. Ucz mnie. Ja mam tylko ciebie, Stanley. Tylko ciebie... – zakończyła ze łzami w oczach.

Oniemiały wpatrywał i wsłuchiwał się w nią. Gdy zamilkła, przytulił ją mocno do siebie i powiedział:

– Aniu, nauczę cię wszystkiego, ale teraz zawiozę cię do domu. To był bardzo długi dzień...

Nowy Jork, Manhattan, późne popołudnie, piątek, 16 marca 1945 roku

Tego słonecznego piątkowego poranka nie stała na chodniku przed domem Astrid Weisteinberger i nie czekała na niego. W czwartek wieczorem powiedziała mu, że to niesprawiedliwe i tak naprawdę bez sensu, aby wstawał nieomal w środku nocy, przedzierał się z Manhattanu zatłoczonymi ulicami na Brooklyn i przewoził ją, jak jakiś prywatny szofer, na... Manhattan.

– Nie chciałabym, aby znienawidziła mnie twoja kobieta, którą zostawiasz przeze mnie samą w łóżku. Jutro przyjadę do biura metrem... – powiedziała, całując go w policzek, zanim wysiadła z samochodu.

– Jesteś pewna, Aniu? – zawołał do niej, wychylając głowę przez opuszczoną szybę auta.

– Absolutnie pewna, Stanley, absolutnie! – odkrzyknęła, biegnąc po schodach.

To nie była cała prawda. Wcale nie była absolutnie pewna. „Przećwiczyła" wprawdzie tę trasę w środę wieczorem z Nathanem, ale jak zdążyła się w ciągu kilku dni pobytu w tym mieście sama przekonać, wieczór w Nowym Jorku bardzo różni się od poranka w Nowym Jorku.

Nathan zjawił się przed drzwiami domu Astrid z bukietem tulipanów, książką owiniętą czarnym papierem do wycinanek i z jej „znalezionym w krzakach" dowodem osobistym. Brała akurat kąpiel, gdy usłyszała pukanie do drzwi. Owinęła się ręcznikiem i podbiegła, żeby otworzyć.

– Ten zboczony, nieogolony Żyd znowu tutaj jest. Dzisiaj ma jednak okulary – usłyszała syk szeptu Astrid w szczelinie odemkniętych drzwi. – Co mam z nim zrobić?

– Czy mogłaby go pani jakoś zabawić przez chwilę? Właśnie biorę kąpiel. Za kilka minut się ubiorę i będzie mógł tu przyjść.

– *Fräulein* chyba zwariowała, co? – wykrzyknęła z oburzeniem w głosie Astrid. – Nie wpuszczę go za żadne skarby świata na górę!

– Dlaczego nie? No dobrze. Za chwilę będę na dole – odparła na widok jednoznacznego grymasu na twarzy Astrid.

Zbiegła na dół w szlafroku. Nathan, w płaszczu, stał w progu drzwi prowadzących do salonu. Astrid siedziała na bujanym fotelu w pobliżu kominka, czytała gazetę i paliła papierosa. Wyciągnął dłoń z bukietem kwiatów w jej kierunku. Odebrała od niego tulipany i pocałowała go w policzek. Zaczerwienił się. Zapytała Astrid, czy wolno im usiąść na chwilę na kanapie w salonie. Astrid mruknęła tylko coś pod nosem. Ona wzięła to za przyzwolenie. Usiedli.

– Zgubiła pani dokument. Myślę, że może go pani potrzebować – odezwał się nieśmiało. – Wypatrywałem pani każdego dnia w parku.

– Uprzejmie panu dziękuję – odparła. – Byłam ostatnio bardzo zajęta. Praktycznie przychodzę tutaj tylko spać. To mój dowód osobisty. Będę go wkrótce bardzo potrzebować. Tak się cieszę, że go pan odnalazł. Ile jestem winna panu za okulary?

– Za jakie okulary? – zapytał zdziwiony.

– Za pana okulary. Te, które zniszczyłam, gdy ratował mi pan życie. Zapomniał pan?

– Czy moglibyśmy już o tym nie rozmawiać? Proszę... – wyszeptał. – Od początku wiedziałem, że to ważny dokument – powiedział i zamilkł, nerwowo pocierając dłonie. – Myślałem o tym, co mi pani powiedziała – odezwał się po chwili. – Nie chciałem pani urazić z tym Dreznem. Myliłem się. Pani miasto zostało bardzo zniszczone, ale istnieje. Zadzwoniłem wczoraj do Waszyngtonu i powiedziano mi, że...

– Nie uraził mnie pan. Ja wiem, że istnieje, byłam tam przecież całkiem niedawno – przerwała mu z uśmiechem.

– Poszedłem do biblioteki i czytałem o pani mieście. Ma niezwykłą historię. A wieczorem pojechałem do Greenwich Village i w kartonie ze starymi książkami na pchlim targu natrafiłem na coś, czego już dawno szukałem. Chciałbym, aby przyjęła to pani ode mnie – powiedział, podając jej zawiniątko.

Szybko rozerwała czarny papier. Przeczytała tytuł na wyblakłej okładce książki.

– Dlaczego akurat Heinrich von Kleist, a nie na przykład Goethe? – zapytała z uśmiechem. – Znam ten tekst. Przerabialiśmy *Rozbity dzban* w gimnazjum. To najbardziej smutna komedia, jaką znam. Zawsze zastanawiałam się, czy Goebbels przeoczył ten dramat, dopuszczając go jako lekturę, czy był w tym jakiś głębszy sens.

– Kleist mnie zafascynował. Bardziej swoim życiem niż dramatami, które stworzył. I na dodatek łączy się z pani Dreznem.

– Tak? Kleist i Drezno? Nic o tym nie wiem...

– Przez dwa lata redagował tam jakieś czasopismo artystyczne.

– Tego nam na lekcjach nie opowiadano. A co takiego zafascynowało pana w życiu Kleista? Mogę zgadnąć? Jego śmierć, prawda?

– Skąd pani wie?! – wykrzyknął, wzbudzając głośne chrząkanie Astrid, która zza gazety przez cały czas podsłuchiwała ich rozmowę.

– To dość proste. Jego śmierć jest jak z przejmującego dramatu. Nie jego własnego, ale na przykład z dramatu Goethego. W miarę młody, trzydziestotrzyletni mężczyzna, mniej więcej w pana wieku, namawia młodą kobietę do wspólnego samobójstwa. Zabiera ją pewnej listopadowej nocy nad jezioro pod Berlinem, za jej przyzwoleniem zabija ją strzałem z pistoletu, aby zaraz potem zastrzelić siebie. To jest epilog, który potrafi wstrząsnąć wszystkimi. Cóż za bezgraniczna miłość, cóż za oddanie... Ale to niecała prawda – ciągnęła – ta kobieta, Henrietta Vogel, która kochała Kleista, a której on nigdy nie kochał, była śmiertelnie chora na raka, o czym nawet Kleist nie wiedział. Samobójstwo było dla niej wybawieniem jednocześnie od dwóch cierpień: nieodwzajemnionej miłości i bólu nieuleczalnej choroby. To nie była szekspirowska śmierć kochanków w akcie miłosnej desperacji. Przynajmniej nie dla Kleista. Dla niego był to chłodno przemyślany czyn estetyczny, do którego długo się przygotowywał. Odkąd zapoznał się z filozofią Kanta, owładnęła nim idea niepoznawalności prawdy. Szczerze mówiąc, fakt, że namówił do wspólnego samobójstwa tę kobietę, to wyjątkowe tchórzostwo i łajdactwo z jego strony – zakończyła.

– Skąd pani to wszystko wie? – zapytał zdumiony jej wywodem Nathan.

– Od mojego ojca. Był profesorem literatury na uniwersytecie w Dreźnie. I jednocześnie tłumaczem literatury. Tłumaczył na angielski także utwory Heinricha von Kleista – dodała zmienionym głosem.

Na moment zamarła w napięciu. Energicznie otworzyła książkę. Pośpiesznie przewróciła stronę tytułową. Po chwili, wskazując palcem zadrukowany małymi literami akapit, wykrzyknęła podniecona:

– O Boże! To wydanie to także jego tłumaczenie!

Nathan zaczął czytać głośno wskazany przez nią tekst. Odsunął jej palec i przeczytał jeszcze raz.

– Pani Weisteinberger – powiedziała, odwracając głowę w kierunku Astrid – czy mogłabym tutaj zapalić?

Astrid odłożyła na kolana gazetę i odparła:

– A pal, dziecko, pal. Moi lokatorzy mogą u mnie palić. Byle nie w łóżku. Ale obcy nie! – dodała stanowczo, spoglądając groźnie na Nathana.

– Cóż za zbieg okoliczności, cóż za niesamowity przypadek... – powtarzał w kółko Nathan, głaszcząc palcami okładkę książki.

Podeszła do Astrid i poprosiła o papierosa. Wracając na kanapę, wzięła z serwantki kryształową popielniczkę i postawiła ją pomiędzy sobą i Nathanem.

– Czy pan jest zakochany? Albo inaczej, czy pan jest nieszczęśliwie zakochany? – zapytała nagle, zaciągając się papierosem.

– Dlaczego pani tak myśli? – odparł zaskoczony.

– Tak jakoś przyszło mi to nagle do głowy. Ma pan morze smutku w oczach...

Nagle zapragnęła być z nim sama. Zdała sobie sprawę, że obecność wścibskiej Astrid musiała być dla niego dokuczliwym dyskomfortem.

– Czy zna pan dobrze miasto?

– Nie wiem, czy dobrze. Ale urodziłem się tutaj i mieszkam od ponad trzydziestu lat. Dlaczego pani pyta?

– Czy porusza się pan po mieście metrem?

– Ja poruszam się jedynie metrem. Albo rowerem. Nie mam prawa jazdy.

– Czy to skomplikowane przedostać się ze stacji przy Flatbush na Times Square?

– Ależ nie. To bardzo proste. Poza tym nie musi pani wcale docierać do Flatbush. Najbliższa stacja jest na skrzyżowaniu Church Avenue i Nostrand Avenue. To krótsza droga stąd niż na Flatbush. Stamtąd na Times Square? Niech pomyślę... Wiem! Ależ oczywiście! Linią numer dwa, bez przesiadek, bezpośrednio na stację u zbiegu Times Square i Czterdziestej Drugiej Ulicy. Zajmie to pani nie więcej niż trzy kwadranse, maksymalnie pięćdziesiąt minut.

– Czy ma pan teraz czas? – zapytała, patrząc mu w oczy. – Pojechałby pan teraz ze mną metrem na Times Square?

– Teraz, o tej porze? Stacja przy Czterdziestej Drugiej i Times Square o tej porze? To nie jest najlepsze miejsce na wycieczkę dla takiej młodej kobiety jak pani...

– Zostawiłam w biurze ważne notatki – skłamała, celowo podnosząc głos, aby Astrid mogła wyraźnie usłyszeć.

– W jakim biurze? – zapytał zdumiony.

– Pracuję dla „Timesa". Ich budynek jest niedaleko od tej stacji.

– Dla „New York Timesa", tej gazety?! – dopytywał się coraz bardziej zaskoczony.

– Tak. Od poniedziałku. Pojedzie pan ze mną? – powtórzyła proszącym tonem.

– Ależ oczywiście. Pojadę!

– Proszę zaczekać. Ubiorę się i za chwilę będę na dole! – wykrzyknęła radośnie i wybiegła z salonu.

Gdy wróciła, Nathan stał w przedpokoju gotowy do wyjścia, a Astrid nadal siedziała w fotelu z kolejnym papierosem w dłoni. Już w drzwiach Nathan uprzejmie skłonił głowę i powiedział:

– Dobranoc, madame Weisteinberger. Dziękuję za pani gościnność.

Astrid nie zareagowała ani słowem. Gdy byli już na chodniku przed domem, Anna powiedziała do niego:

– Pani Astrid jest trochę wścibska i nieufna wobec ludzi, ale generalnie to miła i uczynna kobieta.

– Wścibska z pewnością. Zdążyłem to zauważyć – odparł ze śmiechem. – Gdy ubierała się pani na górze, zapytała mnie, czy chodzę do synagogi i czy mam stałą pracę.

– A chodzisz? Przepraszam! A chodzi pan do synagogi?

Przystanął na moment i wyciągając rękę w jej kierunku, powiedział:

– Będzie mi miło, jeśli będzie pani, to znaczy będziesz zwracać się do mnie po imieniu. Nie będę się czuł taki stary. Nie chodzę do synagogi – ciągnął, gdy ruszyli dalej. – Jedyne, co łączy mnie z żydostwem, to wygląd, obrzezanie i niezrozumiała dla mnie niechęć wielu ludzi. Przepraszam teraz za drażliwe pytanie. Czy ty tam w Niemczech, w Dreźnie, spotkałaś wielu Żydów? Czy miałaś powód ich nie lubić lub nienawidzić?

Teraz to ona przystanęła. Sięgnęła po papierosy do kieszeni płaszcza.

– Nathan, nie wiem, czy wielu. Nigdy, poznając kogoś, nie pytałam, czy jest Żydem, Polakiem, Rosjaninem, Austriakiem albo czy pochodzi z Bawarii. Nie obchodziło mnie to. I do dzisiaj nie obchodzi. Ale kilku mi to bez pytania powiedziało. Tych lubiłam. Jednego nawet kochałam i czasami bardzo za nim tęsknię. Ale proszę, nie rozmawiajmy teraz o tym. Kiedyś, jeśli nadal będziesz chciał, sama ci o tym opowiem...

W milczeniu dotarli do stacji metra. Dopiero gdy zeszli schodami w dół i stali w kolejce do kasy, przyznała się, że tak naprawdę niczego nie zostawiła w biurze. Chciała, po pierwsze, uciec od Astrid i być z nim sama, a po drugie, nawet jeśli wyda mu się to dziecinne i śmieszne, bardzo chce, aby ją nauczył „jeździć metrem" po mieście. Nathan nie widział w tym nic dziwnego. Spisał dla niej rozkład jazdy „dwójki", w dni powszednie i w niedziele. Dwukrotnie upewnił się u kobiety za szybą kasy, czy rozkład na pewno jest aktualny. Pytał o najlepsze rozwiązania, jeśli chodzi o cenę, a nawet o to, w jakich godzinach wagony są najbardziej przepełnione, a w jakich puste. Kobieta za szybą wyraźnie okazywała coraz większe zniecierpliwienie. Gdy wszystko już zapisał, wsiedli w końcu do wagonu. Zerknęła na zegarek. Na stacji przy Times Square byli dokładnie po czterdziestu czterech minutach. Przez ten czas z ciekawością rejestrowała obecność podróżujących z nimi ludzi. Wszystkie możliwe kolory skóry i włosów, strzępy rozmów w wielu językach, najróżniejsze zapachy. Taki sam tygiel jak nowojorska ulica.

Ze stacji przy Times Square, wypełnionym – mimo późnej pory – nieprzebranym tłumem ludzi, przeszli spokojnym spacerem pod budynek redakcji.

– Jeśliby wszystko przebiegało bez zakłóceń, to potrzebuję łącznie godzinę, aby ze stacji na Brooklynie dotrzeć pod drzwi budynku „Timesa" – powiedziała uradowana, chwytając pod ramię Nathana. – Czy to nie piękne, Nathan? Tylko godzinę! Dla bezpieczeństwa dołożę do tego trzydzieści minut i... I będę punktualna jak niemieckie koleje – roześmiała się. – Ale te sprzed wojny. A teraz chodź – dodała, przyśpieszając kroku i ciągnąc go za sobą. – Zapraszam cię na drinka.

Czy kobiecie w purytańskiej Ameryce wolno zaprosić mężczyznę na drinka? Chcę wznieść toast. Za ciebie, za mojego ojca, za Kleista i za nowojorskie metro. Już tak długo nie piłam alkoholu. Ostatni raz upiłam się z kocicą cioci Annelise w Königsdorfie. Wtedy do głowy mi nie przyszło, że będę kiedykolwiek spacerować pod ramię z mężczyzną po Times Square.

Nathan zwolnił, a po kilku krokach przystanął. Patrzył na nią tak jakoś dziwnie. Jak gdyby widział ją pierwszy raz w życiu.

– A może ty się gdzieś śpieszysz? Może do domu, do żony? – zapytała, nie rozumiejąc jego dziwnej reakcji. – Czy ty jesteś żonaty, Nathan? Powinnam zapytać o to na początku – dodała pośpiesznie, wysuwając rękę spod jego ramienia.

– Nie jestem żonaty. Pytałaś mnie już o to na kanapie w salonie – odparł.

– Nie! O to nie. Pytałam jedynie, czy jesteś zakochany. Bywa, że to z żoną ma mało albo zupełnie nic wspólnego.

– Słuchaj – chwycił ją mocno za rękę – tamtej niedzieli rano, gdy z zamkniętymi oczami biegłaś jak oszalała... Ja byłem tam zupełnym przypadkiem. Obiecałem koledze, że podrzucę mu wyniki testu w sobotę wieczorem. Ale w sobotę wieczorem byłem tak zmęczony, że wróciłem z laboratorium prosto do łóżka. W niedzielę z reguły sypiam do południa, a potem czytam. Tej niedzieli nie mogłem jednak spać i nie chciało mi się czytać. Więc wyszedłem z tym skoroszytem i gdy wracałem zupełnie pustym chodnikiem... przewróciłem cię. Potem nie mogłem przestać myśleć o tobie, o twoim Dreźnie i o schronie, do którego biegłaś. Pchany jakimś dziwnym przeczuciem, poszedłem na pchli targ w Greenwich i przez przypadek wysupłałem z kartonu pełnego książek akurat tę, w której jest nazwisko twojego ojca. Tam był cały rząd prawie identycznych kartonów. Ale ja nachyliłem się akurat nad tym i wyciągnąłem akurat tę, a nie inną książkę. To jest jakaś absolutna magia. A najbardziej magiczna w tym wszystkim jesteś ty. We wszystkim. Nawet w tym, że ot tak, po prostu, prowadzisz mnie pod ramię na drinka. Ale także w tym, jak odsuwasz włosy z czoła i jak zakładasz nogę na nogę. A teraz podaj mi rękę i wejdźmy do tej restauracji, przed którą stoimy. Do tej, a nie do innej. Może to również nie przypadek, że to właśnie ta.

To nie był przypadek. Nauczyła się w tej restauracji czegoś dla niej nieoczekiwanie nowego o Ameryce. Sala była pełna ludzi. Czarny kelner zaprosił ich do baru na uboczu, proponując, aby przy drinku zaczekali na wolny stolik. Nathan zamówił dla nich wino. „Najlepiej reńskie" – powiedział do barmana. Szczerze mówiąc, wcale nie chciała siadać przy stoliku. Nie była pewna, czy jest odpowiednio ubrana. Przy barze mogła pozostać w rozpiętym płaszczu, nie zwracając tym niczyjej uwagi.

Rozmawiali. Nathan opowiadał jej o swojej „stałej pracy", o którą tak bezpośrednio zapytała Astrid. Ma doktorat z biologii, od kilku lat pracuje dla mieszczącej się na Brooklynie farmaceutycznej firmy Charles Pfizer & Company, kieruje niewielkim zespołem przeprowadzającym testy nowych leków na myszach, szczurach lub chomikach. To niezwykle ciekawa, ale także bardzo odpowiedzialna praca. Obecnie pracują nad nową szczepionką przeciwko gruźlicy.

– Przecież chomiki chyba nie chorują na gruźlicę? – zapytała zaciekawiona.

– Normalnie nie, ale my je gruźlicą celowo zarażamy.

– Naprawdę?! To bardzo okrutne, co mówisz – odparła z tonem oburzenia w głosie.

W tym momencie do baru zbliżyła się niecodzienna para. Wysoki, szczupły, czarnoskóry mężczyzna w eleganckim jasnoszarym garniturze, czarnej koszuli, szarym kapeluszu przewiązanym satynowym paskiem, z uwieszoną u jego ramienia przysadzistą Mulatką w karminowym kostiumie. Jej krótką szyję oplatały pętle białych pereł. Usiedli na stołkach tuż za plecami Nathana. Obserwowała ich kątem oka, słuchając „wykładu" Nathana o konieczności prób na zwierzętach. Rudowłosy, piegowaty barman demonstracyjnie ignorował parę. W pewnym momencie zniecierpliwiony mężczyzna zatrzymał go gestem ręki i grzecznie poprosił o dwa kieliszki martini. Usłyszała, jak barman powiedział:

– W naszej restauracji nie obsługujemy Murzynów.

Słyszała to wyraźnie! Dokładnie tak powiedział: „nie obsługujemy Murzynów". Ten rudy sukinsyn naprawdę tak powiedział! Poczuła ostre ukłucie pod mostkiem i pulsowanie w skroniach.

Gorące czerwcowe popołudnie trzydziestego siódmego roku. Siedzi na białym krześle pomiędzy rodzicami przy stoliku w kawiarni Zwinger w Dreźnie. Po zwiedzeniu pałacu ojciec zabrał ją i mamę na lody. Słyszy, jak opasły, spocony kelner w białym kitlu z czerwoną przepaską ze swastyką na lewej ręce głośno wykrzykuje do pary staruszków siedzących przy sąsiednim stoliku:

– Tutaj nie obsługujemy Żydów!

Widzi, jak w jednej chwili dobrotliwa, pogodnie uśmiechnięta twarz ojca najpierw poważnieje, aby za chwilę zmienić się w napiętą ze złości maskę. Ojciec sięga szybko drżącą ręką po portfel, rzuca kilka banknotów na stolik, chwyta ją mocno za rękę i ciągnąc za sobą, wyprowadza na taras przed kawiarnią. Odwraca głowę, wypatrując matki. Przez szklane drzwi widzi, jak jej matka gestykuluje, rozmawiając z kelnerem. Po chwili jednym ruchem przewraca ze złością na stolik miseczki z ich niedojedzonymi lodami i idzie w ich kierunku...

W jednej chwili Nathan przestał istnieć. Czarnoskóry mężczyzna obok zapalił papierosa. Kobieta głaskała jego nadgarstek, próbując go uspokoić. A ona widziała czerwone żyłki na białej powierzchni wokół źrenicy jego powiększonych oczu. Dała barmanowi znak ręką. Z trudem siląc się na grzeczność, zamówiła dwa kieliszki martini. Gdy kieliszki znalazły się przed nimi na blacie baru, zsunęła się ze stołka na podłogę, wzięła kieliszki do rąk, stanęła przed mężczyzną i powiedziała:

– Czy wypiliby państwo za zdrowie moje i mojego przyjaciela Nathana? Byłoby nam bardzo miło.

Wróciła na stołek. Zdumiony całą sytuacją Nathan zupełnie nie rozumiał, co się wokół niego dzieje. Zauważył jej zdenerwowanie. Po chwili barman, poprawiając krawat, podszedł do pary, zabrał kieliszki i postawił je na tacy. W tej sekundzie ona podniosła się, uklękła na stołku, wychyliła się do przodu, chwyciła za krawat barmana i przyciągnęła do siebie. Widziała, jak wino z kieliszków ścieka po jego białej koszuli i spodniach.

– Ci państwo są moimi gośćmi. Proszę ich przeprosić i przynieść jeszcze raz dwa martini – powiedziała, przysuwając twarz do twarzy przerażonego barmana.

– Weź coś mocnego na uspokojenie, panienko. I daleko z łapami – wycedził.

Pociągnęła mocniej za krawat. Widziała, jak twarz barmana robi się powoli czerwona.

– Ty rudy fałszywy skurwielu. Ty zajebany rasisto ze świńską skórą. Bardzo uprzejmie cię proszę, przynieś teraz dwa martini dla państwa albo zrobię tutaj zaraz taki skandal, że twój szef wykopie cię stąd jeszcze dzisiaj przed końcem zmiany. I tylko mi nie mów, że zawołasz policję. Jeśli zawołasz, to jutro znajdzie się to we wszystkich gazetach, a od pojutrza ludzie będą tę spelunę omijali szerokim łukiem. Gdy przyjedzie policja, oskarżę cię o rasizm, a gdy przyjadą dziennikarze, dodam do rasizmu jeszcze nazizm i faszyzm. Mnie uwierzą. Jestem Niemką. Pomyślą, że kto jak kto, ale Niemcy muszą dobrze znać się na faszyzmie. Dlatego po raz ostatni dobrze ci radzę. Nalej grzecznie dwa martini i przynieś państwu. Ja płacę. Sir! – wrzasnęła na końcu.

Barman stał jak sparaliżowany. Wino kapało z paska i rozporka jego spodni na podłogę. Uspokoiła się. Ciągle klęcząc na stołku, poprawiała krawat na szyi barmana, aby na końcu odepchnąć go z odrazą. Opadła z głośnym westchnieniem na stołek. Mocno przycisnęła dłonie do blatu baru, by opanować ich drżenie. Nathan przysunął się i objął ją. Nie mogła wydusić z siebie żadnego słowa. Barman zniknął za kotarą oddzielającą bar od zaplecza. Wrócił w świeżej koszuli, z białą serwetą przewieszoną przez ramię i dwoma kieliszkami. Postawił je przed czarnym mężczyzną. Kobieta obok przywarła ustami do ramienia mężczyzny i płakała. Barman przeszedł obok Anny, patrząc na nią z nienawiścią. Wyciągnęła plik banknotów z kieszeni swetra i rzucając nimi w barmana, powiedziała:

– Reszty nie trzeba, sir!

Wstała od baru, podeszła do Mulatki i powiedziała:

– Przepraszam panią. Mogę sobie wyobrazić, jak to martini państwu teraz wstrętnie smakuje...

Na ulicy zaczęła głęboko oddychać. Nathan szedł obok niej. Po kilkuset metrach ujęła go pod ramię. Wrócili do stacji metra. Przez całą drogę milczeli. Przed domem Nathan nagle zapytał:

– Czy twoje nazwisko coś oznacza po niemiecku?

Zignorowała jego pytanie, stanęła na palcach, pocałowała go w czoło i wyszeptała:

– Dziękuję ci za tulipany. I za Kleista...

Wspięła się schodami na górę. Zanim nacisnęła klamkę, odwróciła głowę. Była pewna, że Nathan ciągle stoi na chodniku.

– Naprawdę dobrze ci w tych nowych okularach. Dobrej nocy, Nath.

Słonecznego piątkowego poranka 16 marca 1945 roku zdążała otoczona tłumem podobnie jak ona śpieszących się ludzi w kierunku małej stacji nowojorskiego metra przy Church Avenue na Brooklynie. Pierwszy raz, odkąd przybyła do tego miasta, poczuła się jego częścią. Kupi jak każdy bilet, stanie pośród innych w szeregu wzdłuż krawędzi peronu, wsiądzie popychana do wagonu, przemierzy zapchaną kolejką swoje pensum stacji, będzie podczytywała nagłówki w gazetach trzymanych przez siedzących obok pasażerów lub przysłuchiwała się ich rozmowom, wysiądzie, gdy nadejdzie czas, wydostanie się z tłumem schodami na ulicę i gdy tłum się rozpierzchnie, ona pójdzie w swoją stronę. Nie będzie już więcej w panice podbiegała do ściany, gdy usłyszy syrenę ambulansu, co najwyżej zwolni kroku, zamknie na chwilę oczy, aby po chwili dalej maszerować ze wszystkimi ich tempem. I gdy wszystko wydarzy się tak, jak zaplanowała dzisiaj rano pod prysznicem, to będzie trochę z siebie dumna...

Dla pewności wybrała z rozkładu jazdy połączenie, które zapewniało, że będzie przed budynkiem około ósmej. Zaczynali wprawdzie pracę o dziewiątej, ale to nie miało znaczenia. Chciała być pewna, że się nie spóźni. Stanley czekał na nią, oparty o samochód zaparkowany wzdłuż chodnika dokładnie naprzeciwko wejścia do budynku redakcji. Ruszył w jej kierunku, gdy wyszła zza rogu.

– Cierpisz na bezsenność, Stanley? – zapytała, gdy zbliżył się do niej.

– W zasadzie nie – pocałował ją w policzek na powitanie – ale czasami budzę się, gdy mam jakiś straszny sen.

– A jaki sen miałeś dzisiaj?

– Śniło mi się, że Churchill wydał rozkaz zbombardowania nowojorskiego metra.

Uśmiechnęła się. W jednej chwili zrozumiała, o co mu chodzi. Zdjęła rękawiczkę i delikatnie pogłaskała jego twarz.

– I to akurat dzisiaj miałeś taki sen, Stanley?

– Tak jakoś akurat dzisiaj, Aniu...

Pośpiesznie wjechali windą na górę. W biurze przejrzeli teleksy i telegramy, które nadeszły minionej nocy. Potem ustalili plan na cały dzień. Stanley sugerował, aby nie ruszali się poza Manhattan. Chciał pozostawać blisko redakcji. Dzisiaj z Waszyngtonu wracał Arthur!

Najpierw Czterdziestą Drugą Ulicą pieszo przeszli do Bryant Park. Stanley chciał, aby znaleźli się na terenie parku jak najprędzej, „zanim zadzwonią budziki". Okna dostojnego budynku nowojorskiej biblioteki publicznej wychodzą z jednej strony na park, a z drugiej na Piątą Aleję. Według Stanleya, gdyby on był kartografem, to właśnie na trawnikach Bryant Park ustaliłby epicentrum Nowego Jorku. Wkrótce zrozumiała, co miał na myśli Stanley, mówiąc o budzikach. Na trawnikach w „epicentrum" najbogatszej stolicy świata, na kocach, na kartonach, w śpiworach albo wprost na trawie spali lub budzili się bezdomni. Nie kilku, nie kilkunastu, nawet nie kilkudziesięciu. Setki! Nawet w Dreźnie zalanym falą uchodźców ze wschodu nie widziała tylu bezdomnych śpiących pod gołym niebem! Obchodzili park z obu stron i fotografowali. Starała się robić takie ujęcia, aby twarze tych ludzi, wśród których było wiele kobiet, w żadnym wypadku nie mogły być rozpoznane.

Z Bryant Park pojechali do sierocińca przy Sześćdziesiątej Ósmej Ulicy. Tylko ostatniej nocy pozostawiono na schodach sierocińca troje noworodków. Stanley rozmawiał z pracującymi tam zakonnicami i wolontariuszami, a ona fotografowała ogromną salę, w której w kilkunastu rzędach stały łóżeczka z niemowlętami. W ciągu jednego tylko roku podrzucono do sierocińca nie mniej niż tysiąc noworodków lub niemowląt. Nie licząc tych, które przekazuje się tutaj „oficjalnie", to znaczy po wypełnieniu wszelkich możliwych biurokratycznych procedur. Według prowadzącej sierociniec urzędniczki, emigrantki z Serbii, te skomplikowane procedury to także jeden z powodów, dla którego zrozpaczone kobiety pozostawiają swoje dzieci na schodach lub wprost na chodniku przed sierocińcem. Bo poza tym, że są biedne, są na dodatek analfabetkami. Co, niestety, w Stanach idzie w parze. Wypełnienie stosu skomplikowanych podań przez kogoś, kto nie potrafi czytać i pisać, jest po prostu przeszkodą nie do pokonania. Pomijając już fakt, że wiele z tych kobiet nie chciałoby wejść w jakikolwiek kontakt z urzędem imigracyjnym. „Myślę, że pan doskonale rozumie, o co mi chodzi" – dodała na koniec.

Pamiętа, że wyszła z sierocińca przerażona tym, co tam zobaczyła. Poza tym nie potrafiła sobie przypomnieć nikogo, kto był w Niemczech analfabetą. Przypadki porzucania dzieci były w przedwojennym Dreźnie tak rzadkie, że odnotowywano je natychmiast na pierwszej stronie gazet. Stanley z kolei zainteresował się tym tematem, ponieważ porzucenia stały się nagminne.

W drodze powrotnej do redakcji zaczęli rozmawiać i o bezdomnych z Bryant Park, i o sierocińcu. Z jednej strony Manhattan ocieka bogactwem, które mieszkańcom przyniosła napędzona wojną koniunktura, z drugiej – to także takie miejsca jak Bryant i ten sierociniec, gdzie najlepiej widać, jak bardzo niesprawiedliwie to bogactwo jest dzielone.

– W tym kraju tak było, jest i będzie. Wierz mi, socjalizm nad rzekę Hudson nie zawita nigdy – podsumował. – To, co my robimy, to pokazywanie samego czubka góry lodowej w nadziei, że kogoś to poruszy i kierowany dobrym sercem, współczuciem, miłością bliźniego, altruizmem, ale głównie wyrzutami sumienia w jakiś sposób pomoże. I wierz mi, że wielu pomaga. Głównie przez wyrzuty sumienia. My mamy takimi materiałami jedynie spowodować, aby oni te wyrzuty poczuli.

Jeszcze tego samego wieczoru rozłożyli wszystkie fotografie na podłodze ich biura i chodząc wokół nich, dyskutowali i wybierali najlepsze. Stanley z przekąsem w głosie zauważył, że gdy z filmami do Maksa w ciemni idzie ona, to odbitki są gotowe już w ciągu godziny, a gdy on – to często dopiero na popołudnie następnego dnia.

– Omotałaś sobą kolejnego mężczyznę w tej fabryce. Mathew chciałby zbliżyć się do ciebie i krąży jak pies z wysuniętym jęzorem wokół kocicy, pamiętając o jej pazurach. Maks... No cóż, Maksa owinęłaś wokół palca jak maleńka, ukochana córeczka tatusia. Zrobi dla ciebie wszystko – skomentował, gdy Maks osobiście przyniósł do ich biura wywołane fotografie. – Odkąd umarła jego żona, Maks praktycznie nigdy nie wychodzi z ciemni. Ale dla ciebie się aż tak pofatygował, że przyszedł tutaj. Musiał chyba w hali pytać o drogę – dodał zgryźliwie.

Nie mogli się porozumieć w sprawie zdjęć. Klęczeli nad fotografiami na podłodze. Jej podobało się jego ujęcie bezdomnego z parku, który leżąc na zabłoconym kartonie, czyta książkę na mokrej trawie.

W oddali niewyraźnie, ale z pewnością czytelnie rysowały się kontury rozpoznawalnego budynku biblioteki. Jemu bardziej podobało się zdjęcie z sierocińca. Kilkanaście par maleńkich rączek podniesionych do góry, wysuniętych ponad szczeble łóżeczek. Jak gdyby proszących o pomoc. W pewnym momencie usłyszeli głos dochodzący z góry.

– Wydrukujemy oba. I jeszcze jedno, to z zakonnicą myjącą płaczące dziecko w zardzewiałej umywalce obok pisuarów i naprzeciwko kibla bez drzwi. To pójdzie jako pierwsze. Niech burmistrz La Guardia, kurwa, na własne oczy zobaczy amerykański sierociniec w swoim miasteczku...

Jak na komendę podnieśli głowy. Stanley natychmiast poderwał się z kolan.

– Arthur! – usłyszała szept Stanleya.

– Stanley, synku. Zmizerniałeś, chłopaku. Ale wreszcie jesteś! W Waszyngtonie rozniosło się, że zaszczyciłeś Pattona swoją obecnością w trakcie lotu przez Atlantyk.

Patrzyła, jak duże, żylaste męskie dłonie obejmują plecy Stanleya. Podniosła się. Zapięła guziki marynarki swojego kostiumu, odsunęła włosy z czoła.

– Pozwól, Anno, że ci przedstawię... – zaczął Stanley, odwracając głowę w jej stronę.

– Stanley, zostaw te ceremonie. Mam na imię Arthur – powiedział mężczyzna, wyciągając dłoń w jej kierunku. – O pani także już mówią w Waszyngtonie. Ponoć zapytała pani Pattona w samolocie, czy mieszkał w Dreźnie. No, ślicznie! Szkoda, że nie byłem przy tym. Dużo bym dał, aby zobaczyć minę tego zarozumialca.

Roześmiał się rubasznie i siadając na biurku, kontynuował:

– Poza tym głośno o pani także na Brooklynie. Astrid Weisteinberger, koleżanka mojej żony, opowiadała przez telefon przez ostatnie dni niesłychane historie na pani temat. Rzekomo uwiodła pani w kilka godzin pewnego prawie niewidomego Żyda, namawiała go pani któregoś wieczoru do wspólnego samobójstwa, aby potem wyciągnąć biedaka w środku nocy na ulicę prostytutek. Na dodatek prawdopodobnie nic pani nie jada, ale za to karmi pani wszystkie koty w okolicy. Ponoć miauczą teraz po nocach za oknami domu Astrid. Gdy Adrienne, moja żona, słusznie zauważyła, że w marcu koty przeważnie miauczą z zupełnie innego powodu niż głód, to dowiedziała się od Astrid, że w okolicy jej domu mieszkają tylko przyzwoite lub wykastrowane koty. Myślałem, że Adrienne pogryzie słuchawkę ze śmiechu. Znamy Astrid od trzydziestu lat, więc doskonale wiemy, jak dalece potrafi się posunąć w swoich fantazjach, szczególnie po drugiej butelce wina. Niemniej trochę prawdy w tym musi być. Ale to tylko tak na marginesie – powiedział, stając przed nią. – Przede wszystkim chciałem panią powitać w imieniu Adrienne i swoim. I w imieniu mojej gazety. To wyjątkowe wyróżnienie dla nas, że zechciała pani zostawić swój kraj i przyjechać do Nowego Jorku. Skontaktowałem się dzisiaj osobiście z naszym prawnikiem. Nakazałem mu, żeby w najkrótszym możliwym czasie spowodował, aby te kutasy... przepraszam, aby pracownicy w urzędzie imigracyjnym wystawili odpowiednie dokumenty pozwalające na zmianę statusu pani zatrudnienia. Chociaż to tylko formalność. Dla mnie, szczerze mówiąc, zupełnie bez znaczenia.

Stała przed nim skupiona, wpatrując się w jego oczy. Zdumiewają co przypominał Jacoba Rootenberga, ojca Lukasa. Ten sam ton głosu, to samo przenikliwe spojrzenie, to samo marszczenie czoła, to samo ułożenie dłoni podczas rozmowy, nawet ten sam krój i kolor marynarki, którą jej matka zniszczyła nożem w Annenkirche.

– Stary Maks Sikorsky zaprosił mnie któregoś wieczoru do swojej nory. Gdy Maks zaprasza do siebie, to zawsze jest coś ważnego. Bardzo ważnego. Maks wychodzi na zewnątrz ze swojego smrodu tylko dla najważniejszych rzeczy. Wcześniej byłem tam, gdy chciał mi pokazać zdjęcia Stanleya z Pearl Harbor. Ostatni raz całkiem niedawno, gdy pokazywał mi pani zdjęcia z Drezna. Maks nigdy jeszcze nie oprawił żadnych fotografii. Może tylko swoją ślubną, ale i tego nie jestem pewny. Ale pani zdjęcia oprawił. Wszystkie. I widzi pani, mnie bardzo zabolało to, co tam zobaczyłem.

Na chwilę przerwał i odwracając głowę w kierunku Stanleya, zapytał:

– Stanley, czy powiedziałeś pani Bleibtreu, że ja czasami klnę? Nawet wtedy, gdy jestem rozczulony?

Nie czekając na odpowiedź Stanleya, ciągnął:

– Chociaż nie powinno mnie boleć. Tak naprawdę mnie, Żyda, po tym wszystkim z Hitlerem powinno cieszyć, że rozpierdalają wam

Niemcy łącznie z pani Dreznem w miał i pył. Ale niech mi pani wierzy, przy pani fotografiach ugryzłem się w mózg i zawstydziłem się tego, co myślałem wcześniej. Następnego dnia późnym wieczorem, bo ona nie lubi tutaj przychodzić, gdy są ludzie, sprowadziłem do ciemni Adrienne. Chodziła wzdłuż fotografii na ścianie i nic nie mówiła. Gdy moja Adrienne milczy, to znaczy, że odebrało jej mowę albo z zachwytu, albo z przerażenia. W przypadku pani zdjęć odebrało jej mowę jednocześnie z obu powodów. Wyznała mi to w samochodzie, gdy wracaliśmy do domu.

Zamilkł, oddalił się od niej i podszedł do zdjęć leżących na podłodze. Po chwili, zwracając się do Stanleya, zapytał:

– Stanley, chłopcze, masz może przypadkiem jakieś płyny w szafie?

– Nie mam, Arthur. Póki co nie mam. Nie zdążyłem się jeszcze urządzić po powrocie.

– To doskonale. Znaczy, że nie potrzebujesz. To doskonale, chłopcze!

Wtedy ona podeszła do swojego płaszcza wiszącego na wieszaku. Z kieszeni wydobyła małą płaską butelkę z wódką.

– Ale ja mam. – Podeszła do Arthura. – Dzisiaj rano bardzo mi się to przydało. Napije się pan ze mną?

Arthur przez krótką chwilę patrzył na nią zdumiony. Przejął z jej dłoni butelkę, zdjął nakrętkę i przyłożył do ust. Oddając jej butelkę, powiedział:

– Jest pani drugą osobą w tej firmie, z którą wypiłem alkohol. Ale pierwszą, z którą piję prosto z butelki.

Wychodząc z biura, zatrzymał się w progu, spojrzał na nią i powiedział:

– Pani jest inna. Ta popierdolona Astrid ma rację. Pani jest bardzo inna...

Nowy Jork, Times Square, Manhattan, około południa, poniedziałek, 7 maja 1945 roku

Arthur sprowadził wszystkich do redakcji w niedzielę późnym popołudniem szóstego maja. Po niektórych wysyłał limuzynę, po innych taksówki albo jechał osobiście swoim samochodem. I wszyscy, którzy odbierali telefony lub byli w mieście, pojawili się w redakcji. Hala redakcji wieczorem w niedzielę przypominała przedpołudniowy poniedziałkowy szemrzący ul. Wszyscy w napięciu czekali na „wydarzenie". Inaczej Arthur nie sprowadziłby ich tutaj w niedzielę. Wiedzieli, że dla Arthura niedziela była tak święta jak Święta Rodzina. Chyba że na świecie działo się coś bardziej świętego. Sam fakt, że Arthur ani na chwilę nie opuszczał sali teleksów i nieustannie odbierał telegramy, wisząc jednocześnie na telefonie, świadczył, że coś takiego się właśnie działo.

Jej Arthur nie musiał „sprowadzać". Była w biurze od rana. Jak w każdą niedzielę, odkąd przybyła do Nowego Jorku...

Uwielbiała te swoje niedziele w opustoszałej redakcji. Wstawała, gdy było jeszcze ciemno, przemykała schodami na dół, wsiadała do prawie pustego metra i po godzinie piła prawdziwą kawę, oparta o różową lodówkę. Potem siadała przy biurku w ich cichym pokoju i uczyła się. Dzieliła czas na trzy części. Do południa angielski. Potem książki o dziennikarstwie i fotografii, a wieczorem, gdy czuła zmęczenie, czytanie zaległej prasy. Stanley uważał, że traci czas, szlifując angielski. Twierdził, że jej angielski jest lepszy niż jego. Nie dość, że ma brytyjski akcent z „europejskim brzmieniem świadczącym o kulturze", to na dodatek – jako jedyna osoba, którą zna – poprawnie stosuje nawet takie gramatyczne zawiłości jak następstwo czasów. „Tego nie robił nawet mój profesor historii literatury w Princeton" – mawiał. Czasami żartował, że gdy znudzi się jej fotografowanie, będzie mogła spokojnie zająć się redakcją i korektą cudzych tekstów. Ona tak nie uważała, ciągle była przekonana, że to jeszcze nie to, i na dodatek bardzo chciała pozbyć się tego „europejskiego brzmienia". Dlatego zabierała ze sobą podręczniki, które przywiozła z Drezna, i uczyła się.

Około południa wychodziła z biura i z aparatem wędrowała po Nowym Jorku. Zeszła lub przejechała metrem Manhattan wzdłuż i wszerz. Ale nie tylko Manhattan. Zapuszczała się coraz dalej, do Queens, na Coney Island, a nawet do Jersey City po drugiej stronie rzeki Hudson. Coraz lepiej poruszała się po mieście. Zdarzało się, że gdy jechali „robić materiał", to ona prowadziła Stanleya na miejsce.

Późnym popołudniem wracała do biura i zabierała się do teorii dziennikarstwa i fotografii. Stanley przywiózł któregoś dnia stos książek na ten temat, drugie tyle zdobył od innych w redakcji. Gdy mimo to czegoś jej brakowało, chodziła do biblioteki w Bryant Park i pożyczała lub zostawała w czytelni. Wieczorem otwierała butelkę wina i przeglądała prasę z całego minionego tygodnia.

Wojna się kończyła. Przynajmniej ta wojna w Europie. Ze zdziwieniem zauważyła, że dla Amerykanów, i tych w redakcji, i tych zwykłych na ulicy, wojna w Azji wydawała się ważniejsza. Stanley tłumaczył jej to „narodowym kompleksem Pearl Harbor". To, co się tam wydarzyło, było po pierwsze szokiem, po drugie poniżeniem dla Amerykanów. Uderzyć bezpośrednio w terytorium Stanów Zjednoczonych?! To jak niewybaczalny policzek wymierzony narodowej dumie. Wojna tak, bomby tak, ale nie tutaj, broń Boże nie u nas! W grudniu 1941 roku Japończycy w Pearl Harbor brutalnie złamali tę regułę. I muszą za to ponieść zasłużoną karę. Tak uważa i prezydent tego kraju, i sprzątaczka prezydenta tego kraju. Dlatego wojna w Azji i na Pacyfiku dla Amerykanów ma inny, bardziej osobisty charakter niż wojna w Europie. I stąd większe nią zainteresowanie.

Czytała o zamykaniu się pierścienia ze wszystkich stron Niemiec. Od wschodu napierają Rosjanie, od zachodu i południa alianci. Padają kolejne miasta. W czwartek 29 marca Amerykanie docierają do Mannheim, Wiesbaden i Frankfurtu. W środę 4 kwietnia Francuzi zajmują Karlsruhe, we wtorek 10 kwietnia Amerykanie wkraczają do Essen i Hanoweru, a tydzień później do Düsseldorfu. W poniedziałek 30 kwietnia pierwsze amerykańskie czołgi pojawiają się w Monachium, a 3 maja Brytyjczycy wjeżdżają do całkowicie zrujnowanego Hamburga. Tylko niewiele komunikatów publikowanych i przez „Times", i przez inne nowojorskie gazety dotyczyło frontu wschodniego. Szukała informacji o Dreźnie. Nic nie znajdowała. Amerykańska prasa albo celowo, albo z braku informacji prawie całkowicie ignorowała wydarzenia z walk na wschodzie Niemiec. Sądziła, że chyba jednak celowo, ponieważ amerykańska prasa miała informacje. A jeśli nie amerykańska, to współpracująca z nią brytyjska, ściśle powiązana z wywiadem. To stamtąd dotarł komunikat, że Niemcy „są na skraju śmierci głodowej". Powoływano się w nim na kuriozalny dokument przechwycony przez brytyjski wywiad w Berlinie. W czwartek 5 kwietnia Urząd Rzeszy do spraw Zdrowia poleca swoim placówkom terenowym wzmóc propagowanie zastępczych środków żywnościowych, takich jak koniczyna i lucerna, żaby i ślimaki. Do mąki, z której wyrabia się chleb, dodawać należy trociny i korę z drzew, a witamin dostarczyć ma spożywanie młodych pędów sosen i świerków. Ze źródeł wywiadowczych pochodziła także informacja, że w piątek 20 kwietnia po południu, w dniu swoich pięćdziesiątych szóstych urodzin, Hitler przyjmuje w zdewastowanym ogrodzie Kancelarii Rzeszy delegację Hitlerjugend i SS, i że podczas przemówienia Hitlera słychać było odgłosy walk frontowych, które toczą się niespełna trzydzieści kilometrów od Berlina.

Sowieci byli póki co sojusznikiem, bez Stalina ta wojna trwałaby w nieskończoność. Ale, jak to nazwał któregoś dnia obrazowo Stanley, przypominali „znienawidzoną teściową, którą trudno usunąć ze ślubnych zdjęć". Jedno takie „ślubne" zdjęcie opublikowali w „Timesie". Na pierwszej stronie, 26 kwietnia. Dzień wcześniej dywizje radzieckie i amerykańskie spotkały się w Torgau nad Łabą. Uśmiechnięty, szczerbaty rosyjski żołnierz idealnie nadawał się na teściową.

Oprócz suchych komunikatów z frontu od czasu do czasu pojawiały się reportaże z wyzwalanych przez aliantów Niemiec. Nigdy nie zapomni jednego z nich. Dla niej wstrząsającego i niewiarygodnego. Czytając go, przypalała jednego papierosa od drugiego, a potem całą noc nie mogła zmrużyć oka.

Amerykański dziennikarz radiowy 11 kwietnia 1945 toku dotarł z trzecią armią amerykańską do Buchenwaldu. Uciekający Niemcy nie zdążyli spalić w krematorium ponad trzydziestu pięciu tysięcy zwłok. Patton, który osobiście pojawił się w obozie, poruszony bestialstwem nazistów, natychmiast rozkazał przywieźć ciężarówkami niemiecką ludność z pobliskiego Weimaru, aby mogła naocznie przekonać się o tym, co działo się tuż pod ich nosem w niedalekim Buchenwaldzie.

Reporter brytyjskiej BBC w niedzielę 15 kwietnia jest świadkiem wyzwolenia przez drugą armię brytyjską obozu koncentracyjnego w Bergen-Belsen. Około dziesięciu tysięcy niepogrzebanych ludzkich zwłok leży na placu apelowym. Nawet po wyzwoleniu przez następnych kilka dni umiera z wyczerpania lub z powodu tyfusu ponad pięciuset więźniów.

Szwedzka dziennikarka z kolei towarzyszyła armii amerykańskiej, która 28 kwietnia wyzwoliła Dachau, i dotarła do tamtejszego obozu koncentracyjnego. Na rampie kolejowej stały niezliczone szeregi wagonów wypełnione od podłogi do sufitu zwłokami czekającymi na spalenie. Więźniowie obozu byli tak słabi, że udało im się zabić jedynie pięciuset strażników. Prosili, aby resztę powiesili lub rozstrzelali amerykańscy żołnierze.

Ostatni reportaż pojawił się wczoraj, w wieczornym wydaniu „Timesa". Szwajcarski wolontariusz Czerwonego Krzyża Louis Häfliger relacjonował w szczegółowym opisie swoje wrażenia po wkroczeniu żołnierzy 3. Armii Stanów Zjednoczonych do obozu koncentracyjnego w Mauthausen, piętnaście kilometrów na wschód od Linzu. Oprócz opisu krematoriów i komór gazowych pojawiła się informacja o bestialskich eksperymentach medycznych, które na więźniach przeprowadzał austriacki lekarz, niejaki doktor Aribert Heim. Ze znalezionej „księgi operacji" z własnoręcznymi wpisami Heima wynikało, że „w celach badawczych" w serca żydowskich więźniów on i obozowy aptekarz Erich Wasicky wstrzykiwali najróżniejsze trucizny, między innymi także fenol i benzynę. Z zeznań przesłuchiwanych przez amerykańskich żołnierzy więźniów obozu wynikało, że Heim „w ramach treningu" albo z nudów, albo z czystego sadyzmu podczas operacji usuwał z ciał „pacjentów" różne organy i następnie sprawdzał, jak długo można żyć na przykład bez trzustki lub śledziony...

Gdy czytała te reportaże, nie mogła nie myśleć o tym, co myślą o niej czytający takie teksty Amerykanie. Co myśli Liza, Mathew, Nathan, co przychodzi do głowy Astrid, a co Lillian Grossman, żydowskiej dziewczynie, która ostatnio wprowadziła się do pokoju naprzeciwko w domu Astrid. Czy oni, czytając, kojarzą w jakikolwiek sposób Niemców z tych tekstów z nią? Czy myślą, że ona w jakikolwiek sposób, przez sam fakt, że jest Niemką, która niedawno stamtąd przybyła, przyczyniła się do tego albo tylko swoim milczeniem dała przyzwolenie? Czy wina w ich mniemaniu spada na wszystkich Niemców, czy tylko na tych anonimowych, tych, których nie spotyka się oko w oko, twarzą w twarz na korytarzu, na ulicy, w restauracji czy w parku? Czy ona powinna za to wszystko przepraszać? Nie tylko teraz, ale przez całe życie? Czy całe życie będzie naznaczona tą winą? O tym także myślała, nie mogąc zasnąć tamtej nocy.

Stanley pojawił się tej niedzieli około południa. Wyglądał wyjątkowo odświętnie. W nowym garniturze i błękitnej koszuli. Jego oczy były na tym tle jeszcze bardziej niebieskie. Pierwszy raz w życiu widziała go w krawacie. Kwadrans później w redakcji pojawił się Arthur. Natychmiast przeszedł do „maszynowni". Tak potocznie nazywali pomieszczenie, w którym bezustannie stukało trzydzieści teleksów, a ostatnio także faksymiliów, tajemniczych urządzeń, za pomocą których można było wysyłać i odbierać telegramy pisane ręką! Arthur pod tym względem był, jak to ujął Stanley, „bardziej przyszłościowy niż cały Hollywood". Gdy tylko faksymilia pojawiły się na rynku, natychmiast zakupił kilka sztuk dla redakcji.

Otworzyli drzwi biura. Chcieli słyszeć, co dzieje się na zewnątrz. Oboje nie mogli skupić się na pracy. Stanley opowiadał jej o madame Calmes z Luksemburga, a ona patrzyła na niego i zastanawiała się, jaki dobry Bóg jej go zesłał. Około dziewiątej w hali zrobiło się zupełnie cicho. Wybiegli z biura. Arthur stał przed maszynownią i trzymał kartkę w dłoniach. Zamknął drzwi i gdy zapadła cisza, zaczął powoli czytać:

Reims, Francja, 7 maja 1945 roku

Niemcy poddali się bezwarunkowo aliantom i Związkowi Radzieckiemu o 2.41 czasu francuskiego, 8.41 wieczorem w niedzielę Wschodniego Czasu Wojennego. Kapitulacja miała miejsce w małym budynku szkoły z czerwonej cegły, kwaterze generała Dwighta D. Eisenhowera. Kapitulacja, która formalnie zakończyła wojnę w Europie po pięciu latach, ośmiu miesiącach i sześciu dniach rozlewu krwi i zniszczeń, została w imieniu Niemiec podpisana przez generała Alfreda Jodla. Generał Jodl jest nowym szefem sztabu armii niemieckiej. Akt kapitulacji został podpisany przez generała Waltera Bedella Smitha, szefa sztabu generała Eisenhowera. Został on także podpisany w imieniu Związku Radzieckiego przez generała Iwana Susłoparowa oraz w imieniu Francji przez generała François Seveza. Oficjalny komunikat zostanie ogłoszony we wtorek, o godzinie dziewiątej rano, gdy prezydent Harry S. Truman zwróci się drogą radiową do narodu, a premier Winston Churchill wyda proklamację Dnia Zwycięstwa w Europie, w tym samym czasie generał Charles de Gaulle zwróci się do narodu francuskiego z takim samym oświadczeniem.

Arthur skończył czytać. Otarł pot z czoła i bez słowa komentarza powrócił do maszynowni. Wszyscy widzieli przez szybę, jak w jakimś amoku uderza pięścią w stół. Po krótkiej chwili absolutnej ciszy rozległo się ogłuszające klaskanie, a zaraz potem ogłuszający wrzask. Stanley porwany przez tłum nagle gdzieś zniknął. Stała zupełnie sama, popychana we wszystkie strony. Podeszła do ściany i przemykając z dala od rozkrzyczanego tłumu, przedostała się do kuchni. Zgasiła światło, uklękła i opierając głowę o lodówkę, płakała.

– Szukałem pani – usłyszała nagle.

Podniosła się. Otarła pośpiesznie twarz.

– Proszę nie zapalać światła. Ja lepiej widzę w ciemności.

Rozpoznała głos Maksa.

– Pójdzie pani teraz ze mną do ciemni?

Stanął przy niej. Objął ją mocno i delikatnie gładził po włosach.

– Myślisz, że oni mną gardzą? Myślisz tak? Przecież ja nie chciałam tej wojny – szeptała, wtulając twarz w jego koszulę.

– Zapomnij o nich, Aniu, zapomnij. Oni tak samo krzyczą, gdy Yankees wygrają mecz baseballowy. Albo jeszcze głośniej. Zapomnij.

– Ale ja nie chcę zapomnieć. Ja cieszę się bardziej niż oni. Maks, nie pójdę z tobą do ciemni. Dzisiaj nie. Dzisiaj te zdjęcia by mnie udusiły. Dzisiaj nie...

Spontaniczna zabawa po ogłoszeniu przez Arthura zwycięstwa w Europie przeciągnęła się do późnych godzin porannych. Redakcja szacownego „Timesa" przypominała rozbawiony klub w trakcie nocy sylwestrowej przeniesionej na maj. Wszędzie walające się butelki, głośna muzyka dochodząca z radia, tańczące między biurkami, a po północy także na biurkach pary. Stanley stał obok niej w progu ich biura i patrząc na tę radość, przygarnął ją do siebie. Zamknęła oczy i pomyślała o domu na Grunaer, o cioci Annelise krzątającej się po kuchni, o pijanej Karafce leżącej pod piecem i – nie mogła zrozumieć dlaczego – także o tej dziewczynie z ambony w Annenkirche powtarzającej „kocham cię, kocham cię, pamiętaj, że cię kocham...".

Hala opustoszała dopiero około czwartej nad ranem. Stanley wypił zbyt dużo, aby wracać do domu autem, a jej ostatnie metro na Brooklyn i tak już dawno odjechało. Zamknęli na klucz drzwi biura, opuścili żaluzje, zgasili światło. Leżała na podłodze obok Stanleya i delikatnie całowała jego dłonie.

– Karafka cię lubiła. Naprawdę... – wyszeptała.

Przytulił ją mocno do siebie i zapytał:

– Zabierzesz mnie kiedyś do Drezna, prawda?

– Zabiorę, Stanley. Wszędzie cię zabiorę. Teraz już wszędzie. Tak się cieszę, że to już koniec. Tak czekałam na ten dzień...

SALOME

Obudziła się około dziewiątej. Stanley jeszcze spał. Szybko poprawiła pogniecione ubranie i pobiegła do kuchni. Po drodze uśmiechała się do mijanych w hali ludzi zajętych sprzątaniem pobojowiska po minionej nocy. Wróciła do biura z dwiema filiżankami kawy. Po kilku minutach oboje siedzieli przy swoich biurkach.

Nowy Jork, Times Square, Manhattan, wieczór, sobota, 12 maja 1945 roku

We wtorek ósmego maja około południa siedziała z papierosem na parapecie okna i spoglądała na gęsty, falujący, głośno wiwatujący tłum zebrany na Times Square. Amerykanie świętowali V-E-Day. Plakaty, napisy, balony, małe chorągiewki z tym skrótem – Amerykanie uwielbiają chwytliwie brzmiące skróty – mieszały się z amerykańskimi flagami. *Victory-over-Europe-Day*, dzień zwycięstwa nad Europą, ogłoszony we wtorek o dziewiątej rano w oficjalnym radiowym orędziu przez prezydenta Trumana, wzbudził narodową histerię. Hala opustoszała. Wszyscy wybiegli, aby wmieszać się w tłum na dole. Jedynie ona pozostała. Bała się tłumów, a tłumów w stanie patriotycznego amoku bała się szczególnie.

Po kilku minutach wróciła do biurka. Opracowywali ze Stanleyem reportaż z podziemia Nowego Jorku. Przez zupełny przypadek, przy rozbiórce starej kamienicy na południu Manhattanu, w okolicach Chinatown, robotnicy odkryli zasypany kanał wentylacyjny prowadzący do stacji metra. Spadające kamienie zabiły dwójkę dzieci śpiących dokładnie pod ujściem kanału. Okazało się, że nieopodal peronów stacji od czterech lat mieszka ponaddwustuosobowa grupa nielegalnych imigrantów, głównie Słowian. Od czterech lat! Kiedy ona i Stanley poszli wzdłuż torów i przedostali się do legowisk tych ludzi, ukazał się ich oczom makabryczny widok. Pomiędzy kaszlącymi, leżącymi na kartonach starcami w agonii biegały dzieci. W środku placu płonęły ogniska. Z tyłu za wałem ze śmieci było dwanaście świeżo usypanych grobów. Umierających tutaj ludzi nie wyciągano na górę. To było zbyt ryzykowne. Grzebano ich za wałem. W jednej chwili przypomniała sobie grobowiec z Drezna. Stanley był w szoku.

Nie fotografował. Nie mógł. Jeszcze tego samego dnia spotkał się z Arthurem. Wieczorem Arthur zadzwonił do burmistrza La Guardii, który prosił o tymczasowe wstrzymanie tego materiału. W nocy Arthur zadzwonił do Stanleya. Poprosił, aby nic nie wstrzymywać i aby jutro cały materiał leżał u niego na biurku. „Cały, kurwa, cały z każdym detalem" – dodał na końcu. Dokładnie to samo, łącznie z „kurwami" Arthura, powtórzył jej Stanley.

Na rozłożonych na jej biurku fotografiach z podziemia leżał zwitek wydruku z teleksu. Zaczęła czytać.

W dniu dzisiejszym, 8 maja 1945 roku, około godziny 10.00 (GMT) oddziały radzieckiej 5. Armii Gwardyjskiej wkroczyły do Drezna. Miasto poddało się bez większych walk i znajduje się pod całkowitą kontrolą Sowietów. Szef Okręgu (Gauleiter) i jednocześnie zarządca miasta, Martin Mutschmann, który ogłosił 14 kwietnia 1945 roku Drezno twierdzą, opuścił miasto przed wkroczeniem Rosjan. Miejsce jego pobytu jest dotychczas nieznane. (źródło: Associated Press)

Na chropowatym papierze wyrwanym z teleksu ktoś dopisał ręką: „myślę, że chciałabyś to wiedzieć". Rozpoznała pismo Maksa Sikorsky'ego.

– Wiesz, że nikt nie fotografuje w ciemności tak jak ty – powiedział Maks, witając ją w progu ciemni – jesteś jak nietoperz latający z aparatem. Te obrazy z podziemia metra pod Chinatown są znakomite.

– Masz dla mnie chwilę, Maks? – zapytała, zamykając drzwi. – Chciałabym pobyć trochę w Dreźnie. Dzisiaj szczególnie.

Usiadła przy stoliku naprzeciwko zdjęć. Patrzyła...

Modlący się żołnierz. Prawą dłonią ściskający kikut, który pozostał mu z lewej ręki. Z hełmu leżącego obok jego nóg wydostawał się płomień palącej się świecy. Mała, płacząca dziewczynka z zabandażowaną ręką siedząca na nocniku nieopodal żołnierza.

– Maks, wiesz, że ten żołnierz po modlitwie podszedł do dziewczynki, wziął ją na ręce i zaniósł do rodziców? Co ja mówię! Skąd miałbyś to wiedzieć? Po każdym z tych zdjęć życie toczyło się dalej, chociaż powinno się zatrzymać. Przynajmniej na chwilę...

– Ile ty masz lat? Dwadzieścia? Dwadzieścia dwa? – zapytał nagle Maks i nie czekając na odpowiedź, dodał: – Widzisz świat oczami takiego starucha jak ja. Dostrzegasz to, czego ludzie w twoim wieku dostrzegać nie powinni. Opowiesz mi teraz, chociaż trochę, jak toczyło się dalej życie po każdym z tych zdjęć?

Siedziała obok Maksa naprzeciwko wiszących na ścianie fotografii i opowiadała. O tym, że staruszka w futrze i słomkowym kapeluszu, głaszcząca siedzącego na jej kolanach wychudzonego kota z jednym uchem, po drugim nalocie zrozpaczona chodziła po całym kościele i szukała tego kota, i gdy go nie znalazła, po prostu wyszła na zewnątrz i nigdy już nie wróciła. O tym, że zakonnica spowiadająca się przed palącym papierosa księdzem bawiła się w chwilę potem w chowanego z biegającymi po kościele dziećmi.

O tym, że żadna woda nie smakowała jej tak jak ta płynąca z mosiężnego kranu przy zlewie wyrastającym z ruin. O tym, że wokół przygniecionej fragmentem balkonu kobiety z nieżywym niemowlęciem na rękach gromadziły się wygłodniałe wrony. I także o tym, że ten skrzypek, który stoi i gra pod żyrandolem ze świec, na tle trumien i czaszek, przez cały dzień wynosił na plecach gruz ze zbombardowanej piwnicy, aby kupić dla niej kołdrę. A ona? Ona nie wie nawet, jak on ma na imię. Najpierw nie chciała, a potem nie zdążyła go zapytać. Zamilkła. Pośpiesznie starła krople łez ze stolika i wstając, powiedziała:

– A teraz, Maks, muszę iść zapalić.

Po południu Liza obchodziła redakcję i wręczała koperty z zaproszeniem. Na oficjalne przyjęcie z okazji V-E-Day. Arthur „docenił gotowość całego zespołu" z niedzieli i zaprasza wszystkich w imieniu swoim i zarządu firmy „New York Times" na uroczystą kolację. W sobotę, 12 maja, od ósmej wieczorem, w restauracji w Empire State Building.

Nie była pewna, czy chciała tam być. W sobotę Nathan zaprosił ją „na noc w muzeum". Metropolitan Museum of Art postanowiło uczcić V-E-Day i otworzyć na całą noc swoje sale. Nigdy nie zwiedzała żadnego muzeum nocą i chciała tam być. Szczególnie w tym muzeum i szczególnie z Nathanem, który o sztuce i literaturze wiedział nie mniej niż o zarażaniu chomików gruźlicą. To po pierwsze. Po drugie, nie chciała słuchać pytań typu: „Jak się pani czuje teraz jako Niemka?", „Czy spotkała pani kiedyś osobiście Hitlera?" albo: „Dlaczego Niemcy tak naprawdę nienawidzili Żydów?". Jako Niemka czuje się od wielu lat bardzo źle, ale urodziła się jako Niemka i nie może, niestety, tego zmienić, Hitlera widziała na własne oczy tylko raz w życiu, podczas parady w Dreźnie, gdy miała piętnaście lat, krzyczał i miał okropne wąsy, a jeśli chodzi o Żydów, to pewien żydowski lekarz uratował życie jej ojcu i dzięki temu ona w ogóle jest na świecie. A poza tym przez ostatnie dwa lata wynosiła ze skrytki pod podłogą nocniki pełne kału i moczu żydowskiego chłopca, za którym cały czas tęskni. I dlatego niech po prostu spierdalają z takimi pytaniami. Na sam koniec swojego podkolorowanego piekła z kreskówek Disneya!

Stanley uważał, że jej nieobecność w sobotę mogłaby przez wielu być poczytana za swoistą demonstrację negacji. Wszyscy, potencjalnie, wiedzą, że chociaż dopiero co stamtąd przyjechała, „jest pomimo to inną Niemką". Wiedzą to od niego, od Arthura, od Lizy i od Maksa. Ale dobrze by było, gdyby dowiedzieli się też bezpośrednio od niej. Nie musi odpowiadać na żadne głupie pytania, wystarczy, że odpowie na te rozsądne. A najważniejsze, że tam będzie.

Nathan był podobnego zdania. Poza tym uważał, że „jeszcze żadna tak piękna kobieta nie wsiadała na stacji przy Church Avenue na Brooklynie do metra". Pojechał z nią i odprowadził ją pod same drzwi prowadzące do Empire State Building. Wieczorem w pokoju wypiła na odwagę wódkę z piersiówki. Miała na sobie nową sukienkę, do małej torebki wsunęła flakonik z perfumami, dwie jedwabne chusteczki i obrączkę babci Marty. Na szczęście. Była gotowa.

Na ścianie windy w Empire State Building wiszą duże kryształowe lustra w drewnianych ramach. Przy kasecie z przyciskami stał czarnoskóry lokaj ubrany w śmieszny fioletowy mundur, obok niego para staruszków, a w rogu windy młody, bardzo wysoki, szczupły, opalony mężczyzna w jasnych spodniach i granatowej marynarce. Miał oczy jeszcze bardziej błękitne niż Stanley i był do niego zdumiewająco podobny. Gdy po oddaniu płaszcza w szatni wsiadła do windy na pierwszym piętrze, spojrzał na nią z uśmiechem i uprzejmie skłonił głowę. Po sekundzie zatopił się w swoich myślach, zupełnie nie zwracając na nią uwagi.

W okolicy dwunastego piętra, zerkając na swoje odbicie w lustrze, z przerażeniem zauważyła, że sukienka zsuwa się jej z ramion. Musiała nie zasunąć do końca zamka na plecach! Była bez stanika. Była tuż przed okresem. Jej piersi były także tuż przed okresem. Ogromne. Nie zmieściłaby stanika pod tę sukienkę. Postanowiła, że dotrze na piętro restauracji i natychmiast w toalecie zajmie się sukienką. Para staruszków wysiadła na osiemnastym piętrze. Na dwudziestym piętrze zmieniła zdanie. Sukienka opadała coraz niżej. Stanęła przed lustrem i sięgając ręką do tyłu, próbowała przesunąć zamek do góry. Na dwudziestym czwartym piętrze sukienka zsunęła się na dół, odsłaniając piersi. Czarnoskóry lokaj natychmiast odwrócił się do niej plecami. Pomiędzy dwudziestym czwartym i dwudziestym piątym piętrem stanęła, zakrywając rękami piersi przed wysokim mężczyzną i zadzierając głowę, zapytała:

– Czy mógłby pan mi pomóc zasunąć ten cholerny zamek?

Wyrwany z zamyślenia, patrzył przez chwilę na nią jak na przybysza z innej planety.

– Ależ oczywiście. Co mam zrobić?

– Proszę stanąć za mną i przesunąć suwak zamka do góry. Tylko to.

Na trzydziestym ósmym piętrze znowu stała skromnie w rogu windy i przez osiemnaście pięter patrzyła najpierw na gigantycznie duże dłonie, a potem na twarz mężczyzny. Stał oparty plecami o ścianę i trwał w jakimś głębokim zamyśleniu. Nie była pewna, czy nawet w tak krótkich momentach, kiedy na nią spoglądał, tak naprawdę ją widział. Na pięćdziesiątym piętrze wyciągnął z kieszeni marynarki niewielki notes i ołówek. Przez chwilę nerwowo gryzł koniec ołówka. Na pięćdziesiątym czwartym piętrze znajdowała się restauracja, do której zapraszał Arthur. Lokaj ogłosił numer piętra. Będąc już na korytarzu, odwróciła szybko głowę. Mężczyzna zapisywał coś w notesie. Tak naprawdę nie była pewna, czy chciała wysiąść z tej windy...

W wyłożonym czerwonym dywanem holu kłębiła się hałaśliwa kolejka ludzi. W progu drzwi prowadzących do rozświetlonej sali rozpoznała Arthura. Widziała, jak każdej wkraczającej do sali osobie podaje rękę i przedstawia ją stojącej obok niego szczupłej kobiecie ubranej w długą czarną suknię. Stanęła na końcu kolejki. Rozpoznawała twarze z hali. Kobiety w wieczorowych sukniach, mężczyźni w garniturach lub w smokingach. W holu snuł się zapach perfum.

Kelnerzy przeciskali się przez tłum i podsuwali tace z kieliszkami. Zawiesiła torebkę na ramieniu i sięgnęła po dwa kieliszki. Jeden opróżniła do dna, zanim odszedł kelner, z drugiego sączyła powoli, przesuwając się wraz z kolejką do przodu.

– Adrienne, pozwól, że ci przedstawię – usłyszała nagle głos Arthura – nasz nowy pracownik z Drezna. Pani Anna Marta Bleibtreu...

Kobieta pośpiesznie sięgnęła do torebki i włożyła okulary. Potem, wysuwając się przed Arthura, objęła Annę i wyszeptała do ucha:

– Uczyłam się dzisiaj rano niemieckiego. To bardzo piękny, ale trudny język. Ale jednego słowa się nauczyłam i nigdy go nie zapomnę.

– Jakiego?

– *Das Herz*. Dobrze wymówiłam? Nawet jeśli nie, to *egal*. To słowo znałam już wcześniej. Bardzo się cieszę, że zechciała pani do nas przyjechać. Nauczy mnie pani fotografować?

– Ja bardzo chciałabym pani podziękować, czuję wdzię...

– Arthur mówił mi, że pani wygląda tak jak ja, gdy mi się oświadczał – przerwała jej – ale to nieprawda. On trochę ostatnio idealizuje i na dodatek chyba naprawdę niedowidzi.

Odwróciła się do kelnera stojącego obok i powiedziała:

– Proszę odprowadzić Miss Bleibtreu do jej stolika.

Szła za kelnerem i zastanawiała się, czy ktoś zauważy, że płacze. Maks wstał i odsunął od stołu krzesło. Usiadła. Starała się nie patrzyć w oczy ludzi przy stole.

– Maks, zrobisz coś teraz szybko dla mnie? – wyszeptała mu do ucha. – Wlej dużo wódki do szklanki i wymieszaj z lemoniadą. Tak dyskretnie. Postaraj się, aby było więcej wódki niż lemoniady. Mogę cię o to prosić?

– Na stole nie ma wódki. Jest tylko brandy – odszeptał po sekundzie Maks.

– Okay, może być brandy. Ale wlej tylko trochę lemoniady.

Wiedziała, że wszyscy patrzą teraz na nią. Ale i tak miała szczęście. Konferansjer zapowiedział akurat niezwykłe wydarzenie. „Doris Day i Les Brown ze swoim przebojem *Sentimental Journey*. Tutaj, razem, w ten specjalny dzień, dla nas".

Wszyscy przy stole jak na komendę zerwali się z miejsc. W przerwach, które celowo robiła Day, chóralnie śpiewali.

Seven... that's the time we leave at seven.
I'll be waitin' up at heaven,
Countin' every mile of railroad
track, that takes me back.*

Ale tylko tę zwrotkę. Znała ją na pamięć. Z jakiegoś powodu ta strofka stała się nagle narodową pieśnią dziękczynienia „chłopcom na wojnie". Bezustannie i na okrągło grano to ostatnio w radiu. A od wtorku 8 maja miała uczucie, że Nowy Jork słucha albo amerykańskiego hymnu, albo *Sentimental Journey*. Ona także kiedyś wsiadła do pociągu. Chociaż nie o siódmej...

Działanie brandy poczuła dopiero po drugiej szklance. Ale jeszcze zanim Doris Day opuściła scenę. Głównie dlatego, że ludzie śpiewali i oklaski trwały wystarczająco długo. Krzesło obok niej było puste. Na kartoniku pomiędzy kieliszkami i szklankami przeczytała napis „Stanley Bredford". Redaktora Stanleya Bredforda nie było! Około dziesiątej zaczęła się niepokoić. Wysupłała monety z portmonetki i przedzierała się pomiędzy rozbawionym tłumem na korytarz, do automatu telefonicznego. Tuż przy drzwiach, obok stołu z zakąskami, dostrzegł ją Arthur. Zatrzymał. Nachylił się nad jej głową i zapytał szeptem:

– Ma pani dzisiaj przy sobię tę butelkę? To była naprawdę dobra wódka. Tutaj podają tylko jakieś takie udawane świństwo.

– Nie, dzisiaj nie mam. Zostawiłam w domu. To była prawdziwa polska wódka. Od Żyda z Greenpointu. Jeśli pan chce, kupię dla pana kilka butelek. Czy może pan wie, gdzie zapodział się Stanley? Brakuje mi go.

– Stanley? – Spojrzał uważnie na zegarek. – Powinien być teraz w San Francisco.

– Gdzie?!

– W San Francisco. Dzisiaj nad ranem w celach obozu internowania powiesiło się naraz ośmiu Japończyków. Stanley uważa, że to nie przypadek, szczególnie że doszło do tego akurat po V-E-Day i po zajęciu Okinawy. Sądzi, że ktoś im w tym pomógł. Poza tym Japończycy

---

* *Siódma... wyjeżdżamy o siódmej,*
Będę wyczekiwała w niebie,
Licząc każdą milę szyn,
którą powrócę.

się nie wieszają. Mają inny kodeks honorowy. Gdy już chcą pożegnać świat, to jeśli nie mogą sobie wypruć flaków mieczem, przecinają żyły. Stanley poleciał, aby to sprawdzić. Pojutrze wraca.

– Jak to?! Nic mi nie powiedział! – wykrzyknęła zdumiona.

W tym momencie Arthur uniósł głowę, objął ją ramieniem i powiedział:

– Witaj, Andrew! Cieszę się, że znalazłeś dla nas czas. Jak tam amerykańska fizyka?

Odwróciła głowę. Mężczyzna z windy stał i przyglądał się jej z zaciekawieniem.

– Witaj, Art, nie wiedziałem, że masz córkę. Wiesz może, gdzie mogę spotkać Stanleya?

– Teraz? Myślę, że we Frisco. Nie zadzwonił do ciebie z usprawiedliwieniem? On zawsze się usprawiedliwia przed tobą. Nigdy nie mogłem pojąć, po co i dlaczego...

– Ostatnio mało rozmawiamy – odparł mężczyzna, ignorując uwagę Arthura.

– Jasne, Andrew, jasne. Każdy z nas ma dużo pracy. Ty teraz pewnie szczególnie dużo, prawda? Dlatego doceniam, że mimo wszystko się wyrwałeś. A teraz pozwól, że ci przedstawię. Miss Anna Bleibtreu. Dołączyła do naszego „Timesa" dzięki twojemu bratu.

Mężczyzna wyjął ręce z kieszeni spodni i wysuwając dłoń w jej kierunku, powiedział cicho:

– Andrew Bredford. Bardzo mi miło.

Ujęła jego dłoń, patrzyła na nią przez chwilę i powiedziała:

– Ma pan ogromną, piękną dłoń.

– Andrew był kiedyś bardzo zdolnym koszykarzem. Ale potem mu się odwidziało i teraz jest bardzo zdolnym fizykiem – wtrącił Arthur. – A teraz państwo wybaczą. Muszę się oddalić.

– Jak udało się panu takimi ogromnymi palcami przesunąć suwak? – zapytała, patrząc mu w oczy. – Bardzo, bardzo pana przepraszam za ten incydent w windzie. To wszystko przez moje piersi. Ma pan oczy bardzo podobne do oczu Stanleya. Tyle że pana są jeszcze bardziej niebieskie.

– Jak pani poznała Stanleya, jeśli wolno zapytać?

– Na wieży katedry w Kolonii.

– Gdzie?! W jakiej Kolonii?

– Takie duże miasto w Niemczech. Nad Renem – odparła spokojnym głosem.

– To wiem. Ale jak? Kiedy?

– W czwartek rano, ósmego marca 1945 roku. Czekałam tam na niego.

– W czwartek, ósmego marca, na wieży, w Kolonii, w Europie, hmm... a co Stanley tam robił?

– Fotografował drugą stronę Renu.

– Pani teraz żartuje, prawda?! Mój brat tak sobie stał na wieży katedry w Kolonii dwa miesiące temu i fotografował drugi brzeg Renu?!

– Nie stał przez cały czas, przez chwilę leżał pod balustradą. Ale krótko.

– Mój brat Stanley?! Wybrał się, ot tak, przez Atlantyk, na wojnę, aby porobić parę zdjęć? A co pani ma z tym wspólnego?

– Tego właśnie ciągle jeszcze dokładnie nie wiem. Ale się przez cały czas dowiaduję. W każdym razie pana brat zrobił dużo ważnych zdjęć i przy okazji przywiózł mnie tutaj ze sobą.

– Przepraszam, że tak bezpośrednio, czy pani jest Niemką?

– Za co mnie pan przeprasza, jeśli wolno zapytać? Tak bezpośrednio? Za co, kurwa, pan mnie teraz przeprasza?! Niech pan zadzwoni do swojego brata i jego o to zapyta. Kiedy ostatni raz pan z nim rozmawiał?! Przypuszczam, że przed maturą...

Odwróciła się do niego plecami. Ktoś postawił obok półmisków na stole niedopity kieliszek z winem. Wypiła do dna i bez słowa wyszła na korytarz. Zdążyła na ostatnie metro. Nie mogła zasnąć. Na szlafrok narzuciła płaszcz. Zeszła na dół i przebiegła przez ulicę do parku. Usiadła na ławce. W smudze świateł przejeżdżającego ulicą samochodu dostrzegła oczy wpatrzonego w nią kota...

– Karafka, opowiem ci bajkę, tę o Kocie w Butach – szeptała, delikatnie rozsuwając sierść kota za uszami. – Chcesz, prawda? Przy strumieniu stał młyn. Co dzień koło młyńskie uderzało w wodę tap-tap. Ale pewnego dnia odgłosy te zostały stłumione przez żałobne pieśni. Zmarł stary młynarz. Po stypie bracia podzielili schedę po ojcu: najstarszy przejął młyn, średni zabrał osła, a Janek dostał kota. Widział Janek, że nie ma dla niego już miejsca we młynie. Wziął bochen chleba, szarego kota i poszedł w świat...

Nowy Jork, Brooklyn, noc, 19 maja 1945 roku

Wieczorem tego dnia leżała w swoim łóżku, piła kakao i obżerała się – zapominając, że jest od tygodnia na diecie – babeczkami *brownies* i czytała z wypiekami na twarzy *Black Boy*, autobiograficzną książkę Richarda N. Wrighta. Od kilku tygodni ten tytuł nie schodził z listy najlepiej sprzedających się książek w Stanach Zjednoczonych. Na ich liście, w „Timesie", trwał na pierwszym miejscu przez cztery kolejne tygodnie. To było zdumiewające. Wright miał trzydzieści siedem lat, pochodził z zacofanego, południowego stanu Missisipi i był Murzynem. W 1940 roku Richard Nathaniel Wright, jako pierwszy w historii Stanów Zjednoczonych murzyński autor, trafił ze swoją książką *Native Son* na listy bestsellerów Ameryki. Rok później Orson Welles wyreżyserował adaptację tej książki i wystawił ją na Broadwayu. Ale w skróconej i okrojonej wersji. Na przykład seksualne fantazje głównego bohatera w odniesieniu do białych kobiet zostały starannie wyczyszczone przez cenzurę. I w książce, i na scenie. Stanley na jej prośbę zdobył swoimi kanałami od wydawcy nieocenzurowany maszynopis książki Wrighta. Czytając go, nie mogła zrozumieć, co takiego przeszkadzało cenzorom. Wright wiedział, co pisze. Znał dobrze białe kobiety. I one jego. Jego pierwsza żona była biała, tak samo jak druga, która urodziła mu córkę. To z książek Wrighta wydobywał się mroczny obraz amerykańskiego rasizmu. Gdyby Wright napisał *Black Boy* teraz, po Buchenwaldzie, Belsen i Dachau, analogia do rasowej segregacji w Niemczech byłaby nie tylko jej przerysowanym domysłem. „Nie obsługujemy tutaj Murzynów" brzmiało tak bardzo podobnie do „Nie obsługujemy tutaj Żydów"! To od Wrighta dowiedziała się, że słowo *Negro* wymawia się inaczej na północy, a inaczej na południu Ameryki. Na południu Stanów wymawia się je do dzisiaj – z pewnością nie bez przyczyny – jako *knee-grow*, „rosnący na kolanach". Akurat w tym momencie zadzwonił telefon. Tak późno, o jedenastej, mógł dzwonić tylko Stanley. Nathan jest zbyt poprawny i nigdy by sobie na to nie pozwolił.

– Stanley, co się dzieje? – zapytała, przełykając ciasto.

Po chwili ciszy usłyszała chrząknięcie.

– Pomyślałem sobie, że zatelefonuję do pani i...

– Witaj. Jak się masz, Andrew? – przerwała mu, starając się ukryć zdumienie.

– Chciałem panią przeprosić za moje idiotycznie sformułowane pytanie.

– Które pytanie, mister Bredford? – Nie była pewna, czy przeszli na ty. – Nie pamiętam żadnych pytań. Pamiętam za to dokładnie pana dłonie na moich plecach i pana niezwykle niebieskie oczy. Pana zapach także...

– Proszę wybaczyć późną porę. Zdałem sobię właśnie sprawę, że przez te cztery godziny różnicy czasu u pani musi być już późna noc. Nie przeszkadzam?

– Ależ nie. Oderwał mnie pan od *brownies* i Wrighta. Ale to dobrze. Szczególnie się cieszę, że od *brownies.*

– Od jakiego Wrighta? – zapytał niepewnie.

– Od Richarda Wrighta. Czytam go właśnie...

– Czyta pani Wrighta?! Naprawdę?! To przecież oszołom i komunista, a do tego...

Wypuściła słuchawkę z rąk. Poczuła wściekłość. Zapaliła papierosa. Odłożyła słuchawkę na widełki telefonu. Podeszła do okna. Papieros ją uspokoił. Po chwili telefon ponownie zadzwonił. Usiadła na skraju łóżka. Telefon nie przestawał dzwonić. Celowo nie odbierała. Odczekała. Po kolejnym dzwonku podniosła słuchawkę.

– Stanley, właśnie bardzo ciepło myślałam o tobie – wyszeptała – wyobraź sobie, że przed chwilą dzwonił do mnie twój brat. Ja wiem, że to nie twoja wina. Braci się ma, a nie wybiera, ale powiem ci, że to wyjątkowo szowinistyczny, zarozumiały palant. Zupełnie jak nie ty. Przytulisz mnie, Stanley? Bardzo tego potrzebuję. Teraz. Przytul. Przytul mnie mocno...

Po chwili usłyszała kliknięcie i długi sygnał w słuchawce.

Nowy Jork, południowy Manhattan, popołudnie, poniedziałek, 20 czerwca 1945 roku

Około piętnastej na horyzoncie pojawiły się najpierw kłęby pary, a po krótkiej chwili sylwetka statku. Poderwała się z miejsca i krzyczała ze wszystkimi w jednym wspólnym wrzasku radości. Od dwóch godzin wmieszana w tłum na South Street nieopodal Battery Park niecierpliwie czekała na ten moment. Brytyjski liniowiec pasażerski RMS „Queen Mary" syrenami ogłaszał triumfalne przybycie do Nowego Jorku. Sięgnęła po aparat. Na niebie zawisł zeppelin amerykańskiej marynarki wojennej, za majestatycznym parowcem, normalnie czarnym, ale na okres wojny przemalowanym na jasnoszary kolor, podążały dwa motorowe jachty. Na pokładzie jachtów tańczyły młode dziewczęta z kwiatami we włosach, wymachując rękami w kierunku żołnierzy napierających na relingi statku. „Queen Mary" zbliżała się powoli do rzeki Hudson, otoczona flotyllą barek, frachtowców, promów, pogłębiarek, holowników, które wypłynęły na spotkanie i syrenami witały zwycięzców. Na wysokości Battery Park statek portowej straży pożarnej, „Firefighter", wypuścił ze swoich pomp bijące w niebo fontanny wody. Na pokładach „Queen Mary" śpiewało i krzyczało ponad czternaście i pół tysiąca gardeł. *We made it Mom** – można było przeczytać na plakatach trzymanych nad głowami, co chwilę w niebo unosiły się nadmuchiwane przez żołnierzy kondomy. Nieprzebrany tłum na brzegu wiwatował, kierowcy przejeżdżających ulicami samochodów zatrzymywali się i naciskali klaksony. Nowy Jork w triumfalnym zjednoczeniu i eksplozji spontanicznej radości witał „swoich chłopców" powracających z wojny w Europie. „Jeszcze tylko Japonia, mamo". Takie napisy także dostrzegła na plakatach trzymanych przez roześmianych żołnierzy wracających do domu.

Stanley był w tym czasie w innym punkcie miasta. Umówili się, że ona fotografuje wpłynięcie, a on cumowanie. Wieczorem w redakcji podniecony opowiadał jej i Arthurowi o nieoczekiwanym przez nikogo kotłowisku, jakie powstało, gdy „Queen Mary" w końcu zacumowała wzdłuż Pier 90 na West Side. Wrzeszczący żołnierze nieomal stratowali policjantów i całkowicie ignorując czekających na nich udekorowanych generałów i notabli z miasta, biegli jak oszalali w kierunku stojących w oddali kobiet. Potem, gdy zostali sami w biurze, przysiadł się do niej. Palił papierosa i wspominał Luksemburg. Opowiadał

* (ang.) Daliśmy radę, mamo.

o stęsknionych młodych mężczyznach, którzy chcieli mu tę tęsknotę koniecznie opowiedzieć, pokazując wyciągane z portfela fotografie młodych, uśmiechniętych kobiet.

– Tam, w Luksemburgu, pierwszy raz w życiu zdałem sobie sprawę – powiedział – jak bardzo ważne jest mieć kogoś, do kogo się tęskni...

Następnego ranka na pierwszych stronach większości amerykańskich gazet ukazała się sucha informacja:

Pięć dni temu, wieczorem 15 czerwca 1945 roku, o godzinie 7.35 RMS „Queen Mary", największy pasażerski statek świata, przyjął na pokład w małym szkockim porcie Gourock 12 326 amerykańskich żołnierzy powracających po wypełnieniu misji w Europie. Po 135 godzinach podróży statek wpłynął wczoraj około 3.30 po południu do portu w Nowym Jorku.

Nowy Jork, Manhattan, 10.15 rano, sobota, 28 lipca 1945 roku

Stała przy oknie i paliła papierosa. Mgła tego dnia była tak gęsta, że nie widziała ulicy na dole. Stanley rozmawiał z kimś przez telefon. Słyszała jego przekleństwa. Na Brooklyn Bridge zderzyło się w porannej mgle ponad trzydzieści samochodów i nikt nie wiedział, ile było ofiar. „Ranni mnie zupełnie nie interesują – krzyczał do słuchawki. – Mnie interesują wyłącznie nieżywi. Policz ich i zadzwoń za chwilę. Szczególnie dokładnie policz dzieci. Czekam!".

W chwilę po tym do biura wbiegła zdyszana Liza.

– Stanley, jedź natychmiast do Empire. Dzwonił Arthur. Tam jest jakiś kocioł nie z tej ziemi! – krzyczała przerażona.

Empire State Building otoczony był kordonem policji. Wyższe piętra budynku spowijał czarny, gęsty dym. W budynku nie działały żadne windy. Biegli schodami do góry. Stanley kaszlał i klął:

– No nie! Mają tutaj siedemdziesiąt trzy windy! I żadna nie działa. Ile ty palisz na dzień, Aniu?

– Dwadzieścia. Nie więcej...

– To biegnij pierwsza. Ja dołączę. Które piętro teraz mamy?

– Dwudzieste ósme.

– Kłamiesz, prawda?! Ten samolot pierdolnął na siedemdziesiątym dziewiątym. Biegnij...

Pobiegła. W holu na sześćdziesiątym czwartym piętrze młoda dziennikarka radia CBS nagrywała rozmowę ze strażnikiem czytającym z kartki oświadczenie.

Wyciągnęła notes.

Około 9.40 czasu lokalnego samolot lecący z prędkością 332 kilometrów na godzinę uderzył w siedemdziesiąte dziewiąte piętro Empire State Building. Według naocznych świadków przy uderzeniu dało się odczuć drganie całego budynku. Bombowiec typu B-25 przebił ściany na wysokości siedemdziesiątego dziewiątego piętra i uderzył w sąsiadującą budowlę. Przy uderzeniu w ścianę powstał otwór o wielkości pięć na sześć jardów. Po eksplozji zbiorników paliwa samolotu wybuchł pożar, który został ugaszony po czterdziestu minutach. Według ostatnich informacji, wypadek spowodował śmierć czternastu osób. Ciężko rannych zostało około dwudziestu czterech osób. Jak poinformowano, katastrofa nie spowodowała poważnych uszkodzeń konstrukcji budynku. Wysokość strat jest na razie trudna do oszacowania.

Sztab wojsk lotniczych w Pentagonie w specjalnym komunikacie wyraża żal z powodu tego, co się wydarzyło. Samolot pilotował odznaczony medalami i doświadczony porucznik powietrznych sił zbrojnych Stanów Zjednoczonych William F. Smith, Jr. Nieuzbrojony bombowiec typu B-25 wystartował z Bedford w stanie Massachusetts w rejs do Newark w stanie New Jersey. Z Newark samolot miał się udać do bazy w Dakocie Południowej. Na pokładzie samolotu oprócz załogi znajdowało się dwóch pasażerów. Z powodu gęstej mgły w dniu dzisiejszym nad obszarem Nowego Jorku samolot skierowano na lotnisko La Guardia. Porucznik Smith uzyskał jednakże warunkowe pozwolenie na lądowanie w Newark. W drodze na lotnisko w Newark nastąpiła tragiczna kolizja. Dowództwo sił lotniczych Stanów Zjednoczonych łączy się z bólem rodzin ofiar katastrofy.

Czerwony na twarzy i charczący jak gruźlik Stanley pojawił się w drzwiach holu sześćdziesiątego czwartego piętra akurat, gdy strażnik opędzał się od pytań dziennikarzy. Natychmiast podbiegła do niego.

– Stanley! To jest więcej niż wydarzenie! Ale nie mamy żadnych obrazów. Zamknęli schody na górę. Zdjęcie strażnika opublikuje każdy. Wymyśl coś, Stanley! No, wymyśl! Chciałabym zobaczyć tę dziurę w ścianie.

Stanley rozejrzał się wokół. Wejście na schody prowadzące na wyższe piętra zamykało kilka rzędów szerokich żółtych taśm z dużym czarnym napisem „Stop!". Obok wejścia stał młody policjant.

– Nie mamy szans. Trudno. Sfotografowałaś cały hol? Masz dane? – odparł Stanley, ściszając głos.

Nie odpowiedziała. Podbiegła do drzwi toalety, stanęła przed lustrem, zdjęła żakiet, rozpięła guziki koszuli, zdjęła stanik, schowała go do torebki, przewiesiła aparat przez ramię, potargała włosy. Wróciła do opustoszałego tymczasem holu. Stanley stał przy oknie i palił papierosa. Dała mu znak ręką, aby do niej nie podchodził.

Podeszła do policjanta. Zastąpił jej drogę.

– Byłam tutaj dwa tygodnie temu. W sobotę. To przecież pana spotkałam na tarasie, prawda? – zapytała kokieteryjnie.

– Dwa tygodnie temu? Niemożliwe. Miałem wolne – odparł oficjalnym głosem.

Ze wszystkich sił starała się nie wybuchnąć śmiechem. „Miał wolne" dwa tygodnie temu. No tak. Miał akurat wolne. Jaki pech. Nie trafiła. I na dodatek był niższy od niej. To już zupełny pech.

– A kiedy będzie miał pan następny raz wolne? Może dzisiaj wieczorem? – zapytała szeptem, przysuwając się do niego.

– Dzisiaj nie. Dzisiaj wieczorem mamy szkolenie z obsługi broni. Mam wolne we wtorek, a potem w piątek. I oczywiście w niedzielę. Ale dopiero po mszy.

W niedzielę. Po mszy.

Ale się pomyliłam, pomyślała ze złością.

– To taka tragedia z tym samolotem. Chciałabym się pomodlić. Pójdzie pan ze mną na górę?

Policjant rozejrzał się uważnie po holu. Stanley stał w oddali odwrócony do nich plecami. Podniósł żółte taśmy. Nie wie, czy kiedykolwiek w życiu tak szybko biegła po schodach.

Siedemdziesiątego dziewiątego piętra w Empire State Building tak naprawdę nie było. Gdy policjant się modlił na kolanach, ona fotografowała. Ogromna wyrwa w ścianie. Niedopita kawa na kawałku biurka. Poplamione krwią zapisane kartki papieru na resztkach podłogi. Fragment fotografii z połową twarzy kobiety, zamknięty w plastiku stopionej gorącem ramki. Nagle usłyszała za sobą krzyk Stanleya.

– Zrób to jeszcze raz przy innej przysłonie. Zaciemnij...

Policjant zerwał się z kolan.

– Co pan tu robi? Proszę natychmiast stąd wyjść!

Do redakcji wrócili około drugiej po południu. Natychmiast pobiegła do ciemni. Maks przyniósł wywołane zdjęcia o czwartej. Wybrali te przy innej przysłonie. Te ciemniejsze. W niedzielę rano, w specjalnym wydaniu, na pierwszej stronie gazety „The New York Times" pojawiła się połowa twarzy kobiety ze zdjęcia w stopionej ramce. W poniedziałek fotografię przedrukowały wszystkie większe gazety w całym kraju. Pod fotografią był podpis: „© Anna Marta Bleibtreu, NYT, wszystkie prawa zastrzeżone".

Dziennikarzy wpuszczono na piętra zniszczone przez uderzenie samolotu dopiero w środę. W środę, jak ujął to obrazowo Arthur, „to tak jakby podać ludziom na śniadanie do kawy jajecznicę ze śmierdzących zbuków". W czwartek historia uderzenia bombowca w Empire State Building ponownie wróciła na pierwsze strony gazet z powodu „cudu w Empire", jak okrzyknięto przypadek Betty Lou Oliver, skromnej operatorki windy, która miała służbę podczas kolizji. Betty znajdowała się akurat na osiemdziesiątym piętrze, gdy przez ściany budynku przebił się B-25. Poparzoną Oliver najpierw opatrzono, a potem wepchnięto do innej, rzekomo sprawnej windy i wysłano na dół. Winda nie była sprawna. Kable windy podczas uderzenia zostały uszkodzone. Betty Lou Oliver spadła z kabiny windy tysiąc stóp, czyli około trzystu metrów w dół. I przeżyła! Zerwane kable ułożyły się w spiralę na dnie szybu windowego i jak poduszka zamortyzowały uderzenie. To właśnie po wypadku Betty Lou Oliver podjęto decyzję o natychmiastowym wyłączeniu wszystkich wind. Stanley twierdził, że być może to ich dobry Bóg kazał wejść Betty do windy, zanim oni dotarli do Empire.

Do opisu „cudu" Betty Lou Oliver, którym przez jeden dzień żyła Ameryka, w większości gazet ponownie dołączono jej fotografię z niedzielnego wydania „Timesa".

Nowy Jork, Manhattan, wieczór, 20.55, poniedziałek, 6 sierpnia 1945 roku

Była bardzo głodna. Dopiero około ósmej wieczorem wrócili z Princeton. Stanley jakimiś własnymi kanałami dowiedział się, że w południe Einstein, po długim czasie, wygłosi wykład na seminarium dla studentów. Wykład był oficjalnie zamknięty dla publiczności i dzienikarzy, niemniej – jak się okazało – nie całkiem „szczelnie zamknięty". Dobra znajoma Stanleya z czasu jego studiów w Princeton wpisała ich nazwiska na listę. Mieli być w południe przed drzwiami sali wykładowej. Z aparatami. Znajoma Stanleya nie była pewna, czy Einstein zgodzi się na zdjęcia, ale zdarzało się, że chętnie się zgadzał. Szczególnie gdy robiły je kobiety. Najlepiej młode i atrakcyjne.

Do Princeton z centrum Manhattanu jest około dziewięćdziesięciu kilometrów. Nawet biorąc pod uwagę korki przy Lincoln Tunnel, powinni zdążyć w trzy godziny. Wyruszyli z Brooklynu rano, około jedenastej stali przed drzwiami sali wykładowej. Przez dwie godziny nudziła się, nic nie rozumiejąc z tego, co Einstein mówił i pisał na tablicy. Dziwiła się, jak bardzo wyraźny jest niemiecki akcent w jego angielskim. Czasami budził ją, wtrącając jakieś uwagi o „pięknie fizyki", i porównywał te swoje całki czy różniczki „do zapisu na pięciolinii nut koncertu na skrzypce". Wtedy podnosiła z zaciekawieniem głowę. Ale tylko wtedy. Reszta była jakąś potworną nudą.

Po wykładzie obstąpili Einsteina studenci, podczas gdy oni wycofali się na korytarz. Stanley przygotował sobie na kartce jakieś pytania, ona miała w tym czasie fotografować. Einstein i jego asystent wyszli z sali wykładowej jako ostatni. Wyglądało, że bardzo się śpieszą. Stanley podbiegł do nich. Asystent bez ogródek zastąpił mu drogę.

– Wybaczy pan, ale profesor Einstein nie ma teraz czasu! – powiedział stanowczo, prowadząc Einsteina do drzwi.

Gdy mijali ją, zapytała po niemiecku:

– Czy pan nienawidzi Niemców?

Einstein natychmiast się zatrzymał. Asystent zaczął powtarzać swoją formułkę.

– Wybaczy pani, ale profesor Einstein...

Einstein wysunął się przed asystenta, zbliżył się do niej i uśmiechając się, odparł po niemiecku:

– To zbyt mocno powiedziane, *Fräulein*. Uważam jedynie, że Niemcy jako naród powinni być ukarani. To Niemcy wybrali Hitlera i to Niemcy pozwolili mu zrealizować jego plany. Czy Pani jest Niemką? Pozwoli mi pani, że zgadnę? Sądząc po pani akcencie, jest pani najprawdopodobniej z Saksonii? – zapytał.

– Tak. Jestem z Drezna.

Widziała kątem oka, że Stanley zbliża się do nich. Zdjęła aparat z ramienia.

– Z Drezna? Tam jest przepiękna synagoga. To znaczy była. Odwiedziłem ją kiedyś. A co pani robi tutaj, w Princeton?

– Próbuję pana sfotografować. Ale pana asystent mnie przegania – odpowiedziała szczerze.

– Ależ nie! Michael, odganiałeś panią ode mnie? – zapytał Einstein, zwracając się do asystenta po angielsku.

– Ależ w żadnym wypadku! – wykrzyknął oburzony asystent.

– Myśli pani, że tutaj jest dobre oświetlenie? – zapytał Einstein, ponownie przechodząc na niemiecki.

– Myślę, że nie.

– A gdzie byłoby dobre?

– Tam, przy tym obrazie rektora – odparła. – Stanąłby pan tam?

– Nie. Nie lubię fotografować się z profesorami, których już namalowano. Czy przy tej roślinie w rogu holu też jest dobrze?

– Znakomicie.

Patrzyła, jak Einstein podchodzi do donicy z ogromnym rozłożystym fikusem, staje przy niej, poprawia krawat i pozuje do zdjęcia. Za nic nie chciała fikusa na fotografiach! Chciała sylwetkę i twarz Einsteina. Wyłącznie! Położyła się na podłodze. Einstein wybuchnął śmiechem. Autentycznym i niepozowanym.

– Dla kogo się pani aż tak poświęca? – zapytał rozbawiony, gdy skończyła fotografować.

– Dla „New York Timesa", sir...

– A, to proszę pozdrowić ode mnie Arthura. Koniecznie – powiedział, kierując się ku drzwiom.

– Zna pan Arthura? – krzyknęła zdumiona.

– Tak. My, Żydzi, wszyscy się tutaj znamy – odparł i zniknął za drzwiami holu.

Stanley stał za nią z rękami opuszczonymi wzdłuż ciała i nie mógł wymówić słowa, gdy zbliżyła się do niego. Po chwili uspokoił się i zapytał:

– Czy wy, Niemcy, wszyscy znacie się osobiście?

– Nie. Wszyscy nie. Poza tym to z pewnością nie jest Niemiec.

Po południu Stanley zrobił nostalgiczną wycieczkę po terenie uniwersytetu w Princeton. Słuchała jego wspomnień. „A tutaj to, a tam tamto, a w tym budynku ten, a w tamtym budynku tamten...". Już dawno nie był w takim nastroju.

O ósmej wieczorem wysadził ją na Times Square i pojechał do domu.

Natychmiast zaniosła film do ciemni. A teraz burczało jej w brzuchu z głodu i czekała, aż zadzwoni Maks i powie, że „materiał jest gotowy do odbioru, Aniu".

Zadzwonił telefon. To nie był Maks.

– Aniu, włącz natychmiast radio! Natychmiast! – usłyszała krzyk Stanleya.

– Jaką stację?

– Jakąkolwiek! Natychmiast!

Przekręciła gałkę radia stojącego na biurku Stanleya. Rozpoznała głos prezydenta Trumana.

...chciałbym ogłosić, że w dniu dzisiejszym zrzucono pierwszą bombę atomową na Hiroszimę, na bazę wojskową. Wygraliśmy wyścig badawczy z Niemcami. Naszym obowiązkiem jest zakończyć agonię tej wojny i uratować życie tysięcy młodych Amerykanów. Będziemy kontynuować użycie tej broni, aby całkowicie zniszczyć siłę Japonii prowadzącej tę wojnę...

Nie czekała na koniec przemówienia Trumana, popędziła do maszynowni. Nad teleksami pochylały się głowy ludzi, którzy rozpoczęli nocny dyżur w redakcji. Stanęła przy teleksie najbliżej drzwi. Agencja Associated Press informowała w zakwalifikowanym jako „najbardziej pilny" komunikacie:

Po opuszczeniu bazy Tinian na Pacyfiku trzy bombowce typu B-29 z 393. Dywizjonu Bombowego nadleciały po sześciu godzinach lotu nad cel przy dobrej widoczności na wysokości 32 000 stóp. Podczas lotu kapitan marynarki Stanów Zjednoczonych William Parsons uzbroił bombę, która do tego czasu pozostawała nieuzbrojona, aby zminimalizować ryzyko podczas startu. Jego asystent, porucznik Morris Jeppson, usunął zabezpieczenia trzydzieści minut przed osiągnięciem celu. Zrzut bomby z samolotu Enola Gay pilotowanego przez kapitana lotnictwa armii Stanów Zjednoczonych Paula Warfielda Tibbetsa nastąpił o godzinie 8.15 rano (czasu w Hiroszimie). Bomba grawitacyjna zawierająca 130 funtów uranu-235 eksplodowała na wysokości 1900 stóp nad miastem. Z powodu silnego wiatru poprzecznego bomba nie trafiła w cel, którym był most Aioi, i detonowała nad kliniką chirurgiczną Shima. Wybuch odpowiadał eksplozji około 13 kiloton trotylu. Promień całkowitego zniszczenia ocenia się na 1,1 mili, co odpowiada obszarowi około 3,8 mili kwadratowej. Ocenia się, że ponad 90% budynków w mieście Hiroszima zostało uszkodzonych lub najprawdopodobniej całkowicie zniszczonych. Dotychczas brak potwierdzonych danych o liczbie ofiar w ludziach. Prezydent Harry Truman w swoim dzisiejszym orędziu do narodu nie wykluczył użycia kolejnych bomb atomowych w celu zniszczenia innych celów militarnych w Japonii, która jednoznacznie odrzuciła warunki kapitulacji, sformułowane przez Stany Zjednoczone, Wielką Brytanię i Chiny w Deklaracji poczdamskiej z 26 lipca 1945 roku.

Czytała te dane z przerażeniem. Jedna bomba! Ponad dziewięćdziesiąt procent budynków w mieście! Żeby zniszczyć Drezno, Anglicy i Amerykanie musieli zrzucić kilkadziesiąt tysięcy bomb i nadlatywać nad miasto trzy razy. Dlaczego więc nie zrzucili takiej „jednej bomby" na Drezno?! Przecież mogli. To było przecież niecałe pół roku temu.

Jeśli jedna niewielka bomba zrównała z ziemią centrum wielkiego Drezna, to co by się stało, gdyby takich bomb zrzucono tysiące? Jaka liczba „potwierdzonych danymi" trupów pojawiłaby się w nagłówkach gazet? Jeśli w ogóle gazety by wyszły następnego ranka. Nie potrafiła sobie tego wyobrazić. Nawet jeśli Amerykanie nie mają jeszcze tysiąca takich bomb, to wkrótce będą mieli. To pewne, to tylko kwestia czasu. A jeżeli Amerykanie będą mieli takie bomby, to przecież inni także będą chcieli je mieć. Aby się nie bać i mieć świadomość, że oni również mogą zbombardować Chicago, Los Angeles, Nowy Jork, Waszyngton. Rosjanie będą mieli takie bomby z pewnością. Jeśli już nie mają.

Poza tym, myślała, co muszą czuć ci, którzy wymyślili, skonstruowali i wreszcie zrzucili takie monstrum na zaludnione miasto. Co oni teraz czują? Co czuje dzisiaj kapitan Tibbets? Czy dumę, czy winę?

Obok pojawił się Maks Sikorsky. Nie mogąc się do niej dodzwonić, znalazł ją tutaj.

– Maks, czytałeś to? – zapytała, oddzierając kartkę z rolki teleksu i podsuwając mu pod oczy.

– Czytałem. Od dzisiaj świat jest inny – odparł.

Wyszli razem z biura. Miała ochotę na spacer. Był ciepły, parny letni wieczór. Nie chciała wracać do swojego pokoju na Brooklyn. Nie chciała być teraz sama. Chciała rozmawiać. Szła obok Maksa i opowiadała mu, jak fotografowała Einsteina w Princeton dzisiaj po południu. Na rogu Madison Avenue i Czterdziestej Ósmej Ulicy poczuła nagle zapach świeżo upieczonego chleba dochodzący z rozświetlonej, zatłoczonej piekarni. Przypomniała sobie, że jeszcze przed godziną była bardzo głodna.

– Maks – przerwała opowieść – muszę teraz coś zjeść. Od rana jestem tylko na kawie i papierosach.

Weszli do środka. Usiedli przy małym stoliku naprzeciwko lady połączonej z przeszklonym regałem. Maks podszedł do regału. Przywołał ją.

– Na co masz ochotę, Aniu? – zapytał, wskazując palcem na półki wypełnione ciastami i pieczywem.

– Najbardziej na drożdżówkę babci Marty i mleko. Ale oni tutaj tego nie mają.

Zarośnięty mężczyzna w białym fartuchu stał za ladą i czekał na zamówienie.

– Czy macie drożdżówki? – zapytał Maks.

Mężczyzna wyraźnie nie rozumiał, o co mu chodzi. Krzyknął w kierunku drzwi prowadzących na zaplecze piekarni:

– Jacqlin, czy mogłabyś na chwilę przyjść?
Zwracając się do Maksa, uprzejmie powiedział:
– Proszę zaczekać. Moja siostra lepiej się na tym zna.
W drzwiach pojawiła się młoda kobieta. Gdyby nie kruczoczarne, krótkie włosy, można by wziąć ją za Polkę, jakie spotyka się na Greenpoincie. Maks zapytał o drożdżówkę.
– Za chwilę przyniosę państwu do stolika. Proszę usiąść.
– Ugotuje pani dla mnie mleko? – zapytała nieśmiało Anna.
– Samo mleko? Czy woli pani kakao?
– Samo mleko. Czy to kłopot?
– Ależ nie. A dla pana?
– Dla mnie tylko kawa. Czarna. Bez cukru.
Wrócili z Maksem do stolika. Rozłożyli fotografie Einsteina na blacie i dyskutowali.
Po chwili dziewczyna zjawiła się z zamówieniem. Stała z tacą nieopodal stolika i przysłuchiwała się ich rozmowie, patrząc na fotografie.
– Myślę, że Stanley wybierze tę, na której Einstein się śmieje. Jak myślisz, Maks? – zapytała Anna w pewnej chwili.
Dziewczyna drżącymi rękami postawiła tacę na krześle stojącym obok stolika.
– Dziękuję pani – powiedziała Anna z uśmiechem i popatrzyła na nią uważnie.
Nie była pewna, ale wydawało się jej, że dziewczyna płakała...

Nowy Jork, Manhattan, południe, wtorek, 14 sierpnia 1945 roku

Po wyjściu ze stacji metra na rogu Czterdziestej Drugiej Ulicy i Times Square usłyszała odgłosy bębnów i trąbek. Kolumna orkiestry marynarki wojennej przemierzała plac, witana i pozdrawiana okrzykami wiwatujących ludzi. Wiadomość o podpisaniu przez japońskiego cesarza Hirohito aktu bezwarunkowej kapitulacji i ostatecznym zakończeniu drugiej wojny światowej podały amerykańskie stacje radiowe już minionej nocy, Truman potwierdził ją swoim przemówieniem do narodu około ósmej rano. Po zapominanym już powoli

V-E-Day Ameryka święciła kolejną wiktorię. Na niektórych plakatach wiszących w witrynach sklepów i na ścianach domów praktyczni Amerykanie zamiast litery E wpisali literę J. Ameryka entuzjastycznie świętowała, zapisując kolejną datę w swojej historii: 14 sierpnia 1945 roku, *Victory-over-Japan-Day*, dzień zwycięstwa nad Japonią.

W specyficzny sposób patriotycznemu uniesieniu poddawała się od wczesnego rana Astrid Weisteinberger. „Nareszcie nasi chłopcy wrócą do domu!" – krzyczała, stojąc przed drzwiami jej pokoju. W jednej ręce mimo tak wczesnej pory trzymała kieliszek z winem, w drugiej amerykańską chorągiewkę.

– Powinnaś się, dziecko, rozejrzeć za jednym z nich. Żołnierz to w Ameryce szanowany zawód. Nareszcie mogłabyś przestać pracować. Kobieta powinna być w domu i czekać na swojego męża. Wtedy nigdy nie zgubiłabyś niczego w żadnych krzakach...

Wiedziała o kapitulacji Japonii już od północy. Arthur od środy 9 sierpnia, kiedy zrzucono drugą bombę atomową, twierdził, że „Hirohito musiałby być skończonym durniem i upartym osłem, żeby po Hiroszimie i Nagasaki czekać, aż z mapy Japonii zniknie kolejne miasto, na przykład Kioto". Oczekując „wydarzeń", Arthur zarządził specjalne „wzmocnione" nocne dyżury w redakcji. Zmieniali się ze Stanleyem. Wczorajszej nocy była jej kolej. I to ona czytała pierwsze teleksy nadchodzące z Tokio. Wojna skończyła się wczoraj w nocy...

Wczoraj w maszynowni były to dla niej jedynie suche fakty odarte z emocji, ale teraz, gdy stała w tłumie wiwatujących, szczęśliwych ludzi na Times Square, powoli udzielał się jej nastrój tego wyjątkowego dnia. Patrzyła na tańczące na środku placu pary, na obejmujących się przechodniów, na spontanicznie podnoszone do góry ręce z rozsuniętymi palcami imitującymi literę V. W pewnym momencie zauważyła młodego mężczyznę w marynarskim mundurze. Pędził wzdłuż ulicy i ściskał każdą napotkaną kobietę. Nieważne, czy była staruszką, czy była młoda, chuda czy gruba. Przed marynarzem biegł inny mężczyzna. Z aparatem fotograficznym w dłoniach. Co chwila oglądał się, przystawał i fotografował. Nagle marynarz zatrzymał się, objął kobietę w białym fartuchu i zaczął ją całować. To było bardzo naturalne, spontaniczne, piękne, tak bardzo wiernie oddające nastrój tego dnia.

Dwa tygodnie później fotografia całującego pielęgniarkę marynarza na Times Square pojawiła się na okładce miesięcznika „Life". Poczuła ukłucie zazdrości. Ona przecież także tam była! I miała aparat! Ta fotografia była niezwykła. W najprostszy możliwy sposób obrazowała radość i nadzieję. Wiedziała, że stanie się symbolem końca wojny. I wkrótce się nim stała. W stopce redakcyjnej odnalazła nazwisko fotografa: Alfred Eisenstaedt. Po dwóch dniach Arthur zdobył jego numer telefonu.

Zadzwoniła. Gdy tylko wymówiła swoje nazwisko, zaczął mówić do niej po niemiecku. Poprosiła, aby spotkali się na Times Square. Nie potrafił jej wytłumaczyć, dlaczego akurat to zdjęcie. Miał wiele innych. „Life" się uparł akurat na to. Jest Niemcem, urodził się w Tczewie, niedaleko Gdańska, to teraz Polska, w rodzinie żydowskiej. Ale jego miastem był, jest i pozostanie Berlin. Fotografował dla większości niemieckich gazet przed wojną. Tomasza Manna, Marlenę Dietrich, Richarda Straussa. Ale także Hitlera, Mussoliniego i Goebbelsa. W 1935 roku, gdy prześladowania Żydów stały się nie do zniesienia, wyemigrował do Stanów, gdzie „przygarnęli go w AP". Teraz, po zdjęciu na okładce „Life'a", chcieliby go przygarnąć w wielu innych miejscach. Ale on się nie daje. Lubi swoją wolność. Na Times Square zdjęcie robił leicą, dokładnie taką samą, jak ona trzyma w rękach. Wybrał czas naświetlania 1/125 sekundy i przysłonę 5,6. Zrobił je na błonie Kodak Super Double X. Czyli zupełnie normalnie, bez żadnych „specjalności". Widział jej zdjęcie z lipca, Empire. Majstersztyk. Po nazwisku poznał, że jest Niemką. W Dreźnie był wielokrotnie. Nie musi mu opowiadać, jak tam było. Czasami bardzo tęskni za Berlinem. Ale nie miałby odwagi tam pojechać. Byłoby mu miło, gdyby czasami mogli się spotkać. To zupełnie co innego rozmawiać o fotografowaniu z kimś, kto czuje to tak jak on. I na dodatek po niemiecku...

Nowy Jork, Brooklyn, wieczór, czwartek, 22 listopada 1945 roku

Arthur zadzwonił do niej w środę późnym popołudniem.

– Proszę mi wybaczyć, że się wtrącam, ale Astrid nie daje mojej Adrienne spokoju. Dzwoniła do niej wczoraj i bardzo się na mnie skarżyła. Ponoć zmuszam swoich pracowników do pracy jak niewolników. Jutro jest Święto Dziękczynienia, ja wiem, że to święto pani nic nie mówi, ale tutaj jest to jak Wigilia u katolików. Czy pani jest katoliczką? Okay. Nieważne. W każdym razie dowiedziałem się od Astrid, że nie może jej pani pomóc piec indyka, ponieważ musi pani iść do pracy wieczorem. Astrid uważa, że ja panią wykorzystuję, za mało płacę i zmuszam do pracy jak niewolnika przy zbiorze bawełny, i jak się pani zestarzeje, to sprzedam panią do „New Yorkera" na giełdzie. Ja wiem, że Astrid jest mocno popierdolona, ale moja Adrienne, trochę z przyzwyczajenia, jej wierzy. Jest pani tam?

– Jestem – odparła, starając się nie śmiać.

– Czy mogę mieć do pani prośbę? Czy mogłaby pani jutro wyjątkowo nie przyjść do redakcji? Naprawdę bardzo panią proszę. Tylko w ten jeden dzień. Obieca mi to pani?

– Obiecuję – odparła i parsknęła śmiechem.

– Może to pani teraz powiedzieć po niemiecku?

– *Ich verspreche* – wymówiła powoli.

– Straszny język. Ale cóż. No to ja bardzo dziękuję. I miłego Święta Dziękczynienia.

Wieczorem stała w kuchni obok Astrid Weisteinberger i wysłuchiwała jej ubolewań, jak to indyki na targu zdrożały od ostatniego roku.

– Weź, dziecko, indyka i rozgrzej piecyk. Kupiłam już odpierzonego. Olej stoi na najniższej półce w szafie – komenderowała Astrid.

– A gdzie jest indyk?

– Jak to gdzie. W lodówce, dziecko, w lodówce.

Otworzyła lodówkę. Na środkowej półce dostrzegła sznurkową siatkę z zawiniętym w gazety pakunkiem. Położyła siatkę na stole.

– To ogromny indyk! – wykrzyknęła. – Większy niż struś.

– Będziemy mieli dzisiaj wielu gości. Będą wszyscy. Szczerze mówiąc, mogłaś zaprosić tego ślepego Żyda. Jak on ma na imię?

– Nathan, pani Weisteinberger. I wcale nie jest ślepy. Ma tylko słaby wzrok. Od czytania.

Zaczęła odwijać gazety. Uśmiechnęła się do siebie, rozpoznając nagłówki z „Timesa". Wydobywała z indyka wnętrzności. Strużki krwi i żółci kapały na gazetę. Przeczytała niewyraźny, pisany dziecięcym pismem rząd liter: „Lukas Rootenberg". Wyrwała gazetę, indyk spadł na podłogę i potoczył się pod nogi Astrid. Na poplamionej krwią stronie rozpoznała rysunki Lukasa! Tylko on tak rysował słońce i tylko on tak rysował czereśnie z oczami i zadartym nosem! Tylko on. Nikt inny. Wypadła z nożem i gazetą w ręce z kuchni i pobiegła na górę do swojego pokoju. Wybrała numer Stanleya. Numer był zajęty. Narzuciła płaszcz. Zatrzymała taksówkę. Strażnik w bloku Stanleya patrzył na nią jak na wariatkę.

– Proszę zadzwonić. Stanley Bredford. Słyszy pan?! Proszę natychmiast zadzwonić.

Słyszała, jak strażnik mówi do słuchawki:

– Niejaka Anna Bleibtreu, albo jakoś tak, chce się z panem widzieć. Twierdzi, że to pilne. Jest pan pewny, że mam ją wpuścić na górę?

Wbiegła do windy. Na siódmym piętrze drzwi do mieszkania otworzyła uśmiechnięta kobieta.

– Bardzo panią przepraszam. Ja bym nigdy nie śmiała...

– Aniu, co jest? – usłyszała głos Stanleya zza pleców kobiety.

Trzymała zmoczony krwią kawałek gazety.

– Kto zrobił ten materiał, Stanley?!

– Jaki materiał, Aniu? – zapytał, nie rozumiejąc.

– Ten z Lukasem?!

– Jakim Lukasem?

– Proszę wejść – powiedziała kobieta.

Weszli do środka. Usiadła w fotelu. Czarny kot zaczął ocierać się o jej nogi. Był bardzo podobny do Karafki.

– Spokojnie, Aniu. Jaki materiał? Spokojnie.

– Ten sprzed trzech dni. „Times" opublikował wspomnienia żydowskich dzieci z Europy.

– No i co? – odparł spokojnie, podając jej zapalonego papierosa.

Do pokoju weszła kobieta. Postawiła przed nią kubek z herbatą.

– Doris, pozwól, że ci przedstawię: Anna Bleibtreu. Opowiadałem ci o niej.

– Widziałam ten materiał. Jest przerażający. Witam panią – przerwała mu.

– Ja kocham tego chłopca, Stanley...

– Jakiego chłopca, Aniu?

– Lukasa.

Stanley wyciągnął z jej ręki poplamiony skrawek gazety i zaczął czytać. Po chwili zapytał:

– Skąd go znasz?

– Od zawsze...

Zaczęła opowiadać. O swoim ojcu, o klatce pod podłogą na Grunaer Strasse 18, o Rootenbergach w Annenkirche, o uśmiechu Lukasa, gdy opowiadała mu bajki, o jego rysunkach, o czereśniach, które dla Lukasa wkładała do poszczerbionego kubka babcia Marta, i o śmierci babci Marty...

– Stanley, zadzwoń do Arthura. On musi wiedzieć, jak ten materiał dostał się do gazety! – wykrzyknęła kobieta w pewnej chwili.

Stanley natychmiast wstał. Podszedł do telefonu. Kobieta siedziała blisko niej i drżącymi dłońmi głaskała kota, który przycupnął na jej kolanach.

– Stanley opowiadał mi o Karafce. Czasami w nocy, gdy mówi przez sen, wypowiada pani imię. Bardzo lubię pani imię. Gdy urodzę mu córkę, dam jej na imię Anna. On, odkąd poznał panią, jest innym człowiekiem.

Stanley rozmawiał przez telefon. Słyszała jego podniesiony głos.

– Tak, Arthur, to jest, kurwa, ważne. Akurat dzisiaj. A może najbardziej dzisiaj. Bo co? Bo to! Słuchaj teraz! Słuchaj uważnie...

Dwie godziny później usłyszeli dzwonek u drzwi. Posłaniec przyniósł dużą, szarą, zalakowaną kopertę. W środku były rysunki Lukasa i list od Matilde Achtenstein. Informowała w nim, że przesyłka z rysunkami dotarła do redakcji „Timesa" tydzień temu. Do rysunków nie dołączono żadnego listu. Nie było także adresu nadawcy. Z niewyraźnej pieczątki odbitej na znaczku odczytała jedynie, że list został nadany z New Jersey.

Wiadomość, że Lukas żyje i może jest bardzo blisko, nie dawała jej spokoju przez kilka następnych dni. Najpierw przejrzała wszystkie książki telefoniczne wydawane w stanie New Jersey. Nazwisko Rootenberg to popularne nazwisko żydowskie, więc zestawiła listę około tysiąca numerów. Obdzwoniła wszystkie. Bezskutecznie. Następnie Stanley dotarł do swoich kontaktów w kompaniach telefonicznych obsługujących stan New Jersey i zdobył swoimi ścieżkami również telefony tych Rootenbergów, którzy mieli zastrzeżone numery. Do nich także zadzwoniła. Stanley uważał, że jest mało prawdopodobne, aby „ci Rootenbergowie" mieli w ogóle telefon. Jeśli w połowie lutego byli jeszcze w bombardowanym Dreźnie, to jest prawie niemożliwe, aby siedem miesięcy później mieli telefon w stanie New Jersey w Stanach Zjednoczonych! Musieli najpierw wydostać się z Drezna, potem z Niemiec, najpewniej do Szwecji, przebyć w jakiś sposób Atlantyk, przejść całą drobiazgową procedurę imigracyjną i osiedlić się tutaj. Wprawdzie społeczność żydowska jest bardzo sprawna i solidarna, jednakże mimo wszystko minęło zbyt mało czasu. Na końcu powiedział coś, w co nie chciała uwierzyć:

– Aniu, może tylko te rysunki dotarły do Stanów. Na przykład ktoś je do kogoś przysłał pocztą. A odbiorca listu, poruszony tym, co zobaczył, przekazał je dalej do „Timesa".

– Stanley, nie mów więcej, przestań! – wykrzyknęła. – Ja czuję, że on tutaj jest. Gdzieś bardzo blisko...

Szukała dalej. Skontaktowała się ze wszystkimi uczelniami w New Jersey i w sąsiednim stanie Nowy Jork. Przypomniała sobie, że Jacob Rootenberg był profesorem na uniwersytecie w Dreźnie. Jeśli dotarł tutaj, może wykłada także na jakiejś uczelni. Pamięta swoje podniecenie, gdy sekretarka w rektoracie Queens College w nowojorskim Queens odparła:

– Tak. Od niedawna pracuje dla nas profesor Jacob Rootenberg. Na wydziale prawa. Pozyskaliśmy go z...

– Z Drezna?! – wykrzyknęła.

– Skąd? Czy to miasto jest w Kanadzie? Niedaleko Toronto?

– Nie. To miasto jest w Europie. W Niemczech... – powiedziała, starając się ukryć wzbierające w niej zniecierpliwienie.

Pomyślała, że szkoda nerwów, że powinna się wreszcie przyzwyczaić. Amerykanie jako społeczeństwo byli na ogół niedouczonymi ignorantami z przerażającymi i żenującymi brakami w najbardziej podstawowym wykształceniu. Najgorszy tępak po najzwyklejszej niemieckiej wiejskiej *Hauptschule*, nie mówiąc o gimnazjum, wiedział więcej niż przeciętny maturzysta po amerykańskiej *high school*. Nie mogła sobie wyobrazić, że jakakolwiek sekretarka uniwersytetu

w Niemczech nie wiedziałaby, gdzie znajduje się na przykład tak duże miasto jak Filadelfia.

– Ach tak – odparła spokojnie niezrażona sekretarka – to znaczy, że szuka pani innego Rootenberga. Nasz przybył z Toronto. Zaraz po doktoracie. Ma dwadzieścia osiem lat...

Arthur od czasu historii z rysunkami Lukasa zmienił się w stosunku do niej. Z rubasznego, czasami nieprzyzwoicie bezpośredniego promotora stał się troskliwym, delikatnym opiekunem. Nieomal ojcem. Czasami wpadał bez zapowiedzi do ich biura i od progu pytał:

– I jak się mają dzisiaj moje dzieci?

Jednocześnie skrupulatnie ukrywał przed wszystkimi w redakcji tę bliskość. Nie chciał, aby ktokolwiek odkrył tę specjalną więź, jaka powstała między nimi. W obecności innych była zawsze Miss Bleibtreu, gdy zostawali sami, potrafił do niej w rozczuleniu powiedzieć „moja Anusia". Ona z kolei, czując tę bliskość, starała się za wszelką cenę go nie zawieść. Jej pozycja jako fotografa „Timesa", przyjmowana na początku przez wielu jako „egzotyczny kaprys napalonego Stanleya, który wpłynął na Arthura", powoli się umacniała. Przełomowy okazał się incydent w Empire State Building z lipca. Powoli zauważono, że to nie kaprys Stanleya i że „ta siksowata Niemka po prostu ma nie tylko szczęście, ale i talent".

Stanley z kolei – odkąd poznał Doris – sprawiał wrażenie uwolnionego z jakiejś wielkiej, ciążącej mu tajemnicy. Tak jakby Doris, o której nigdy nie opowiadał jako o swojej kobiecie, mogła zmienić jej stosunek do ich relacji i do niego samego. Sądziła, że było w tym także sporo jej własnej winy. Zupełny brak wstydu wobec Stanleya – potrafiła na przykład przy nim w biurze się przebierać – dążenie do dotyku, którego potrzebowała, bez żadnego seksualnego podtekstu, mające zupełnie niewinną wymowę wyznania typu „kocham cię, pamiętaj, że cię kocham". To wszystko mogło powodować, że Stanley obawiał się jej rozżalenia, zazdrości, a może nawet oddalenia, gdyby się dowiedziała, że jest z inną kobietą.

Doris po krótkim czasie stała się jej przyjaciółką. Taką prawdziwą. Najprawdziwszą. Wisiały godzinami na telefonie, chodziły razem do sklepów i na spacery, plotkowały, czytały te same książki, wymieniały się ubraniami. Po krótkim czasie wiedziały o sobie wszystko, łącznie z tym, że „Nathan jest fajny, ale zupełnie jej nie kręci jako samiec", a także o tym, że obie „stają się wrednymi sukami, gdy mają swoje dni". To właśnie Doris, po butelce wina, jako jedynej, Anna odważyła się opowiedzieć o skrzypku z grobowca w Dreźnie. Doris stała się tą osobą, do której zwracała się w chwilach największej radości i największego smutku lub tęsknoty. Były rzeczy w jej życiu, o których wiedziała jedynie Doris, a nie wiedział Stanley. Były też takie, o których Stanley dowiadywał się od Doris, ale dopiero jako drugi, bo Anna już o tym wiedziała. Jak na przykład o tym, że Doris jest w ciąży...

Sunbury, Pensylwania, wieczór, poniedziałek, 24 grudnia 1945 roku

Z garażu w piwnicy pod blokiem Stanleya na Park Avenue wyruszyli około południa. Stanley chciał być w Sunbury koniecznie przed „pierwszą gwiazdką na niebie". Doris nie rozumiała, o co mu chodzi. Gdy minęli Newark i wjechali na autostradę, ruch zmalał. Stanley wrócił do swojej „pierwszej gwiazdki na niebie".

– Moja babcia, mama mojej mamy, urodziła się w Polsce. Przybyła do Ameryki z Irlandii. W Polsce Wigilia zaczyna się, gdy pierwsza gwiazda pojawia się na niebie – powiedział, zwracając się do Doris.

– Ale dlaczego?

– Na pamiątkę gwiazdy betlejemskiej, którą ujrzeli na niebie mędrcy.

– Jacy mędrcy, Stanley? Jaka gwiazda betlejemska?

Anna uśmiechnęła się do siebie. Oni w Dreźnie także zasiadali do wigilijnego stołu dopiero od pierwszej gwiazdy. A gdy niebo było zachmurzone, pojawienie się pierwszej gwiazdy ustalała babcia Marta. A ona zawsze uważała, że ta gwiazda pojawia się na niebie zbyt późno. Nie dość, że przez cały dzień musiała pościć, to na dodatek nie mogła doczekać się prezentów pod choinką.

– Doris, to tylko taki polski zabobon.

– A ty skąd to wiesz? – wykrzyknęła Doris.

– Moja babcia była Polką. To znaczy, tak w połowie.

Już dawno nie czuła się taka szczęśliwa. Spokojna, wyciszona, bezpieczna. Gładziła delikatnie dłonią brzuch siedzącej obok niej Doris, podczas gdy Stanley opowiadał o swoich Wigiliach z dzieciństwa w Sunbury.

– I koniecznie muszą być śledzie i pierogi z kapustą – mówił.

– I taka czerwona zupa – dodała. – Bardzo smaczna...

Stacja benzynowa na drodze wjazdowej do Sunbury była zasypana śniegiem. Na drewnianej ławce przed domem siedziała para opatulonych płaszczami ludzi. Gdy skręcili z drogi na wjazd do stacji, kobieta zerwała się z ławki i z podniesionymi do góry rękami ruszyła w ich kierunku. Stanley natychmiast zatrzymał samochód. Widziała, jak drżą mu ręce. Wychyliła się z tylnego siedzenia i szepnęła mu do ucha:

– Zostaw tu nas. Biegnij do niej...

Do stołu w kuchni usiedli, gdy zrobiło się ciemno. Stanley siedział z ojcem na kanapie w salonie. One pomagały nakrywać stół. Mieszkanie pachniało zapachem „czerwonej zupy" i makowcem. Lniany obrus przykrywał siano wystające na rogach. Wokół stołu stało siedem krzeseł. W pewnym momencie Doris wyszeptała jej do ucha:

– Ta gwiazda zdążyłaby już dawno zgasnąć. Boże, jak tu pięknie pachnie. Jestem taka głodna. Myślisz, że na kogoś czekamy? Przy stole stoi siedem krzeseł.

Ona doskonale wiedziała, na kogo czekają.

– To taki kolejny zwyczaj Polaków. Przy stole powinno być jedno krzesło i jedno nakrycie więcej. Dla przypadkowego przechodnia z ulicy. Nikt nie powiniem być tego wieczoru sam.

– To piękny obyczaj – zauważyła poruszona Doris – ale tutaj są dwa krzesła i dwa nakrycia.

Zebrała się na odwagę i zapytała wprost matki Stanleya:

– Czy Andrew także zje z nami kolację?

– Tak. Ale na pewno zatrzymało go coś po drodze. On jest ostatnio taki zapracowany.

Zanim zasiedli do stołu, ojciec Stanleya zaczął się modlić. Po modlitwie sięgnął ręką do wiklinowego koszyka. Połamał prostokątny, biały, bardzo cienki kawałek ciasta i rozdał wszystkim. Znała to. Opłatek. Babcia Marta, łamiąc opłatek, zawsze przy tym klęczała. Nieświadoma tego, co ma nastąpić, zgłodniała Doris zaczęła chrupać opłatek. Stanley podszedł do niej, objął ją i zaczął składać jej życzenia. Po chwili do Doris podeszła z opłatkiem w ręku matka Stanleya. Doris zaczęła głośno płakać.

Nie pamięta, o której od stołu zerwała się matka Stanleya, ale musiało być dobrze po dziesiątej. Opowiadała akurat Doris, że na stole w Wigilię w polskim domu powinno być dwanaście dań. Tyle, ilu było apostołów. W czasach klęski nieurodzaju lub wojny do „dań" zaliczało się także wodę i sól. Gdy Doris zapytała, co to jest „apostoł", dała sobie spokój z tłumaczeniem. Po krótkim zamieszaniu na pustym krześle obok niej zasiadł Andrew Bredford. Przez chwilę patrzyła na niego. Zaraz potem wstała. Wzięła torebkę i poszła do toalety. Stojąc przed lustrem, nałożyła świeżą szminkę na wargi. Poprawiła włosy, spryskała ramiona i nadgarstki perfumami. Westchnęła. Czuła podniecenie. Takie inne i tak intymne, że nawet nie opowiedziała o nim Doris. Takie samo jak wtedy, gdy zadzwonił do niej z przeprosinami. Wtedy gdy czytała Wrighta i gdy upuściła słuchawkę po tym, jak fałszywie, aby go ukarać, udawała, że pragnie, by to Stanley ją przytulił. Dokładnie takie samo, jak w chwili gdy opadła plecami na łóżko, rozsunęła szeroko uda, zmoczyła śliną palce i wepchnęła je w siebie...

Gdy wróciła z toalety, wszyscy stali pod choinką.

– Czekamy na ciebie, Aniu! – wykrzyknął Stanley. – Czas na prezenty.

Dla wszystkich przygotowała jakieś drobiazgi. Stanley dostał album z reprodukcjami obrazów i grafik Dürera, Doris rozpakowała płytę z koncertami skrzypcowymi Paganiniego, a rodzice Stanleya przygotowany przez nią kalendarz na nowy 1946 rok. Nad rzędami dat wkleiła fotografie Stanleya. Dwie były z Kolonii, reszta z Nowego Jorku. Andrew Bredford także coś dostał. Nie rozmawiała o tym ze Stanleyem, ale przypuszczała, że Andrew mógłby się tutaj pojawić. Do koperty z pieczątką i ze znakami wodnymi Uniwersytetu Princeton wsunęła fotografię Einsteina. Tę, której nie oddała „Timesowi". Tę, na której Einstein uśmiechał się do niej z wysuniętym językiem. Podpisała ją: „© Anna Marta Bleibtreu, dla dr. Andrew Bredforda, nie wszystkie prawa zastrzeżone".

Unikała go podczas tego wieczoru. Starała się być daleko. Ani razu sam na sam z nim. Dlatego nie odstępowała na krok Doris i Stanleya. Późnym wieczorem stała w kuchni i zmywała naczynia. Rodzice Stanleya poszli spać do sypialni na górze. W mieszkaniu rozbrzmiewała muzyka Rachmaninowa. Doris tuliła się do Stanleya na kanapie w salonie.

– Przyjechałem tutaj dla pani – usłyszała jego głos za plecami.

Był tak blisko, że czuła jego kolana na swoich pośladkach. Opłukała do końca talerz, który trzymała w dłoni. Po chwili upuściła go do miski z naczyniami do wytarcia. Talerz, upadając, rozbił się z hukiem. Doris wychyliła się z kanapy i krzyknęła:

– To na szczęście!

Odwróciła się twarzą do niego. Stał tak blisko, że dotykała jego marynarki swoimi piersiami. Podniosła głowę i powiedziała:

– To ciekawe. Ja myślałam, że przyjechał pan tutaj dla swojej matki. Bo dla ojca z pewnością nie. To zdążyłam zauważyć. Pana matka siedziała na ławce przed domem i wpatrywała się w każdy samochód, który przejeżdża obok. Była uszczęśliwiona, gdy przyjechał Stanley. Ale prawdziwą radość sprawiłoby jej, gdyby to pan jako pierwszy podjechał pod dom. Ale pan nie podjechał. Pan się tutaj pojawił całe wieki po opłatku. Chociaż pan doskonale wie, jak ważny jest dla pana matki opłatek. I na dodatek pana tutaj przywieźli. Spóźnił się pan. Cholernie się pan spóźnił. I nawet nie raczył się pan usprawiedliwić. Wkroczył pan tutaj jak ktoś, przed kim powinno się rozstąpić Morze Czerwone. To ta sama Biblia, fakt, ale zupełnie inny rozdział. I nie to święto, panie doktorze Bredford. A teraz może pan spokojnie wyjść. Pana biedny kierowca czekający w aucie z pewnością się ucieszy. Nie potrafię pojąć, jak pan mógł go tam zostawić! W taki wieczór! Samego. Nie mogę...

Odwróciła się, sięgnęła po następny talerz i upuściła go do zlewu. Wysunęła głowę i wykrzyknęła w kierunku Doris:

– Tym razem to też nie było na szczęście!

Odsunęła go. Podeszła do choinki. Sięgnęła po kopertę z fotografią Einsteina. Podarła ją i rozrzucając strzępy papieru po drodze, ruszyła w kierunku drzwi prowadzących na górę.

Nowy Jork, Brooklyn, wieczór, czwartek, 14 lutego 1946 roku

Wyciągnęła ręce w jego kierunku. Uśmiechnęła się. Dwoje okrągłych, czarnych jak węgle oczu wpatrywało się w nią uważnie.

– Opowiem ci, Lukas. Opowiem. Zanim umrzemy.

– Może być ta sama, co wczoraj...

Zaczęła delikatnie gładzić potargane włosy na głowie chłopca.

– Już nigdy nie przewrócę się na ulicy. Obiecuję.

– Markus przyniósł ci wody. I papierosa...

Podniosła się. Markus wyciągnął rękę z kubkiem w jej kierunku. Nagle usłyszała wybuch. Spojrzała w górę. Betonowy strop spadał na siedzących przed nią chłopców. Poderwała się, wyciągając przed siebie ręce...

Obudziła się, ściskając z całych sił poduszkę. „To tylko sen, Aniu" – szeptała ciocia Annelise.

Wstała. Przemyła twarz w łazience. Usiadła na parapecie okna, zapaliła papierosa. Platany w parku po drugiej stronie ulicy modliły się kikutami gałęzi. Park pokryty był świeżym śniegiem. Przed rokiem, gdy po drugim nalocie stały z matką na placu przed Annenkirche i paliły papierosy, także spadł świeży śnieg. Trudno jej było uwierzyć, że to było tak dawno. W niej trwało cały czas. Jak gdyby tego roku nie było. Przybywało do niej przebłyskami wspomnień lub snami takimi jak ten, z którego, mokra od potu, właśnie się obudziła. Ale także atakami nieokreślonego lęku, który dopadał ją, gdy słyszała płaczące dzieci, odgłos przelatujących nad miastem samolotów, syreny ambulansów, policji lub straży pożarnej. Nie uciekała już wprawdzie do wyimaginowanych schronów, ale ciągle szczelnie zamykała okno w swoim pokoju, aby nie dać się obudzić ich hałasem i nie szukać w panice obok siebie Lukasa.

Dzisiaj chciała być sama. Dzisiaj chciała wrócić do Drezna i opowiadać sobie to, czego i tak nikt inny by nie zrozumiał. Ani Doris, ani nawet Stanley, który otarł się o obrazy z tamtych dni. Dzisiaj chciała być sama ze swoim smutkiem i żałobą. Około dziewiątej zadzwoniła do Lizy.

– Aniu, czy coś się stało? Jesteś chora? – dopytywała się troskliwie Liza, gdy poinformowała ją, że zostaje w domu.

– Nie, Lizo. Nie jestem. Nie martw się. Chcę po prostu zostać dzisiaj w domu i przeczekać ten dzień. Przekażesz to, proszę, Stanleyowi?

– Dlaczego akurat dzisiaj? Ktoś cię skrzywdził? Jakiś mężczyzna?

– Kiedyś ci to wyjaśnię, Lizo...

Około dziesiątej żałowała swojej decyzji. Nie mogła skupić się nad książką, denerwowała ją muzyka z ulubionych płyt, tyła, objerając się słodyczami, i paliła dwa razy więcej niż zwykle. Na dodatek Ameryka zwariowała na punkcie jakiegoś idiotycznego święta, o którym nawet oni, w poważnym „Timesie", rozpisywali się przez ostatnie dni. W radiu, w każdej stacji, od samego rana jakiś John z Jersey City wyznawał miłość jakiejś Mary Queens albo jakaś Cynthia z Coney Island, na żywo, na antenie, drżącym ze wzruszenia głosem zapewniała o swoim uwielbieniu dla jakiegoś Roberta z Bronksu. Amerykanie, powołując się na świętego Walentego, wyznawali sobie publicznie i gremialnie miłość. Dzisiaj, przy jej nastroju, infantylność tych wyznań nie tylko ją śmieszyła, ale także drażniła.

W południe wyszła z domu i w sklepie na Flatbush Avenue kupiła dwie puszki farby, fartuch i komplet pędzli. Pomyślała, że wyremontuje swój pokój. Wprawdzie Astrid twierdziła, że remont był „dopiero co", ale to nic nie znaczyło. Dla Astrid jej ostatni mąż zmarł także „dopiero co", chociaż to było piętnaście lat temu. Po godzinie na górę przyszła Astrid zwabiona zapachem farby.

– Dziecko, co ty wyrabiasz?! Pomarańczowe ściany?! – wykrzyknęła, widząc ją z pędzlem w ręku.

– Zrobi się cieplej i przytulniej, pani Weisteinberger – odparła.

Astrid przez chwilę wpatrywała się w zamalowane powierzchnie.

– A wiesz, że ty masz nawet rację. I na dodatek doskonale pasuje do firanek. Ale sufitu nie pomalujesz mi na czarno, prawda?

– Nie. Będzie biały...

– To doskonale. W piwnicy mam drabinę. Możesz spaść z tego krzesła, dziecino...

Wieczorem usłyszała pukanie do drzwi. W progu stali Doris i Stanley. Odświętnie ubrani, Stanley z bukietem róż, Doris z bombonierką.

– Dlaczego nie odbierasz telefonów? – zapytał Stanley z wyrzutem. – Liza chciała ci tutaj nasłać karetkę pogotowia, straż pożarną i FBI. A tak w ogóle to wpadliśmy, żeby ci powiedzieć, że jesteś naszą walentynką. Moją i Doris – dodał z uśmiechem.

Zerknęła na telefon. Przewrócony i przysypany książkami leżał na podłodze bez słuchawki.

– Przepraszam. Malowałam i nie pomyślałam, że mógłbyś dzwonić. Powinnam się domyślić. Jesteście kochani – odparła, obejmując i ściskając Doris.

– Pomarańczowe ściany, hmm. Astrid cię za to nie wyrzuci na ulicę? – zapytał Stanley.

– Nie. Pod warunkiem, że sufitu nie pomaluję na czarno. Pomalujesz mi go na biało?

Usiadły z Doris na parapecie, piły herbatę, a Stanley, który zupełnie nie miał na to ochoty, malował sufit.

– Wiesz, że pomarańczowy to dobry kolor na ściany do pokoju dziecięcego. Namówię Stanleya – powiedziała Doris, ujęła jej dłoń i przyłożyła do swojego brzucha. – Czujesz ją? Czujesz, jak się rusza?

– Myślisz, że to jest dziewczynka? – wyszeptała.

– Jestem pewna, Aniu, absolutnie pewna.

Stanley poprosił Annę, aby pomogła mu przesunąć regał. Z półki na podłogę przykrytą gazetami upadła koperta. Stanley schylił się, aby ją podnieść. W jednej chwili spoważniał. Spojrzał jej w oczy i zapytał z nutą niedowierzania w głosie:

– Dostajesz listy od Andrew?!

Zaczerwieniła się i odwróciła głowę w kierunku Doris.

– Doris, chcesz jeszcze herbaty?

– Doris, powiedz teraz, że chcesz herbaty. Powiedz, że chcesz – powtórzył Stanley.

– Tak, Doris. Powiedz, że chcesz...

Doris patrzyła na nich zdumiona.

– Co wy z tą herbatą? Pewnie, że chcę. Z cukrem.

Anna wyszła pośpiesznie do kuchni.

Tak. To prawda. Andrew Bredford pisał do niej listy...

Pierwszą kopertę otworzyła jeszcze przed Nowym Rokiem. To tę właśnie kopertę podniosł Stanley z podłogi. Z pierwszym listem od Andrew. Zna go na pamięć.

Sunbury, 28 grudnia 1945

Droga Pani,

rzuciła mną Pani jak tym talerzem. I roztrzaskała. I to było jednak na szczęście. Gdy wracałem z moim kierowcą na lotnisko w Newark, zapytałem go, co jest dla niego najważniejsze w życiu. Pewnie pomyślał, że jestem bardzo pijany. Ja nigdy z nim nie rozmawiałem podczas drogi. I nagle zapytałem o taką rzecz. Odpowiedział mi, że najważniejsza jest dla niego córka Agnes i żona Agnes. Jego dwie Agnes. Tak jakby jednej było mu za mało. I wtedy go zapytałem, dlaczego wozi mnie w Wigilię na jakieś zadupie, zamiast być ze swoimi Agnes. Odpowiedział mi wtedy, że to jest jego praca, że Agnes duża to rozumie, a Agnes mała kiedyś zrozumie. „One wiedzą, że są dla mnie najważniejsze, często mówię im o tym" – dodał. I wtedy zdałem sobie sprawę, że gdybym mówił komuś, że „to jest moja praca", ale że pomimo to ten ktoś jest dla mnie najważniejszy, nie roztrzaskałaby Pani talerza mojej matki. Ale ja nie mówię. A przecież mógłbym, niezależnie od tego, co robię i jak mało wolno mi o tym, co robię, mówić. I siedząc w tym samochodzie w drodze do Newark, uzmysłowiłem sobie, że w moim życiu najważniejszy byłem tylko ja sam. Pani jako pierwsza odważyła się to powiedzieć. Nie wprost, ale tak, że mnie to rozwaliło. Wie Pani, że ja w tym samochodzie płakałem pierwszy raz, odkąd ojciec, karząc mnie – nawet nie pamiętam, za co – odebrał mi piłkę i nie pozwolił wrzucać jej do wiadra na podwórku.

Dzisiaj przyjechałem do Sunbury. Do mojej matki i ojca. Dzisiaj się nie spóźniłem. Nie można się spóźnić, gdy nikt nie czeka...

Andrew Bredford

PS Teraz jestem w swoim pokoju na górze. I piszę do Pani. Za chwilę położę się do łóżka. Cztery dni temu Pani w nim spała...

Następny list, nadany z Chicago, czekał na nią wieczorem drugiego stycznia. Dwa dni później kolejny. Potem to ona zaczęła czekać na jego listy. Zdarzały się dni, że wcześniej wracała z redakcji na Brooklyn, aby sprawdzić, czy koperta od niego leży na małym kredensie w przedpokoju.

– Czy ten Bredford, który przygania do nas prawie codziennie listonosza, to jakaś rodzina tego twojego wyszczekanego redaktorka? – zapytała kiedyś Astrid.

– Tak, to jego brat – odparła. Wiedziała, że Astrid bardzo dokładnie ogląda wszystkie koperty trafiające pod jej dach. Szczególnie te, które nie są adresowane do niej.

– Mam nadzieję, że młodszy brat, dziecko?

– Tak, młodszy, pani Weisteinberger...

– To dobrze, dziecino, to dobrze. A przystojniejszy chociaż?

Pamięta, że nie odpowiedziała, zmieniając szybko temat. Nie pamięta, od którego listu przestała porównywać Stanleya do Andrew. Byli po prostu inni. Podobnie się uśmiechali, podobnie wyrażali zdziwienie, podobnie trzymali ręce w kieszeniach i mieli podobnie niebieskie oczy. Ale na tym ich podobieństwa się kończyły. Zresztą spędziła z Andrew zbyt mało czasu, aby wyłowić inne. Na początku sądziła, że największe różnice pomiędzy nimi są w ich charakterach, osobowości czy wrażliwości wyrażającej się sposobem odnoszenia się do innych ludzi. Pewność siebie, zarozumialstwo, pyszałkowatość czy wręcz arogancja Andrew kontrastowały ze skromnością i chwilami nawet z nieśmiałością Stanleya. To, co najbardziej uderzało, przynajmniej ją, w zachowaniu Andrew, to zupełne skupienie się na sobie. Miała wrażenie, że ten człowiek jest nieustannie zajęty myślami o sobie, a gdy już z jakiegoś powodu obdarza kogoś swoją uwagą, to tylko wyraźnie o to poproszony. Z absolutnej konieczności. Tak jak, na przykład, ją wtedy w windzie.

Wkrótce okazało się, że – przynajmniej w dużej części – się myliła. Z listów, które pisał, wyłaniał się zupełnie inny człowiek. A w zasadzie dwoje ludzi w jednym ciele. Z jednej strony niedostępny, pewny siebie, górujący – nie tylko przez swój wzrost – nad innymi indywidualista przekonany o własnej wyjątkowości, mądrości i wiedzy, a z drugiej wrażliwy, chwilami bardzo czuły, melancholijny, refleksyjny, krytyczny wobec siebie częściej niż wobec innych romantyk, słuchający namiętnie Vivaldiego, uczący się w tajemnicy na pamięć wierszy Poego, kupujący kwiaty do wazonu na swoim biurku, „aby móc je nie tylko widzieć, wąchać, ale także czasami dotykać". Jego listy były opowieścią o dwoistości ludzkiej natury. Opisywał w nich swoje dwa światy. W jednym był lodowato zimnym, skrupulatnym, skupionym, dążącym za wszelką cenę do swojego celu naukowcem, w drugim – ciepłym, trochę zagubionym, chaotycznym, roztrzepanym, często rozmarzonym, tęskniącym za wzruszeniami – nie wiedziała, czy to nie przesada, aby go tak nazwać – poetą. W obu światach, w każdym na swój sposób, zdumiewał ją. Ale tylko w tym drugim, poetyckim, zbliżał do siebie. Z każdym listem bardziej. Nie mogła pojąć, że on aż tak szczelnie potrafi te dwa światy od siebie oddzielić. Jej ojciec także przecież był naukowcem. Wiedziała więc, co to są projekty, terminy, uczelniane zawiści czy skomplikowane zależności od innych. Ale jej ojciec rano, w swoim gabinecie – była tego pewna – był takim samym człowiekiem jak wieczorem w domu.

Oddzielnym tematem w jego listach była ona. Nie wie, jak to zrobił, ale niepostrzeżenie coraz częściej i coraz więcej opowiadała mu o sobie. Nie, nigdy nie pytał o nic wprost. Wyczuł, że nie jest jeszcze gotowa do żadnych opowieści o wojnie. Co innego opowiedzieć to Maksowi Sikorsky'emu siedzącemu obok, a co innego w samotności przelać na papier. Uważała, że nie zdoła opisać swoich przeżyć tak, by dotarły do jego świadomości, choćby nawet potrafił czytać między wierszami. To tak jak książka źle przełożona z innego języka. Wiedziała, o czym mówi. Największe lęki jej ojca zawsze sprowadzały się do tego, aby nie „utracić czegoś w tłumaczeniu". Dlatego, jeśli tylko było to możliwe, unikała opisywania swojego wojennego życia w Dreźnie lub Kolonii. Zresztą w ich rozmowach o wojnie i tak stała po złej stronie. Była Niemką. Andrew nie ukrywał swojej pogardy do Hitlera i nazizmu. Często wyczuwała w tym pogardę do Niemców jako narodu. Nie potrafił i nie chciał zrozumieć „tego cichego, gremialnego przyzwolenia", bez którego nie byłoby Belsen, nie byłoby doktora Heima, nie byłoby Auschwitz. Bardzo się starał nie odnosić tego do niej. Ona przecież była dzieckiem, gdy wydarzył się pogrom kryształowej nocy, pisał. Nawet jeśli jej nie obwiniał, to między wierszami tkwiło pytanie o to, co robili, albo raczej czego nie robili, jej rodzice, dziadkowie, rodzina. Miał prawo o to pytać. I uważała, że żadna odpowiedź nie usprawiedliwi ani jej, ani rodziców, ani dziadków. Dlatego nie pisała mu o bezsilności jej ojca, o drugim Bogu jej babci, o Lukasie pod podłogą mieszkania.

Nie pamięta dokładnie, od kiedy wkradła się do ich listów erotyka. To chyba ona go sprowokowała. Napisała mu kiedyś, że myślała o nim pod prysznicem. Ot, tak. Bez żadnego erotycznego podtekstu. Wstała rano, weszła pod prysznic i myślała o tym, jakie kwiaty kupuje do swojego wazonu na biurku. A zaraz potem, jak je dotyka palcami. Hm, może to jest erotyczne.

Tamtego ranka naprawdę myślała tylko o kwiatach. Nie rozsunęła ud i nie dotknęła siebie. Nie robiła tego nigdy rano, w pośpiechu. Potrzebowała tego wieczorem, czasami w nocy. Przez długi czas zawsze słyszała przy tym skrzypce. Po którymś z jego listów skrzypce ucichły. Był tylko jego głos i dotyk jego wielkich dłoni.

Nie potrafiła tego nazwać. Nie chciała tego nazywać. Andrew Bredford pisał po prostu do niej listy. A ona wysiadała wieczorem z metra na stacji przy Church Avenue na Brooklynie i pędziła zdyszana do domu. Na biurku w przedpokoju leżała koperta, wpychała ją do torebki, wbiegała po schodach do góry, zrzucała płaszcz, siadała na skraju łóżka i czytała. Najpierw pośpiesznie, potem przy papierosie uważnie i powoli. Niekiedy wieczorem, też w zależności od tego, jakiej muzyki słuchała i ile wina wypiła, czytała trzeci raz. Były też takie wieczory, że brała list do łazienki, rozbierała się, czytała, stojąc nago, czwarty raz, opuszczała kartki na podłogę, wchodziła pod prysznic i szeptała jego imię...

Wróciła z kuchni z tacą. Stanley stał na drabinie i malował sufit. Podeszła do Doris siedzącej na parapecie.

– Ciągle nie pamiętam, ile łyżeczek cukru, Doris...

Doris przyciągnęła ją do siebie.

– Czego chce od ciebie Andrew? Ty chyba nie znasz się na fizyce, prawda? – wyszeptała jej do ucha.

– Już trochę się znam. Ale tylko na atomowej. Czego chce Andrew? Nie jestem pewna. Czego chciał Stanley od ciebie, gdy go poznałaś?

– Chciał mnie zerżnąć...

– A ty?

– Ja chciałam tego samego...

Wybuchnęła śmiechem. Przytuliła Doris i pogłaskała ją po plecach.

– Spotkam się z nim za trzy dni. W niedzielę. Zapytam, czego tak naprawdę chce ode mnie.

– A czego ty byś chciała? – zapytała Doris.

– Tego samego...

Nowy Jork, Manhattan, późne popołudnie, niedziela, 17 lutego 1946 roku

Wszystko miało być tego dnia specjalne. Wstała wcześnie rano. Nie słuchała radia. Dzisiaj nie interesował jej świat. Piła kawę, nakładając czerwony lakier na paznokcie. Potem stanęła przed szafą. Wybrała „tę sukienkę". Tę najważniejszą. Potem zadzwonił telefon. Nie odebrała. Nawet gdyby to dzwonił Andrew, nie chciała go słyszeć. Mógłby jej powiedzieć, że nie może dzisiaj przyjechać do Nowego Jorku. Tego za nic w świecie nie chciała usłyszeć. Za bardzo czekała na ten dzień. Ale to nie mógł dzwonić Andrew. Była pewna. Potem wybiegła z domu. Pojechała metrem na Greenpoint. Tylko „pani Zosia" potrafiła przemienić jej włosy we fryzurę. Lubiła być u „pani Zosi". Lubiła, jak pani Zosia mówiła do niej po polsku „kochanie". Babcia Marta też tak do niej mówiła. Gdy wychodziła stamtąd, bardzo się starała, by powiedzieć „dziękuje pani Zosia".

Z Greenpointu przejechała na Manhattan. Andrew miał przylecieć z Chicago do Nowego Jorku około szesnastej. Uwzględniając korki po drodze z lotniska, nie dotrze na Manhattan przed siedemnastą. Miała dużo czasu. W redakcji było bardzo spokojnie. Tylko dyżurujący redaktorzy i kilka dziewczyn w „maszynowni". Usiadła za biurkiem i zaczęła przeglądać plan na nadchodzący tydzień. Nie mogła się skupić. Czuła podniecenie. Podeszła do szafy. W dolnej szufladzie biurka Stanleya znalazła butelkę z whisky. Zadzwonił telefon.

– Bleibtreu, „New York Times", czym mogę służyć?

– Jesteś tam, dziecko? Tak myślałem – usłyszała w słuchawce głos Arthura. – Adrienne plądruje sklepy przy Piątej Alei. To bezbożne robić to w niedzielę. Ale cóż. Takie czasy nadeszły. Mam do ciebie sprawę. Znajdziesz dla mnie czas?

– Arthur, jak możesz pytać? – odparła.

Poczuła zaniepokojenie. Arthur ma sprawę w niedzielę? I to osobiście? Nie miała w planie nikogo na dzisiaj. Dzisiaj miał być tylko Andrew i ona. Wlała podwójną porcję whisky do kubka.

Arthur pojawił się po godzinie. Wszedł do biura z papierową torbą w jednej ręce i długim rulonem w drugiej. Zanim zamknął drzwi, upewnił się, że w biurach obok nie ma nikogo.

– Aniu, mówiłaś mi kiedyś, że lubisz podróżować. Nadal lubisz, prawda? Bo widzisz – powiedział, patrząc jej w oczy – ostatnio w Waszyngtonie jest znacznie mniej ludzi, ponieważ, dziwnym trafem, sporo wyjechało do ciepłych krajów.

– Do jak ciepłych? – zapytała dociekliwie.

Gdy Arthur wspominał Waszyngton, wiedziała, że sprawa jest poważna.

– No, do bardzo ciepłych – odparł Arthur i zaczął rozwijać rulon. – Kupiłem mapę, dwa atlasy i kilka książek o tym kraju – powiedział, wskazując na papierową torbę.

Rozłożył mapę na podłodze i wziął ołówek do ręki. Nachylili się nad nią.

– Tu pojechali – powiedział, zakreślając elipsę wokół kilku niewielkich żółtawych plamek na błękitnym tle Pacyfiku.

– Daleko…

– Owszem. Czternaście godzin samolotem cywilnym na Hawaje z Kalifornii, a potem wojskowym bombowcem B-29 około dwóch i pół tysiąca mil na południowy zachód. Kraj nazywa się Wyspy Marshalla. Mam nadzieję, że nie byłaś tam jeszcze na wakacjach? – zaśmiał się.

– Arthur, chcesz mi zapłacić za te wakacje? – zapytała.

– No właśnie, Aniu, pomyślałem, że ty tyle ostatnio pracujesz, poza tym pogoda tutaj taka dosyć wredna. Polecisz, opalisz się trochę, zrobisz kilka ładnych fotek. Co o tym myślisz?

– Dlaczego akurat tam, Arthur? – zapytała poważnie.

– Bo widzisz, jak tam latają opalać się urzędasy z Waszyngtonu i Pentagonu, to znaczy, że coś się kroi. Chciałbym wiedzieć co. Tam nie trzeba wizy, bo po wojnie na Pacyfiku to póki co nasze wyspy. Wpuszczą cię bez problemu. Już sprawdzałem. Zadbałem także o...

– Kiedy? – przerwała mu.

– W środę? – odrzekł bez mrugnięcia okiem.

Uklękła. Powoli dotykała palcem żółtych plamek na mapie. Po chwili wstała.

– W środę, hm... – mruknęła bardziej do siebie niż do niego. – A rano czy wieczorem? – zapytała.

Arthur odwrócił się i podszedł do biurka. Przez chwilę stał odwrócony do niej plecami. Widziała, jak sięga do kieszeni po chusteczkę.

– Adrienne uważa – odezwał się, nie patrząc na nią – że nie wolno mi prosić cię o to, nie mam prawa. Po tym, co przeżyłaś, powinienem trzymać cię z dala od Pentagonu, bombowców i polityki. A ty mnie pytasz, czy w środę wieczorem, czy rano...

Odwrócił się do niej. Zauważyła jego zaczerwienione oczy.

– Wszystkie szczegóły omówimy jutro. Nie mów o tym planie nikomu. Ogłosimy to dopiero, gdy już tam będziesz. A teraz już pójdę, bo Adrienne gotowa mnie wyrzucić z domu.

Gdy wychodził, zatrzymała go w progu i zapytała:

– Arthur, tutaj na tej mapie zaznaczyłeś mnóstwo wysp. Jak nazywa się ta, na którą lecę?

– Bikini...

Stanęła przy oknie. Zapaliła papierosa. Po chwili podeszła do biurka, sięgnęła po aparat i wróciła do mapy. Zdjęła buty i stanęła w rozkroku nad miejscem, które zaznaczył Arthur. Zbliżyła obiektyw do powierzchni mapy. Nacisnęła spust migawki. Bikini, pomyślała. Nic jej się nie kojarzyło z tym słowem. Sięgnęła po książki, które przyniósł Arthur. Przekartkowała je, obejrzała fotografie, przerzuciła strony atlasu. Czuła podekscytowanie. Inne niż to z dzisiejszego poranka.

Gdy zadzwonił Andrew, była pochłonięta czytaniem. Czekał na nią na dole przed budynkiem redakcji. Szybko podeszła do szafy. Nałożyła szminkę na usta. Skropiła dłonie i szyję perfumami. W windzie poprawiła fryzurę. Dostrzegła go przez szybę obrotowych drzwi przy wejściu. Zwolniła kroku. Nie była pewna, jak powinno wyglądać ich powitanie. Widzieli się dotychczas dwa razy w życiu. Za każdym razem rozstawała się z nim w gniewie lub złości. Teraz to był przecież inny Andrew, ten z listów. Pisali do siebie o bardzo intymnych sprawach, ale co innego pisać, a co innego – mając to w pamięci – stanąć przed nim. Zatrzymała się przed drzwiami i obserwowała go przez chwilę. W rozpiętym płaszczu, z podniesionym kołnierzem, bez szalika, w białej koszuli. W kapeluszu był jeszcze wyższy, niż go zapamiętała. Rozglądał się nerwowo, trzymając w dłoni mały bukiecik kwiatów. Wyszła i stanęła przed drzwiami. Spostrzegł ją. Nie ruszyła się z miejsca. Podszedł powoli, zdjął kapelusz i wyciągnął rękę na powitanie.

– Anno... witaj. Nareszcie – powiedział, patrząc jej w oczy.

Bardzo często myślała o tym, jak brzmi jego głos, gdy wypowiada jej imię. Podał bukiecik. Był zmieszany. Zawstydzony jak mały chłopiec. Przypomniała sobie Hinnerka. On też był taki, gdy pierwszy raz spotkali się przy stawie w ogrodzie Zwingerteich w Dreźnie...

– Chodźmy, czeka na nas taksówka – powiedział, wskazując ręką żółty samochód stojący przy krawężniku, i ruszył schodami w dół, nie czekając na nią.

Nie poszła za nim. W połowie schodów prowadzących na plac przed redakcją odwrócił się. Podbiegł do niej.

– Czy coś się stało? – zapytał wystraszony.

– Pocałuj mnie, proszę. Teraz... – wyszeptała.

Zszedł o stopień niżej. Dotknął dłonią jej policzka. Potem palcami odsunął kosmyk z czoła. Wsunął dłoń we włosy i przyciągnął jej głowę do swoich warg. Delikatnie całował powieki. Uniosła głowę i odchyliła do tyłu. Poczuła jego oddech na szyi. Ścisnął jej rękę i pociągnął ją za sobą. Wsiedli do taksówki.

– Niech pan pojedzie do Village. Nie musi się pan śpieszyć! – krzyknął do kierowcy.

– Greenwich Village? – upewniał się taksówkarz.

– Naturalnie.

– Ale gdzie dokładnie, *mister*?

– Do restauracji.

– Ale do jakiej, *mister*? – roześmiał się kierowca.

– Jak to do jakiej?! Do najlepszej.

– Może być Vanguard, *mister*?

Siedziała przytulona do niego, przysłuchując się tej rozmowie. Gdy taksówkarz wymówił tę nazwę, przypomniała sobie rozmowę z Doris. Tak! To tam, w Vanguard, Stanley upił Doris, a potem ona „wykorzystała" go najpierw w taksówce, a potem w windzie.

– Andrew, jedźmy tam. Znam to miejsce. Z opowiadań – szepnęła mu do ucha.

Ruszyli. Całował jej czoło i włosy. Czasami sięgał po obie dłonie i także całował. W pewnej chwili podniosła się z siedzenia. Uniosła sukienkę do góry i usiadła okrakiem na jego udach. Zmoczyła śliną palce i muskała nimi jego wargi. Zamknął oczy. Otworzył usta. Delikatnie wsunęła język pomiędzy jego zęby. Leciutko go przygryzł. Potem gryzł już tylko jej wargi. Zsunęła się z jego ud, gdy taksówka stanęła.

Village Vanguard tak naprawdę nie była miejscem, które można by nazwać restauracją. Weszli do zadymionej piwnicy przypominającej schron. Szli za kelnerem, przeciskając się między ludźmi przy małych okrągłych stolikach. Usiedli naprzeciwko małej sceny oświetlonej reflektorami. Pamięta, że Doris wspominała o muzyce. Andrew wyglądał na spłoszonego.

– Anno, jesteś pewna, że chcesz tutaj zostać? – zapytał, rozglądając się po sali.

Nie zdążyła mu odpowiedzieć. Na scenie pojawił się mężczyzna w smokingu i zapowiedział:

– Niezrównana, tylko dla państwa, Billie Holiday.

Usłyszała oklaski. Znała ją. Każdy, kto słuchał radia w Nowym Jorku, musiał ją znać. Sięgnęła po dłoń Andrew. Na scenę weszła Murzynka z kwiatami we włosach. Strzeliła palcami, dając znak pianiście. Podeszła do mikrofonu i wyszeptała *Good morning heartache*... Anna znała ten kawałek na pamięć. Ostatnio, słuchając go, pisała do niego listy! Ścisnęła mocniej jego dłoń. Wstała. Śpiewała z całą salą:

Good morning heartache
You old gloomy sight
Good morning heartache
*Thought we said goodbye last night**

Zerknęła na niego. Siedział wciśnięty w krzesło i patrzył na nią jak na jakąś zjawę. Uklękła przed nim. Położyła głowę na jego kolanach.

– Andrew, tak czekałam na ciebie...

Billie Holiday pojawiła się na scenie jeszcze kilka razy. Pili wino, rozmawiali. Paliła papierosa za papierosem. Czasami wstawał z miejsca, pochylał się i ją całował. Ot, tak. Bez powodu. Patrzyła na jego ręce, gdy opowiadał. Czasami, szczególnie gdy opowiadał o swojej fizyce, używał słów, których nie rozumiała. Przerywała mu, a on spokojnie wyjaśniał. Miał wtedy najbardziej niebieskie oczy świata. Chwilami, udając, że go słucha, zastanawiała się, czy nie wsunąć stopy między jego uda. Za każdym razem coś ją powstrzymywało. Rozległy się gromkie oklaski. Holiday żegnała widownię w Vanguard. A ona wstała, podała mu rękę. Przeszli pod scenę. Objął ją. Tańczyli.

Good morning heartache
You old gloomy sight

---

* (ang.) Witaj bólu serca
Ty stary mroczny znaku
Witaj bólu serca
Chociaż pożegnaliśmy się ostatniej nocy

Good morning heartache
Thought we said goodbye last night

Całował jej włosy. Przywarła do niego. Zamknęła oczy...

Tańczyli wtuleni w siebie i czuła się jak podczas swojego pierwszego balu. Cała sala wirowała wokół niej. I czaszki, i trumny, i płomienie świec, i jego twarz, i jego skrzypce. Gdy nagle zapadła cisza i krople potu spływające z jego twarzy zmieszały się na wargach z jej łzami, skłoniła przed nim głowę i rozejrzała się wokół, wypatrując twarzy rodziców i babci...

Skłoniła przed nim głowę. Wrócili do stolika. Zamówiła whisky.

– Najlepiej irlandzką! – krzyknęła za odchodzącym kelnerem.

Z Village Vanguard wyszli dobrze po północy. Potrzebowała świeżego powietrza. Przed Brooklyn Bridge zapytał ją, dlaczego płakała podczas tańca. Za Brooklyn Bridge odpowiedziała mu, że „płakała, bo słyszała skrzypce". Odparł, że w tej orkiestrze na scenie „nie było przecież skrzypiec". Nie zrozumiał, gdy powiedziała: „ale ja tylko skrzypce słyszałam". Nie wie, jak długo szli. Przy Flatbush Avenue zapytał, „co będzie z nimi dalej". Nie wiedziała, co będzie „dalej".

W parku z platanami i klonami, naprzeciwko jej domu, usiedli na ławce.

– Lubisz koty, Andrew? – zapytała nagle.

– Nie wiem. Za naszymi kotami w Sunbury nie przepadałem. A Mefisto Stanleya nie przepada za mną. Dlaczego pytasz?

– Tak jakoś – odparła, sięgając po jego rękę.

Wsunęła jego dłoń pod sukienkę. Całowała jego oczy. Podsunął do góry jej stanik. Położył dłoń na piersi. Dotykał delikatnie palcami sutków. Zamknęła oczy. Zacisnęła uda.

– Napiszesz jutro? – zapytała.

– Napiszę jeszcze dzisiaj – wyszeptał.

– Mam nowy projekt w „Timesie", wyjadę z miasta na jakiś czas.

– Na długo?

– Nie wiem dokładnie. Nie mówmy teraz o tym. Nie teraz...

– Ja też wyjadę, to było zaplanowane już dawno, pracujemy nad...

– Zdejmiesz mi teraz majtki, Andrew? – wyszeptała, nie pozwalając mu dokończyć.

Nie odpowiedział. Podniosła sukienkę. Rozerwał jej majtki. Usiadła na jego udach. Tak jak w taksówce. Rozpięła mu pasek u spodni. Uniósł ją do góry. Rozsunęła szeroko uda. Opadła. Zagryzła wargi.

– Pragnęłam cię, Andrew, bardzo cię pragnęłam... – powtarzała, podnosząc się i opadając.

Znowu słyszała skrzypce...

Nagle przeskakuje iskra, dotyk, namiętność, pocałunki, chwila, moment, mokre twarze, mokre włosy, mokre usta, splątane istnienia, poplątane myśli i jeszcze bardziej poplątane uczucia. Wszystko żyje, biegnie, goni dalej, a oni są tu i teraz. Zatracić siebie, nic przy tym nie uronić, tylko zupełnie i ostatecznie zatracić się w tej chwili. Tu i teraz...

Nie odchodził, gdy żegnała go na chodniku przed domem Astrid. Całowała go, biegła schodami do góry i za chwilę zbiegała na dół. Za którymś razem szepnęła mu do ucha:

– Andrew, idź już. Zatracam się. Nie chcę tego. Jeszcze nie dzisiaj. Idź. I napisz do mnie list...

Nie mogła zasnąć, paliła kolejnego papierosa, robiło się już jasno. Podeszła do okna. Spoglądała na pustą ławkę w parku z platanami. Nuciła:

Good morning heartache
You old gloomy sight
Good morning heartache
Thought we said goodbye last night

Nowy Jork, Brooklyn, poranek, poniedziałek, 18 lutego 1946 roku

Zaspała. O szóstej nastawiła budzik na siódmą. Nie usłyszała dzwonka. Zerwała się z łóżka o dziesiątej. Nie lubiła zjawiać się w redakcji później niż Stanley. Poza tym wiedziała, że Arthur chce dzisiaj rozmawiać z nią o Bikini. Najpierw gorąca, a potem lodowata woda pod prysznicem orzeźwiła ją.

Ostatnia noc była bardzo długa. Cudownie długa. Wyszła spod prysznica. Stanęła przed lustrem. Miała czerwone i opuchnięte wargi. Pogryzione. Uśmiechnęła się. Oczy miała zapuchnięte. Ale to nic. Często miała takie oczy. Od czytania do późna w nocy przy biurku w redakcji, od dymu papierosowego, od płaczu, gdy czuła się samotna i tęskniła, ale także od wpatrywania się w fotografie i od oparów chemikaliów w ciemni Maksa.

Zbiegła schodami na dół. Astrid, ubrana w jedwabny różowy peniuar, z papilotami we włosach, stała w progu salonu i rozkazującym głosem pouczała młodą Murzynkę, która klęcząc, przecierała postrzępioną szmatą posadzkę w przedpokoju.

– No, dziecko, dzisiaj w nocy to już naprawdę przesadziłaś – powiedziała Astrid. – Jeśli chcesz biegać po schodach w tę i z powrotem do swoich kochanków, to może zmieniłabyś buty? Stukałaś jak pijany kowal w kuźni. Nie mogłam spać. I inni pewnie też...

– Przepraszam, pani Weisteinberger. Nie zdawałam sobie sprawy, że...

– No, dobrze już, dobrze. Ale na drugi raz pamiętaj – przerwała jej Astrid. – Tylko to nie wszystko, dziecino. Nie uciekaj jeszcze – zatrzymała ją Astrid. – Nad ranem wrócił tutaj ten wielkolud, którego bezwstydnie całowałaś na chodniku. Wsunął w szczelinę pod drzwiami kopertę zaadresowaną do ciebie. Mała Betty – wskazała na klęczącą Murzynkę – ją znalazła. Musiałaś mu dobrze namieszać w głowie. A ty nie podsłuchuj, tylko ścieraj. Tak jak ci mówiłam! – krzyknęła do Murzynki, która usłyszawszy swoje imię, podniosła głowę znad szmaty.

– Kopertę? – zapytała zdziwiona.

– Tak, kopertę, dziecko. Teraz dostajesz już listy dwa razy na dzień – odparła Astrid i wyciągnęła kopertę z kieszeni peniuaru.

Rozpoznała pismo Andrew. Zbiegła szybko ze schodów na chodnik. Przeszła ulicę i usiadła na mokrej ławce w parku. Rozerwała kopertę. Zaczęła czytać:

Nowy Jork, Manhattan, 18 lutego 1946

Anno,
rozpamiętuję każdą chwilę...

Pierwszy raz w życiu tęsknię...

Pierwszy raz w życiu chciałbym także nazwać to, co czuję, określić, zdefiniować.

Ale Ty nie dajesz się określić i zdefiniować. Nie ma takiego równania, nie istnieje taka funkcja czasu, która choć w przybliżeniu przewidzi, jaka będziesz w następnej sekundzie. Jesteś dzika, szalona, zagubiona, odważna, mądra, naiwna, romantyczna, rzeczowa, dziecinna, dorosła, niewinna, wyuzdana, delikatna, krucha, twarda, dominująca, bezbronna, uśmiechnięta, płacząca. I wszystko to zmienia się, miesza, pulsuje, zderza ze sobą. Dla matematyka jesteś nie do opisania. Za dużo warunków brzegowych, za wiele zmiennych. Dla fizyka tym bardziej. Jesteś cudownie nieprzewidywalna. Inna, jedyna, osobliwa...

Wracałem pustymi ulicami Nowego Jorku do hotelu i przeżywałem od nowa każdą naszą chwilę. I wyobrażałem sobie następne. I odczuwałem niepokój. Możesz przecież nie zechcieć podarować mi swojego czasu. Dlaczego masz darować go akurat mnie? Bałem się jak chłopak po pierwszej randce. Podejmowałem po drodze mnóstwo postanowień. Będę blisko Ciebie, zrobię wszystko, aby być blisko Ciebie. Będę uczył się Twojego świata. Nauczę się fotografować, nauczę się niemieckiego, nauczę się słuchać innych, nauczę się stać w cieniu. I grać na skrzypcach. Nauczę...

Nie mogłem zasnąć. Nie chciałem zasnąć. Ja od wielu lat nie śnię. Dlatego się bałem, że nie wrócisz do mnie w żadnym śnie. Dlatego nie zasnąłem. Nie chciałem się z Tobą rozstawać. Zacząłem pisać ten list. Za chwilę mój kierowca, ten od dwóch Agnes, zawiezie mnie na Brooklyn. Podejdę schodami, którymi do mnie zbiegałaś. Usłyszę jeszcze raz, jak mówisz: „Zatracam się. Nie chcę tego. Jeszcze nie dzisiaj...", i wsunę ten list pod drzwi.

Z Brooklynu pojadę prosto na lotnisko i będę czekał na Twoje „dzisiaj".

Mam...

Mam ważny projekt daleko stąd. Będę pisał. A potem? Potem wrócę.

Do Ciebie.

Andrew

PS Zawsze się zastanawiałem, jak można zdefiniować miłość. Wiem, jestem dziwak przez to swoje przywiązanie do definicji. Ale taki już jestem. Myślę, że miłość to najpiękniejszy i najważniejszy rodzaj ciekawości.

Wszystko, co robiłem i robię w życiu, wynikało i wynika z ciekawości. Jeszcze nigdy przedtem nie byłem tak ciekawy żadnej kobiety...

Siedziała na ławce, przyciskając kartkę papieru do piersi. Do jej nóg zbliżył się wychudzony kot. Ocierał się o jej buty i głośno miauczał. Wyciągnęła rękę. Kot wskoczył na ławkę i patrzył na nią...

Bo widzisz, Karafka, ja nie mogę, ja nie potrafię w ciągu jednego dnia przyjąć do siebie tyle szczęścia – mówiła, połykając łzy – nie mam w sobie tyle miejsca...

W redakcji pojawiła się około południa. Stanleya nie było. Gdy tylko usiadła przy biurku, przyszła Liza.

– Stanley jest w szpitalu – powiedziała, zamykając drzwi.

– W szpitalu?! – wykrzyknęła Anna.

– Doris ma komplikacje. Zaczęły się w niedzielę wieczorem. Ale już lepiej. Zostanie w szpitalu przez dwa tygodnie.

– Boże...

– Spokojnie, Aniu. Wszystko dobrze. Arthur zostawił dla ciebie wytyczne. Przeczytaj dokładnie, co jest w tym skoroszycie – powiedziała i położyła przed nią szarą papierową teczkę przewiązaną czerwoną tasiemką. – Arthur nie powinien cię o to prosić, nie powinien – dodała, wychodząc z biura.

Liza najwidoczniej przeczytała „wytyczne". Czerwona tasiemka oznaczała „wyłącznie do wiadomości adresatów". Podobna teczka leżała na biurku Stanleya. Ale Liza była przecież „swoja".

Zadzwoniła do Stanleya. Nikt nie odbierał. Potem do Lizy. Liza nie wiedziała, w którym szpitalu jest Doris, ale obiecała, że się dowie i da jej znać. A ona rozsupłała czerwoną tasiemkę. Zaczęła przerzucać dokumenty w skoroszycie. Dwa bilety na lot Pan Amu. Z Nowego Jorku do Chicago, a cztery godziny później do Los Angeles. Kartka z danymi o locie na Hawaje. Poleci Aloha Airlines. Ma tylko godzinę czasu w Los Angeles. Po mniej więcej czternastu do piętnastu godzinach, w zależności od pogody, powinna wylądować w Honolulu. Niejaki porucznik Berney Collier odbierze ją w Honolulu i zawiezie na lotnisko w bazie lotniczej Hickam. To niedaleko, ciągle na terenie dystryktu Honolulu. Stamtąd wojskowym B-29 poleci do Majuro, stolicy Wysp Marshalla. Wojskowi nie chcieli podać ani godziny odlotu, ani czasu trwania lotu. Od porucznika Colliera dowie się, jak z Majuro, stolicy kraju, przetransportują ją na atol Bikini. Prawdopodobnie lokalnym małym samolotem. Wszystkie loty są opłacone. Podobnie jak kwatera na Bikini. Collier powinien jej pozostawić vouchery. Powrotu z Bikini nie udało się uszczegółowić. Powinna skontaktować się na miejscu z amerykańskim zarządcą atolu. Ze względu na niewiele miejsca w samolocie z Majuro na Bikini powinna ograniczyć swój bagaż do maksymalnie jednej, w miarę małej walizki. Jest mało prawdopodobne, aby w Majuro mogła mieć dostęp do materiałów fotograficznych. Powinna wziąć ze sobą wszystko, czego potrzebuje. Pogoda na Bikini dzisiaj to 80° Fahrenheita (29° Celsjusza) i deszcz. Ale w środę i czwartek ma być słońce. Od wylądowania w Majuro traci w zasadzie komunikację telefoniczną z redakcją. Wszystko musi przechodzić przez służby wojskowe. Dlatego powinna być bardzo, bardzo ostrożna...

Schowała teczkę w swojej szafie. Leci w środę o czternastej osiem z La Guardii do Chicago. To była dla niej tak naprawdę ważna informacja. Bo listonosz zjawia się w domu Astrid około jedenastej. I to było w tym momencie o wiele ważniejsze...

Postanowiła nie wychodzić z redakcji. Czekała na Stanleya. Około osiemnastej zadzwonił Arthur. Z Waszyngtonu. Przez chwilę pomyślała o Adrienne. Jak ona to znosi? Arthur miał tu być w poniedziałek. A dzwoni z Waszyngtonu. Nie wie dlaczego, ale pomyślała o dwóch Agnes kierowcy Andrew Bredforda.

– Arthur – powiedziała cicho do słuchawki.

– Córeczko, tak jakoś się zdarzyło, że musiałem wyjechać. Liza dała ci teczkę, prawda? Nie ma lotów wieczorem w środę. Czy to ci bardzo komplikuje życie?

– Arthur, miałeś tutaj być. Miałeś mnie pocałować na pożegnanie.

– Pocałować – odparł i zamilkł na chwilę. – Gdyby coś, no, wiesz, cokolwiek, to ty się tam nie opalaj zbyt długo. Zrób takie foty, jakich oni nie chcą pokazać. Rób tylko takie. Jak z Drezna. Zrób i natychmiast wracaj. Wysłałem z Waszyngtonu telegram do pułkownika w Majuro.

Jeśli się tobą nie zaopiekuje, to będzie miał kłopoty. Nie tylko ze mną. Liza przekaże ci wszystkie namiary na niego.

– Wracaj...

Stanley pojawił się w redakcji późnym wieczorem. Poczuła od niego zapach alkoholu. Nie zdjął płaszcza. Usiadł na biurku. Podeszła do niego i podała mu zapalonego papierosa.

– Co jest, Stanley? Czemu pijesz? – zapytała.

– Doris krwawiła w nocy z soboty na niedzielę. Przeraziłem się.

– Zawieziesz mnie teraz do niej?

– Nie wpuszczą cię. Jest na takim oddziale, że nie wpuszczą.

– Ma telefon?

– Nie ma...

– Zapisz mi adres szpitala, proszę – sięgnęła po kartkę na biurku.

– Pojedź do niej rano. Zrób coś. Przedostań się do niej. Cały czas pyta o ciebie. Masz wódkę?

– Nie mam – skłamała.

– Nie polecę z tobą na Bikini. Wybacz mi. Nie mogę. I nie chcę. To od teraz tylko twój obszar. W środę przyjadę i odwiozę cię na lotnisko. Aniu, na pewno nie masz wódki?

– Stanley, nie zmuszaj mnie, abym drugi raz skłamała. Nie dam ci wódki. Doris nigdy by mi tego nie wybaczyła.

W szpitalu była około dziesiątej wieczorem. Wcześniej w aptece kupiła kilka bandaży. W taksówce owinęła nimi czoło. Strażnik przepuścił ją bez żadnych pytań. Na czwartym piętrze zerwała bandaże. Zaglądała do każdej sali. Minęła rozświetlony pokój pielęgniarek. Zajrzała do sali obok.

– Doris – powiedziała, podchodząc do łóżka.

– Tak się boję. Ona już jest tak długo we mnie, Aniu. Stanley ją bardzo kocha. Przyciska usta do mojego brzucha i rozmawia z nią. O mnie zapomina. Tylko z nią rozmawia. Jak jakiś opętaniec. Czeka na nią. Tak się boję. I na dodatek nie było ciebie przez dwa dni – wyszeptała Doris.

Anna usiadła na krawędzi łóżka. Wsunęła dłoń pod prześcieradło. Delikatnie uścisnęła rękę Doris.

– Nie wiedziałam, Doris. Te dwa dni to być może najważniejsze dwa dni mojego życia. Jeszcze nie wiem. Doris, słuchaj teraz. Muszę wyjechać na jakiś czas. Tak się złożyło. Stanley o tym wie. Nawet gdy teraz jest jak w amoku. On cię kocha. Stanley Bredford może kochać tylko wyjątkową kobietę. Jedz jabłka, pij dużo mleka, nie ruszaj się za dużo i nie czytaj smutnych książek. I nie pozwól pić Stanleyowi. Gdy ty mu zabronisz, przestanie. Zabroń mu...

W tym momencie do sali weszła pielęgniarka. Zapaliła światło.

– Co pani tu robi? – krzyknęła.

– Rozmawiam z przyjaciółką, proszę pani. To ważniejsze niż wasze tabletki.

– Kto panią tu wpuścił?! Proszę natychmiast wyjść!

Pocałowała Doris i wyszła. Jadąc metrem do domu, myślała o tym, czym jest miłość. Jak on to nazwał? „Najpiękniejszy i najważniejszy rodzaj ciekawości", chyba tak albo podobnie. Rozumiała ciekawość Stanleya. Jego młoda kobieta ma urodzić mu dziecko. Ale co ciekawi Adrienne w Arthurze po tylu latach? Co ciekawiło babcię Martę, że trwała przy dziadku przez trzydzieści lat? Miał przecież dość czasu, aby jej wszystko o sobie opowiedzieć. A może nie opowiedział wszystkiego? Może ta ciekawość to jak ciekawość o poranku, po przebudzeniu – co dzisiaj się wydarzy? I co wydarzy się nie tylko mnie, ale temu komuś, kto budzi się obok mnie? Co wydarzy się nam. Może to właśnie jest ta ciekawość, dla której ludzie chcą być ze sobą?

Ze stacji przy Church Avenue poszła do parku. Usiadła na swojej ławce. Przez chwilę poczuła szaleńczą ochotę, by wyciąć scyzorykiem na deskach „to moja najważniejsza ławka świata". Po chwili przysiadł się do niej kot. Głaskała go. Mruczał i ocierał się o nią.

– Lecę na Bikini. Wiesz, gdzie jest Bikini? Nie wiesz. Ja też jeszcze dokładnie nie wiem – powiedziała do niego. – Ale wrócę. A wiesz, gdzie jest Drezno? Też nie wiesz...

Wstała i przeszła przez ulicę. Kot szedł obok niej...

Nie mogła tej nocy zasnąć. Najpierw jeszcze raz przeczytała wszystkie listy od Andrew, potem długo i uważnie oglądała atlas. Przesuwała powoli palec z Europy do Ameryki, z Drezna do Kolonii, z Kolonii do Luksemburga, z Luksemburga do Nowego Jorku. Z Nowego Jorku na Hawaje, z Hawajów na Bikini. Z Bikini do Drezna. Potem przebyła całą trasę jednym ruchem ręki jeszcze raz. Trudno jej było uwierzyć, że za kilkanaście godzin to nie będzie ruch ręki po błyszczących mapach w atlasie. Potem kolejny raz przeczytała wszystkie listy od Andrew.

Nad ranem usiadła na parapecie okna, paliła papierosy i długo wpatrywała się w ławkę naprzeciwko. Płakała...

Nowy Jork, Brooklyn, wczesne popołudnie, środa, 20 lutego 1946 roku

Stanley przyjechał pod dom Astrid około dwunastej. Listu od Andrew nie było. Czekała w progu na listonosza. Chciała być zupełnie pewna. Spakowała się poprzedniego wieczoru. W jedną małą walizkę. Wracając z redakcji, wstąpiła do kilku sklepów na Manhattanie w poszukiwaniu kostiumu kąpielowego. Maks Sikorsky przygotował dla niej paczkę z filmami. Liza na polecenie Arthura kupiła dwa dodatkowe obiektywy do jej leiki. Każdy w oddzielnym skórzanym futerale. Miała wszystko, czego potrzebowała. Pożegnała się tylko z Maksem i Lizą. Nie chciała ogłaszać innym, że wyjeżdża. Musiałaby kłamać, gdyby pytano ją, dokąd leci. Arthurowi zależało na tym, aby wszystko pozostało w tajemnicy. Rano unikała spotkania z Astrid.

Po drodze na lotnisko poprosiła Stanleya, aby zatrzymał się przy polskim sklepie na Greenpoincie. Kupiła dwie butelki wódki. Jedną dużą do walizki i jedną małą do kieszeni. Rozmawiali o Doris. Krwawienia ustały, ale musi pozostać na obserwacji w szpitalu przez minimum dwa tygodnie. Lekarze nie znają dokładnej przyczyny tych komplikacji, ale są jak najlepszej myśli.

– Tak czekam na to dziecko – powiedział w pewnym momencie Stanley.

Przysunęła się do niego i położyła głowę na jego ramieniu. Przypomniała sobie ich drogę z Königsdorfu na lotnisko w Findel w Luksemburgu.

– Stanley, pamiętasz naszą drogę do Findel? I tego szczerbatego strażnika w Konz? A tę strzelaninę? Tak się wtedy bałam, że coś ci się stanie i zostawisz mnie samą. To było tak niedawno, Stanley...

– Pamiętam, Aniu. Czasami wraca to do mnie w snach. Pamiętam wszystko. Także to, jak nagle, ot, tak po prostu, zapytałaś mnie: „Kocha cię jakaś kobieta? Oprócz matki i sióstr? Gładziłeś jej czoło i włosy tak jak moje teraz? Kocha cię? Powiedziała ci to? Zdążyła ci to powiedzieć?". Wiesz, że ja każdego dnia przed snem gładzę czoło i włosy Doris. I mówię, że ją kocham. Każdego wieczoru. Odkąd wróciłem z Europy, boję się, że mogę przestać istnieć następnego dnia i że nie zdążę jej tego powiedzieć...

– Mów jej to, Stanley. Jak najczęściej. Szczególnie teraz – powiedziała, całując go w policzek.

Na lotnisku byli około trzynastej. Ustawili się w kolejce do bramki z napisem „Chicago". Milczeli. Gdy zbliżyli się do szklanych drzwi, pracownik w granatowym mundurze Pan Amu sprawdził jej bilet. Odwróciła się do Stanleya i powiedziała cicho:

– Powiedz, że chcesz teraz herbaty, Stanley. Powiedz, że chcesz...

Przytulił ją.

– Aniu, miałaś nie płakać. Umówiliśmy się przecież. Pamiętasz?

Zamknęła oczy. Słyszała z oddali swój głos...

Markus, no co ty! Przecież umówiliśmy się w ogrodzie u Zeissów. Zapomniałeś? Ja nie płaczę. To tylko ta słoma z twoich włosów. Wpadła mi do oczu. Naprawdę nie płaczę...

Sięgnęła po walizkę, przeszła przez próg szklanych drzwi. Młody czarnoskóry chłopak w niebieskim fartuchu odebrał od niej walizkę i postawił na płycie lotniska. Podeszła do schodków prowadzących na pokład samolotu. Odwróciła się na chwilę. Stanley stał za szklaną szybą i nerwowo przesuwał ręką po włosach. Ta rodzina tak już chyba ma, pomyślała, przypominając sobie Andrew, gdy pytał jej „co będzie z nimi dalej". Stewardessa zaprowadziła ją na jej miejsce w samolocie.

Wyspy Marshalla, atol Bikini, wczesny ranek, piątek, 22 lutego 1946

W Honolulu czekał na nią porucznik Berney Collier. Na kawałku tektury napisał „Mrs Faithful", pani Wierna. Uważał – jak się później okazało – że to jest śmieszne. Ona, że zupełnie nie. Minęła opasłego żołnierza w granatowym mundurze z tablicą „Mrs Faithful" i przez dwie godziny siedziała wystraszona na drewnianej ławce. Gdy hala lotniska opustoszała, podszedł do niej ten opasły żołnierz i zapytał, czy przypadkiem nie przyleciała z Nowego Jorku i czy leci do Majuro. Pokazał jej karton z napisem „Mrs Faithful". Uważał, że tłumacząc jej nazwisko na angielski, dał dowód niewiarygodnie dobrej znajomości języka niemieckiego, niebywałego poczucia humoru oraz niezwykłej gościnności. Poza tym miał tłuste włosy, brud za paznokciami oraz cuchnął potem i piwem.

Potem jechali rozklekotanym dżipem bez szyb przez Honolulu do bazy wojskowej w Hickam. Podczas podróży porucznik Berney Collier wypił trzy kolejne butelki piwa – za każdym razem chciał koniecznie, aby się z nim napiła z tej samej butelki – i zapewne sądził, że „bawi ją rozmową", gdy tak naprawdę tylko przeszkadzał jej oglądać miasto zza okna samochodu. Poza tym, grubiańsko przeklinając, pastwił się z jakiegoś nieznanego jej powodu nad młodym szeregowcem, który kierował autem. W pewnym momencie miała po prostu tego dosyć.

– Wie pan co, panie Collier? – wyszeptała, przybliżając usta do jego policzka.

Collier odstawił natychmiast butelkę z piwem od ust i uśmiechając się zalotnie, odparł:

– Wiem prawie wszystko, ale tego jeszcze nie, Miss...

– To się pan zaraz dowie, Berney – szeptała mu do ucha, wydychając szybko powietrze. – Dowiesz się całej prawdy, Berney. Spotkałam tylko kilku amerykańskich oficerów w moim życiu. Niektórych w Niemczech, niektórych w Stanach. Ale żaden, Berney, wierz mi, naprawdę żaden – językiem delikatnie dotknęła jego ucha – nie był... – wciągnęła głęboko powietrze do płuc i wykrzyknęła: – tak obleśnym, śmierdzącym i brudnym chujem jak ty, Berney! Żaden!

Porucznik Berney Collier odsunął się gwałtownie, butelka z piwem wypadła mu z rąk. Przez chwilę głośno charczał. Potem zaczął kląć na kierowcę. Wreszcie zamilkł.

W Hickam porucznik Collier nie wysiadł z samochodu. Nie pozwolił także, aby wysiadł kierowca. Spokojnie zabrała swoją walizkę, pożegnała się z kierowcą i przeszła do stojącego na pasie startowym wojskowego samolotu. Przypomniała sobie Findel w Luksemburgu. Dokładnie taki sam samolot zabierał ją z Europy do Nowego Jorku. Weszła po chyboczącym się trapie na pokład. Miejsce za kotarą było wolne. Usiadła, przytulając do siebie aparat. Po chwili usłyszała znajomy ryk silnika. Wystartowali. Czuła zmęczenie, ale ciągle nie takie, aby móc zasnąć. Otworzyła butelkę z wódką. Zamroczyć się troszeczkę i potem usnąć...

W Majuro wylądowali, gdy było ciemno. Podróżując na zachód, doganiała czas. Praktycznie od Los Angeles trwała nieustanna noc. Najdłuższa noc jej życia. Gdy wysiadła z samolotu, było gorąco i parno. Na płytę lotniska wystawiono ich walizki. Zdjęła płaszcz. Potem sweter. Przez chwilę stała obok samolotu w samym staniku. Młody mężczyzna obok walizek patrzył na nią jak na przybysza z obcej planety. Otworzyła walizkę. Wyciągnęła kretonową bluzkę. Zdjęła stanik. Mężczyzna odwrócił głowę. Włożyła bluzkę. Po chwili pod samolot podjechała ciężarówka. Załadowano ich walizki. Ciężarówka odjechała. Szła pomiędzy żołnierzami w kierunku małego drewnianego budynku przykrytego dachem z liści palmowych. W budynku przydzielono ją do rikszy numer osiem. Riksza miała ich dowieźć „do portu". Do normalnego roweru doczepiono mały wózek, w którym z trudnością mieściła się jedna walizka. Usiadła okrakiem na bagażniku roweru i objęła w pasie chudego chłopca. Ruszyli. Zamknęła oczy. Przypomniała sobie, jak Hinnerk woził ją na bagażniku swojego roweru wokół podwórka na Grunaer w Dreźnie...

Po kilkunastu minutach dotarli do czegoś, co zupełnie nie przypominało portu. Co najwyżej przystań dla jachtów nad Bałtykiem lub na wyspie Sylt. Na falach obok drewnianego pomostu wychodzącego na kilkanaście metrów w morze kołysał się mały samolot na płozach. Z całych sił ściskała metalowe poręcze siedzenia, gdy z rykiem podskakiwali na falach przy starcie.

Obudziło ją nagłe szarpnięcie. Rudowłosy chłopak w mundurze siedzący obok dał jej kuksańca w bok i wskazał palcem na okno. Było jasno, świeciło słońce. Samolot zaczął schodzić do lądowania. Spojrzała przez okno. Między udami ściskała swoją leicę. Gwałtownie podniosła aparat i przycisnęła obiektyw do okna. Prawie natychmiast odstawiła. Spojrzała jeszcze raz. Zobaczyła szmaragdy, najprawdziwsze, ogromne szmaragdy. Jak rozrzucone przez kogoś na turkusowy dywan. Zacisnęła dłonie w pięści i przetarła oczy. Granat, zieleń i błękit! Cudownie zmieszane. Potem wyłaniający się wąski, przerywany pasek lądu zamykający przestrzeń w zniekształcony okrąg. Jeszcze raz przystawiła obiektyw do okna. Bardzo chciała nacisnąć spust, ale nie potrafiła. Pierwszy raz w życiu miała pewność, że jej aparat nie zobaczy tego, co ona sama właśnie widzi. A jeśli nawet zobaczy, to nie potrafi o tym opowiedzieć. Za dużo barw, za dużo odcieni, za dużo piękna. Poczuła, że w obliczu tylu barw jej aparat po prostu oślepnie i oszaleje, że zarejestruje tylko światło i cień. Biel i czerń, i mnóstwo odcieni szarości. To tak, jakby odebrać jeden z wymiarów. Spłaszczyć. Przeważnie tego właśnie oczekiwała i tego właśnie chciała. Do tej pory. Do tej pory tyle jej starczało. Wszystko, co do tej pory fotografowała, potrafiła przetłumaczyć na język bieli, czerni i szarości. Nie była przygotowana na taką gamę kolorów.

Samolot schodził niżej, zataczając coraz ciaśniejsze kręgi. W miejscu, gdzie biały pasek lądu wydobywał się z oceanu, woda miała zielonkawobłękitny kolor, jak kamienie upiększające indiańskie ozdoby, które oglądała w jednym z nowojorskch muzeów. Turkusowe fale zachodziły na siebie, strojąc się w białe kołnierze z piany. Tylko na chwilę, bo zaraz spychały je kolejne napierające masy wody. Była pewna, że obiektyw nie potrafi uchwycić i oddać tego, co ona teraz widzi. Nigdy!

Poczuła rodzaj wzruszenia. Pamięta, że zdarzało się jej przeżywać coś takiego, gdy oglądała z ojcem niektóre malowidła w muzeach w Berlinie i w Dreźnie. Otwarte ze zdziwienia szeroko oczy, a potem zachwyt niepowtarzalnym pięknem. Przytulała się wtedy do ojca, a on delikatnie gładził jej włosy. Sięgnęła po dłoń młodego żołnierza siedzącego obok. W milczeniu, trzymając się za ręce, patrzyli w dół.

Samolot uderzył płozami o fale oceanu, podskoczył do góry i znowu opadł. Po chwili wyłączono silniki, zapadła cisza. Czuła spokojne kołysanie. Słyszała plusk wody. Nad horyzontem powoli wspinało się do góry słońce. Spojrzała na zegarek. Była 7.30 rano, w piątek, 22 lutego 1946 roku. Dotarła na Bikini...

Pod samolot podpłynęły dwie wojskowe szalupy. W pierwszej z nich umieszczono ich bagaże. Gdy odpłynęła, zeszli po chybotliwym trapie do drugiej. Tuż przed plażą szalupa przyśpieszyła i osiadła płaskim dnem na piasku. W oddali, pomiędzy palmami, dostrzegła drewniane dachy zamykające się w rodzaj półkolistego hangaru.

– Cross Spikes Club – wykrzyknął rudowłosy chłopak – już w Majuro myślałem o zimnym piwie. Nareszcie! Dla tego miejsca warto było wlec się na koniec świata.

Żołnierze z szalupy wyskoczyli na piasek i natychmiast ruszyli w kierunku hangaru. Ona wysiadała jako ostatnia. Rudowłosy chłopak najpierw odebrał jej aparat i pakunek z filmami, a potem podał rękę. Poczuła miękkość i ciepło piasku pod stopami. Jej walizka stała pomiędzy plecakami żołnierzy na niewielkim utwardzonym placyku tuż przy plaży.

– Z pewnością się jeszcze zobaczymy. Tutaj trudno się nie spotkać – pożegnał ją z uśmiechem rudowłosy chłopak i popędził w kierunku hangaru.

Nachyliła się nad walizką. Chciała zerknąć w dokumenty, które w zalakowanej kopercie jeszcze w Honolulu przekazał jej porucznik Collier. Wiedziała od Arthura, co ma tutaj robić. Ma fotografować to miejsce, ale także się dowiedzieć, dlaczego tym małym skrawkiem ziemi na końcu lub początku świata tak intensywnie interesują się i politycy, i wojskowi. I to w pół roku po zakończonej wojnie na Pacyfiku. Teraz jednak nie chciała o tym myśleć. Teraz była potwornie zmęczona. Znaleźć tu jakieś łóżko lub hamak, a przedtem się wykąpać. Nie chciało jej się liczyć, ile godzin była w podróży.

Schyliła się i otworzyła walizkę, sięgnęła po pomarańczową kopertę. Klęcząc, zaczęła rozrywać lakowe pieczęcie. W pewnym momencie na ubrania w walizce opadła mała biała koperta. Gwałtownie odwróciła głowę.

– Napisałeś! – wykrzyknęła.

Wstała. Objęła go.

– Wiedziałam, że napiszesz – dodała szeptem.

Dotykał ustami jej włosów, całował delikatnie czoło. Milczał. Stali tak przez chwilę, przytuleni do siebie. W jej głowie kłębiło się tysiące pytań. Dlaczego on tutaj? Dlaczego akurat teraz? Dlaczego jej nie powiedział? Skąd wiedział, że tutaj będzie? Dlaczego nie powiedział, że wie? Dlaczego?! Miała przecież tu za nim tęsknić. Miała mieć czas pomyśleć, „co będzie z nimi dalej".

– Pachniesz wiatrem i plażą, Andrew – wyszeptała tylko.

– Opowiem ci wszystko – powiedział, jak gdyby zgadując jej myśli.

– Opowiesz...

Zamknęła walizkę. Pomarańczowa koperta przestała być ważna. Niósł jej walizkę, a ona szła obok i uśmiechała się do niego. Z plaży weszli do palmowego zagajnika. Po chwili znaleźli się pośród małych drewnianych chat przykrytych dachami z wyschniętych liści palmowych. Mijali umundurowanych młodych mężczyzn bawiących się z grupką dzieci. Przez moment wydawało jej się, że widzi twarz Lukasa. Chłopiec mógł mieć nie więcej niż sześć lat, śniadą twarz, duże ciemne oczy i wypukłe, jakby wywinięte na zewnątrz wargi, spomiędzy których wyłaniał się szczerbaty uśmiech. Pomachał do niej ręką, kiedy przechodzili obok. Żołnierze przerwali zabawę i odwracali za nią głowę. Niektórzy dwuznacznie gwizdali. Starała się nie słuchać ich komentarzy. Od czasu Drezna nie widziała tylu ludzi w mundurach. Andrew w swoich dżinsach, błękitnej koszuli i mokasynach był tu jak dotychczas jedynym cywilem. Gdyby nie on i nie te dzieci, pomyślałaby, że jest w wojskowych koszarach lub na poligonie. Arthur miał rację, tutaj dzieje się lub wkrótce będzie się działo coś bardzo ważnego, pomyślała.

Pokój w drewnianym baraku, do którego wprowadził ją Andrew, był nie większy niż najmniejsza toaleta w redakcji „Timesa" i z pewnością mniej przytulny. Wąskie metalowe łóżko, na nim poduszka, niepowleczony szary koc, prześcieradło i poszewka złożone w idealny kwadrat, stolik, krzesło, pordzewiała metalowa szafa. Marzyła, żeby się umyć i natychmiast zasnąć.

– Teraz najbardziej chcesz zasnąć, prawda? Ale to najgorsze, co mogłabyś zrobić – powiedział Andrew, jakby czytając jej myśli – spróbuj wytrzymać przynajmniej do popołudnia. Różnicę czasu najlepiej rozchodzić. Łazienki są wspólne, na końcu korytarza, ale nie martw się, osobne dla mężczyzn i kobiet. Jest tu jeszcze kilka innych kobiet.

Patrzyła na niego. Ciągle nie mogła uwierzyć, że on tu jest. Teraz wydawał się jej jeszcze wyższy i przystojniejszy. Miał jeszcze bardziej błękitne oczy i jeszcze bielsze zęby.

– Andrew, co ty tu robisz? – zapytała.

Zignorował jej pytanie.

– Jeśli poczekasz kwadrans, pokażę ci najpiękniejszą łazienkę świata. Wrócę za chwilę. Muszę tylko na moment zajrzeć do sztabu. Wrócę. Nie zaśnij...

Wyszedł, zamykając za sobą drzwi. Miał rację. Najbardziej na świecie chciała teraz zasnąć, ale wcześniej umyć chociaż ręce. Była jakby w letargu. Dźwięki zza okna dochodziły do niej wydłużone i spowolnione, jakby ktoś zwolnił obroty winylowej płyty. Podniosła do góry dłonie. Wcale nie były takie brudne, jak jeszcze przed chwilą przypuszczała. Nieobleczone polowe łóżko wydało się wspaniałym łożem. Tylko na chwilę, na krótką minutkę, zanim Andrew nie wróci, żeby pokazać jej łazienkę. Tylko na minutę. Usnęła.

Obudził ją trzask łamanego drewna i głośna salwa śmiechu. Poderwała się z łóżka i podskoczyła do okna, zza którego dochodziły śmiechy. Gromadka dzieci pędziła przed siebie, głośno śmiejąc się i krzycząc. Nie potrafiła określić, jak długo spała. Rozejrzała się po maleńkim pokoju. Ściany z pozbijanych brązowych płyt paździerzowych, niepokryte żadną tapetą ani farbą, podkreślały tymczasowość tego miejsca. Usłyszała pukanie do drzwi.

– Przepraszam, że kazałem ci czekać – powiedział, wchodząc do pokoju.

– Andrew, czy dziś jest już jutro? – zapytała zupełnie zdezorientowana. – Nie mam pojęcia, czy przespałam tydzień, noc czy godzinę?

Uśmiechnął się. Podszedł do metalowej szafy i wyciągnął ręcznik. Stała, ciągle otumaniona zmęczeniem.

– Chodźmy, obiecałem ci łazienkę – powiedział, obejmując ją.

Wyszli na pas ubitej ziemi porośniętej trawą. Potem brodzili w piasku, białym tak bardzo, że musiała mrużyć oczy. Mijali po drodze młodych żołnierzy, mogli mieć nie więcej niż po dziewiętnaście lat. Ze zdumieniem zauważała, że przechodząc obok nich, podnosili prawą dłoń do czapek, beretów lub po prostu do czoła, z szacunkiem salutując. Andrew z uśmiechem kiwał głową.

Dotarli na skraj plaży. To nie była plaża, jaką pamiętała z urlopu z matką i ojcem na wyspie Sylt. Stała nad brzegiem i próbowała z całych sił zrozumieć to, co widzi. Jedyne morze, jakie znała, było zimne, zielone, zielonobrązowe, czasami sine. Do dzisiaj sądziła, że to najpiękniejsze kolory morza, jakie istnieją, i że jej ojciec, pokazując im wydmy, trawy i morze wokół wyspy Sylt, zapomniał dodać, że oglądają świat w kolorze sepii. Tu, na plaży Bikini, woda miała kolor akwamaryny, jak pierścionek na palcu serdecznym lewej dłoni babci Marty.

Zatrzymała się na chwilę i próbowała wyliczać z pamięci kolejne odcienie błękitu, jakie zna.

Andrew tymczasem wołał ją z wody, wymachując rękami. Nigdy przedtem nie widziała go bez koszuli. Pozbawiony powagi krawatu i marynarki wydawał się jeszcze bardziej chłopięcy niż Stanley. Rozpięła guziki zielonej bluzki i pozwoliła spódnicy zsunąć się na piasek. Przez chwilę wahała się, czy ma ściągnąć kremową jedwabną halkę i majtki. Zdjęła tylko majtki. Weszła do wody po uda, mokra tkanina okleiła jej talię. Rozpostarła ramiona i zanurzyła się w oceanie. Podpłynęła do niego. Woda sięgała jej do pasa, ściekała po policzkach i sklejała włosy w jasne strąki. Andrew się uśmiechał. W pewnej chwili zauważyła, że wpatruje się w jej piersi.

– Nie nosisz stanika – powiedział cicho.

Najpierw skrzyżowała ręce, zasłaniając piersi. Potem je opuściła i zdjęła halkę. Zanurzyła się i zaczęła płynąć. Zamknęła oczy. Przypomniała sobie wieczór na plaży nad Bałtykiem z rodzicami...

Najpierw, siedząc na piasku, oglądali zachód słońca. Potem długo spacerowali. Pamięta, że ojciec często całował lub przytulał mamę. Gdy zrobiło się ciemno i plaża opustoszała, położyli ją zmęczoną do wiklinowego plażowego kosza, a sami wbiegali razem do morza. Matka wyrzucała co chwilę kolejne części ubrania na brzeg i śmiała się, jakby byli tam tylko we dwoje. Właściwie byli tam sami. Ona leżała zwinięta w koszu i udawała, że śpi. Byli tacy w sobie zakochani. Potem ojciec wyszedł z wody, pobiegł po ręcznik i wrócił do morza. Kiedy się ocknęła, ojciec stał na piasku z rozłożonym ręcznikiem, a matka wychodziła z morza i szła ku niemu, nieskrępowana swoją nagością. Pamięta ciemny kontur zbliżającego się ciała i cichy szept: „Myślisz, że jej nie obudzimy?". Potem położyli się na ręczniku i dotykali. Nie rozumiała, co się dzieje, ale wiedziała, że tam dzieją się tylko dobre rzeczy...

Odwróciła głowę do płynącego obok Andrew i zapytała:

– Wiesz, gdzie jest Bałtyk, Andrew? Wiesz, jak zimna jest woda w Bałtyku?

– Wiem – odparł. – Byłem kiedyś u Nielsa Bohra na kongresie w Kopenhadze. Ale wtedy była zima. Nie mieliśmy ochoty pływać w Bałtyku.

Uśmiechnęła się i opadła pod wodę, wypuszczając ustami bańki powietrza. Nie zamknęła oczu. Tuż przed jej twarzą przemknęła wielka kolorowa ryba. Przerażona wynurzyła głowę i szarpnęła go mocno za ramię.

– Tu jest mnóstwo ryb – uprzedził jej pytanie – w kolorach, których nie potrafię nawet nazwać. Mówiłem ci, że to najpiękniejsza łazienka, jaką kiedykolwiek widziałem. Jakieś dziesięć jardów w prawo od miejsca, gdzie jesteśmy, zaczynają się rafy koralowe. Tam wszystko, co żyje, ma barwy tęczy. Chcesz tam teraz popłynąć?

– Nie! Dzisiaj jeszcze nie! – wykrzyknęła i szybko popłynęła w kierunku brzegu.

Po kilku metrach, gdy tylko dosięgła stopami dna, zanurzyła się i naciągnęła na siebie halkę. Po chwili usiedli na piasku. Zauważyła, że w oddali za ich plecami zaczynają zbierać się żołnierze. Weszła więc jeszcze raz do wody i wciągnęła majtki. Potem wróciła na plażę, usiadła obok niego i narzuciła na ramiona bluzkę.

– Tak będzie lepiej – szepnął Andrew – oni są trochę wygłodniali...

– To tak jak ja – odparła, uśmiechając się do niego.

Wstała. Podeszła do żołnierzy stojących pod palmami. Po chwili wróciła z zapalonym papierosem.

– Palić mi się zachciało.

– Ty jesteś czasami jak dzika samica – rzekł, wzdychając. – Wiesz, że dzisiaj wieczorem w Cross Spikes ci chłopcy po kilku piwach będą opowiadać sobie niestworzone historie o twoim tyłku i twoich piersiach? I o tym, że, czekaj, jak oni cię nazwą... moment, już wiem... asystentka doktora Bredforda to „supertowar do położenia na płasko". Oni tak tutaj mówią...

– No i co? – przerwała mu. – Przeszkadza ci to?

– Co? – zapytał zdumiony.

– To, co będą opowiadać?

– Nie!

– Mnie także nie. Więc o co chodzi? – Z uśmiechem zaciągnęła się papierosem. – Andrew, dlaczego tu jesteś? – zapytała po chwili, chwytając go za rękę.

Wstał, zaczął wciągać spodnie. Nie usiadł obok niej. Popatrzył jej w oczy i powiedział:

– To, że ty tu jesteś, to zupełny przypadek. Tutaj miał być Stanley. Ale on teraz nie myśli racjonalnie, taka okazja zdarza się raz na milion... Nieważne, to jego życie, niech z nim robi, co chce, jak chce i z kim chce. To ten stary Żyd z „Timesa", on zupełnie zwariował na twoim punkcie. Powinnaś wiedzieć, że osobiście poręczył za ciebie w Waszyngtonie. Nie wiem skąd, ale ten gość ma wtyki wszędzie, chyba nawet u samego Pana Boga. Obiecał, że nie zawiedziesz. Powiedział, że ty widzisz rzeczy, których inteligentni ludzie nie potrafią się nawet domyślić. Powiedział, że obraz uchwycony twoim okiem doprowadza do łez i śmiechu w tej samej sekundzie. Że potrafisz zachwycić tematem swojego zdjęcia i pochwalić oglądającego za jego spostrzegawczość, a w chwilę potem wyśmiać jego naiwność, kiedy okazuje się, że zachwycił się tym, co najmniej w nim ważne, że obiektywem wydobędziesz piękno ze starego, dziurawego buta, że masz wrażliwość dziecka i mądrość starej kobiety. Tak powiedział Arthur, póki co najważniejszy człowiek w amerykańskiej prasie. Że nie odwrócisz głowy, kiedy przed twoimi oczami będą działy się rzeczy straszne, że nie zamkniesz oczu, kiedy przypadkiem staniesz się świadkiem intymnej sceny. Ja od tej nocy na ławce w parku wiem, że nie tylko nie zamkniesz, ale jeszcze szerzej je otworzysz. Jesteś tutaj, jako jedyny nieamerykański obywatel, dzięki znajomościom Arthura, zagrożonej ciąży Doris, dla której mój brat postradał rozum, oraz swojemu niewątpliwemu talentowi. Ameryka ma wielu fotografów, Anno, ale żeby cię dogonić, oni musieliby się jeszcze dużo nauczyć. Tak uważa nie tylko gazeta „The New York Times".

Wstała. Zrobiło się jej gorąco. Nie wiedziała, czy od słońca, czy od tego, co powiedział. Zrzuciła bluzkę. Podeszła ponownie do żołnierzy pod palmami. Wróciła z kilkoma papierosami i pudełkiem zapałek. Stanęła przed nim.

– Panie doktorze Bredford. Niech pan teraz posłucha uważnie. Moje życie od dawna składa się z samych przypadków. To, że w ogóle żyję, jest także przypadkiem. To, że spotkałam twojego brata, jest przypadkiem nie z tej ziemi. Jednym z najszczęśliwszych. Tak jak nie z tej ziemi jest fakt, że stoję teraz przed tobą na plaży Bikini i palę papierosa. Stanleya tutaj nie ma, bo kocha swoją kobietę. To, że został przy niej, nie jest racjonalne. To fakt. Bo miłość nie jest racjonalna. Na całe, kurwa, szczęście! – wykrzyknęła. – Na całe szczęście, doktorze Bredford! Twój brat nie postradał rozumu dla Doris. On go przy Doris dopiero odzyskał. Poza tym strasznie się cieszę, że Arthur ma takie znajomości. Nie wiem, bo jeszcze nie odpowiedziałeś mi na to pytanie, jak to się stało, że dziwnym przypadkiem fizyk z Chicago opala się akurat na tej wyspie, i jak to się stało, że salutują ci wszyscy żołnierze, ale się wkrótce dowiem. Jeśli nie od ciebie, to od nich, gdy wypiją kilka piw. Wierz mi, dowiem się. Dowiem się wszystkiego. Zrobię wszystko, aby się dowiedzieć. Możesz być tego pewny.

Podała mu pudełko z zapałkami. Wepchnęła żarzący się niedopałek w piasek plaży. Wsunęła pomiędzy wargi następnego papierosa.

– Podpalisz mi? Nie mogę sama, za bardzo trzęsą mi się teraz ręce...

Wracali do baraku brzegiem morza. W oddali widziała spłowiałe dachy chat niepodobnych do baraku, w którym ją zakwaterowali. Przykryte liśćmi palm, wyglądały trochę jak ogromne plecione kosze.

– To wioska. Idź tam. Mieszkańcy są bardzo ufni. Weź aparat! – powiedział.

Akurat tego nie musiał jej mówić. Z aparatem się nie rozstawała. Pewnego razu na Brooklynie, wychodząc na chwilę do sklepiku na Flatbush Avenue po coś do jedzenia, nie wzięła go ze sobą. Potem żałowała, kiedy pod sklepem pies przywiązany do ulicznej latarni trzymał w pysku zwiniętą gazetę z nagłówkiem „Psy wojny". Żałowała, że nie może wszczepić sobie aparatu w dłoń, żeby zawsze go mieć przy sobie.

Odprowadził ją pod drzwi baraku. Przytuliła się do niego i odeszła bez słowa pożegnania. Nie miała siły mówić. Chciała spać. Tylko spać...

Wyspy Marshalla, atol Bikini, sobota, 23 lutego 1946

Obudziło ją uczucie gorąca na policzkach. Otworzyła oczy i natychmiast zamknęła, oślepiona słońcem. Przez chwilę wsłuchiwała się w głośny świergot ptaków za otwartym oknem. Wstała, wyciągnęła z walizki pomiętą, błękitną sukienkę, którą dostała od Doris na gwiazdkę. Zawiązała małą kokardę z tasiemek przyszytych do okrągłego kołnierzyka. Z ramy metalowego krzesła wzięła ręcznik i poszła do łaźni. Niewielkie pomieszczenie w końcu korytarza było jeszcze puste. Obmyła twarz, a potem włożyła głowę pod strumień zimnej wody. Stała tak przez chwilę, przyglądając się twarzy wykrzywionej przez lustro. Zimna woda ściekała z jej jasnych loków na sukienkę. Wytarła je ręcznikiem i wyszła, roztrzepując ciągle wilgotne loki palcami. Przez otwarte okno jej pokoju wrzuciła ręcznik i sięgnęła po swoją leicę.

Na placu pod kantyną stała grupka młodych żołnierzy. Rozpoznała rudowłosego chłopaka z samolotu. Pozdrowił ją machnięciem ręki. Uśmiechnęła się.

– Myślałem, że przywieźliśmy tu tylko świnie, owce, kozy i szczury, ale zdaje się, że są tu też niezłe króliczki – usłyszała głos jednego z żołnierzy, a potem salwy śmiechu.

Weszła do kantyny. Z kosza stojącego na długiej drewnianej ławie wzięła dwie kromki ciemnego chleba. Do tego masło i dżem. Nalała kubek gorącej kawy. Usiadła na skraju stołu tuż przy oknie. Sala mlarowo wypełniała się gwarem. Po chwili pojawił się przed nią rudowłosy chłopak. Obok niego stał drugi żołnierz.

– Można? – zapytał rudowłosy i nie czekając na przyzwolenie, usiedli naprzeciw niej. – Co ty tu właściwie masz robić? – usiłował nawiązać rozmowę. – Bo jeśli jesteś naszą nową pielęgniarką, to czuję, że jest mi dziś strasznie niedobrze.

Wybuchnął śmiechem, patrząc na swojego kompana.

– Bardzo żałuję, ale nie jestem pielęgniarką – uśmiechnęła się. Przechyliła się przez stół, zbliżyła usta do jego ucha i szepnęła: – Ale gdybym nią była, a ty przyszedłbyś do mnie, no, powiedzmy z bólem palca albo zęba, to z pewnością przepisałabym ci lewatywę. Sama własnoręcznie włożyłabym ci ją do tyłka. Tak na dobry początek naszej znajomości.

Odsunęła się i puściła oko do kolegi wyjącego ze śmiechu. Rudowłosy chłopak zamilkł i zmarszczył czoło.

– Nie będzie ci tu łatwo. Jesteś zbyt kuszącym kąskiem – usłyszała za plecami głos Andrew.

Rudowłosy żołnierz i jego kolega natychmiast wstali. Andrew usiadł naprzeciwko niej z kubkiem parującej kawy.

– Witaj, Anno – powiedział z uśmiechem. – Na całej wyspie są jeszcze tylko dwie białe kobiety – dodał. – Jedna to porucznik Trocky, jej boją się nawet wściekłe psy, a druga to sierżant O'Connor, nie poznasz, że to kobieta, dopóki nie zamelduje się swoim piskliwym głosem.

Patrzyła na niego. Wyglądał na bardzo zmęczonego. Pionowa linia pomiędzy brwiami była wyraźniejsza niż kiedykolwiek.

– Będzie dziś bardzo gorąco. Obiady wydają od dwunastej, kolacje od osiemnastej. Siedzę przeważnie przy stole pod ścianą, z lewej strony. Tam jest przeciąg. Będziesz ze mną siadać, prawda? – zapytał cicho i uśmiechnął się, ale jego oczy były lekko przygaszone. – Dzisiaj będę trochę zajęty, pewnie zejdzie mi do kolacji. Spróbuję być około osiemnastej w baraku i jeśli pozwolisz, zabiorę cię na kolację – dodał, wstając od stołu.

Przez chwilę rozmyślała nad tym, czym profesor fizyki uniwersytetu w Chicago, doktor Andrew Bredford, może być „trochę zajęty" aż do kolacji na wysepce, gdzie największym budynkiem jest hangar, a w nim zwykły bar z piwem. Była dziewiąta, gdy skończyła śniadanie, popijając je czwartym kubkiem kawy. Myślała do dzisiaj, że nie może być nic gorszego niż kawa w Ameryce. Okazuje się, że jednak może. Kawa na Bikini.

Ruszyła przed siebie. Powietrze zdawało się być gęste jak ciecz. Skrajem plaży podążała do miejsca, z którego wczoraj dostrzegła chaty tubylców. Z oddalenia widziała postacie przesuwające się bez pośpiechu między nimi. Starsza kobieta w kolorowej długiej chuście przepasanej na biodrach oddzielała kolejne paski z liści palmy i tkała z nich coś, co wyglądało jak niewielki dywanik. Miała małe, pulchne dłonie i silne ramiona. Raz po raz podnosiła głowę, spoglądając na małego chłopca grzebiącego patykiem dołek w piasku. Wtedy na jej okrągłej twarzy malował się spokojny uśmiech. Anna przez moment się zastanawiała, czy wszystkie stare kobiety, obojętnie z jakiego zakątka świata pochodzą, wiedzą coś, czego nie może wiedzieć nikt inny. I czy właśnie ta wiedza daje im radość? Może spokój? Jej babcia Marta także miała ten spokój i radość w oczach, gdy wyszywała w swoim pokoju na Grunaer serwetki, gdy ona, klęcząc u jej stóp, bawiła się na dywanie drewnianymi klockami...

Kobieta zapewne żuła coś, bo od czasu do czasu odwracała twarz i wypluwała coś na ziemię. Anna miała wrażenie, że to była krew. A może tylko się jej zdawało? Chciała się o tym przekonać, ale tak, żeby kobieta nie odkryła jej obecności. Najlepsze zdjęcia zawsze robiła z ukrycia. Postanowiła podejść trochę bliżej do kobiety, pozostając cały czas w cieniu rozłożystego drzewa mangowca. W pewnej chwili jej bose stopy zaplątały się w wystające korzenie.

– *Verdammte Scheisse!* – krzyknęła, upadając na ziemię. Całym ciężarem ciała runęła na łokieć, unosząc do góry aparat, żeby nie wpadł w piasek.

– *Scheisse!*

Spoza pnia pobliskiej palmy usłyszała dziecięcy głos powtarzający ze śmiechem:

– *Scheisse, Scheisse, grosse Scheisse!*

Zobaczyła najpierw rozwarte ciekawością brązowe oczy, a w chwilę potem – te same co u kobiety – pulchne i prawie okrągłe usta. Rozpoznała twarz chłopca, którego widziała wczoraj pod oknem baraku.

– Hej, mały łobuzie! Z czego się śmiejesz i czemu mnie przedrzeźniasz? – zapytała po niemiecku.

W odpowiedzi, jak echo, chłopiec, śmiejąc się, powtórzył:

– *Was lachst du, was lachst du? Lachen verboten!*

Zaskoczona ostatnim zdaniem, którego przecież nie wypowiedziała, usiadła na piasku i z niedowierzaniem wpatrywała się w pień drzewa, zza którego wydobywał się śmiech.

– Mówisz po niemiecku?! Hej, mały, pokaż no się!

– Nie jestem mały – usłyszała odpowiedź.

Teraz to jej usta stały się okrągłe ze zdziwienia. Chłopiec mówił po niemiecku, nie tylko powtarzał wypowiadane przez nią słowa, ale najwyraźniej sam potrafił formułować zdania! Chyba nie mogło jej spotkać tu, na Bikini, nic dziwniejszego. Mała postać z równo przystrzyżoną nad brwiami czarną grzywką wychyliła się zza pnia. Stał tak wsparty o drzewo, pocierając prawą stopą lewą łydkę.

– Nazywam się Mateusz. No co się tak gapisz? – zapytał. – A u ciebie jaka nazwa?

Ten chłopiec naprawdę mówił po niemiecku! Niepostrzeżenie nacisnęła migawkę, rejestrując jego powitalny uśmiech.

– Nazywasz się Mateusz. A ja nazywam się Anna. Czy wszystkie dzieci mówią tu po niemiecku? Skąd znasz mój język?

Chłopiec podszedł bliżej, patrząc z ciekawością na jej ręce.

– Co to jest? – zapytał.

– To jest aparat fotograficzny, chcesz mi zrobić zdjęcie?

– Zrobić zdjęcie? Co to jest zrobić zdjęcie?

Podsunęła ku niemu leicę. Patrzył na nią z ciekawością, ale nie odważył się dotknąć.

– Tu się patrzy, tu naciska, a tam w środku zostaje to, co właśnie zobaczyłeś. Rozumiesz?

Chłopiec przystawił oko do wizjera.

– O! – wykrzyknął.

– Popatrz, możesz mi zrobić zdjęcie, tylko najpierw powiedz, skąd znasz mój język.

– To nie jest tajemnica, ale on już umarł, bo był bardzo stary.

– On?

– JoiLaiso. Był bardzo stary. Pamiętał bardzo dawne czasy. Jak umierał, miał chyba ze sto lat, albo może nawet dwieście! Jego zęby były zupełnie czarne. To od betelu. Mówił mi, że jeśli będę się uczył niemieckiego, to odkryję kiedyś skarb. Podobno gdzieś tu są stare mapy, a na nich zaznaczony prawdziwy skarb – ściszył głos – niemieckie skarby. Ciągle szukam, wiesz, ale nic nie mogę znajść.

– Znaleźć – poprawiła go.

Przeszli obok kobiety przekładającej między palcami długie, wąskie pasma liści.

– Starsza Kethruth – powiedział chłopiec, wskazując ręką na staruszkę. – Ona też żuje betel, a to, co plecie, to „jaki". Mata. Jutro będzie dużo ludzi, muszą na czymś spać.

Chłopiec podbiegł do kobiety. Powiedział jej coś do ucha i palcem wskazywał Annę. Kobieta skinęła głową, uśmiechnęła się i powiedziała:

– *Yowke!*

– Mateusz, zapytaj Kethruth, czy mogę zrobić jej zdjęcie.

– Możesz. Nie ma co pytać. Ona nie wie, co to znaczy zrobić zdjęcie, aparat widzi tak jak ja pierwszy raz.

Podeszła bliżej kobiety. Ta na chwilę zastygła w bezruchu i ze zdziwieniem spojrzała w obiektyw. Roześmiała się w głos i splunęła przed siebie czerwoną śliną.

– To od betelu? – zapytała Anna przerażona, patrząc na chłopca. – To nie krew, prawda?

– Jaka tam krew? – odparł chłopiec. – Co ty gadasz?

Szła za chłopcem wśród domków, skąd dobiegały różne odgłosy. Życie nie toczyło się tylko pod dachami, wychodziło przed progi. Młoda kobieta siedziała na piasku i piersią karmiła niemowlę. Nie zakryła piersi, kiedy Mateusz podbiegł do niej i pocałował niemowlę w głowę.

– A to moja najstarsza siostra Rachel. Rachel mówi po angielski, no i na wszystkim się zna. Potrafi lepiej odnaleźć drogę na wodzie niż jej mąż.

Kobieta uśmiechnęła się, nachyliła się nad dzieckiem i powiedziała:

– *Lokwe yuk, love to you.*

Anna odruchowo przystawiła aparat do oka. Nacisnęła migawkę i powtórzyła cicho:

– *Love...*

Stała jeszcze przez moment zauroczona bajecznym nastrojem tej chwili. Kolorową sukienką Rachel, jej nagą piersią oplecioną małymi dłońmi niemowlęcia. Czarna główka przyssana do ciała matki, bose stopy dziecka, czerwony kwiat wpleciony za ucho Rachel, jej szeroki, pełen szczerości uśmiech.

– Jutro mamy *kemem*, będzie cała rodzina, przyjdź jutro do nas – powiedziała po angielsku Rachel – sprawisz nam radość.

Anna nie musiała pytać, co to jest *kemem*.

– Bo my tu często świętujemy. Lubimy się spotykać całą rodziną. Moje ciotki, kuzyni, ich żony są tak samo ważni jak Rachel i ta jej mała. Jutro kończy rok i będziemy świętować. To jest właśnie *kemem* – objaśniał jej Mateusz, gdy szli pomiędzy chatami.

W każdym miejscu, do którego prowadził ją chłopiec, witały ją ciekawość, przyjazne uśmiechy i niezwykła serdeczność. Wokół panował idylliczny spokój i harmonia. Żadnego pośpiechu, żadnych podniesionych głosów, żadnej nieufności. Jak z malowideł Gauguina.

Wioska nie była duża. Z każdego jej miejsca było widać albo słychać ocean. W pewnym momencie z oddali na wodzie zaczął wyłaniać się podłużny kształt.

– Nishma! Popatrz, to jest Nishma, mąż Rachel. Wraca z połowu. Chodźmy zobaczyć, co dziś ma! – wykrzyknął Mateusz, chwytając ją za rękę.

Wbiegł do wody, wymachując rękami w kierunku podpływającego kajaka. Zatrzymała się na brzegu. Fotografowała...

Została w wiosce do zmroku. Najpierw na plaży Nishma nauczył ją patroszyć ryby. Potem w uplecionych z palmowych liści koszach przynieśli te ryby do wioski, piekli na ognisku i jedli. Późnym popołudniem Mateusz poprowadził ją od chaty do chaty i wszystkim po kolei przedstawiał. To trwało bardzo długo, ponieważ każdemu opowiadał z dumą o tym, co to jest aparat fotograficzny. Nie była pewna, czy on to do końca sam rozumie, jednakże widziała, że za każdym razem wzbudzał swoją opowieścią ogromne podniecenie.

Wieczorem koniecznie chciała poczuć, jak to jest żuć betel. Najpierw Nishma z pomocą tłumaczenia Mateusza wyjaśnił jej, co to w ogóle jest betel. Okazało się, że to liść. Działa narkotycznie. Tak jak liść koki. Na Wyspach Marshalla żują go dorośli. I kobiety, i mężczyźni. W odróżnieniu od koki ma tę wadę, że silnie farbuje ślinę na czerwono, a zęby na czarno. Przeżute liście trzeba często wypluwać, ponieważ szybko stają się gorzkie. Gdy usiadła przy Rachel na progu chaty i żuła, zebrał się tłum ciekawskich. Nie dość, że nie czuła żadnego działania betelu, to musiała chyba zrobić coś nie tak przy wypluwaniu, ponieważ tłum wybuchnął gromkim śmiechem.

Potem Rachel śpiewała do snu przepiękną kołysankę swojemu dziecku, a ona przez godzinę spisywała – litera po literze – słowa tekstu, bo koniecznie chciała się jej nauczyć na pamięć. „Dla swojego przyszłego dziecka, gdy będę je miała", jak wyjaśniła zaciekawionej Rachel, która bardzo się zdziwiła, że kobieta „tak stara" jak ona nie ma jeszcze dzieci.

W pokoju w baraku znalazła się, gdy było już zupełnie ciemno. Natychmiast usnęła.

Wyspy Marshalla, atol Bikini, niedziela, 24 lutego 1946

Obudziło ją delikatne potrząsanie za ramię. Zobaczyła wielkie okrągłe białka oczu chłopca.

– Chcesz ze mną poleżeć na falach? Wstawaj – powiedział cicho.

– Co? – na wpół śpiąca myślała, że źle usłyszała. – Nie opowiem ci teraz żadnej bajki, Markus. Chcę spać – dodała, odwracając się leniwie na drugi bok.

– Co ty gadasz, jaki Markus? Płyniemy uczyć się fal. Chcesz zobaczyć?

Podniosła się na łóżku.

– Skąd się tu wziąłeś? – zapytała, przecierając oczy.

– Zostawiłaś otwarte okno – zaśmiał się chłopiec.

– Uczyć się fal? Jasne, że chcę zobaczyć, ale czekaj, Mateusz, ja nic nie jadłam, będę rzygać. Już na samą myśl jest mi niedobrze.

– Co to znaczy rzygać? – zapytał chłopiec i nie czekając na jej odpowiedź, wykrzyknął: – No, chodź szybko, czekają tylko na nas.

– Odwróć się teraz – poleciła chłopcu.

– Po co?

– Muszę się przebrać.

– Po co? Wyglądasz bardzo ładnie

– No, do pływania. Odwróć się! No już!

Kiedy dobiegli do brzegu, pierwsza z dwóch łodzi przypominających szeroki kajak z żaglem właśnie odbijała od lądu. W drugiej rozpoznała Nishmę. Siedział na krawędzi burty, w jednej rece trzymając ster, w drugiej sznurki przymocowane do trójkątnego żagla. Do kadłuba, w którym siedziała gromadka małych chłopców, przymocowana była drewniana bela, która zdawała się pełnić rolę przeciwwagi. Nie widziała jeszcze takiej łodzi. Ruszyli. Mateusz usiadł obok niej i sięgnął dłonią do lnianego worka.

– Orzech kokosowy – powiedział, zanim zdążyła zapytać. – Żuj pomału, to nie będzie ci niedobrze. Chyba, że wolisz betel? – zapytał, parskając śmiechem. – A wiesz, że dla nas kokos jest najważniejszy? Tak mówi starsza Kethruth. Ona potrafi z orzecha kokosowego zrobić olej do smażenia i mąkę na placki, i mydło do prania, z liści robi sznurek, „jaki" do spania, a z pni budujemy domy. Starsza Kethruth ciągle powtarza, że Bóg wiedział, co robi, dając nam palmę kokosową.

Przyglądała się chłopcom ciasno przytulonym do siebie. Mogli mieć od pięciu do dziesięciu lat. Słońce zaczęło wysuwać się ponad linię horyzontu, stopniowo rozświetlając mrok. Powoli zaczęła dostrzegać szczegóły ich twarzy. Śniadooliwkowe buzie, ogromne uśmiechnięte oczy, śnieżnobiałe zęby. Pośpiesznie wyciągnęła z pokrowca aparat. Światło było ciągle za słabe, żeby zrobić dobre zdjęcie sylwetek, ale idealne, żeby zarejestrować rzędy ich białych zębów.

Z oddali zaczęła wyłaniać się wyspa, a za nią kolejna, potem następna i jeszcze jedna. Za burtą pod powierzchnią wody widziała skupiska koralowców przypominające kształtem krzaki w parku. Fantastyczne twory skał wyrastające ku powierzchni. Jedne do złudzenia przypominały głazy, inne były bardziej podobne do koronkowych serwetek lub wachlarzy poruszanych prądem wody.

W pewnej chwili dostrzegła poruszenie na twarzach chłopców. Nishma zaczął opuszczać żagiel, powiedział coś głośno i wskazał ciemniejszą plamę wody otoczoną nieomal bielą płycizn.

– To tu – poderwał się Mateusz – tu będziemy uczyć się czuć fale.

Ciągle nie rozumiała, co to znaczy „czuć fale".

– Wskakuj za nami! Nauczysz się! – pokrzykiwał Mateusz.

– Co mam robić? Jak można się uczyć czuć fale? – zapytała.

– Wskakuj do wody i kładź się tak jak ja.

– Kładź się? Co ty opowiadasz?

Ciągle nie bardzo wiedziała, na czym ma polegać ta nauka. Ściągnęła uwieszony na szyi aparat, okryła go materiałem sukienki i schowała do torby. Wskoczyła. Nishma wyrzucił kotwicę i przywołał dzieci do siebie. Mówił, gestykulując i poruszając całym ciałem. Wskazał na wyspę pokrytą mangowcami, potem sam wskoczył do wody. Leżąc na plecach, wyprostował się i ustawił stopy w stronę małej laguny wcinającej się w środek wyspy. Chłopcy zrobili to samo. Zapadła cisza. Cała grupa wyglądała teraz jak liście strzałki wodnej, rośliny, którą kiedyś widziała w oceanarium w Hamburgu, unoszące się w jednym kierunku na powierzchni wody. Po chwili Nishma odsunął od siebie ramiona i im także pozwolił się swobodnie unosić. Nie widziała w tym niczego szczególnego. Było jej po prostu przyjemnie – zamknęła oczy, czuła ciepło słońca i unosiła się powoli na falach.

Gdy znowu wrócili do łodzi, Nishma wyciągnął ze schowka przy sterze coś, co mogłaby porównać jedynie do pajęczyny poprzeplatanych ze sobą patyczków. Zaczął objaśniać coś chłopcom. Mateusz wytłumaczył jej później, że te śmiesznie wyglądające patyczki to kartograficzne diagramy, nieomal mapy, z których można odczytać położenie wysp, a nawet całych atoli. Można, jeśli się tylko potrafi, odczytać także ułożenie fal wobec jakiegoś miejsca! To, czego oni uczyli się, leżąc w wodzie i „czując fale", to właśnie zapamiętywanie ułożenia fal. Kiedyś, gdy już się nauczą, wystarczy, że wskoczą do oceanu, „poczują fale" i porównają swoje odczucia z tymi zapisanymi patyczkami na pajęczynie. Trudno jej było uwierzyć, że to w ogóle jest możliwe. Zrozumiała, że to, czego przed chwilą doświadczyła, to wcale nie zabawa, ale najprawdziwsza lekcja nawigacji.

Gdy wracali na ich wyspę, myślała, jak bardzo inny jest ten maleńki świat. Jak symbiotycznie zrośnięci są z nim jego mieszkańcy. Nie mogła ich sobie wyobrazić w żadnym innym miejscu.

Wyspy Marshalla, atol Bikini, czwartek, 28 lutego 1946

To było dziwaczne, ale na tej małej jak ziarnko piasku Bikini prawie się nie spotykała z Andrew. W poniedziałek spędził z nią kilka minut przy śniadaniu, we wtorek znalazła list od niego na podłodze pod drzwiami w jej pokoju, a wczoraj i także dzisiaj rano nie było nawet listu. Uczucie, że jest blisko, z jednej strony ją uspokajało, a z drugiej na swój sposób drażniło. Zdawała sobie sprawę, że on z pewnością nie przyjechał się tutaj opalać, ale nie rozumiała jego ciągłej nieobecności. Duma nie pozwalała jej go szukać lub czegokolwiek od niego wymagać. Na Bikini tęskniła za nim nie mniej niż w Nowym Jorku.

Większość czasu spędzała z Mateuszem. Poznawała zwyczaje, uczyła się języka. Najpierw pojedynczych słów i prostych dziecięcych piosenek. Potem całych zdań. Rachel pokazała jej, jak kawałkiem ostrej muszli wypatroszyć śliską rybę. Jak najpierw obtoczyć ją piaskiem, by nie wyślizgiwała się z rąk. Nishma opowiadał jej historię tej wyspy, a wieczorami starsza Kethruth, żując betel, snuła legendy o krążących nad Bikini duchach i demonach.

Nie rozstawała się z aparatem ani na chwilę. Miała już tutaj „swoje" miejsca, takie, do których lubiła wracać. Wiedziała, z którego zakątka wyspy najlepiej widać powracające z połowu łodzie. Skąd słychać śpiewy dochodzące z przepięknie ozdobionego malowidłami i rzeźbami *pebei*, domu spotkań, który w niedziele przeistaczał się w kościół. Lubiła chodzić do miejsca, gdzie stoi chata wodza, i patrzyć na *faluw*, czyli męski dom, w którym niegdyś zamieszkiwali młodzi chłopcy i mężczyźni, ci, którzy nie założyli jeszcze własnych rodzin. *Faluw* nie miał drzwi, tylko okna osłonięte bambusowymi okiennicami i z tego właśnie miejsca na plaży można było bezkarnie podglądać, co działo się w środku.

Często siadała w miejscu, które pierwszego dnia pokazał jej Andrew. Pod wygładzonym morską wodą i wiatrem potężnym korzeniem. Ogromna przestrzeń oceanu dawała poczucie wolności, piasek pod stopami poczucie bezpieczeństwa. Odkrywała, że pierwszy raz od długiego czasu zaczyna odczuwać wewnętrzny spokój, że wyzbywa się pośpiechu, napięcia i niepokoju, w którym żyła nieprzerwanie od czasu Drezna.

Tego dnia było wyjątkowo gorąco. Usiadła z aparatem w cieniu palmy i obserwowała parę białych ptaków, które co chwila wlatywały do dziupli w pniu pobliskiego drzewa i zaraz z niej wylatywały. Jeden z nich miał długi ogon i kilka pięknie wydłużonych piór.

– Budują gniazdo – usłyszała za plecami.

Przyzwyczaiła się, że Mateusz wyrastał przed nią jak spod ziemi.

– Dziś jest za gorąco na ptaki. Pójdziemy na ryby.

– Dziś na ryby? Okay, dziś na ryby, tak po prostu, a czym będziemy je łowić? Rękami? – zapytała zaciekawiona.

– Nie chcę z tobą łowić ryb. Ty i tak za dużo i za głośno gadasz. Dziś będziemy gapić ryby! – Zwinął dłonie w rurki i przyłożył do oczu.

– Oglądać ryby.

– O g l ą d a ć. Wiedziałem, że mnie poprawisz. Rozumiesz po niemiecku, mała? – chichotał, naśladując ją.

Poszła do baraku, żeby zostawić aparat. Wzięła ręcznik. Włożyła strój kąpielowy i przewiązała w biodrach kwiecistą chustę, którą dostała w prezencie od Kethruth. Mateusz czekał na nią pod oknem. Piasek o tej porze był już tak gorący, że stawiając bose stopy, syczała z bólu.

– Musisz stawiać stopy bokiem. Tak jak ja. Popatrz, zewnętrzną stroną.

Próbowała go naśladować, rzeczywiście mniej piekło, za to o mało nie zwichnęła sobie kostki. Znaleźli się na brzegu na południowym krańcu wyspy. Kilka metrów od plaży można było zobaczyć ciemniejsze zarysy koralowców. Woda była spokojna, sięgała nie wyżej niż do ud. Przepłynęli kawałek, po czym tuż nad koralowcami kazał zanurzyć jej głowę i nie zamykać oczu. Słona woda szczypała w oczy. Ale to, co zobaczyła, warte było bólu. Dryfowała nad ławicą kolorowych ryb. Maleńkie niebieskie prześcigały się z pasiastymi. Żółte, pomarańczowe, czarne jak smoła połyskiwały i przesuwały się przed jej twarzą jak kadry z bajecznie kolorowego filmu. Mateusz chwycił ją mocno za rękę i pociągnął w dół. Zabrakło jej powietrza, musiała się wynurzyć.

– No i co? Chcesz wracać do ptaków? – zapytał ze śmiechem.

– Mateusz, to jest absolutnie genialne! Nigdy przedtem nie widziałam tylu ryb, i to takich!

– Dasz radę podpłynąć do tamtej skały? – zapytał, wskazując grupę wystających z wody korali. – Tam są dwie śmieszne ryby. Wyglądają jak ptaki, ale jak się wsłuchasz, usłyszysz, że nie są całkiem nieme.

– Dam radę, Mateusz, jasne, że dam...

Przepłynęli kilkadziesiąt metrów. Dotarli do miejsca, gdzie woda z turkusowej nabrała nieco ciemniejszych barw. Ciągle była jednak krystalicznie przezroczysta. Nabrała powietrza w płuca, położyła się na wodzie i zanurzyła głowę. Zobaczyła parę ryb: zieloną i różową. Wyglądały, jakby ktoś obrysował im usta karminową kredką. Nie mogła do końca zdecydować, czy bardziej przypominają papugi, czy wyraz twarzy Astrid Weisteinberger, kiedy spotkała ją pierwszy raz. Wynurzyli się prawie jednocześnie, łapczywie chwytając powietrze.

– Skąd wiedziałeś, że tu będą?!

– Zawsze tu są. Nie ruszają się stąd. To ich dom. Teraz spróbuj zejść ze mną nisko, bardzo nisko w dół, pod tę skałę, tam jest dziura, a w niej potwór. I nie nabieraj zbyt dużo powietrza w płuca, łatwiej się zanurzysz.

Zeszła na dół tak nisko, jak tylko potrafiła. Promienie słońca padały prawie prostopadle do powierzchni oceanu. Przy takim świetle potrafiła rozpoznać nawet pojedyncze łuski połyskujące na grzbietach przepływających ryb. Na dole w niewielkiej szczelinie dostrzegła najpierw długie, uniesione w górę czułki, a potem masywne kleszcze bladoróżowej langusty. Zamarła w bezruchu. Oczy piekły ją od zasolonej wody, czuła ból w płucach, ale nie mogła przestać patrzyć na to niesamowite stworzenie. Gdybym tylko miała teraz ze sobą aparat, pomyślała.

Po kilku godzinach wrócili na wyspę. Przed barakiem czekał na nią Andrew.

– Myślałam, że wyjechałeś na zakupy do Chicago – powitała go z odrobiną ironii w głosie.

– Anno – powiedział, podchodząc do niej – mamy teraz tutaj bardzo trudną fazę. Wytłumaczę ci to kiedyś.

– Czy to jest związane z przybyciem tego ogromnego statku, który widziałam dzisiaj z plaży? – zapytała, patrząc mu w oczy.

Nie odpowiedział. Podszedł do niej bliżej, pocałował delikatnie w policzek i cicho zapytał:

– Podarujesz mi dzisiaj wieczorem trochę swojego czasu? Tylko dla nas dwojga?

Objęła go.

– A o której chcesz mnie mieć... to znaczy – poprawiła się, chichocząc – od której chcesz mieć ten mój czas?

– Będę czekał o szóstej, tutaj. Nie spóźnię się...

Z walizki wyciągnęła czarną sukienkę. Kupiła ją na Bronksie, w jednym z tych sklepików z używaną odzieżą, gdzie za dolara udawało jej się czasem znaleźć prawdziwe skarby takie jak ta sukienka, szczelnie opinająca jej talię i biodra, wykończona szlaczkiem koronki na prostym golfie pod szyją, a od dołu tuż poniżej kolan aż do szyi przecięta rzędem maleńkich, czarnych guzików zapinanych na pętelkę. Jedyna odświętna rzecz, jaką zabrała ze sobą na wyspę.

Czekał na nią ubrany w błękitną koszulę. Włosy zaczesane na bok, targane co chwilę lekkim wiatrem, opadały kosmykami na czoło. Odgarniał je, przeczesując dłonią. Przeszli, trzymając się za ręce, na plażę przy małej zatoczce, którą pokazał jej pierwszego dnia. Na piasku czekała mała wiosłowa łódź. Morze było spokojne, piasek nagrzany upałem oddawał ciepło, ale już nie parzył stóp. Wsiadł jako pierwszy. Musiała wysoko podciągnąć sukienkę, żeby wejść do łodzi. Usiadła na drewnianej ławce z przodu. Przy jej stopach stał kosz przykryty białym kawałkiem materiału. Ruszyli prawą stroną wewnętrznego okręgu atolu w kierunku zachodzącego słońca.

– Nie chcesz wiedzieć, dokąd cię zabieram? – zapytał.

– Nie chcę – odpowiedziała z uśmiechem – z tobą wszędzie będzie mi dobrze...

Nie odrywał od niej wzroku. Patrzyła na jego ogromne dłonie ściskające wiosła. Płynęli około dziesięciu minut, gdy z wody powoli wyłoniła się biała plaża. Mała wysepka, na niej kilka krzaków, jedna palma i przedziwnego kształtu kloc wyglądający jak niski stół ustawiony przez kogoś na środku plaży.

Przeniósł ją na rękach z łodzi i postawił na brzegu. Miękki biały piasek odbijał ostatnie promienie słońca. Na drewnianym klocu rozłożył biały obrus, z kosza wyciągnął butelkę wina i dwa kieliszki. Wcisnął je w piasek i cofnął się do łodzi. Wrócił z małą kryształową wazą pełną truskawek.

– To chyba najbardziej romantyczne, co udało mi się do tej pory w życiu zrobić – wyszeptał, stawiając na obrusie przed nią wazę.

– Truskawki, w lutym?! Na bezludnej wyspie! – wykrzyknęła zdumiona. – Andrew Bredfordzie, co ci się stało?!

Podniosła się z miejsca i zaczęła całować jego twarz.

Rozmawiali, czasami wstawali z kieliszkami w dłoniach i brodzili w wodzie. Potem wracali i dalej rozmawiali. Opowiadała mu o Mateuszu, o Nishmie, który nauczył ją czuć fale, o kolorowych rybach, o ptakach, o Rachel karmiącej piersią niemowlę, o swoim spokoju na tej wyspie, o Kethruth przypominającej jej czasami czarownicę, o odcieniach błękitu, o ogromnej różowej languście w szczelinie koralowca, o fotografiach, które zrobiła, i o szczęściu, jakie tu chwilami czuje. Gdy zrobiło się ciemno, położyli się na piasku i wpatrywali się w granatowe rozgwieżdżone niebo.

– Andrew – wyszeptała w pewnej chwili – tu jest mi tak dobrze.

Pocałował ją. Powoli wyjął spinkę z jej włosów. Zamknęła oczy. Słyszała jego przyśpieszony oddech. Zaczął rozpinać jej sukienkę. Pętelka po pętelce...

Wyspy Marshalla, atol Bikini, piątek, 1 marca 1946

Rano znowu znalazła kopertę od niego. Nie było w niej listu. Uśmiechnęła się do siebie, gdy znalazła w niej tylko mały czarny guziczek. Przy kolacji znów z nią był. Usiedli razem przy ich stoliku. Miała uczucie, że był nieobecny.

– Andrew, jesteś zdenerwowany? – zapytała, kiedy trzeci raz z rzędu nie odpowiedział na jej pytanie.

– Nie, nie, Anno, nie jestem zdenerwowany, tylko... – zaczął, spoglądając ze złością na żołnierza, który próbował przysiąść się do ich stolika. – Chodźmy stąd...

Przeszli aleją do opustoszałej plaży. Usiedli. Nerwowo tarł stopą o piasek.

– Pamiętasz Hiroszimę i Nagasaki? – zapytał w pewnej chwili.

Spojrzała na niego zdziwiona.

– Czy pamiętam? Mnie pytasz, czy pamiętam?! Tego nie można nie pamiętać, Andrew! Kto w ogóle, jaka bestia wpadła na ten szatański pomysł, aby taką bombę zbudować? – wykrzyknęła.

– Kto, pytasz? – odparł dziwnie zmienionym głosem, wyczuła w nim smutek, rozczarowanie i złość. – Nie istnieje jedna taka, jak ty to nazywasz, bestia – mówił przez zaciśnięte zęby – ale bez jednego człowieka ta bomba nigdy by nie powstała. Przynajmniej jeszcze nie teraz.

– Kto to jest?!

– Mój przyjaciel, mój autorytet i mój mentor jednocześnie, Enrico Fermi. Może trudno jest ci to sobie wyobrazić – słyszała obcość w jego głosie – ale jestem dumny, że uczestniczyłem w tym, jak ty to nazywasz, szatańskim projekcie. Podarowałem mu cały mój czas, kilka lat życia i wszystkie myśli. A ty mi teraz mówisz, że pomagałem bestii. To nie Fermi jest szatanem. To nie on! Prawdziwym szatanem był twój Hitler. Gdyby on miał tę bombę przed nami, to z pewnością drugie Auschwitz powstałoby wkrótce w Ameryce. Najprawdopodobniej blisko Nowego Jorku. Tam jest przecież tylu Żydów do rozstrzelania, zagłodzenia, zagazowania i spalenia.

Najpierw poczuła mocne ukłucie pod mostkiem. Potem tępy ból jak po uderzeniu pięścią w brzuch. Starała się nie patrzyć na niego. Nie była pewna, czy powstrzyma napływające łzy. Za wszelką cenę nie chciała mu pokazać, co teraz czuje. Wstała i powoli przeszła na skraj plaży. Zaczęła brodzić w wodzie i głęboko, rytmicznie oddychać. Już dawno zauważyła, że takim regularnym oddechem – jak u lekarza, gdy osłuchuje stetoskopem płuca pacjenta – potrafiła zatrzymać zbliżający się atak lęku, nie dopuścić do wybuchu niekontrolowanej złości, a nawet, ale tylko czasami, złagodzić ból podbrzusza podczas miesiączki. Nachyliła się, nabrała w złożone dłonie wody i przemyła twarz. Usłyszała kroki za sobą. Objął ją, kładąc swoje dłonie na jej brzuchu. Stała bez ruchu.

– Anno, nie chciałem tak. Nie myślę tak. Nie myślę – szeptał, całując jej szyję. – Po prostu zabolało mnie, bardzo zabolało, gdy porównałaś wszystko, co robiłem, czym żyłem przez ostatnie lata, do... do bestialstwa.

Stała z opuszczonymi wzdłuż ciała rękami i płakała.

– Andrew, to nie był mój Hitler. Ja go tylko zastałam. To nie był także Hitler mojej matki, ani mojego ojca, ani mojej babci. Im przyszło się z jego obecnością i jego paranoją jedynie pogodzić. Ja wiem, że dla ciebie to pogodzenie jest niemożliwe do zrozumienia, ale ty tam nie żyłeś. Nie masz pojęcia o tym, że w Niemczech byli także ludzie, którzy nie podnosili ręki do góry. Nie było ich wielu, ale byli. Nie podnosili. Ale to dla ciebie za mało. Oni mieli zacisnąć pięści i walić nimi w ścianę? Tak byś chciał, prawda?! Ty nie masz pojęcia, jak twarda i jak wysoka była ta ściana, i nie możesz sobie wyobrazić, jak szybko ta ściana by ich przysypała. To, co powiedziałeś, bardzo mnie zabolało, Andrew. Kiedyś pojawił się w naszym domu Lukas. Mały chłopiec... Zresztą dajmy temu spokój. Nie chcę o tym teraz mówić – dodała, machając ręką. – Przepraszam cię za tę bestię. Nie wiedziałam, że także ty...

– Nie mogłaś wiedzieć – przerwał jej. – Nikt nie miał o tym wiedzieć.

– A teraz mogę? Opowiesz mi o tym? – zapytała, odwracając się.

Podała mu rękę. Uchyliła głowę, gdy próbował ją pocałować. Usiedli na piasku. Zapaliła papierosa.

– Opowiesz? – zapytała, zaciągając się głęboko.

– To fizyka, Anno. Historia tej bomby to opowieść o fizyce. Nie wiem, czy to dobry temat na rozmowę z kobietą na plaży.

– Uwielbiam, gdy opowiadasz o fizyce. Zapominasz wtedy o całym świecie. Lubię, jak się zapominasz – odparła szeptem.

Spojrzał na nią. Wziął do ręki odrobinę piasku i zaczął ugniatać go w dłoni. Mówił spokojnym głosem:

– Fermi przyjechał do Stanów w grudniu trzydziestego ósmego. Ze Sztokholmu. Odebrał tam Nagrodę Nobla i przyjechał do Nowego

Jorku. Jego żona była Żydówką. We Włoszech pod Mussolinim groziły jej prześladowania. Miesiąc później, dwudziestego dziewiątego stycznia 1939 roku, spotkałem go podczas konferencji naukowej w Waszyngtonie. Opowiadał o swoich eksperymentach z rozbijaniem atomów. Ja znam się na rozbijaniu atomów. Chyba najlepiej ze wszystkiego znam się właśnie na tym. Fermi rozbił wiele atomów. Gdy będziesz ostrzeliwać wiązką neutronów atom, to niektóre z tych neutronów trafią w jądro atomu i rozbiją je na dwie części. Potem z tych części wydostaną się kolejne neutrony, dwa lub trzy, i trafiając w kolejne jądra uranu, znowu je rozbiją. To przewidział i opisał dokładnie w swoich artykułach Leó Szilárd, nasz, Fermiego i mój, przyjaciel. Leó, z pochodzenia węgierski Żyd, uciekł w trzydziestym trzecim przed prześladowaniami z Berlina i przez Wiedeń, a potem Anglię dotarł do Ameryki. Leó, wspaniały teoretyk, znał wszystkich, pracował w Berlinie z Einsteinem. To w jego publikacji pojawiły się po raz pierwszy takie terminy jak „reakcja łańcuchowa" i „masa krytyczna". Tak naprawdę to Leó przewidział i opisał bombę atomową. Fermi tylko jego pomysł postanowił urzeczywistnić. Szanuję Leó, chociaż przestaliśmy się przyjaźnić. Po Hiroszimie zerwał z nami kontakt. Po Nagasaki stał się naszym krytykiem. Ale to tak na marginesie – dodał ze smutkiem w głosie. – Ale wracając do rozbijania atomów... Przy każdym takim podziale powstaje energia. Pozornie niewielka. Można obliczyć jak duża, albo raczej jak mała jest ta energia. Einstein to obliczył swoim słynnym emcekwadratem. Ta energia wystarcza zaledwie, aby poruszyć ziarnko piasku. Ale to, z drugiej strony, jest ogromna energia. Gdy atom tlenu łączy się z atomem tlenu, czyli się spala, powstaje sto milionów razy mniej energii. Sto milionów razy mniej! Przy rozbiciu jednego jądra atomu uranu, Fermi rozbijał uran, sto milionów razy więcej. Gdyby rozbić sto milionów atomów uranu, jeden za drugim w łańcuchowej reakcji, to można by poruszyć miliony ziarenek piasku. A jeśli rozbić biliony – to biliony ziarenek. Gdyby zebrać biliony bilionów atomów uranu i spowodować taką reakcję łańcuchową w bilionach bilionów, to można by poruszyć malutki kawałek tej plaży. Atomy są małe, bardzo małe. Ale za to jest ich bardzo dużo...

Sięgnął dłonią do wilgotnego piasku i ulepił z niego kulę wielkości piłki tenisowej.

– W takiej mniej więcej ilości uranu tkwi energia – powiedział, upuszczając piaskową kulę – która mogłaby zmieść z powierzchni ziemi cały Nowy Jork. Leó to wiedział, Fermi to wiedział, wszyscy, którzy znają się na tym trochę, to wiedzieli. Wiedzieli to również fizycy w Niemczech. My zdawaliśmy sobię sprawę z tego, że niemieccy fizycy: Hahn, Strassmann, von Weizsäcker i Heisenberg, doskonale o tym wiedzą. Mieliśmy te informacje od Roberta Furmana, który jako szef specjalnej wydzielonej komórki wywiadu w Pentagonie informował nas, że Niemcy intensywnie gromadzą rudę uranu. Gdy w czterdziestym roku Wehrmacht zajął neutralną Belgię, w ręce Niemców wpadła firma Union Minière, największy eksporter rudy uranu na świecie. Bo tylko specjalny izotop uranu nadaje się do tego, aby go rozszczepić. To z kolei przewidział i opisał Duńczyk Niels Bohr. W rudzie uranu na Ziemi ten izotop jest zmieszany z innymi izotopami. Stanowi tylko mały ułamek rudy. Ponad dziewięćdziesiąt dziewięć procent rudy nie nadaje się do rozszczepienia. Chodziło o to, aby ten izotop oddzielić i dać go nam. To nie jest łatwe i bardzo, bardzo kosztowne. Amerykański rząd tego nie rozumiał. Mimo listów i apeli Fermiego. Dopiero po tym, jak sam Einstein zwrócił się bezpośrednio do Roosevelta, i po tragedii w Pearl Harbor w czterdziestym pierwszym wszystko się zmieniło. Nareszcie w Waszyngtonie zrozumiano, że Niemcy także pracują nad bombą. Zaczął się wyścig. Powstał specjalny projekt „Manhattan Project", którego celem stała się konstrukcja bomby atomowej. Najbardziej tajny projekt w historii Stanów Zjednoczonych. Z fabryki w Oak Ridge w Tennessee zaczęto przysyłać nam, gram po gramie, rozszczepialny uran. W listopadzie czterdziestego drugiego przeprowadziłem się do Chicago. Nie wolno mi było o tym powiedzieć nikomu. Pewnego dnia poszliśmy z Fermim i Szilárdem na kolację do jakiegoś klubu jazzowego. Nigdy nie zapomnę mojego przerażenia, gdy przypadkiem spotkałem tam Stanleya, który na krótko wpadł do Chicago. W Chicago budowaliśmy z Fermim i Szilárdem reaktor jądrowy. Aby neutrony wdarły się do jądra uranu, trzeba je najpierw spowolnić. To przewidział w swojej teorii Fermi. Dobrze nadaje się do tego grafit. Potrzebowaliśmy dużo miejsca. Rozszczepialny uran trzeba umieścić w grafitowych cegłach. Cegły powinny być w określonych odstępach od siebie. Nasze cegły ułożyły się w elipsoidalną konstrukcję wysokości trzech metrów i szerokości ośmiu metrów. Miejscem, które najlepiej się do tego nadawało na uniwersytecie w Chicago, była hala do gry w squasha pod zachodnią trybuną uniwersyteckiego stadionu. W środku miasta, drugiego grudnia 1942 roku, przeprowadziliśmy pierwszą kontrolowaną reakcję jądrową. To było szaleństwo. W środku Chicago! Wyobrażasz to sobie?! Fermi ufał swoim obliczeniom, Leó od początku wiedział, a ja im bezgranicznie wierzyłem. To ja obliczałem rozmiary tej elipsoidy, oni też mi uwierzyli. W tym projekcie każdy wierzył każdemu. Dla pewności jednak na szczycie naszego reaktora postawiliśmy trzech mężczyzn, z których każdy miał wiadro wypełnione roztworem siarczanu kadmu. Bo ta reakcja rozszczepienia może się wymknąć spod kontroli. Jeśli w bombie – to dobrze, jeśli w trakcie testów – bardzo źle. Aby ją kontrolować, trzeba jakoś przechwycić neutrony, które wydobywają się z jąder atomów uranu. Kadm się do tego doskonale nadaje. Reakcja trwała cztery i pół minuty. Zmierzyliśmy pół wata energii przełożonej na trochę ciepła. Mizerne pół wata. Jeśli było gorąco w tej zimnej hali, to z pewnością nie od tego pół wata. To nie ogrzałoby nawet zmarzniętej mrówki. Było nam gorąco od naszego podniecenia. To było tak niezwykłe. Nawet jeśli wszystko wcześniej tysiąc i jeden raz obliczyliśmy. To jak gdyby podpatrzyć karty Boga przy tworzeniu wszechświata i pójść na całość...

Zamilkł. Wstał i przeszedł plażą do morza. Wbiegł do wody i rzucił się na fale. Patrzyła, jak płynąc, oddala się od brzegu. Zapaliła papierosa. Spojrzała na kupkę piasku, która pozostała po opuszczonej z jego dłoni piaskowej kuli. Rozumiała jego entuzjazm i rozumiała podniecenie wynikające z uczestnictwa w czymś naprawdę niezwykłym. Jej ojciec także potrafił miesiącami żyć w swoim świecie, gdy realizował jakieś ważne projekty. Ale jej ojciec nigdy nie zgodziłby się uczestniczyć w czymś, co by mogło kogokolwiek skrzywdzić, poniżyć, zranić lub zabić...

Dokładnie pamięta, z jaką odrazą wkładał mundur, gdy powołano go do Wehrmachtu. Odprowadzały go tego ranka z matką na dworzec. Nigdy nie zapomni bezgranicznego smutku, poniżenia i wstydu na jego twarzy. Ojciec wstydził się i przed matką, i przed nią tego munduru. Wydawało mu się, że stoi przed nimi w trakcie pogrzebu w przebraniu klowna. Przebrał się, ponieważ tak było lepiej dla jego rodziny. Miał do wyboru więzienie lub mundur. Więzienie oznaczało prześladowanie żony, matki i córki. Całej rodziny. Teraz, gdy o tym myśli, to wydaje się jej, że ojciec umarł już tam, na dworcu w Dreźnie, zanim ruszył pod Stalingrad. Nie może sobie wyobrazić swojego ojca strzelającego do kogokolwiek...

Spojrzała na ocean. Nie mogła nigdzie dojrzeć Andrew. Przeraziła się. Podniosła się i pośpiesznie podeszła do wody. Zaczęła go wołać. Wbiegła do wody.

– Andrew! Andrew, proszę cię, Andrew! – krzyczała rozpaczliwie.

Nagle wynurzył się tuż obok niej.

– Aniu, jestem – powiedział, obejmując ją.

– Andrew, proszę, nie rób mi tego. Nigdy więcej – szeptała, zachłannie całując jego twarz i włosy.

Objął ją. Wracali przytuleni do siebie w kierunku plaży.

Wyspy Marshalla, atol Bikini, około południa, niedziela, 3 marca 1946

Obudziło ją dziwne uczucie niepokoju. Przymknęła powieki. Szybko sięgnęła po papierosa.

Zaczynała się niedziela na Bikini. Dla Nishmy, Mateusza, Rachel i wszystkich innych w wiosce nie odgrywało to żadnej większej roli. Ich poniedziałki, czwartki lub soboty tak naprawdę odróżniały się od niedziel tylko mszą. Poza tym wszystko było tak samo. Łodzie wypływały w morze, kobiety tkały maty, wyplatały kosze, patroszyły ryby, piekły je na ogniu, dzieci płakały lub się śmiały, słońce wschodziło, świeciło i zachodziło, ludzie umierali i rodzili się tak samo w czwartki, jak i w niedzielę. Dni tygodnia na Bikini były tylko umowne.

Wsunęła nowy film do aparatu. Ubrała się odświętniej niż zwykle. Włożyła nawet buty. Pierwszy raz, odkąd tutaj przybyła, szła po plaży w butach. Nie wyobrażała sobie, że mogłaby pójść do kościoła boso. Dla miejscowych tak naprawdę butami było wszystko, co chroniło stopy od ran, oparzeń lub ukąszeń. Tutaj wszystko było inne.

Msze w kościele także. Miały w sobie bardziej charakter odświętnej zabawy niż uniżonej celebry. Kobiety przystrajały kwiatami nie tylko ołtarz. We włosy wplatały czerwone hibiskusy i tiarę. Ubierały się niezwykle barwnie. Wszyscy radośnie się uśmiechali, wyczekując na spotkanie z Bogiem. Dla mieszkańców Bikini Bóg z opowieści misjonarzy, którzy i tutaj kiedyś przybyli, był chrześcijańskim stworzycielem i mędrcem, panem dobra i zła, był tym wszystkim w Jezusie otoczonym apostołami, ale był też w kawałku skorupy orzecha kokosowego, w kolorowych piórach ptaków, w muszli znalezionej na plaży, w powiewie wiatru, w błękicie oceanu i w każdej rybie, którą darował im ten ocean. Przyjęli chrześcijaństwo przyniesione tutaj przez misjonarzy, ale wcale nie przeszkadzało im to pozostać poganami.

Weszła do wypełnionego po brzegi kościoła. Wypatrzyła Mateusza. Siedział obok króla Judy w pierwszym rzędzie. Dokładnie pamiętała ten poranek, kiedy obiecał jej przedstawić swojego króla. Nie tak go sobie wyobrażała. W jej wyobraźni miał być dostojny, niedostępny i władczy. A tymczasem był niskiego wzrostu, duże zęby z jeszcze większymi przerwami wydawały się nie mieścić w jego ustach. Miał długie, potargane włosy i wyglądał, jakby właśnie się obudził albo – to chyba nawet bardziej – jakby od kilku dni w ogóle się nie kładł. Przypominał jej zapuszczonego, zaniedbanego żebraka z Pennsylvania Station w Nowym Jorku. Jedynym dostojeństwem, które go otaczało, była siedząca obok niego żona. Miała indiańskie rysy i spoglądała na wszystkich jak prawdziwa królowa. To akurat Anny nie zdziwiło. Po kilku dniach pobytu zdążyła zauważyć, że na Bikini nie tylko ostateczne słowo, ale także wszystko inne tak naprawdę należało do kobiet. Wrażenie, że taki porządek rzeczy zapewnia spokój i harmonię na wyspie, potęgowało się w niej każdego dnia.

Przez chwilę mówił pastor. Ale bardzo krótko. Potem uroczysty śpiew wypełnił przestrzeń kościoła i popłynął nad całą wyspą. Śpiewała wraz z tłumem i myślała o swoim życiu. Po Nowym Jorku, gdzie wtopiona w anonimowy tłum goniła jak oszalała przed siebie, na Bikini przyglądała się uważnie każdemu swojemu krokowi. Wszystko działo się tutaj w zwolnionym tempie, z większą uwagą, z szacunkiem dla każdej mijającej chwili, która już nigdy więcej się nie powtórzy. Wszędzie była dziwna czułość. Na wszystko był czas. Czas.

Właśnie to. Nikt nikomu nie szczędził swojego czasu. Najcenniejszej rzeczy, jaką można podarować drugiemu człowiekowi. Dopiero tutaj zauważyła, jakie to ważne. Na przykład wtedy, gdy siedziała na progu domu Rachel i podbiegły do niej dwie małe dziewczynki i przez godzinę czesały ją drewnianymi grzebieniami. Chciały tylko dotykać jasnych włosów, jakich tu nie znały. Na cztery ręce, bez żadnego pośpiechu, wplatały kwiaty tiary, przymierzały wianki, zaplatały warkocze, podnosiły loki do góry i puszczały tylko po to, żeby znów nawinąć je na palec i znowu się śmiać. Siedziała bez ruchu, poddawała się temu, co robią, i płakała. Jej matka także miała taki drewniany grzebień. Czasami brała go pod podłogę do Lukasa, by go uczesać.

Po mszy kolorowy, radosny tłum wylał się przed kościół. Mężczyzna w wojskowym mundurze amerykańskiej marynarki wojennej już tam stał. Wyszedł im naprzeciw i zapraszającym gestem gromadził wokół siebie. Podawał dłoń mężczyznom i kobietom, głaskał po głowach dzieci, uśmiechał się i pozdrawiał z przesadną serdecznością. Wokół placu stali żołnierze. Zauważyła, że mają hełmy na głowach i są uzbrojeni. To było dziwne. Jak dotychczas Amerykanie po prostu byli na tej wyspie bardziej jako turyści niż żołnierze. Nigdy nie nosili broni. Dzisiaj wyglądali jak policjanci, zdobywcy, władcy.

– Witajcie, witajcie. Zostańcie, proszę, na chwilę, siadajcie – mówił mężczyzna w mundurze, wskazując na kamienne siedziska na placu przed kościołem.

Podszedł do króla Judy i go objął. Po chwili wrócił na poprzednie miejsce.

– Nazywam się Ben H. Wyatt, jestem gubernatorem wojskowym Wysp Marshalla – zaczął.

W tym momencie do Anny podbiegł Mateusz i chwycił ją za rękę. Potem uważnie popatrzył na jej buty. Nachylił się i najpierw zaczął strzepywać z nich piasek, a potem, plując na dłoń, zaczął je polerować. Patrzyła na niego rozbawiona. Oficer odczekał, aż na placu ucichły szmery i zrobiło się zupełnie cicho. Zaczął mówić. Czuła dziwne zaniepokojenie. Nie lubiła, gdy ludzie w mundurach stawali przed innymi ludźmi i przemawiali. Pamiętała, że gdy zdarzało się to w Dreźnie, ojciec brał ją za rękę i pośpiesznie odchodzili.

A oficer opowiadał o niedawno skończonej wojnie, o ciągle trwającym zagrożeniu, o wrogach, o Pearl Harbor, o demokracji, o wyścigu zbrojeń, o trosce rządu Stanów Zjednoczonych, o wolności, o osobistym zaangażowaniu prezydenta Trumana, o szacunku całego amerykańskiego narodu dla mieszkańców Wysp Marshalla i o szansach ludzkości na życie w pokoju. Na końcu powiedział:

– Przyjechałem tutaj poprosić was uroczyście w imieniu prezydenta Stanów Zjednoczonych i całego narodu amerykańskiego, abyście opuścili wyspę na jakiś czas. Dla dobra całego świata. Rząd mojego kraju, Stanów Zjednoczonych, chce tu przeprowadzić ważne, znaczące, naukowe testy z nową bronią. Dla dobra wszystkich ludzi na całym świecie, dla waszego dobra. Aby raz na zawsze położyć kres wszystkim wojnom.

Oniemiała. Automatycznie podniosła aparat. Starsza Kethruth przycisnęła mocno do siebie wnuczkę. Juda rozglądał się dookoła, jakby na twarzach zgromadzonych ludzi chciał wyczytać jeszcze raz słowa, które właśnie usłyszał. Nie odrywała aparatu od oka. Robiła jedno zdjęcie za drugim. Komandor Wyatt, sztucznie uśmiechnięty, na przemian otwierający i zamykający ramiona przed swoim torsem. Kethruth wpatrzona w swoją wnuczkę, stara Elini opuściła na piasek odświętną torebkę.

Ruszyła do przodu. Jej buty grzęzły w piasku. Zrzuciła je. Stanęła między siedzącymi ludźmi a Wyattem.

– Jeśli dobrze pana zrozumiałam, sir, chciałby pan, aby wszyscy mieszkańcy tej wyspy zabrali swój dobytek i wynieśli się ze swoich domów. Bo pan chce tutaj przeprowadzić jakieś testy! – wykrzyknęła.

Wyatt patrzył na nią zdumiony, cofnął się i zaczął zaciągać krawat.

– Kim pani jest? – zapytał zdenerwowanym głosem.

– Chce pan ich wszystkich, nazywając to po imieniu, przepędzić z ich wyspy, z ich domów i przeprowadzić tu jakieś swoje testy ze swoją bronią?! – krzyczała coraz głośniej i z coraz większą wściekłością.

– Ja ich nie przepędzam, przyjechałem ich prosić, w imieniu swojego rządu, w imieniu prezy... – odpowiedział coraz bardziej zdenerwowany Wyatt.

– Prosić?! – przerwała mu. – I dlatego ten plac otoczony jest żołnierzami z bronią i dlatego nieopodal zakotwiczyła kanonierka, której jeszcze wczoraj tu nie było? Przybył pan ich prosić. No tak. Nazwijmy to prośbą. A co się stanie, gdy nie spełnią pana prośby? Ja na ich miejscu nigdy bym tego nie zrobiła! Nigdy! Słyszy pan?! Nigdy!

Ruszyła w stronę Wyatta. Po chwili stanęło przed nią dwóch młodych żołnierzy. Zagrodzili jej drogę. Próbowała ich odepchnąć. Podnieśli karabiny. Odwróciła się do nich plecami. Zaczęła biec.

Biegła przed siebie. Biegła, znów biegła. Do przodu. Szukała małej dłoni Lukasa...

Wbiegła do wody, upadając na fale. Zachłysnęła się wodą. Wynurzyła głowę. Z tyłu za sobą usłyszała głos. Odwróciła głowę. Widziała, jak Andrew porusza ustami, krzyczy, ale nie rozumiała słów. Powoli ruszyła do brzegu.

– Anno, co robisz?! – zapytał przerażony. – Jesteś zupełnie naga.

Podał jej bluzkę, którą natychmiast cisnęła w piach.

– Oddaj mój aparat. Oddaj natychmiast mój aparat! – krzyczała.

Wyciągnął do niej dłonie. Chwyciła skórzany futerał i spojrzała mu w oczy.

– Pomyliłam się, rozumiesz?! Pomyliłam...

Szła wzdłuż plaży, mocno przyciskając do piersi aparat.

– Aniu, jesteś naga – powtórzył i podał jej bluzkę.

Nie spojrzała na niego. Wciągnęła halkę. Włożyła bluzkę.

– Nie idź za mną, Andrew, nie idź...

Wbiegła do baraku, trzaskając drzwiami. Usiadła na brzegu łóżka. Drżała. Schowała twarz w dłoniach i płakała. Usłyszała pukanie. Nie wstała. Do pokoju wszedł Andrew.

– Nie ma na całym świecie narodu tak mało znaczącego jak ten – rzekł od progu – to tylko garstka ludzi, spójrz na to racjonalnie. Czy możesz porównać tę ich ofiarę do korzyści, jakie przyniesie wiedza tutaj zdobyta? Wiedza dla dobra wszystkich. Nie bądź naiwnym dzieckiem, Anno – dodał, próbując dotknąć jej policzka.

Odsunęła się energicznie.

– Nie wiem dokładnie, co zyska ludzkość, Andrew. Mam w dupie ludzkość i mam jeszcze głębiej w dupie całą jej wiedzę! Wiem za to dokładnie, co straci Mateusz, jego siostra i stara Kethruth i co właśnie straciłam ja! – powiedziała, obracając głowę do ściany.

Po chwili wstała gwałtownie, podeszła do niego i szarpiąc go za łokieć, odwróciła ku sobie.

– Wiesz, jak to jest stracić dom? Ulicę, piekarza na rogu? Wiesz, jak to jest obrócić się do tyłu i stwierdzić, że z twojego domu została deska?! Jedna deska! Wiesz, jak to jest, gdy musisz tę deskę spalić, żeby się ogrzać? Jak to jest, gdy nie wiesz, gdzie jest twoje miejsce?! Gdzie jutro położysz głowę? Czy ty to wiesz?! Wiesz, co to jest wojna? Wiesz, ile wódki trzeba w siebie wlać, żeby nie słyszeć jęku matki zgarniającej ciało swojej małej córeczki, rozerwanej odłamkiem bomby? Słyszałeś kiedyś taki jęk?

– Przestań! Oszalałaś? Przestań!

– Nie mam siły na kolejny koniec w moim życiu, Andrew, nie chcę kolejnego końca. Nie mam siły. Chcę stąd uciec. Załatw mi transport, słyszysz?! Czy potrafisz zrobić coś, nie myśląc wyłącznie o sobie? Chcę być daleko stąd! – krzyczała, waląc pięściami o metalową ramę łóżka. – Nie mam siły, nie mam siły – powtarzała raz po raz. – A teraz stąd wyjdź. Chcę być sama.

– Anno – chciał do niej podejść.

– Wyjdź! Słyszysz?! Wyjdź. I nie pisz do mnie więcej listów...

Wyspy Marshalla, atol Bikini, poranek, poniedziałek, 4 marca 1946

Leżała na łóżku zwinięta w kłębek. Wreszcie wstała. Zapaliła papierosa. Wsunęła nową rolkę filmu. Szła brzegiem plaży w kierunku zabudowań wioski. Wyspę otaczały statki. Stały jeden obok drugiego, zataczając koło. Wczoraj był jeden, dzisiaj już kilkanaście. Młody żołnierz, stojący na plaży, poprosił, żeby nie robiła zdjęć.

– *Lady*, proszę nie robić zdjęć tych obiektów – powtórzył, kiedy po raz trzeci udała, że go nie słyszy. Zdyszany podbiegł do niej. Jeszcze raz powtórzył: – Proszę nie fotografować statków!

Spojrzała na niego, zbliżyła swoją twarz do jego twarzy i wrzasnęła:

– Jestem dziennikarzem „Timesa", nie przyjechałam tu na żadne zasrane wakacje. Jestem w pracy, rozumiesz, młodzieńcze? *Du kann's mich mal!*

Oniemiał na chwilę, słysząc niemiecki. Nie czekała na jego reakcję, ruszyła przed siebie, nie oglądając się. Fotografowała.

W wiosce było ciszej niż zwykle. Wszędzie krzątali się ludzie, nikt nie podśpiewywał. Na dworze nie było dzieci. Zbliżyła się do domu Nishmy. Rachel pakowała kosze wyplecione z liści palmy. Zwijała ubranka swojej córeczki: kocyk, wiszącą matę, w której ją kołysała. W kuchni Nishma pakował naczynia, garnki i sprzęty. Wszystko odbywało się w ciszy. Podniosła do oka aparat. Na jej widok Nishma rzucił metalowym garnkiem o drewnianą skrzynię. Zrobiła kolejne zdjęcie. Podeszła do niego i objęła go.

– Co powiem mojej córce, gdy zapyta, gdzie jest jej dom? – zapytał i wybiegł z chaty.

Szukała Mateusza. Nie było go w domu rodziców. Wróciła na plażę. Był tam. Podeszła do niego.

– Co tam masz?

– Nic – odpowiedział, nie patrząc jej w oczy.

– No, powiedz, co masz?

– Każą nam się stąd wynosić! – krzyknął.

– Wiem, Mat, słyszałam.

Przykucnęła przy nim. Chciała oprzeć ręce na jego ramionach, ale odtrącił je gwałtownym ruchem.

– Chcą, żebyśmy wynieśli się na Rongerik. Tam nikt nie mieszka. Nie mieszka dlatego, że tam nie ma dość wody! Bo to nie jest wyspa do mieszkania!

Zaciskał drobną dłoń w pięść. Ze strachem w oczach wydał się jej jeszcze mniejszy.

– Czemu nie zabiją nas już teraz?! Mamy zamieszkać na wyspie, na której mieszkają umarli i demony? Niech sami wynoszą się do diabła! Nikt ich tu nie zapraszał!

Przytuliła go do siebie. Wyrwał się z jej uścisku i pobiegł, ciskając przed siebie okrągły przedmiot, który ukrywał w dłoni. Podeszła, żeby go podnieść. Maleńki żółw przebierał rozpaczliwie w powietrzu łapkami, bezskutecznie próbując się przekręcić. Podniosła go i podeszła do Mateusza.

– Obiecaj, że go ocalisz, proszę – poprosiła, podając żółwia chłopcu – proszę, Mateusz, obiecaj.

Usiadła obok niego i powiedziała:

– Wiesz, w czasie wojny w Niemczech ukrywaliśmy w domu chłopca. Mieszkał pod podłogą w naszym domu. Był tak samo bezbronny jak ten żółw...

Mateusz wziął w dłonie żółwia i zaczął delikatnie głaskać skorupę. Wrócili razem do wioski. Robiła zdjęcia. Żegnała się. Późnym popołudniem wrócili do chaty Nishmy. Rachel, pakując najpotrzebniejsze rzeczy do drewnianej skrzyni, jak mantrę powtarzała:

– To przecież tylko na jakiś czas, tylko na jakiś czas...

Wyspy Marshalla, atol Bikini, południe, czwartek, 7 marca 1946

Rano spakowała swoje rzeczy. Potem usiadła przy oknie, zapaliła papierosa i kolejny raz przeczytała list od Andrew. Tak naprawdę to nie był list. Zwykła bezosobowo napisana notatka na białej kartce papieru:

„Samolot do Majuro odlatuje siódmego marca wieczorem. Dzisiaj w południe wszyscy mieszkańcy opuszczą Bikini. Dr Andrew Bredford".

Wyszła na plażę. Podeszła do brzegu. Usiadła na piasku, darła kartkę od Andrew na drobne części i po kolei, jedna po drugiej, wrzucała je do wody. Gdy wszystkie zniknęły zepchnięte powracającymi falami, wstała i ruszyła w kierunku przystani.

Wokół długiego trapu prowadzącego do zacumowanego w pobliżu statku kłębili się ludzie. Powoli wspinali się na pokład, dźwigając na ramionach i głowach spakowane worki i kosze. Wypatrzyła Mateusza. Stał obok matki i starszej Kethruth. Podbiegła do niego. Wzięła go na ręce i zaczęła całować.

– Wyjeżdżasz, *mister*? – zapytała, usiłując powstrzymać łzy. – Mężczyźni czasami wyjeżdżają. Ale potem wracają. Wrócisz przecież!

– Co ty gadasz? Dlaczego płaczesz? Pewnie, że wrócę! – powiedział po niemiecku.

Sięgnął po jej rękę. Położył na jej dłoni żółwia i przywierając ustami do jej ucha, wyszeptał:

– Wypuścisz go dzisiaj do morza? W naszym miejscu? Pamiętaj! Tylko w naszym miejscu...

Postawiła go na piasku. Nishma podał mu rękę. Zaczęli się wspinać po trapie do góry. Stała przy wejściu na trap. Juda rozmawiał z oficerem w granatowym mundurze notującym coś starannie na kartce papieru.

– Sto sześćdziesiąt siedem. Wszyscy, Juda, prawda? – usłyszała.

Rozległo się charczenie windy podnoszącej trap. Po chwili odezwała się okrętowa syrena. Patrzyła na ściśniętych ludzi stojących w bezruchu. Statek ruszył. Nagle usłyszała chóralny śpiew:

I jab ber emol, aet, i jab ber ainmon
ion kineo im bitu
kin ailon eo ao im melan ko ie

Eber im lok jiktok ikerele
kot iban bok hartu jonan an elap Ippa

Ao emotlok rounni im lo ijen ion
ijen ebin joe a eankin
*ijen jikin ao emotlok im ber im mad ie**

Stała wyprostowana i słuchała, aż ucichł ostatni dźwięk. Potem, gdy statek zniknął za horyzontem, podeszła do brzegu i weszła do wody. Rozwarła pięść. Żółw odepchnął się od jej dłoni i zniknął w wodzie. Przed oczami miała uśmiechniętą twarz Mateusza...

Wieczorem ze spakowaną walizką stanęła na ubitym piasku przy palmach. Chwilę potem samolot powoli wzbijał się w górę. Sięgnęła

---

* Nie mogę dłużej zostać tu
Nie mogę żyć w pokoju i harmonii
Nie mogę złożyć głowy w poduszce mojej dłoni
Ta myśl mnie nie opuszcza
Odbiera mi nadzieję, odbiera głos, zaciska gardło wspomnieniem
A duch mój niespokojny dryfuje w siną dal
Gdzie wielka siła go dogoni pewnego jasnego dnia
I tylko wtedy znajdę spokój
I ciszę i radość
Co wielką siłę da
(przekład Janusz L. Wiśniewski)

po butelkę i scyzoryk. Sprawnie odkorkowała. Przechyliła ją i zaczęła pić prosto z butelki. Gdy poczuła spokój i błogość, wzięła do ręki pióro i kartkę papieru. Zaczęła pisać:

„Tu, na wysokości, jest się jakby bliżej Boga. Czuję Jego oddech. Czuję, że muszę się tu upić! Aby tego Boga nie przeklinać. Za Jego nieobecność i za Jego milczenie. Nie było Go w Dreźnie, nie było Go w Belsen i nie było Go dzisiaj rano na Bikini. Nigdy Go nie ma. Pewnie w ogóle Go nie ma. Tęsknię za Mateuszem, tęsknię za Lukasem. Tęsknię za skrzypcami. Za nimi prawdziwie tęsknię. Ciebie mi tylko brakuje. To jest ogromna różnica, Andrew. Tęsknić będę zawsze, brak Ciebie mi minie. Jesteś złym, niedobrym człowiekiem. Niszczysz wszystko".

Zakręciła pióro i wsunęła w przegródkę torby. Przysunęła butelkę z winem do ust. Piła łapczywie. Potem chwyciła torbę, w której miała aparat. I znowu piła. Wydobyła filmy. Wspomnienia z miejsca, które za kilka dni miało przestać istnieć. Dzień po dniu zapisywane historie. Przyjaźń, bliskość, czułość, spokój. To, za czym tak bardzo tęskniła. Stara Kethruth plująca czerwoną śliną jak krwią, zdjęcie langusty, uśmiechający się Mateusz, chłopcy „uczący się fal", powrót Nishmy z połowu, rozedrgany radością kościół, nienawistny Wyatt, Juda ze łzami w oczach, ufny i za chwilę wystraszony, Rachel z córeczką przy piersi, kobiety wplatające kwiaty we włosy. Wydobyła ze skórzanego futerału aparat. Otwierała szybkim ruchem ręki kasety. Wyszarpywała z nich filmy. To było. To zapamiętała. To zniszczą. Ale ona się do tego nie przyczyni. Ona to będzie miała w pamięci. Na zawsze. Wyszarpywała filmy i rzucała je z wściekłością na podłogę samolotu. Nagle poczuła ogromne zmęczenie. Pusta butelka wyśliznęła się z jej dłoni. Usnęła.

Trwała w półśnie przez całą podróż. Zamroczona alkoholem, zamroczona zmęczeniem. Majuro, Honolulu, Los Angeles. Przesuwała się za tłumem, podawała bilety, wsiadała do kolejnych samolotów. Na lotnisku w Nowym Jorku podeszła do taksówki. Był ciepły wieczór. Kierowcy kazała pojechać na Times Square. Każdy głośniejszy dźwięk klaksonu ją przerażał. Na butach wciąż miała ziarenka piasku z Bikini.

Jej biurko wyglądało tak, jak je zostawiła. Otwarty album ze zdjęciami. Pognieciona mapa Pacyfiku. Kartki zapisane pismem Stanleya.

Pusta filiżanka po kawie. Jej ulubiona pogięta łyżeczka na talerzyku przy filiżance. Tak jak gdyby wyszła stąd wczoraj wieczorem i wróciła rano.

Usiadła na krześle. Przesunęła powoli palcami po fotografii w albumie. Wstała, przeszła do kuchni. Przyniosła kubek z kawą. W maszynowni tak jak zawsze szczekotały teleksy. Położyła skręcone, prześwietlone filmy na biurku. Potem kilka nieprześwietlonych kaset, a na końcu futerał z aparatem.

Podeszła do parapetu. Zapaliła papierosa. Usłyszała pukanie.

– Nie powinnaś palić, Aniu – dobiegł ją spokojny głos Arthura.

Wyprostowała się. Powoli ruszyła w jego stronę. Płakała. Szła z otwartymi ramionami i płakała.

– Oni naprawdę chcą wysadzić w powietrze tę wyspę? – zapytał, obejmując ją.

– Nie wiem. Przegnali stamtąd wszystkich ludzi. Wsadzili na statek i wywieźli. Rozumiesz? Wyciągnęli ich z domów, kazali wejść na statek i wywieźli. A oni... oni weszli cicho, nie krzyczeli, nie protestowali, stali i gdy statek odpływał, śpiewali.

– Kto kazał im wyjechać? Co im obiecali?

– Wyatt. Obiecał im, że wrócą.

– Co poza tym? Czy obiecywał im jakieś pieniądze? Czy podał datę, kiedy wrócą? Czy coś podpisywali? Czy widziałaś jakiś dokument?

– Nie. Wyatt po prostu stanął przed nimi po mszy w kościele i poprosił, aby wyjechali.

– Czy czytał im jakieś oświadczenie? – po głosie Arthura poznała, że zaczyna się denerwować. – Jakieś oświadczenie rządu Stanów Zjednoczonych?

– Nie. Nic nie czytał. Po prostu ich poprosił...

– Poprosił? Stanął sobie przed nimi i poprosił? Ot tak? – pytał coraz bardziej zdenerwowany. – Napiszesz to wszystko? Napiszesz takie oświadczenie?!

– Napiszę.

– Masz to na kliszy? Zrobiłaś zdjęcia Wyattowi? Zrobiłaś temu chujowi jakieś zdjęcia? – krzyczał coraz głośniej.

– Zrobiłam.

– Gdzie są?

– Nie wiem. Wszystko jest na moim biurku. Upiłam się w samolocie. Część fotografii prześwietliłam. Za bardzo mnie bolało. Arthur, za bardzo...

Zasłonił dłonią jej usta. Przytulił mocno do siebie. Podszedł do telefonu.

– Maks, chodź tutaj natychmiast. Zostaw wszystko i chodź. Ania wróciła. Do jutra rana chcę mieć wszystkie jej zdjęcia z Bikini. Słyszysz? Wszystkie. Wszystko, co znajdziesz na błonach. Łącznie z tymi prześwietlonymi – powiedział stanowczo. – Tak! Nie przesłyszałeś się. Do rana...

Kierowca Arthura odwiózł ją na Brooklyn. Przy schodach prowadzących do domu Astrid czekał na nią kot. Gdy wchodziła po stopniach, głośno zamiauczał. Zatrzymała się. Podbiegł do niej i mrucząc, zaczął się ocierać o jej nogi. Wzięła go na ręce, mocno przytuliła do siebie i rozpłakała się...

Nowy Jork, Manhattan, wczesne przedpołudnie, poniedziałek, 1 lipca 1946

Całą niedzielę spędziła w redakcji. Po Bikini wróciła do tradycji swoich „niedziel w redakcji". Tutaj czuła się najlepiej. Najbezpieczniej. Za Dreznem, za Kolonią, za całym światem „tam" najbardziej tęskniła właśnie w niedziele. Dlatego uciekała od tej tęsknoty w pracę. Teraz tęskniła za czym innym. Ale także najbardziej w niedziele. W biurze w niedzielę tęskniła mniej. Jej fotografie, jej książki, jej kwiaty w doniczkach, jej bałagan na biurku i „jej" różowa lodówka w kuchni. Cisza opustoszałej hali zakłócana jedynie stukotem teleksów w maszynowni. A gdy poczuła się samotnie, to zawsze mogła nacisnąć czerwony guzik na ścianie przy drzwiach prowadzących do ciemni Maksa. Bo Maks Sikorsky był tutaj zawsze. I zawsze miał dla niej czas. Tej niedzieli także. Po południu poszła do niego i razem wywoływali zdjęcia. Specjalne zdjęcia.

W sobotę rano Stanley i Doris spotkali się z nią w Central Parku. Był wietrzny czerwcowy poranek. Stanley pchał wózek, one z Doris szły trochę z tyłu i rozmawiały. Miała aparat. W pewnej chwili Stanley wydobył niemowlę z wózka. Wziął je na ręce i przytulił do siebie. Doris zerwała się i podbiegła do niego.

– Co robisz, wariacie?! – wykrzyknęła. – Przeziębisz mi ją!

A ona zaczęła fotografować. Stanley uciekał, Doris go goniła. W pewnej chwili Stanley przystanął. Oboje jak na komendę zaczęli całować główkę dziecka. Fotografowała. Zbliżyła się do nich. Fotografowała. Stanley podał niemowlę Doris. Podszedł do niej i objął ją.

– Aniu, przecież obiecałaś. Miałaś nie płakać. Umówiliśmy się, pamiętasz?

Obiecała. Ale tam w tym parku płakała inaczej. Zupełnie inaczej. Nie nad sobą i nie z tęsknoty za Andrew. Tam płakała z radości.

– Ja nie płaczę. To tylko ta słoma. Wpadła mi do oczu...

Mała Anna Bredford miała w Central Parku oczy bardziej niebieskie niż obydwaj bracia Bredfordowie razem wzięci. I bardziej błyszczące. Nawet na czarno-białych fotografiach w ciemni Maksa błyszczały jak ogniki.

Potem wywoływali inne zdjęcia. Z zupełnie innymi oczami. Także błyszczały. Ale od łez.

W sobotę wieczorem spotkała się z Nathanem. Na „Noc w muzeum". W maju zeszłego roku nie miała dla niego czasu. Teraz, ponad rok później, wreszcie miała. Nathan ciągle to pamiętał. Stała na schodach prowadzących do Metropolitan Museum of Art i paliła papierosa. Nathan nie był sam. Był z młodą kobietą wtuloną w jego ramię.

– Aniu, pozwól, że ci przedstawię...

Kobieta wysunęła rękę na powitanie.

– Mam na imię Zofia – powiedziała cicho.

Tak powiedziała. „Zofia". Najlepsza przyjaciółka jej babci z Opola także miała na imię Zofia. Nie Sophie, ale właśnie Zofia. Weszli do muzeum. Zofia z trudem mówiła po angielsku. Czasami, chyba nie zauważając, przechodziła na francuski. Wtedy do rozmowy włączał się Nathan i pomagał jej. Przechodzili wzdłuż ścian muzeum, a ona myślała, co opowiadałby jej ojciec, gdyby był obok niej teraz, tutaj. Fotografowała. Obrazy jej nie interesowały. Były tylko pretekstem. Twarz Zofii była ważniejsza. W pewnym momencie Nathan oddalił się od nich. Usiadły na ławce w środku ogromnej sali.

– Nathan opowiadał mi wiele o pani – powiedziała Zofia po niemiecku. – Jest pani dobrym człowiekiem...

– Zna pani także niemiecki? – zapytała zdumiona.

– Niemiecki znam tak samo jak polski. Albo może nawet lepiej. Ale Nathan nie znosi niemieckiego.

– Skąd pani zna niemiecki?

– Z Krakowa i Wiednia. Mój mąż był wiedeńczykiem. W Krakowie ze sobą rozmawialiśmy po niemiecku, z naszą córeczką po polsku i po niemiecku.

Przyjrzała się jej uważnie. Nie mogła mieć więcej niż trzydzieści lat. Była przeraźliwie chuda i miała dwa pasemka siwych włosów nad lewą skronią. Jej oczy zapadały się w oczodołach. Nigdy dotąd nie widziała tak chudych rąk.

– Po niemiecku? W Krakowie? – zapytała zdziwiona.

– Tak. Mój mąż bardzo chciał, aby nasze dziecko mówiło po niemiecku. Uważał, że to najważniejszy język na świecie. I bardzo piękny.

Poczuła ukłucie w piersiach. Chciała zapalić. Zapaliła. Po chwili podbiegła do nich gruba, zdyszana strażniczka.

– Czy pani zwariowała?! – krzyknęła. – Pali pani tutaj?! W muzeum?! Proszę natychmiast zgasić tego papierosa!

Strząsnęła popiół do torebki. Zdusiła niedopałek o podeszwę buta. Schowała go w kieszeni płaszcza. Strażniczka się oddaliła. Potrzebowała tylko pierwszego zaciągnięcia się.

– Pani wie, że ja jestem Niemką? – zapytała.

– Tak, wiem. Nathan mi opowiadał. Z Drezna...

– Co stało się z pani mężem? – zapytała po chwili.

– Niemcy go zabili. Razem z moim ojcem. W Majdanku...

Anna wstała. Podeszła powoli do strażniczki.

– Widzi pani, ja jestem uzależniona. I teraz bardzo zdenerwowana. W tej sali nikogo nie ma oprócz nas. Niech pani pozwoli mi zapalić. Będę strząsała popiół do torebki. Tylko jednego papierosa. Proszę!

– W żadnym wypadku. Tutaj są dzieła sztuki! – powiedziała stanowczo strażniczka.

Wróciła więc do ławki. Usiadła obok Zofii.

– Ja nie chciałam pani urazić. Zapytała pani, więc...

– Nie uraziła mnie pani. Ja nienawidzę tych Niemców. Nienawidzę! – przerwała jej Anna. – Czy pani mąż był Żydem? – zapytała, ssąc papierosa.

– Tak. Ale mój ojciec nie. Był Polakiem. Tak jak ja. To nieprawda, że zabijali tylko Żydów. U mnie w obozie zabijali wszystkich. Rosjan, Polaków, Austriaków, Węgrów, Francuzów...

– W jakim pani obozie? – wykrzyknęła, nie dając jej dokończyć.

– W Auschwitz...

– Przeżyła pani Auschwitz?!

– Tak. Znałam niemiecki, francuski i polski, umiałam pisać na maszynie. Byłam sekretarką trzeciego zastępcy komendanta obozu.

– Sekretarką trzeciego zastępcy komendanta obozu. Była pani sekretarką trzeciego zastępcy komendanta obozu, sekretarką trzeciego zastępcy... – powtarzała, zaciskając ręce i gryząc papierosa w ustach. – Jak mają na imię pani dzieci? – zapytała cicho.

– Magdalena i Eryk. Magdusia umarła w Auschwitz. Była chora. Wyselekcjonowali ją na rampie. A Eryka zabrał mi jej ojciec, ten komendant, gdy uciekał przed ewakuacją obozu.

Anna wstała z ławki. Zacisnęła pięści. Klęła. Szła i głośno klęła. Po niemiecku. Zapaliła papierosa. Powoli przeszła obok strażniczki. Miała w dupie wszystkie „dzieła sztuki" tego świata. Najbardziej chciała, aby strażniczka rzuciła się na nią. Mogłaby ją dusić, okładać pięściami i nienawidzić. Chciała teraz nienawidzić. Kogoś realnego. Nie tylko tego komendanta z Auschwitz. Strażniczka spojrzała na nią z politowaniem i pogardą i odwróciła się do niej plecami.

Wpatrywała się w kuwetę. Powoli ukazywała się twarz Zofii. Ogromne, uśmiechnięte oczy wypełnione łzami. Chociaż wcale nie płakała. Słyszała, jak mówi: „Magdusia umarła w Auschwitz. Była chora. Wyselekcjonowali ją na rampie...".

Wróciła do biura. W wiadomościach o dwudziestej trzeciej stacja CBS przekazała lakoniczny komunikat:

Dzisiaj rano, 30 czerwca 1946 roku, siły zbrojne Stanów Zjednoczonych przeprowadziły pomyślny test z bronią atomową na atolu Bikini. Bomba o mocy 23 kiloton trotylu, porównywalna z ładunkiem zrzuconym na Hiroszimę, opuszczona z bombowca B-29, eksplodowała na wysokości 520 stóp nad ziemią. Wyniki próby będą znane za kilka dni. Związek Radziecki zareagował zdecydowanym protestem przekazanym dzisiaj rano ambasadorowi Stanów Zjednoczonych w Moskwie...

Wstała z krzesła. Zamknęła oczy. Tak jak wtedy...

Odwróciła się plecami do księdza, schyliła się, sięgając po kawałek kamienia. Wybrała największy, jaki znalazła w pobliżu i który mieścił się w jej dłoni. Odwróciła się i z całych sił rzuciła...

Sięgnęła po doniczkę z kwiatem i rzuciła w kierunku szafy. Podeszła do szafy. Stanęła wyprostowana i zaczęła kopać. Kopała z całych sił...

Do domu wróciła po północy. Po drodze, w połowie Brooklyn Bridge, usiadła na moście, oparta plecami o pręty bariery. Płakała.

Rano w poniedziałek usiadła na parapecie okna i długo patrzyła na ławkę w parku. Potem weszła pod prysznic. Lodowata woda spływała po jej ciele. Chciała zimna. Chciała zapomnieć. Chciała go z siebie zmyć. Zimno nie kojarzyło się z nim.

Ze stacji na Times Square przeszła do Madison Avenue. Na rogu Czterdziestej Ósmej Ulicy weszła do piekarni. Była tu kiedyś z Maksem. Piła mleko i chciała zjeść drożdżówkę babci Marty. Usiadła przy stoliku w rogu sali. Po chwili podeszła do niej młoda kobieta.

– Mam ugotować dla pani mleko? – zapytała.

– Skąd pani wie, że chcę mleka? – odparła z uśmiechem.

– Była pani już tutaj u nas. Oglądała pani fotografie...

– Ach, prawda. Tak. Mleka. Gorącego mleka. I bułkę. Najzwyklejszą bułkę z masłem.

Siedziała i wdychała zapachy tego miejsca. Pachniało piekarnią w Dreźnie, na skrzyżowaniu Grunaer z Zirkusstrasse. Czasami mama wysyłała ją tam w niedzielę po bułki, a potem długo jedli śniadanie. Uwielbiała niedzielne śniadania w ich mieszkaniu na Grunaer...

Patrzyła przez witrynę piekarni na ludzi śpieszących do pracy. Był słoneczny letni poranek. Zapowiadał się upalny dzień. W pewnym

momencie dostrzegła Doris. Szła wolnym krokiem, pchając wózek. Przypomniała sobie, że to właśnie dzisiaj dumny Stanley miał zaprezentować wszystkim w redakcji swoją córeczkę. Zerwała się z krzesła i wybiegła na ulicę.

– Doris! – krzyknęła na nią.

Doris wyciągnęła niemowlę z wózka. Przysunęła wózek do witryny piekarni. Weszły do środka.

– Doris, tutaj podają prawdziwe mleko! Mam ci zamówić? – zapytała.

– Mam dość mleka. Sama jestem ostatnio jak chodząca mleczarnia. Zamów mi mocną kawę. Z cukrem.

Brodaty mężczyzna za ladą krzyknął:

– Jacqlin, twoje mleko!

Kobieta podeszła do nich. Popatrzyła uważnie na Doris, która zdejmowała czapeczkę z głowy niemowlęcia.

– Stanley uważa, że nie powinnam teraz pić kawy – powiedziała Doris, nie zwracając uwagi na kelnerkę. – Uważa, że zatruwam tym małą. Wyobrażasz to sobie? Tak powiedział. Zatruwam. Zupełnie zwariował ostatnio... – dodała.

Anna zauważyła, jak trzęsły się dłonie kelnerki, gdy stawiała kubek z mlekiem na stoliku.

– Czy mogę ją wziąć na ręce? – zapytała nagle kelnerka, zwracając się do Doris. – Ma takie śliczne niebieskie oczy.

Doris podniosła głowę i uśmiechnęła się.

– To po ojcu – powiedziała.

– Wiem – odparła szeptem kelnerka, dotykając delikatnie główki dziecka.

Po chwili odeszła. Spojrzały na siebie z Doris, nie rozumiejąc, o co chodzi. Wróciły do rozmowy. Anna była głodna. Zauważyła, że talerzyk z jej zamówioną bułką stoi na ladzie. Wstała i przeciskając się pomiędzy stolikami, ruszyła do lady. W pewnej chwili potrąciła nogę mężczyzny. Uniosła głowę i spojrzała na niego. Mężczyzna oderwał się od czytania gazety, zdjął okulary w rogowej oprawie i pośpiesznie wsunął nogi pod stolik. Zerknęła na gazetę, którą położył na stoliku obok kapelusza. Zauważyła napis „New York Times" i czerń pierwszej strony. Zatrzymała się. Sięgnęła po gazetę. Rozłożyła ją na stoliku, zrzucając kapelusz mężczyzny na podłogę. Cała pierwsza strona była czarna. Środek czerni przecinał duży, jasnoszary napis „Bikini”...

– Arthur... – wyszeptała.

– Nie mam na imię Arthur. Musiała mnie pani z kimś pomylić – odparł spokojnie mężczyzna, uśmiechając się do niej.

Zacisnęła mocno pięść i podniosła nad głowę. Czuła radość. Ale przede wszystkim wdzięczność. Ogromną wdzięczność.

Wróciła do Doris. Drżącą ręką wyciągnęła z portmonetki kilka banknotów. Położyła je obok kubka z niedopitym mlekiem.

– Wybacz, Doris. Muszę teraz stąd natychmiast wyjść. Wybacz...

Wyszła na chodnik przed piekarnią. Zaczęła biec.

Biegła coraz szybciej. Jak oszalała. Mocno ściskała dłoń Lukasa. W pewnym momencie puściła. Biegł obok i uśmiechał się do niej. Ogromne, czarne jak węgle źrenice szczęśliwych oczu. Wyprzedził ją. Zatrzymała się. Patrzyła, jak znika w tłumie. Usłyszała skrzypce